Collection
Langue française en Amérique du Nord

Titres parus

Louise Péronnet, Rose Mary Babitch, Wladyslaw Cichocki et Patrice Brasseur. *Atlas linguistique du vocabulaire maritime acadien.* 1998.

Louis Mercier. *La Société du parler français au Canada et la mise en valeur du patrimoine linguistique québécois (1902-1962). Histoire de son enquête et genèse de son glossaire.* 2002.

Le français, une langue à apprivoiser. Textes des conférences prononcées au Musée de la civilisation. (Québec, 2000-2001) dans le cadre de l'exposition « Une grande langue : le français dans tous ses états ». Sous la direction de Claude Verreault, Louis Mercier et Thomas Lavoie. 2002.

Journal *de Vaugine de Nuisement.* Édition critique par Steve Canac-Marquis et Pierre Rézeau. 2005.

Le français en Amérique du Nord

État présent

Le français

en Amérique du Nord

État présent

Sous la direction de

Albert Valdman
Julie Auger
et Deborah Piston-Hatlen

LES PRESSES DE L'UNIVERSITÉ LAVAL

Les Presses de l'Université Laval reçoivent chaque année du Conseil des Arts du Canada et de la Société d'aide au développement des entreprises culturelles du Québec une aide financière pour l'ensemble de leur programme de publication.

Nous reconnaissons l'aide financière du gouvernement du Canada par l'entremise de son Programme d'aide au développement de l'industrie de l'édition (PADIÉ) pour nos activités d'édition.

Maquette de couverture : Hélène Saillant

ISBN 2-7637-8242-6

5e tirage : 2008

LES PRESSES DE L'UNIVERSITÉ LAVAL
Pavillon Pollack, bureau 3103
2305, rue de l'Université
Université Laval, Québec
Canada, G1V 0A6
www.pulaval.com

TABLE DES MATIÈRES

Maintien et revitalisation des variétés endogènes

Aspects historiques et comparatifs

Introduction

Albert Valdman, Julie Auger et Deborah Piston-Hatlen
Indiana University

1. L'étude du français en Amérique du Nord

Jusqu'à la fin des années 1970 l'on déplorait l'absence de documents fiables sur la diversité du français dans le monde. Seul existait, à l'époque, le tour d'horizon d'Auguste Viatte, *La Francophonie* (1969), un ouvrage offrant des descriptions succinctes accessibles à un large public, mais privilégiant les aspects littéraires, et situé en marge des problématiques posées par les sciences du langage. Il fut suivi par un autre recueil à finalité pédagogique, *Guide culturel : civilisations et littératures d'expression française* (Reboullet et Tétu 1977). Il manquait des ouvrages à orientation spécifiquement linguistique mettant à la portée des chercheurs, des enseignants et des décideurs dans le domaine glotto-politique des données linguistiques et sociolinguistiques plus précises et actuelles sur les variétés de français en usage hors de France. Le premier ouvrage répondant à ces besoins fut *Le français hors de France* (Valdman 1979), directement inspiré d'un colloque sur les ethnies francophones organisé en 1968 par Pierre Guiraud sous l'égide du Centre d'études des relations interethniques et interculturelles de l'Université de Nice (1969 et 1970). Plus large dans sa couverture de la situation du français dans le monde et plus focalisé sur les aspects méthodologiques et théoriques, *Le français dans l'espace francophone* (de Robillard et Beniamino 1992) constitue la référence obligée pour l'étude de la francophonie extra-hexagonale dans sa totalité[1].

La francophonie nord-américaine s'avère la mieux décrite de toutes les situations du français dans le monde, y compris en France elle-même où les variétés régionales et populaires de la langue n'ont pas encore reçu grande attention de la part des chercheurs. Ainsi, les ouvrages

---

[1] L'on consultera aussi des ouvrages plus récents mais à couverture plus restreinte, par exemple, Pöll (2001), *Francophonies périphériques. Histoire, statut et profil des principales variétés du français hors de France.*

qui traitent du français nord-américain sont abondants mais, comme la plupart sont issus de rencontres internationales portant sur certaines problématiques (par ex., la notion d'identité), ils ne couvrent que partiellement et souvent tangentiellement les divers aspects du français dans le nouveau monde (Beniak et Mougeon 1989, Lavoie 1996, Brasseur 1998, Thériault 1999, Heller et Labrie 2003). Un volume collectif de haute qualité offre une vue ample sur la francophonie nord-américaine : *Langues, espaces, société : les variétés du français en Amérique du Nord* (Poirier et al. 1994). Toutefois, cet ouvrage n'a pas la prétention de décrire la totalité des communautés francophones et, par ailleurs, il mérite d'être actualisé et complété. Ce sont ces deux objectifs que se sont donnés les organisateurs du présent ouvrage. *Le français en Amérique du Nord* offre des descriptions sociolinguistiques et linguistiques de presque toutes les communautés francophones dans le sous-continent : le Québec ; les provinces canadiennes à majorité anglophone (l'Acadie des Maritimes, Terre-Neuve, l'Ontario et l'Ouest canadien) ; aux États-Unis, la Nouvelle-Angleterre, la Louisiane et plusieurs isolats : la Vieille Mine (Missouri), Frenchville (Pennnsylvanie) et Red Lake Falls (Minnesota). Certaines de ces communautés, dont l'Acadie, l'Ontario et la Louisiane, font aussi l'objet d'études sociolinguistiques et de discussions sur des aspects d'aménagement linguistique. La seule communauté francophone importante qui n'est pas représentée dans cet ouvrage est celle de Saint-Pierre et Miquelon. Ces îles, situées au sud de Terre-Neuve, ont été longtemps disputées par les Français et par les Anglais. Elles sont devenues définitivement françaises en 1815 et possèdent le statut de département d'outre-mer depuis 1976. Ses habitants actuels sont des descendants de Français et d'Acadiens. Comme le remarque Chauveau (1992), les liens continus entre l'archipel et la Métropole ont sans doute fortement favorisé l'usage d'un français qui se démarque relativement peu du français de référence (FR), même si certains traits sont partagés avec le français canadien en général et surtout avec le français acadien.

2. Les facteurs externes dans la préservation du français

En sociolinguistique, comme en politique, les facteurs économiques jouent un rôle important ; l'on se souvient du mot de guerre du camp Clinton lors des élections présidentielles américaines de 1992, « It's the economy, stupid ! ». En contexte multilinguistique, les données démographiques déterminent en grande partie la relation entre les langues et, partant, le marché linguistique. Dans de telles situations, le nombre et la proportion de locuteurs unilingues influencent l'utilisation des variétés langagières en concurrence. Aussi, dès qu'il n'assure plus la promotion sociale et économique au sein d'une entité politique, c'est-à-dire qu'il perd de sa valeur sur le marché linguistique, ses locuteurs abandonnent progressivement leur parler vernaculaire. Dévalorisé, il commence à ne plus se transmettre de génération en génération et glisse inexorablement vers son extinction.

La domination politique, sociale, économique et culturelle que les anglophones exercent sur l'Amérique du Nord depuis la fin du 18e siècle fait oublier qu'en fait ce sont les Français qui ont véritablement « découvert » la plus grande partie de ce sous-continent. Comme en témoigne l'abondance des toponymes – Maillardville (Colombie Britannique), Saint-Boniface (Manitoba), les Grand Tétons (Wyoming), Saint-Louis (Missouri), Vincennes (Indiana), Louisville (Kentucky), New Rochelle (New York) et autres Baton Rouge (Louisiane) – des francophones ont marqué concrètement de leur présence une grande partie du territoire du Canada et des États-Unis actuels. L'influence relativement éphémère du français dans plusieurs territoires s'explique par la différence entre les finalités des politiques coloniales de l'Angleterre et de la France du 16e au 19e siècle. Tandis que les Anglais promurent l'installation le long de la côte est de communautés à vocation agraire et de centres urbains démographiquement denses, les Français, estimant plus profitables les colonies plantocratiques tropicales, ne perçurent principalement dans les « arpents de neige » de la Nouvelle-France qu'une base opérationnelle pour le commerce de la fourrure et l'évangélisation des autochtones. Quant à la Louisiane, ce n'est qu'après sa cession à l'Espagne et sa vente à la jeune république américaine qu'elle se transforma en une société de plantation prospère.

Comme le montre la carte 1, les francophones de l'Amérique du Nord ont essaimé à partir de deux foyers historiques, la Nouvelle-France et l'Acadie. Premier établissement français en Amérique du Nord datant de 1604, l'Acadie a eu une influence sur l'expansion du français supérieure à son faible poids démographique. En effet, bien que ne totalisant qu'environ 14 000 âmes en 1755, les Acadiens, victimes du « Grand dérangement », furent évincés de leur terre natale entre 1755 et 1762. Qu'ils aient été dispersés par les Anglais qui saisissent leurs terres et leurs biens ou qu'ils aient réussi à leur échapper, les Acadiens se sont vus forcés de s'établir dans les régions avoisinantes du Nouveau-Brunswick, des Îles-de-la-Madeleine, de Terre-Neuve, de l'Île-du-Prince-Édouard et de la Nouvelle-Angleterre actuels. Un nombre important d'Acadiens, estimé à environ 4 000, s'établirent en Louisiane et formèrent l'élément francophone le plus vivace de cette région. Mais c'est Québec, le seul centre urbain français au 17ᵉ siècle, qui constitue le véritable bastion de la francophonie nord-américaine. C'est à partir de Québec que furent menées les expéditions des explorateurs qui « découvrirent » la région des Grands Lacs et les deux rives du majestueux Mississippi jusqu'à l'embouchure de ce fleuve. C'est aussi à partir de cette ville qu'essaimèrent les coureurs de bois qui parvinrent jusqu'au pied des Montagnes Rocheuses et les premiers colons du pays des Illinois et de la Louisiane.

Carte 1

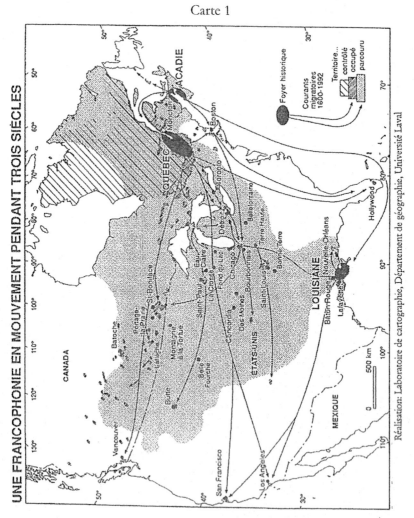

Malgré un certain effort du gouvernement royal pour favoriser la colonisation du territoire en envoyant, par exemple, des jeunes filles célibataires, les « Filles du Roy », moins de 2 000 personnes s'installèrent en Nouvelle-France durant la période 1663-1679 (Charbonneau et Guillemette 1994 : 163). Plutôt que par un apport migratoire, c'est par un taux élevé de natalité, la « Revanche des berceaux », que s'accrut la population, qui s'éleva à 70 000 lors de la conquête anglaise en 1760 et presque un million vers le milieu du 19e siècle (Thibault 2003 : 899). Cette formidable expansion démographique et la surpopulation qui en résulta vont servir de moteur à deux grands mouvements migratoires qui verront s'installer des francophones québécois, d'une part, dans les provinces canadiennes à l'ouest du Québec, surtout en Ontario et, d'autre part, en Nouvelle-Angleterre. Un troisième courant migratoire d'origine récente fait visiter la Floride par 10 % des francophones québécois et s'est traduit par l'installation de plus de 100 000 d'entre eux dans le sud-est de cet état (Tremblay 2001 : 11). Comme le montre une autre flèche de la carte 1, la Californie devient aussi une destination favorite des Québécois. Bien que cela puisse surprendre, c'est cet apport québécois, renforcé par l'immigration en provenance d'Haïti, qui place la Floride au premier rang parmi les régions francophones hors Québec (v. le tableau 1).

Tableau 1 (tableau tiré de Jedwab 2003)
Nombre de personnes parlant le français au foyer d'après les statistiques de Bureau du Recensement des États-Unis (United States Bureau of the Census) et Statistiques Canada pour les recensement de 1990 et 2000 et pourcentage d'accroissement ou de déclin.

	1990	2000	Changement
États-Unis	1 930 404	2 097 206	+8,6 %
Canada	6 288 400	6 620 465	+5,3 %
Canada hors Québec	636 600	641 860	+0,8 %
Floride	194 783	337 605	+73,3 %
Ontario	318 700	326 030	+2,7 %
New York	236 099	295 556	+25,2 %
Nouveau-Brunswick	223 300	220 505	-1,3 %
Louisiane	261 678	198 784	-24 %
Massachusetts	124 973	128 003	+2,4 %
Maine	81 012	63 694	-21,4 %
Connecticut	53 586	50 803	-5,2 %

Cet état devance donc l'Ontario et le Nouveau-Brunswick ainsi que la Louisiane, non seulement par le nombre des francophones mais, ce qui est plus significatif, par le pourcentage d'accroissement de ce nombre. Pour les États-Unis, l'on constate donc le recul de la francophonie dans les régions traditionnellement francophones, la Louisiane et la Nouvelle-Angleterre, contrastant avec une nette progression dans des régions qui bénéficient de nouveaux apports démographiques, principalement en provenance du Québec et d'Haïti pour la Floride et d'Haïti pour l'état de New York.

Ces statistiques brutes indiquent que, quoique sa vitalité démographique soit loin de rivaliser avec celle de l'espagnol, le français compte un plus grand nombre de locuteurs dans certains états américains qu'au Canada hors Québec. Encore faut-il nuancer cette constatation en précisant qu'en Floride et dans l'état de New-York il s'agit probablement de locuteurs nouvellement immigrés plutôt que ceux de la deuxième génération. Il reste à voir dans quelle mesure cette deuxième génération continuera à utiliser la langue de son patrimoine. Toutefois l'on ne peut négliger un autre aspect important de la diffusion de la langue aux États-Unis, soit son recul face à l'espagnol comme langue étrangère apprise en domaine scolaire. Comme on peut le voir dans le tableau 2, le nombre d'étudiants optant pour la langue de Molière est demeuré relativement stable au cours des deux dernières décennies, tandis que le nombre de ceux qui ont choisi la langue de Cervantès a presque triplé.

Tableau 2
Inscriptions dans les cours de langues étrangères
au niveau secondaire (en milles)

	1982	1985	1990	1994	2000
espagnol	1 563	2 334	2 661	3 220	4 058
français	858	1 134	1 089	1 106	1 075

Source : Jedwab 2003, à partir de données du Centre des États-Unis pour les statistiques sur les langues, 2002

Ce n'est pas tant le nombre des locuteurs qui détermine le contexte écolinguistique d'une entité politique mais sa proportion. Si la province de Québec demeure le bastion de la francophonie américaine, c'est parce que les francophones constituent plus de 80 % de la population et qu'environ 65 % d'entre eux sont unilingues. Il est aussi significatif que seulement 35 % des francophones sont bilingues contre environ 60 % des anglophones. Dans un tel contexte, on peut s'étonner que des inquiétudes continuent d'être exprimées concernant l'avenir du français sur l'île de Montréal. C'est que dans ce contexte urbain qui attire de nombreux allophones et qui voit plusieurs francophones la quitter pour aller vivre en banlieue (Levine 2002), la proportion d'unilingues français a diminué au cours des dernières décennies. Selon l'Office québécois de la langue française, 57,4 % des francophones vivant sur l'île de Montréal se sont déclarés bilingues lors du recensement de 2001 (http:// www.olf.gouv.qc.ca/ressources/sociolinguistique/situation2004/findic_1_5_pres.pdf). Pourtant, comme le démontre Levine (2002), cette diminution de la population francophone montréalaise ne signifie pas que le français a perdu du terrain dans la métropole québécoise. En effet, les données des recensements révèlent que le nombre de personnes incapables de converser en français a diminué entre 1986 et 1996 (Levine 2002 : 180). Bien que les francophones du Nouveau-Brunswick et de la Louisiane ne forment qu'une minorité dans leur province et dans leur état, respectivement, leur regroupement dans certaines régions leur assure des majorités à l'échelle locale et, par conséquent, un pouvoir politique. Ainsi, le poids du vote « *cajun* » et acadien n'était pas pour rien dans l'élection d'une membre de l'ethnie cadienne comme gouverneure de la Louisiane dernièrement et la nomination d'un gouverneur général acadien au Canada en 1995.

3. L'importance de l'étude des variétés de français d'Amérique du Nord

L'étude des variétés de français d'Amérique du Nord interpelle la plupart des domaines des sciences du langage. En tant que variétés doublement dominées, non seulement par l'anglais mais aussi par le FR, la norme valorisée associée à l'ancienne mère patrie, leur étude se situe au centre des diverses problématiques traitant du contact linguistique : l'emprunt, le calque, l'alternance codique et les divers niveaux d'interférence et de transfert linguistique. La sociolinguistique intervient sur plusieurs plans : l'observation de l'utilisation du français par rapport aux langues avec lesquelles il co-existe ; les rapports qu'entretiennent entre elles les diverses variétés de la langue, en particulier, le FR véhiculé par l'école, l'administration et les médias ; la démarcation entre des variétés langagières qui tendent à offrir une gramme de variation continue. L'on constate dans la francophonie nord-américaine deux évolutions antinomiques. D'une part, la réduction des domaines d'utilisation de variétés inférioréisées et l'absence de transmission intergénérationnelle qui y est en partie liée engendrent divers types de restructuration que recouvre le terme d'étiolement. D'autre part, des communautés qui perçoivent leur idiome comme un puissant symbole de l'appartenance ethnique peuvent être amenées à réagir pour le revaloriser en engageant des initiatives de politique et d'aménagement linguistiques. Aucune langue n'échappe à la mixité mais celles qui évoluent en contact constant avec une autre langue témoignent davantage de diverses influences et, ainsi, ne peut-on guère dissocier l'étude des variétés nord-américaines de français des phénomènes de la pidginisation et de la créolisation. N'a-t-on pas souvent, à tort bien sûr, caractérisé le joual, forme populaire du français de Montréal, ou le chiac du Nouveau-Brunswick de pidgins, voire de créoles? Le mitchif, langue hybride formée d'éléments distincts du cri et du français, et le chiac, langue mixte qui combine dans une nouvelle grammaire des éléments de l'anglais et du français, offrent deux cas des plus extrêmes de la mixité linguistique.

L'étude du français en Amérique du Nord ouvre une fenêtre sur l'histoire du français, du fait que les variétés américaines constituent une sorte de réservoir qui permet de redécouvrir des formes ayant disparu des variétés régionales oïl de la métropole. Elles nous renseignent aussi sur le développement diachronique de la langue dans les colonies. L'uniformité relative du français québécois dès son émergence a déclenché un débat toujours d'actualité. Cette uniformité s'explique-t-elle par une konéisation, le célèbre « choc des patois » (Barbaud 1984) qui a nivelé les différences ou, au contraire, par l'exportation d'une variété populaire déjà en voie d'uniformisation qui était en usage dans les centres urbains dont étaient originaires les premiers colons (v., par ex., Poirier 1994)? Ainsi, si ce dernier cas de figure s'avérait juste, c'est en Amérique qu'il faudrait chercher la clé de la diffusion d'une variété populaire partant de Paris et se diffusant en France par le relais des centres urbains de province.

4. Organisation de l'ouvrage

Le Français en Amérique du Nord s'organise en quatre parties. La première partie décrit les diverses communautés francophones du sous-continent. Y est esquissé tout d'abord la situation linguistique de celles qui constituent selon nous les bastions de la francophonie, les communautés démographiquement importantes et/ou celles au sein desquelles se sont réalisées des initiatives notables pour le maintien et la revitalisation des variétés endogènes : le Québec, l'Acadie, l'Ontario, la Nouvelle-Angleterre et la Louisiane. Suit la description des communautés à faible proportion francophone ou celles qui se trouvent isolées dans un environnement anglophone : Terre-Neuve, l'Ouest canadien, les isolats des

États-Unis. Cette première partie se termine par une esquisse de la situation linguistique de Saint-Berthélemy dont la variété vernaculaire de français s'apparente à ses congénères nord-américaines et où, comme en Louisiane, coexistent un français dialectal et un créole à base lexicale française. Les contributions de la deuxième partie portent aussi sur des communautés particulières mais abordent diverses problématiques théoriques et méthodologiques : les phénomènes du contact linguistique, la variation d'ordre topolectale et stratolectale, l'étiolement linguistique, la démarcation au sein d'un continuum de variation apparent, l'émergence de langues et de variétés mixtes (le chiac du Nouveau-Brunswick et le mitchif). La troisième partie décrit les tentatives de maintien et de revitalisation des variétés de français qui se trouvent minorées partout hors du Québec et menacées d'extinction. Elle aborde aussi les problématiques connexes de l'élaboration de normes et de la nature des représentations linguistiques. Cette dernière problématique est particulièrement pertinente dans l'usage du français d'une population en partie francophone nouvellement arrivée en Amérique du Nord, la diaspora haïtienne. La dernière partie contient des études à nature comparative et historique.

5. Les communautés francophones nord-américaines

5.1. *Les bastions de la francophonie nord-américaine*

5.1.1. Le Québec

L'article de Julie Auger sur le Québec offre un survol de l'histoire du français dans ce bastion francophone, une brève description du rôle que joue le français dans la société d'aujourd'hui, de même qu'une caractérisation succincte des particularités linguistiques du français québécois. Auger décrit les étapes qui, à partir de la Révolution tranquille des années 1960, ont permis au français de reprendre les domaines administratif, industriel et commercial au Québec. Promulgué unique langue officielle de la province, le français se libère des pressions assimilatrices de l'anglais mais, en l'absence de l'acceptation généralisée d'une norme standard endogène, hésite encore entre des formes lexicales locales et celles du FR dans des emplois formels et écrits. Auger aborde aussi le problème du respect des droits linguistiques des Québécois non francophones (anglophones, allophones, amérindiens et inuits) dans une entité politique de plus en plus multiethnique. Elle se penche finalement sur le rôle que joue le Québec en tant que premier et principal point de relais dans la diffusion du français sur le continent dans le soutien aux autres communautés francophones sujettes à l'influence déstabilisatrice de l'anglais. Ayant réussi à inverser les tendances qui mena-çaient le français de minorisation et, à la longue, de disparition, le Qué-bec peut-il se forger une norme standard endogène qui, en harmonisant les particularités locales identitaires et le besoin d'une certaine uniformi-sation pour les usages véhiculaires et référentiels, serve de modèle aux autres communautés ?

5.1.2. L'Acadie

Lise Dubois réfute la notion, largement répandue, de l'existence d'un français acadien unifié, hérité directement d'un dialecte poitevin. Bien qu'ils partagent plusieurs traits linguistiques et se distinguent du français laurentien et de ses avatars, majoritaires en Amérique du Nord, les parlers acadiens montrent des différences qui proviennent d'immigrations successives, de l'éparpillement de sa population suite au Grand dérangement, de la déportation et de la dispersion de la majorité de la communauté acadienne initiale, de l'isolement des communautés disséminées sur une vaste aire comprenant quatre entités politiques dis-tinctes (Nouveau-Brunswick, Nouvelle-Écosse, Île-du-Prince-Édouard et Terre-Neuve), et de différentes manifestations du contact avec l'anglais. En plus du FR, co-existent en Acadie des variétés à forte valeur identitaire comme le chiac, l'akadjonne et l'acadien traditionnel. Ce der-nier montre de manière variable des traits archaïsants sur tous les plans linguistiques, y compris la forme à coloration stéréotypique qu'est la dé-sinence *-ont* à la 3ᵉ personne pluriel du présent de l'indicatif et de l'imparfait (*ils chantont, ils chantiont*). La migration plus récente des fran-cophones vers les centres urbains à majorité anglophone accentue les transferts émanant de l'anglais surtout aux plans syntaxique et discursif, par exemple *un cute gars* et *I guess que j'faisais rien*. S'alliant à l'influence du FR véhiculé par le domaine éducatif et les médias, ces transferts provo-quent l'estompement de plusieurs formes vernaculaires traditionnelles. En revanche, un climat politique plus favorable à la présence du français dans les institutions, par exemple, l'existence des universités francopho-nes de Moncton au Nouveau-Brunswick et de Sainte-Anne en Nouvelle-Écosse et l'émergence d'une revalorisation du patrimoine linguistique dans certains secteurs de la population, constituent des facteurs positifs pour le maintien du français.

5.1.3. L'Ontario

Le franco-ontarien partage avec ses congénères de l'Ouest ca-nadien les traits structuraux du français de type laurentien diffusé lors des migrations des 19ᵉ et 20ᵉ siècles. Aussi Terry Nadasdi consacre-t-il son article à décrire un phénomène qui caractérise toutes les communautés francophones nord-américaines hors Québec où, face à des locuteurs usant habituellement du français (locuteurs non restreints), se trouvent des locuteurs foncièrement bilingues que les spécialistes divisent en deux catégories : locuteurs semi-restreints et locuteurs restreints. Pour ces derniers, bien qu'ils fréquentent une école francophone, l'anglais est la langue de la communication ordinaire. Nadasdi fait valoir que le français des locuteurs restreints exhibe des traits dont certains rejoignent ceux que l'on note chez des apprenants de français langue seconde ou étrangère : la restriction de traits vernaculaires et informels et une tendance à la régularisation structurale (par ex., la généralisation de l'ordre syntaxique *sujet + verbe + objet* qui se manifeste dans la tendance à postposer des formes pronominales toniques plutôt que d'antéposer des formes clitiques : *il parle à nous-autres* au lieu de *il nous parle*). Il démontre cependant que le parler de ces locuteurs restreints se distingue clairement de celui des élèves des programmes d'immersion en Ontario et qu'il est donc justifié de considérer qu'ils appartiennent à la communauté franco-ontarienne en dépit du fait que leur compétence linguistique ne rejoint pas celle des locuteurs semi-restreints et non restreints.

5.1.4. La Nouvelle-Angleterre

Comme le font remarquer Cynthia Fox et Jane Smith, il est réductionniste de limiter la Franco-Américanie à la Nouvelle Angleterre ; en effet, la proportion d'habitants d'ascendance française dans l'état de New York est égale à ou dépasse celle du Connecticut ou du Massachusetts. D'une part, sans doute parce que les Franco-Américains sont disséminés dans six états et que la population francophone ne constitue nulle part, excepté dans les régions frontalières du Maine, une masse critique se traduisant par un pouvoir politique, la situation linguistique de la Franco-Américanie n'a pas fait l'objet d'un grand nombre d'études. Par ailleurs, celles qui existent se situent pour la plupart hors des récents courants des sciences du langage. Outre un assez grand nombre de descriptions générales traitant de diverses communautés franco-américaines l'on retrouve des études portant surtout sur les aspects phonologiques du parler de communautés particulières. La lexicologie et la morphosyntaxe sont négligées. Par rapport à ces études antérieures, l'étude sociolinguistique à vaste échelle qu'entreprennent Fox et Smith se démarque par son originalité. Les deux auteures regroupent les communautés francophones sur deux axes. L'axe nord-sud correspond au niveau d'assimilation linguistique à l'anglais. Comprenant une plus faible proportion de francophones, les communautés situées dans la partie sud de cet axe (dans les états de New York, du Connecticut et du Massachusetts) ont des niveaux faibles d'utilisation du français au foyer. Il ne s'y trouve aucune communauté où les Franco-Américains sont majoritaires. Par contre, au nord, le français est plus présent dans les réseaux sociaux, surtout, par exemple, à Van Buren (Maine) qui compte 78 % de francophones. Les communautés sur l'axe ouest-est se distinguent par les origines dialectales des immigrants, laurentienne vers l'ouest et mixte laurentienne et acadienne vers l'est. D'autre part, la complexité de la situation linguistique de la Franco-Américanie, et partant la diversité des traits linguistiques de ses parlers, s'accroissent du fait que l'immigration en provenance du Canada s'est effectuée en deux temps, le premier à la fin du 18e siècle de la part de personnes provenant de régions limitrophes, surtout acadiennes, le second à partir de la deuxième moitié du 19e siècle de la part d'immigrés plutôt laurentiens attirés par l'essor industriel de la région. Les communautés compactes, partiellement autarciques, appuyées par un clergé francophone et des écoles paroissiales bilingues au sein desquelles se regroupèrent ces derniers, ont pendant plusieurs décennies permis au français de conserver une place importante. Cependant, ces facteurs favorables au français ont disparu suite à l'intégration à l'environnement social anglophone ambiant peu propice au maintien de la langue du patrimoine et des programmes d'enseignement en français.

5.1.5. La Louisiane

L'Acadiana louisianaise est sans doute la région francophone de l'Amérique du Nord dont la situation linguistique s'avère la plus complexe. En effet, non seulement y existe-t-il plusieurs variétés de français, mais on y trouve aussi un créole à base lexicale française probablement endogène. Il s'y forme un continuum au sein duquel il est malaisé de séparer les diverses variétés en contact, notamment le cadien et le créole. Michael Picone et Albert Valdman rejettent la configuration tripartite de la situation louisianaise généralement acceptée selon laquelle, outre le cadien et le créole, il existerait un français dit « colonial », avatar de la langue des premiers colons. Ils montrent qu'au cours de la période faste de son développement économique, de la fin du 18e siècle à la première moitié du 19e, la Louisiane a bénéficié d'apports démographiques directs de la mère-patrie. Il s'est formé un français de « plantation », plus proche du FR que les autres variétés existantes de la langue, dont il ne subsiste aujourd'hui que des traces. Tout en soulignant la grande hétérogénéité du français louisianais, problématique reprise par Sylvie Dubois, Kevin Rottet et Tom Klingler, et en déplorant l'absence de descriptions globales actualisées, Picone et Valdman offrent une esquisse structurale basée sur des études aux finalités fort diverses.

5.2. Les parlers périphériques et les isolats

5.2.1. Terre-Neuve

Le français terre-neuvien, qui ne remonte qu'à la fin du 18ᵉ siècle, partage avec ses sœurs acadiennes des provinces maritimes canadiennes l'essentiel de sa structure et un environnement linguistique majoritairement anglophone. L'esquisse de la structure qu'offrent Ruth King et Gary Butler montre la rétention de traits archaïques comme *ils parlont* et *je parlons* « nous parlons » au plan morphologique et du *h* ([haʃ] *hache*) et de la prononciation [we] pour [wa] ([bweʲt] *boîte*) au plan phonologique.   C'est ce qui fait dire aux auteurs que ce parler constitue une fenêtre sur un état ancien de la langue. Comme ses homologues des provinces maritimes, le franco-terreneuvien, parlé par une petite minorité, se ressent de l'influence de l'anglais, accentuée par la présence d'une grande base aérienne américaine. L'on retrouve force emprunts lexicaux, calques syntaxiques tels que *Qui est-ce que tu as voté pour ?* (« to vote for ») et marqueurs discursifs comme *so*. Comme dans les autres communautés acadiennes, les francophones terre-neuviens reconnaissent le rôle central que joue leur langue maternelle dans leur conscience identitaire, ce qui les a amenés à créer des groupes de pression actifs revendiquant l'utilisation du français dans les domaines éducatifs et administratifs et à lancer des initiatives culturelles.

5.2.2. L'Ouest canadien

La situation du français dans les provinces de l'Ouest canadien (le Manitoba, la Saskatchewan, l'Alberta et la Colombie Britannique) s'apparente à celle de l'Ontario, *mutadis mutandis*. Plus l'on se dirige vers l'ouest, plus l'influence de la langue française se dilue, puisque contre les 4 % de francophones au Manitoba, Douglas Walker fait état de seulement 2 % dans les deux provinces situées à l'ouest, la présence francophone en Colombie Britannique s'avérant insignifiante et limitée à la seule région de Maillardville. Comme le montre bien Walker, la langue française se répandit dans ces provinces en deux vagues. La première migration initiée par les Métis suivit la trace de la traite des fourrures qui donna lieu à une symbiose entre les autochtones amérindiens et les coureurs de bois et autres aventuriers de la Nouvelle-France. La seconde migration, au cours de la dernière moitié du 19ᵉ siècle et de la première moitié du 20ᵉ, encouragée par les prêtres catholiques désireux de contrer l'influence des anglophones, vit s'installer des fermiers, des mineurs et des travailleurs de l'industrie du bois originaires du Québec, de l'Ontario et de la Nouvelle-Angleterre qui importèrent le parler vernaculaire de type laurentien. Ainsi, l'esquisse du parler de la communauté de la Rivière-la-Paix en Alberta qu'offre Walker nous renseigne-t-elle sur les traits marquants de ce vernaculaire que l'on retrouve en Ontario, en Nouvelle-Angleterre et au Québec. Toutefois, moins soumis aux influences normatives que ses congénères québécois, ce parler préserve de nombreux traits conservateurs. Minoritaires et minorisées, les communautés francophones de l'Ouest canadien subissent l'assimilation linguistique : la langue disparaît du foyer. Si 50 % de la population de Rivière-la-Paix se déclarent francophones, seulement 11 % se servent régulièrement du français au foyer ; dans un tel contexte, il n'est donc pas étonnant que leur français subisse l'influence déstabilisatrice de l'anglais (emprunts, alternance codique, transferts).

5.2.3. Les isolats

Quoique le français ait presque disparu des isolats des États-Unis, leur étude, du fait de leur isolement même, permet de mieux cerner l'évolution de leur parler. Ce sont, comme le souligne Albert Valdman, des réservoirs linguistiques par excellence. Les quatre communautés décrites se distinguent les unes des autres par l'histoire de leur peuplement et, par conséquent, par la variété gallo-romane implantée. Les communautés de Red Lake Falls (Minnesota) et de La Vieille Mine (Missouri), avatar du Pays des Illinois, partagent une ascendance laurentienne même si, lors de ses débuts, cette dernière maintenait des relations étroites avec la Louisiane et comptait des esclaves africains dont certains provenaient de Saint-Domingue. Red Lake Falls est d'origine plus récente et son parler exhibe des traits différant peu du québécois actuel. Le français de Frenchville (Pennsylvanie), communauté fondée par des immigrants originaires de l'Est de la France, montre encore les traces des dialectes d'oïl et du français régional de cette région, par exemple *septante* « 70 » et *nonante* « 90 ». Quant à la communauté occitanophone de Valdese (Caroline du Nord), fondée par des immigrés des vallées des Alpes du Piémont, Valdman l'inclut surtout pour montrer la généralité de certains changements linguistiques associés à l'étiolement linguistique. À cet égard, il déplore le fait que les chercheurs soient venus trop tard à ces parlers pour une étude éclairante de ce phénomène. Les descriptions des isolats portent en effet sur quelques locuteurs très âgés et on n'y trouve plus un nombre suffisant de locuteurs à différents stades de la restriction linguistique comme c'est encore le cas en Louisiane, en Franco-Américanie et au Canada hors Québec. En revanche, il est intéressant de constater que certaines des régularisations et restructurations imputables à l'étiolement linguistique correspondent à des traits présents dans les créoles à base lexicale française, telle que la post-position du déterminant défini non différencié pour le genre (*dans tas d'pierre-là*, la Vieille Mine). Il n'est pas déplacé de penser qu'outre des survivances du français colonial ou des traits dialectaux les isolats états-uniens révèlent certaines des tendances évolutives du français.

5.2.4. Saint-Barthélemy

Dans les Îles Vierges Américaines, il existe dans le quartier du Carénage, près de la capitale de Saint-Thomas, un isolat francophone dont les locuteurs descendent d'immigrés de l'îlot de Saint-Barthélemy, dépendance de la Guadeloupe. L'unique description du français du Carénage (Highfield 1979) n'a pas été actualisée, mais l'article de Robert Chaudenson sur le parler de Saint-Barthélemy, basé sur une étude récente (Calvet et Chaudenson 1998) offre une description du parler valable pour sa variante exportée. De toutes les variétés de français des Amériques, celle de Saint-Barthélemy, généralement abrégée Saint-Barth, est sans doute la plus ancienne. Bien que la fondation d'une colonie en Acadie par Samuel de Champlain et Pierre du Gua, en 1604, ait précédé les premiers établissements français à l'île antillaise de Saint-Christophe dont les Saint-Barths tirent leur origine, la variété de français que ces derniers apportèrent demeura plus isolée que celles de leurs congénères d'Amérique du Nord. Ainsi, la variété de français de Saint-Barth (dénommée « patois » localement) que décrit sommairement Chaudenson permet-elle de mieux reconstituer le *terminus ad quo* des variétés vernaculaires de français du Nouveau Monde.

6. La variation et le contact linguistique

L'étude des langues dans des situations communicatives réelles a mis en lumière deux éléments qui ont longtemps été négligés en linguistique : la variation et les effets du contact linguistique. Si l'on a longtemps rejeté la variation linguistique comme un phénomène marginal, et si certains linguistes continuent d'attribuer son existence à des erreurs de performance ou au contact entre dialectes, il apparaît maintenant de plus en plus clairement qu'elle ouvre une fenêtre très importante sur la compétence linguistique et son usage réel. De même, les recherches qui cherchent à intégrer les facteurs extralinguistiques dans l'étude de l'évolution des langues et un intérêt nouveau pour les communautés bilingues ont révélé que les phénomènes d'interférence linguistique constituent un développement entièrement naturel dans toute langue en contact avec d'autres et une source de renouvellement du vocabulaire, de la grammaire, des ressources stylistiques et même de certains aspects phonologiques de toute langue.

6.1. *La variation*

La dialectologie et la sociolinguistique ont démontré que la variation géographique et sociale qui caractérise toutes les variétés langagières est une partie intégrante du langage et que ce qui est anormal est son absence plutôt que sa présence. Les variétés de français en Amérique du Nord ne font pas exception à cette constatation. Ainsi, même si celles-ci sont d'une émergence beaucoup plus récente que leurs homologues européennes, il est bien connu que l'on a pu longtemps distinguer un habitant de la ville de Québec d'un Montréalais sur la base de son *r* uvulaire et que l'on peut toujours les opposer par leur prononciation de mots comme *poteau* et *lacet*. Pareillement, en Acadie, les habitants de Bouctouche et de Cap-Pelé au Nouveau-Brunswick se distinguent par leur prononciation de la voyelle nasale dans des mots comme *parlont* et *vraiment* : à Bouctouche, on emploie [ɔ̃] dans les deux cas, alors qu'à Cap-Pelé, on retrouve [ã]. La sociolinguistique variationniste a de plus démontré que la variation linguistique ne sert pas qu'à distinguer les communautés linguistiques mais qu'elle est tout aussi présente à l'intérieur d'une communauté linguistique et même de locuteurs individuels. Si ce sont les travaux de William Labov sur l'anglais new yorkais qui ont établi ces faits et développé la méthodologie qui permet leur étude, il importe de noter que les recherches de plusieurs chercheurs dans des communautés francophones d'Amérique du Nord ont joué un rôle central dans le développement de ce nouveau programme de recherche. Ainsi, Henrietta Cedergren, David Sankoff et Gillian Sankoff ont constitué en 1971 un corpus de 120 locuteurs natifs du français montréalais qui a permis à leur équipe de décrire la distribution de plusieurs variantes du français montréalais et d'identifier les contraintes linguistiques et sociales qui gouvernent le choix entre des formes comme *ce qui* et *qu'est-ce qui* dans des questions indirectes comme *Je me demande ce qui / qu'est-ce qui va se passer* ou celui entre un *r* apical et uvulaire dans le processus de changement linguistique qui élimine graduellement la variante apicale. Pour permettre l'étude du changement linguistique en français montréalais, Pierrette Thibault et Diane Vincent ont dirigé des projets de recherche qui ont permis de réinterviewer plusieurs des locuteurs du corpus original en 1984 et en 1995, ce qui représente une ressource linguistique inestimable sur une variété linguistique et permet de voir comment évolue ce français dans le contexte socio-culturo-politique actuel. Shana Poplack a joué un rôle tout aussi central en créant le corpus sociolinguistique de Ottawa-Hull, une agglomération urbaine qui s'étale des deux côtés de la frontière entre l'Ontario et le Québec et qui regroupe donc des locuteurs appartenant à des communautés qui entretiennent des relations fort différentes avec l'anglais.

Dans ce volume, de nombreux articles abordent la question de la variation mais sans en faire une priorité. C'est le cas, en général, des articles qui fournissent une description sommaire des différentes variétés de français; ces textes se concentrent sur les formes qui distinguent ces variétés du FR et ne tentent pas de rendre compte de toutes les formes attestées et des règles qui déterminent qui emploie quelle forme dans quelle situation. Par contre, quatre articles portent directement sur des questions de variation.

Dans son article, Sylvie Dubois examine la variation géographique et sociale qui caractérise plusieurs communautés cadiennes et cherche à comprendre quelles sont les sources de cette variation. Son analyse du parler de quatre paroisses et de cinq générations de locuteurs révèle une situation complexe d'usages qui varient d'une paroisse à l'autre et d'une génération à l'autre. Cependant, comme elle le démontre, ces différences sont souvent de nature variable plutôt que catégorique. En effet, si certaines différences géographiques sont relativement faciles à remarquer du fait qu'elles opposent l'utilisation et la non utilisation de traits cadiens, l'analyse quantitative de Dubois démontre l'existence de différences plus subtiles. Par exemple, alors que la paroisse de Lafourche se distingue des trois autres paroisses par son usage quasi unique de la spirantisation de /ʒ, z/ et du pronom sujet pluriel *eusse*, elle se distingue aussi d'Avoyelles par un emploi beaucoup moins fréquent de la variante [u] dans des formes comme *tu counnais* et plus fréquent de la variante [ɑ̃] au lieu de [ɔ̃] dans des mots comme *maison*. Ou encore, sur le plan grammatical, son étude révèle que si le pronom sujet de 3ᵉ personne du pluriel *ça* est utilisé dans toutes les paroisses, il est utilisé beaucoup plus fréquemment à Lafourche, Vermillon et St. Landry, avec une fréquence d'environ 70 % dans chaque paroisse, qu'à Avoyelles, où il n'est employé que 17 % du temps.

Si la variation linguistique dans une communauté linguistique est souvent le reflet d'un changement linguistique en cours, les études synchroniques et diachroniques de Dubois démontrent que plusieurs variables cadiennes existent depuis plusieurs générations et que leur usage demeure stable à travers les cinq générations étudiées. Sur le plan synchronique, Dubois démontre que la distribution des variantes de ces variables est conditionnée par des facteurs linguistiques et sociaux. Sur le plan diachronique, elle attribue la coexistence de ces différentes façons de dire la même chose à la concurrence linguistique qui existait en Louisiane suite à l'arrivée de différents groupes de colons provenant de différentes régions de France et d'Acadie et appartenant à différentes classes sociales. La variation linguistique actuelle en Acadie reflète donc, pour une large part, la mosaïque linguistique qui a donné naissance au cadien.

Kevin Rottet examine en détail la relation qui existe entre l'étiolement linguistique et la variation linguistique dans une communauté cadienne. D'une part, il trouve confirmation que le parler des semilocuteurs se distingue de celui des locuteurs qui maîtrisent mieux le français louisianais non seulement dans les formes qui sont disponibles pour exprimer un pronom sujet de 1re personne du singulier mais aussi par la perte d'une distinction dans l'emploi de ces formes en passant d'un style plus formel à un style moins formel. D'autre part, Rottet aborde la question des causes des différences quantitatives qui distinguent différents sous-groupes de locuteurs cadiens. Comme il le montre clairement, différentes explications sont souvent disponibles pour ces distinctions et il n'est pas toujours possible de déterminer laquelle rend mieux compte de ces comportements. En fait, il fait remarquer que, dans certains cas, des causes multiples ont probablement interagi et favorisé le changement linguistique observé.

Dans l'étude de Rottet, comme dans de nombreuses autres communautés où disparaît une langue traditionnelle, on observe que les locuteurs les plus jeunes et les moins compétents emploient peu les formes associées avec la forme standard de la langue qui est perdue et qu'ils favorisent les formes vernaculaires puisque ce sont à celles-là qu'ils sont exposés. De ce point de vue, la situation décrite par Raymond Mougeon et par Terry Nadasdi pour les jeunes francophones de l'Ontario est bien différente. Dans la communauté qu'ils étudient, les locuteurs qui emploient moins le français associent généralement l'usage de cette langue au milieu scolaire et donc à des situations relativement formelles. Par conséquent, il n'est pas étonnant d'observer que l'emploi de plusieurs variantes informelles est directement proportionnel au taux d'utilisation du français. Comme le remarque Mougeon, ce processus de « dévernacularisation » ne rend cependant pas compte de toutes les variables étudiées. Dans certains cas, seuls les locuteurs qui utilisent très rarement le français n'utilisent pas les variantes vernaculaires alors que dans d'autres cas encore, aucune dévernacularisation ne peut être observée. Mougeon attribue les irrégularités à la fréquence discursive faible de certaines variantes, des marques sociales nulles ou faibles et donc difficiles à acquérir par des locuteurs qui sont peu exposés à la langue, à l'existence d'une contrepartie anglaise ou à l'origine anglaise de la forme en question, ou encore à la régularité de la forme vernaculaire qui favorise son emploi par des locuteurs qui maîtrisent moins bien le français.

Même si les variationnistes ont démontré que la variation est une composante de toute langue, ils n'ont jamais exclu la possibilité que certaines alternances reflètent un phénomène de contact linguistique. Ainsi, par exemple, Labov (1972) a contrasté l'expression variable de *t/d* dans des verbes comme *walked* et *passed* en anglais noir-américain, qui est gouvernée par des facteurs phonologiques, morphologiques et sociaux et qui appartient donc, dans son analyse, à la grammaire de l'anglais noir-américain, avec l'expression variable du *s* de la 3e personne du singulier au présent qui n'est pas gouvernée par des facteurs linguistiques, qui varie considérablement d'un locuteur à un autre et qui reflète donc une alternance de code entre l'anglais noir-américain et l'anglais standard. Thomas Klingler discute un problème semblable dans son article sur la démarcation du français louisianais et du créole en Louisiane. Il fait valoir que s'il est souvent possible de distinguer clairement le créole louisianais et le français cadien, certains énoncés qui mélangent des éléments des deux variétés soulèvent des difficultés considérables. En effet, contrairement à des situations où les deux langues en contact sont nettement distinctes l'une de l'autre et où il est donc possible d'identifier une langue matrice qui emprunte certains éléments d'une autre langue, les homologies que partagent le cadien et le créole rendent souvent cette distinction impossible à faire. Klingler présente deux analyses possibles de cette situation, soit comme un type particulier d'alternance de code que Muysken (2000) appelle *congruent lexicalization*, soit comme un continuum linguistique entre les deux variétés qui rappelle celui décrit pour de nombreuses communautés où le créole est en contact quotidien avec son superstrat.

6.2. *Le contact*

S'il est permis de croire que les français d'Amérique du Nord ne se distinguent en rien d'autres langues dans des situations semblables en ce qui concerne les schémas de variation que l'on y retrouve, il faut admettre qu'un étranger qui se familiarise avec l'une de ces variétés sera généralement étonné par la nature et l'ampleur des effets qu'exerce l'anglais sur ces français. Si aucun chapitre dans cet ouvrage n'est consacré au contact linguistique, c'est que ce thème est abordé dans plusieurs articles. Comme le remarquent Lise Dubois et Julie Auger, par exemple, les français acadien et québécois ont rapidement emprunté aux Amérindiens des mots qui désignent des réalités qui étaient inconnues en Europe. Cependant, ces emprunts restent relativement peu nombreux et, dans l'esprit de nombreux locuteurs, plusieurs ne sont même pas identifiés comme tels. Par contre, des sièc es de contact souvent très intense entre les francophones d'Amérique du Nord et leurs voisins anglophones ont laissé des traces que nul ne peut ignorer. Ainsi, toutes les variétés de français nord-américain contiennent un nombre important d'emprunts lexicaux à l'anglais. La quantité d'emprunts, leur fréquence d'emploi et leur intégration phonologique et morphologique dépendent du degré de contact entre les communautés et du niveau de bilinguisme des francophones. De façon générale, les emprunts sont plus nombreux et plus fréquemment utilisés dans des communautés où le contact avec l'anglais est plus intense et ils y sont moins intégrés phonologiquement et morphologiquement. Par exemple, on constate que des marqueurs de discours comme *but* et *so*, qui sont attestés en français acadien, ontarien et cadien, sont absents ou beaucoup moins fréquents en français québécois. Sur le plan phonologique, on peut comparer la prononciation fortement francisée des anglicismes à Québec, dont la population anglophone est très petite, à une prononciation plus anglaise à Montréal, où les anglophones et les francophones bilingues sont beaucoup plus nombreux (par ex., *T-shirt* prononcé avec un *r* français à Québec mais avec un *r* anglais à Montréal) ou encore la prononciation plus ancienne et plus française de *hockey* par des Franco-Ontariens plus âgés et celle plus anglaise des jeunes Franco-Ontariens. En français cadien, de nombreux emprunts anglais sont utilisés sans aucune flexion française, contrairement à ce qu'on trouve dans les communautés canadiennes en général. Ainsi, dans le chiac de la région de Moncton au Nouveau-Brunswick, les verbes anglais portent des suffixes acadiens et les noms anglais portent la désinence du pluriel anglais lorsqu'ils sont employés au pluriel. Dans leur article, Picone et Valdman notent qu'en français cadien les verbes provenant de l'anglais sont utilisés sans leur flexion originelle et sans adaptation phonologique ou morphologique au français, par exemple, *j'ai drive* au lieu de **j'ai drived/j'ai drove* ou **j'ai drivé*. Ils font valoir que de cette manière l'emprunt constitue une stratégie lexicogénétique productive qui permet aux locuteurs bilingues de puiser sans contrainte dans le lexique de la langue dominante pour combler les lacunes de la langue du patrimoine.

Les emprunts lexicaux ne sont pas les seules manifestations de l'influence qu'exerce l'anglais sur les français d'Amérique du Nord. Plus insidieux sont les calques qui consistent à habiller le contenu d'une langue avec l'expression d'une autre. Par exemple, dans l'Ouest canadien et dans les provinces maritimes, le verbe *graduer* a acquis le sens de « obtenir son diplôme » qu'a son faux-ami anglais « to graduate » et *retirer*, celui de « prendre sa retraite » qu'a « to retire ». Dans un cas de figure plus complexe du calque, un mot français assume le comportement syntaxique ainsi que le sens de son pendant anglais. C'est le cas dans des expressions comme *prendre une marche* qui signifie « faire une promenade à pied » au Québec, de *marier* qui connaît des emplois transitifs, et de *sonner comme* dans le sens de « on dirait le son de » dans une phrase comme *Ça sonne comme une machine à coudre* (v. Walker, ce volume).

L'emprunt, dont les vecteurs initiaux sont les locuteurs bilingues, consiste à insérer un mot ou un syntagme étranger dans la matrice d'une phrase de la langue emprunteuse et si un certain mot est emprunté assez souvent, il finit généralement par faire partie du lexique de sa nouvelle langue et il pourra être employé même par des locuteurs qui ne parlent pas la langue dont il est issu. Cependant, il arrive aussi que les locuteurs bilingues mélangent les éléments de deux variétés linguistiques de façon temporaire, sans affecter la structure de chacune des deux variétés : c'est ce que l'on appelle l'alternance codique. Les cas les plus clairs d'alternance codique mettent en jeu des propositions ou des syntagmes dont les mots, la prononciation et la grammaire demeurent typiques de la langue qui les fournit, comme dans *Une différence que de notre temps they like to be entertained à la place de entertain themselves* (Walker, ce volume), *I guess qu'on est pas mal tout pareil* (King et Butler, ce volume) ou *j'avais des longs cheveux / jeez you're burnt man* (Perrot, ce volume). Ce phénomène, qui est sans doute attesté dans toutes les communautés francophones d'Amérique du Nord, est gouverné par des contraintes linguistiques et sociales qui déterminent quels sont les locuteurs qui peuvent alterner entre deux langues, dans quelles situations et dans quelles positions linguistiques, comme le démontrent les travaux de Shana Poplack sur la communauté porto-ricaine de New York et les francophones d'Ottawa-Hull, à la frontière entre le Québec et l'Ontario (v., par ex., Poplack 1980 et 1989).

L'alternance codique met en jeu deux langues distinctes qui maintiennent des grammaires et des lexiques distincts. Les locuteurs les plus doués pour ce phénomène, c'est-à-dire ceux qui changent de langue le plus souvent et qui se permettent d'alterner au milieu d'une phrase, sont généralement très compétents dans leurs deux langues. Il est cependant possible de créer une nouvelle langue à partir du mélange de deux langues distinctes, c'est-à-dire une langue qui a sa propre grammaire dérivable en grande partie de ses langues sources. En Amérique du Nord, deux langues mixtes ont été créées en combinant une version de français avec une autre langue présente dans la communauté : le mitchif, qui combine le cri, une langue amérindienne, et le français, et le chiac, qui combine français et anglais. Comme le démontrent Robert Papen et Marie-Ève Perrot dans leurs analyses de ces deux langues, les langues mixtes se distinguent de l'alternance de code dans le sens que les règles qui gouvernent le choix des items lexicaux et leur mode d'insertion sont beaucoup plus rigides que ce qui caractérise l'alternance de code. Ces règles sont stabilisées et elles excluent plusieurs alternances qui seraient par ailleurs possibles en situation d'alternance de code. Les langues mixtes se distinguent aussi de langues contenant de nombreux emprunts par le fait que leur lexique n'est pas le seul élément affecté; au contraire, leur phonologie et leur grammaire ne se contentent pas de combiner celles des langues sources, elles contiennent des règles qui leur sont uniques et qui les différencient de chacune de leurs langues sources.

Dans son article, Papen offre un bref résumé de la création du mitchif par des locuteurs métis bilingues en français et dans une langue amérindienne au début du 19e siècle. Même si ses locuteurs contemporains ont, en général, délaissé le français et le cri au profit de l'anglais, la langue mixte qu'ils continuent de parler maintient généralement les structures des deux langues sur lesquelles elle est basée. Le chiac, la nouvelle langue que décrit Perrot, est pour sa part d'origine très récente, comme le révèlent des études du français acadien de la région de Moncton des années 1970 et 1980. Si ces deux langues mixtes sont généralement perçues négativement par leurs locuteurs, les données les plus récentes du corpus de Perrot révèlent que cette attitude semble en voie de changer en ce qui concerne le chiac. En effet, même si un plus petit nombre d'adolescents acadiens a choisi de parler chiac dans son corpus de 2001 que dans celui de 1991, Perrot note que plusieurs locuteurs revendiquent maintenant le chiac comme emblème identitaire et que le mot *chiac* est utilisé beaucoup plus fréquemment dans les entrevues les plus récentes.

Au-delà des ressemblances sociolinguistiques qui unissent le mitchif et le chiac, il est frappant de constater à quel point les structures linguistiques se ressemblent. Les deux langues possèdent deux systèmes phonologiques correspondant à chacune des deux langues sur lesquelles

elles sont basées. En mitchif, des règles phonologiques empruntées à ou inspirées par chacune des deux langues sources s'appliquent exclusivement aux mots fournis par cette même langue. Au niveau grammatical, les choix précis effectués par chaque langue diffèrent, mais le verbe conserve, de façon générale, la structure de la langue traditionnelle de la communauté (le cri en mitchif, le français en chiac), alors que le syntagme nominal fait appel à la grammaire de la langue majoritaire. Les deux langues présentent aussi des cas de restructuration grammaticale qui leur sont uniques. En mitchif, par exemple, les déterminants démonstratifs cris doivent être accompagnés d'un article défini ou d'un possessif français, créant ainsi une structure qui n'existe dans aucune des langues sources. En chiac, la distribution de *right* et *right out*, deux adverbes fréquemment employés, dépend de la forme simple ou complexe du verbe et du caractère transitif ou intransitif du verbe avec lequel il se combine. Pour bien comprendre chaque langue, il convient donc d'étudier sa phonologie et sa grammaire de façon autonome.

7. Maintien et revitalisation des variétés endogènes

7.1. *Représentations et attitudes linguistiques, minorisation et revalorisation*

Depuis les recherches fondatrices de Wallace Lambert et ses disciples l'on sait que les représentations pèsent fort dans l'orientation du comportement linguistique. Langue dominée partout en Amérique du Nord depuis la conquête de la Nouvelle France par l'Angleterre en 1759 et la dominance économique et politique des arrivants anglophones en Louisiane, le français voit ses variétés vernaculaires endogènes minorisées même par leurs propres locuteurs. Si, par la reprise des domaines administratif et commercial au Québec au cours de la Révolution tranquille, le statut du français a été rehaussé et ses variétés vernaculaires, y compris le joual, revalorisées, Michel Francard montre que l'insécurité linguistique n'a pas disparu et une norme standard endogène tarde à s'imposer face au FR. Francard souligne l'importance de la prise en compte des représentations, en particulier les jugements des locuteurs envers les diverses langues et variétés en usage dans une communauté linguistique lors des diverses étapes de l'aménagement linguistique, en particulier l'élaboration et la diffusion d'une forme normée qui se rapproche des variétés vernaculaires. Les provinces maritimes, où le français souffre encore de minorisation mais où se manifestent des initiatives de maintien et de revitalisation, connaissent des changements dans les attitudes envers les différentes variétés de la langue. Ces attitudes peuvent paraître antinomiques. D'une part, un sentiment de loyauté linguistique valorise les variétés vernaculaires les plus déviantes par rapport au FR mais porteuses de l'identité ethnique, le chiac dans le sud-est du Nouveau-Brunswick et l'akadjonne en Nouvelle-Écosse. D'autre part, le désir d'ouverture vers le monde francophone et de légitimité linguistique favorise l'utilisation du FR dans les réseaux de communication formelle. Francard conclut que la solution de cette situation conflictuelle, que l'on retrouve dans les autres communautés francophones nord-américaines, réside dans l'élaboration et l'adoption pour les situations formelles d'une norme standardisée se rapprochant des variétés vernaculaires.

L'adaptation linguistique de la diaspora haïtienne aux États-Unis illustre parfaitement le jeu des représentations linguistiques. Il existe dans leur pays d'origine une relation diglossique entre le créole haïtien (CH), langue que partage la totalité de la population, et le français, langue haute dans la diglossie que ne maîtrise qu'une minorité dominante. Bien que, comme le précise Flore Zéphir, le CH jouisse d'une certaine promotion se traduisant par son officialisation et son extension aux domaines anciennement réservés au français, les masses créolophones unilingues sont minorisées et aspirent à une compétence de la langue toujours perçue comme dominante. Aux États-Unis, tous les immigrés haïtiens sont classés comme noirs, qu'ils soient effectivement noirs ou mulâtres et quel que soit leur statut social. Pour se libérer du stigmate qui frappe encore la communauté noire américaine et aussi pour se démarquer de ce groupe social dont ils ne partagent pas la culture, ils s'identifient comme une ethnie – Haitiano-Américains – dont la marque identitaire saillante est le CH. Cette langue subit donc un renversement de valeur sur le marché des langues. De plus, l'immigration atténue la distinction topostratique entre le CH dit *swa*, l'une des marques identitaires de l'élite bilingue, et le CH dit *rèk* des unilingues. Toutefois, au sein de la diaspora, le français ne perd pas totalement sa valeur et sa maîtrise sert toujours à l'élite bilingue pour marquer les différences sociales. Par ailleurs, comme toutes les communautés immigrées, la diaspora haïtienne n'est pas exempte de l'assimilation linguistique à l'anglais.

7.2. *Aménagement linguistique et standardisation*

Becky Brown suit Milroy et Milroy (1991) en divisant l'aménagement linguistique en trois phases : aménagement du statut (choix de langue ou norme), aménagement du corpus (standardisation) et diffusion de la langue ou norme retenue, y compris son instrumentalisation et son illustration. Les deux premières phases peuvent aussi procéder de pair avec la dernière. Par exemple, l'élaboration formelle d'une forme normée du français, le FR, au 17e siècle, symbolisée par la fondation de l'Académie française, eut lieu après l'explosion de la créativité littéraire chez les auteurs de la Pléiade et paracheva l'œuvre d'aménagement du corpus que ces auteurs et les grammairiens du 16e siècle, tels que Meigret et Étienne, entreprirent. Il a fallu attendre la Révolution de 1789 avant que ne soient lancées des actions pour diffuser largement cette norme par l'intermédiaire de l'École et de la presse et la Troisième République pour que ces actions aboutissent. Toutefois, si la large diffusion du FR à travers l'Hexagone dut attendre le 19e siècle, ses premiers vecteurs furent bien les œuvres de Montaigne, Rabelais, Ronsard et autres Du Bellay.

Les aménageurs linguistiques de la francophonie nord-américaine se trouvent confrontés à plusieurs dilemmes. Au Québec, suite à une affirmation de sa spécificité culturelle francophone au sein d'un sous-continent dominé par l'anglais, le gouvernement provincial a réussi à assurer le maintien du français en le promulguant unique langue officielle. Cette politique volontariste s'est traduite par un certain endiguement de l'anglais et, surtout, la reconquête des domaines industriel et commercial que les élites et l'Église avaient cédés à des Canadiens anglais et des Américains avant la Révolution tranquille. Mais ce succès a mis la communauté québécoise devant un choix épineux : quelle variété de français utiliser dans ces domaines reconquis et, tangentiellement, dans la communication formelle ? Ainsi que le souligne Brown, dans le monde francophone entier, le choix s'est porté bien naturellement sur le FR. Le choix du FR comme norme régionale peut conduire à la dévalorisation de la parole ordinaire qui, dans toutes les communautés francophones nord-américaines, s'avère fort distincte du FR. Or, comme le notent Brown pour la Louisiane et Annette Boudreau pour l'Acadie, se manifeste actuellement une idéologie qui valorise les produits culturels endogènes et les variétés linguistiques du patrimoine porteuses de fortes valeurs identitaires (par ex., le chiac du *Nouveau Brunswick* et l'akadjonne de la *Nouvelle-Écosse*). D'ailleurs, ce mouvement se fait sentir dans toutes les communautés francophones minorisées et il peut s'appuyer sur l'exemple québécois. En effet, le Québec est la seule région francophone où l'on retrouve des ouvrages qui proposent une norme fondée sur le français standard endogène qui est utilisé à l'écrit et dans les situations de communication formelle. L'accueil réservé aux dictionnaires québécois reflète l'attitude ambivalente des élites québécoises et du public général envers une norme québécoise et l'adhésion à des normes basées sur le FR. Ce dilemme entre le choix de ce que Brown nomme « normes sociales », par exemple, le FR, et « normes communautaires », celles qui régissent les interactions communicatives ordinaires, ne peut pas ne pas avoir d'incidences sur les efforts de maintien et de revitalisation du français que l'on retrouve dans toutes les communautés francophones de l'Amérique du Nord hors Québec. Il est intéressant de noter qu'à Hearst en Ontario, une communauté à forte majorité francophone, il semble que le français québécois plutôt que le FR constitue le modèle pour les jeunes. Golembeski (1998) rapporte que les programmes de TV5 produits en France frappent ceux-ci par l'altérité de la langue et de la culture sous-jacente et peuvent provoquer de l'amusement, voir de l'agacement et du rejet.

La description qu'offre Brown de l'aménagement linguistique destiné à maintenir et revitaliser le fait français en Louisiane illustre parfaitement comment ces communautés tentent de rendre les normes sociales et communautaires complémentaires plutôt que concurrentielles. Le parachutage du FR par les « brigades internationales » venues de France, de Belgique et du Québec pour étayer le programme du CODOFIL (Conseil pour le développement du français en Louisiane) eut comme effet pervers de galvaniser un certain secteur de la communauté cadienne. S'opposant à l'introduction d'une norme perçue comme exogène, des intellectuels et des enseignants de français lancèrent des initiatives pour diffuser une norme se rapprochant des variétés vernaculaires endogènes. Toutefois, après une tentative infructueuse de différentiation orthographique maximale décrite par Barry Ancelet et Amanda LaFleur, les écrivains cadiens s'alignèrent sur l'orthographe standard afin de ne pas rompre les liens avec la francophonie internationale. Il reste à voir si les choix normatifs des écrivains reflètent la gamme de variation que décrivent Sylvie Dubois et Kevin Rottet ou si, au contraire, ils visent un usage plus invariant. Et dans ce cas de figure, il faudrait voir si certains traits variables sont privilégiés, par exemple, ceux qui, tels la désinence *-ont* de la 3e personne du pluriel du présent de l'indicatif (*ils chantont*), rejoignent le parler des cousins acadiens.

7.3. *Revitalisation du français*

En lançant le programme du CODOFIL – programme qui fut à l'origine du mouvement pour la revitalisation du français en Louisiane – James Domengeaux déclarait : « L'école a détruit le français, l'école doit reconstruire le français ».

Or, les recherches entreprises par Raymond Mougeon et ses collaborateurs démontrent clairement que si reconstruction il y a ce n'est pas celle de la langue du foyer. En effet, les études portant sur les jeunes Franco-Ontariens pour lesquels le domaine scolaire constitue la source principale d'accès au français font état de la dévernacularisation dans le parler de ces locuteurs restreints, c'est-à-dire, pour un certain nombre de variables lexicales, phonologiques et morphosyntaxiques, une plus grande fréquence d'emploi des variantes du FR que celles des variétés endogènes. Étant donné que les communautés nord-américaines en voie d'assimilation linguistique sont généralement caractérisées par un accès réduit aux variétés vernaculaires endogènes, permettant ainsi à l'École de constituer le vecteur principal pour la diffusion du français, ces communautés sont en fait sujettes à une double assimilation linguistique, d'abord à l'anglais et ensuite à une variété de français perçue comme étrangère.

Ce sont d'autres vecteurs pour la restauration de la parole vernaculaire qui ont été mis à contribution en Acadie et en Louisiane. Les entretiens qu'Annette Boudreau a menés auprès de locuteurs au Nouveau-Brunswick et en Nouvelle-Écosse avaient révélé un fort taux d'insécurité linguistique entretenue par des attitudes négatives envers les variétés vernaculaires, en particulier celles entachées de mixité comme le chiac et l'akadjonne : les sujets tendaient à déclarer qu'ils parlaient « trop mal ». C'est pour contrecarrer ces attitudes négatives qu'ont été mises en place dans les deux provinces des radios communautaires adoptant des stratégies opposées. Au Nouveau-Brunswick, certaines émissions avaient comme but d'élargir le répertoire linguistique des auditeurs en direction du FR tout en donnant la parole aux locuteurs ordinaires. Cela permettait aux animateurs, par exemple, d'offrir des termes français pour remplacer les anglicismes. En Nouvelle-Écosse, au contraire, les speakers accentuaient pour les légitimer les traits structuraux stigmatisés de l'akadjonne.

L'article de Barry Ancelet et Amanda Lafleur, tous deux acteurs engagés dans la revalorisation du cadien en Louisiane, démontre que celle-ci a emprunté la voie de la redécouverte de la musique, de la danse et du folklore traditionnels, la langue devenant indissociable de ces manifestations culturelles. La popularité de la musique cadienne et des autres aspects de la culture a aussi permis, d'une part, leur diffusion vers les pays francophones et, d'autre part, elle a attiré les touristes étrangers. Les Louisianais travaillant dans le domaine du tourisme ont commencé à s'accommoder aux normes externes. Paradoxalement, la confrontation avec ces normes les a rendus conscients d'une nouvelle valorisation des particularités de leur propre parler qui sont perçues comme pittoresques par les étrangers.

Parallèlement au programme du CODOFIL existaient des initiatives éducatives financées par le gouvernement fédéral dans le cadre du projet de loi sur l'éducation bilingue. Ces cours, au contraire de ceux du CODOFIL, faisaient une place aux particularités linguistiques locales et les enseignants adoptaient une attitude valorisante envers le cadien et le créole. Actuellement, cette approche selon laquelle le FR demeure la cible principale, mais qui met en place des moyens pour faire connaître la culture et les variétés endogènes, se généralise, en particulier dans les programmes adoptant la méthode immersive où le français devient véhicule pédagogique. Les universités de la Louisiane, notamment celles de Lafayette et de Baton Rouge, offrent des cours de langue cadienne et le CODOFIL a créé des cours d'alphabétisation qui utilisent des textes cadiens. Il reste à savoir dans quelle mesure ces efforts d'accommodement entre la norme sociale (le FR) et les normes communautaires contribueront au maintien de la parole vernaculaire.

8. Aspects historiques et comparatifs

8.1. *Affinités structurales entre les français d'Amérique du Nord*

La reconstruction de l'évolution des variétés vernaculaires d'Amérique du Nord ne peut faire l'économie d'une vaste étude comparative. Or, si à l'heure actuelle, grâce aux vastes travaux entrepris par l'équipe de Claude Poirier à l'Université Laval sur les particularités lexicales du québécois et de l'acadien, et dans une moindre mesure du cadien, il est possible d'effectuer ce type d'étude, tel n'est pas le cas pour les autres plans du langage[2]. C'est dire tout l'intérêt du projet franco-allemand pour une grammaire comparée de l'acadien et du cadien dont Ingrid Neumann-Holzschuh (en collaboration avec Patrice Brasseur et Raphaële Wiesmath) nous offre un premier échantillon portant sur le système pronominal. Ce choix de variétés pour le premier jalon d'une

---

[2] Le centre du Trésor de la Langue Française au Québec est le principal initiateur du projet de la Banque de données lexicographiques panfrancophones (http://www.tlfq.ulaval.ca/bdlp) qui permet déjà de mettre en regard les particularités des variétés de français du Québec, de l'Acadie et de la Louisiane, ainsi que de cinq autres communautés francophones.

plus vaste étude englobant tous les parlers nord-américains s'imposait vu les liens historiques entre les deux variétés, des liens fortement ressentis par les acteurs du renouveau cadien pour lesquels l'Acadie, plutôt que la France, représente la mère patrie. En revanche, cette entreprise comparative confronte de nombreux défis. Premièrement, des descriptions détaillées de la morphosyntaxe des deux variétés font défaut, ce qui prive le comparatiste d'une base de référence facilement accessible. Deuxièmement, chacune des variétés exhibe un niveau de variation intradialectale important. Troisièmement, comme les communautés acadienne et cadienne évoluent à l'ombre du grand voisin anglais et du non-lointain cousin qu'est le FR, leurs parlers subissent une double assimilation linguistique se manifestant par force emprunts, transferts et alternances codiques. D'autre part, libérés de la pression de la norme standard, ces parlers témoignent de nombreux conservatismes et de changements évolutifs internes. Enfin, leur utilisation étant en voie de restriction, ils sont laminés par des phénomènes d'étiolement. Ces divers facteurs forment un enchevêtrement complexe de traits que la bonne connaissance du terrain et la méthodologie rigoureuse des chercheurs de cette équipe réussiront à démêler pour retrouver le fond commun d' « acadianité ».

8.2. *Français d'Amérique et créoles à base lexicale française*

Les études comparatives que préconise Robert Chaudenson se situent à un niveau supérieur que celle esquissée par Neumann-Holzschuh puisqu'elles mettent en regard les français nord-américains et tous les créoles issus du français. Ces études représentent une approche de recherche essentielle puisqu'elles permettent d'identifier le français en usage tant dans les ex-colonies d'Amérique du Nord que dans les îles où se formèrent les créoles. Pour Chaudenson – et bien d'autres – le français colonial reflète un français largement partagé par le peuple dans les régions de l'ouest de la France, le français ordinaire – ce terme étant d'une perspective sociolinguistique plus neutre que français populaire. Donc, la comparaison des créoles et des français d'Amérique du Nord contribue à combler une lacune de l'histoire de la langue française car les sources textuelles sont relativement muettes concernant la morphosyntaxe du français ordinaire durant la période où s'est formé le français moderne, du 16e au 18e siècle. Ces études comparatives éclairent aussi le processus de la créolisation puisque, libérés du carcan du FR par leur éloignement de la métropole, les parlers vernaculaires nord-américains reflètent certains processus auto-régulateurs[3] qui ont guidé les créateurs des créoles. Toutefois, nous avertit Chaudenson, ces processus n'opèrent pas dans le même contexte écolinguistique : les créoles sont en effet caractérisés par une situation exolingue, alors que le français colonial représente une situation endolingue. C'est-à-dire que dans le cas des créoles, étant donné qu'ils sont le résultat de l'apprentissage approximatif d'une langue par des alloglottes, certains traits de la langue ou des langues que maîtrisent ceux-ci pourraient fonctionner comme catalyseurs. C'est le cas, par exemple, de la généralisation dans les créoles de la zone caraïbe de la post-position du déterminant défini. En français populaire et dans les parlers nord-américains, l'adverbe déictique -*là* sert à renforcer l'article défini ou l'adjectif démonstratif antéposé, par exemple, *ce type là, la maison là*. Et nous avons vu qu'à la Vieille Mine, l'article défini pouvait être effacé, par exemple, *dans tas d'pierre-là*. Il s'avère que dans nombre de langues kwa de l'Afrique occidentale, l'article défini, dont la valeur déictique est plus forte que son homologue français, est effectivement postposé. Dans ce cas, la langue des apprenants fonctionne comme un filtre : elle laisse passer les restructurations en voie de développement dans la variété de français cible qui correspondent à ses propres traits.

8.3. *Origine commune et différentiation*

Steve Canac-Marquis et Claude Poirier reprennent en l'étayant avec des données lexicologiques une hypothèse lancée par le linguiste autodidacte Jules Faine (1936). Celui-ci attribuait l'origine des créoles à base lexicale française à un jargon nautique en usage dans les ports de la Manche et de l'Atlantique. Pour ces auteurs, il ne s'agit pas d'un jargon mais d'une variété populaire de français des 15e et 16e siècles qui servait de langue véhiculaire. Adoptée par les marins qui commençaient à sillonner l'Atlantique et à explorer le Nouveau Monde du sud au nord, ce parler serait à l'origine du français colonial. Cette théorie ne semble pas en désaccord avec le refus de Chaudenson de localiser l'ancêtre du patois de Saint-Barth en Normandie, comme le veut un mythe répandu dans l'île. La présence de force termes nautiques dans les français nord-américains, de vocables faisant leur chemin dans plusieurs langues coloniales (par ex., le couple français-anglais *prusse/spruce* pour désigner la même espèce d'arbre) et un tronc lexical commun aux îles de l'océan Indien et aux Amériques que Chaudenson (1974) nomme « le

---

[3] Les processus auto-régulateurs sont des restructurations internes dont l'effet est la régularisation de paradigmes ou la réduction de variantes qui donnent l'impression d'une simplification.

vocabulaire des isles » démontre l'influence des hommes de mer dans la dénomination d'éléments inconnus de la faune et de la flore du Nouveau Monde. Comme le soulignent Canac-Marquis et Poirier, ces faits rendent peu probable la formation des parlers nord-américains par le nivellement *in situ* de dialectes oïl distincts.

Tout comme le français en usage parmi les marins qui ont exploré les Amériques a légué une partie importante des termes qui dénomment des référents associés aux nouvelles terres, le parler en usage dans le pays des Illinois (Haute Louisiane) reflète celui de ses premiers explorateurs et défricheurs venus de la vallée du Saint-Laurent. L'analyse qu'offre Robert Vézina des particularités du français de la Vieille Mine (Missouri), le seul parler du pays des Illinois ayant survécu, révèle une origine laurentienne pour les trois-quarts d'entre eux, ceci malgré les relations étroites entre cette région et la basse Louisiane assurées par le trafic fluvial sur le Mississippi. À partir des missourismes, les particularités du parler de la Vieille Mine qui ne montrent aucune trace d'origine laurentienne ou louisianaise, l'on peut mieux comprendre la formation et l'évolution du lexique des français nord-américains. Parmi les facteurs de différentiation figurent : la nature du peuplement, en particulier les apports de la métropole après la fondation initiale des postes français dans l'Illinois ; l'isolement relatif des habitants après la cession du territoire qui limita les relations avec les autres communautés francophones et l'influence de la forme normée de la langue véhiculée par les institutions administratives et scolaires ; de même que les contacts avec d'autres langues, en particulier les langues amérindiennes et l'anglais. On ne peut évidemment négliger les évolutions internes inhérentes à toute variété linguistique et ses adaptations au milieu naturel et culturel.

8.4. *Sources documentaires et liens entre les parlers d'Amérique du Nord et les parlers vernaculaires de France*

En signalant d'emblée qu'un bloc important du lexique des parlers nord-américains représente des innovations, soit la création de nouveaux signifiants dénommant des référents inconnus en métropole (par ex., le *mapou*, arbre des Antilles), soit des signifiants présents en FR mais collés à de nouveaux référents (par ex., *abricot* pour dénommer un fruit bien plus gros que son homonyme français mais partageant sa couleur jaunâtre), Pierre Rézeau met en lumière leur autonomie lexicale. Mais dans ce domaine il plaide pour des études comparatives qui permettront de mieux relier le lexique des parlers nord-américains à leurs sources françaises et de tracer le cheminement de termes partagés, dont certains sont propres à certaines régions de l'Hexagone (par ex., *lard* « viande de porc » en Normandie et l'ouest) et d'autres non géographiquement marqués (par ex., *rafraîchissement* « ravitaillement donné à un navire »). Ainsi, l'attestation du terme *Michel Morin* « bricoleur habile » aux Antilles et à la Réunion suggère que bien que limité aujourd'hui au Bordelais, il était autrefois beaucoup plus largement répandu en France et est relativement ancien. Outre l'importance d'aller au-delà des ressources métalinguistiques actuelles comme le *Trésor de la langue française*, Rézeau souligne la nécessité d'examiner les sources textuelles datant de la période coloniales : rapports des administrateurs, récits de voyages, etc.

****

Ce volume a ses origines dans le colloque « Le français aux États-Unis ». Ce colloque fait suite à plusieurs initiatives pionnières du Programme de Linguistique Française d'Indiana University dans le domaine de l'étude du français hors de France et des créoles à base lexicale française. Le Programme avait organisé en 1974 l'un des premiers colloques internationaux portant sur le français dans les Amériques, qui servit de base au volume collectif *Identité culturelle et francophonie dans les Amériques* (A. Valdman et E. Snyder, dirs., Québec, Les Presses de l'Université Laval). Ce premier colloque fut suivi de deux autres colloques sur le même thème, les deux autres ayant eu lieu à Dalhousie University en Nouvelle-Écosse en 1975 et à Glendon College, Université York à Toronto en 1976. Le Programme avait aussi collaboré à l'organisation du Colloque sur les ethnies francophones, mentionné ci-dessus, et fut à l'origine du projet qui aboutit à la publication du volume *Le Français hors de France*.

Plusieurs thèses de doctorat soutenues au Programme ont porté sur le français en Amérique du Nord ou sur les créoles des Amériques : Yves Dejean (1977) *Comment écrire le créole d'Haïti?*; Bruce Byers (1988) *Defining norms for a non-standardized language : A study of verb and variation in Cajun French*; Cynthia Fox (1989) *Syntactic variation and interrogative structures in Québécois*; Flore Zéphir (1989) *Language choice, language use, and language attitudes of the Haitian bilingual community*; Helene Ossipov (1990) *A GPSG analysis of doubling and dislocation constructions in French*; Cathy Pons (1990) *Language death in the Waldensian community of Valdese, North Carolina*; Thomas Klingler (1992) *A lexical study of Creole speech of Point Coupee Parish, Louisiana*; Kevin Rottet (1995) *Language shift and language death in the Cajun French-speaking communities of Terrebonne and Lafourche parishes, Louisiana*;

Dan Golembeski (1998) *French language maintenance in Ontario, Canada : A sociolinguistic portrait of the community of Hearst*; Corinne Étienne (2000) *A sociolinguistic study of the lexical particularities of French in the Haitian press.*

Nous sommes reconnaissants aux organismes extérieurs qui ont apporté un appui financier au Colloque : les Services culturels de l'Ambassade de France aux États-Unis, Affaires étrangères Canada et le ministère des Relations internationales du gouvernement du Québec par l'intermédiaire de la Délégation du Québec à Chicago. De nombreux programmes et départements d'Indiana University ont collaboré et/ou contribué financièrement au Colloque, et nous leur adressons nos profonds remerciements : le Département de français et d'italien, grâce notamment au Mary-Margaret Barr Koon Fund et au soutien de son directeur Andrea Ciccarelli ; Arts and Humanities Institute du College of Arts and Sciences ; Office of International Programs ; Office of the Vice President for Research et le doyen de University Graduate School. Nous remercions aussi les étudiants en linguistique française et le personnel du Creole Institute à Indiana University, en particulier Mary Fessner-Tarjanyi, de leur aide pendant l'organisation et le déroulement du colloque. Nous tenons à exprimer notre gratitude envers Valérie Saugera et Danielle McShine qui ont assuré la préparation et le formatage des articles de ce volume pour la publication. Finalement, nous remercions le gouvernement du Québec et Affaires étrangères Canada du soutien financier qu'ils ont accordé à la préparation et à la publication de cet ouvrage.

L'année 2004, qui commémore la première colonie acadienne implantée à l'Île Sainte-Croix à la frontière entre le Nouveau-Brunswick et le Maine, marque le 400e anniversaire de la présence francophone en Amérique du Nord. Cet ouvrage rend hommage à toutes les femmes et à tous les hommes qui ont permis que nous puissions continuer d'y vivre en français.

Références

BARBAUD, Philippe. 1984. *Le choc des patois en Nouvelle France*, Québec, Presses de l'Université du Québec.

BENIAK, Edouard et Raymond MOUGEON (dirs.). 1989. *Le français canadien parlé hors Québec : un aperçu sociolinguistique*, Québec, Presses de l'Université Laval.

BRASSEUR, Patrice (dir.). 1998. *Français d'Amérique, Variation, créolisation, normali-sation, Actes du colloque « Les français d'Amérique du Nord en situation minori-taire », Université d'Avignon, 8-11 octobre 1996*, Avignon, Centre d'Études Ca-nadiennes (CECAV), Université d'Avignon.

CALVET, Louis Jean et Robert CHAUDENSON. 1998. *Saint-Barthélemy. Une énigme linguistique*, Paris, Didier Érudition.

CHARBONNEAU, Hubert et André GUILLEMETTE. 1994. « Provinces et habitats d'origine des pionniers de la vallée laurentienne », dans Claude POIRIER, Aurélien BOIVIN, Cécyle TRÉPANIER et Claude VERREAULT (dirs.), *Lan-gues, espaces, société : les variétés du français en Amérique du Nord*, Québec, Pres-ses de l'Université Laval, 157-183.

CHAUDENSON, Robert. 1974. *Le lexique du parler créole de la Réunion*, Paris, H. Champion.

CHAUVEAU, Jean-Paul. 1992. « Le français à Saint-Pierre et Miquelon », *Cahiers de Lexicologie*, 61 : 193-217.

DE ROBILLARD, Didier et Michel BENIAMINO. 1992 *Le français dans l'espace fran-cophone*, Paris, H. Champion.

FAINE, Jules. 1936. *Philologie créole : études historiques et étymologiques sur la languecréole d'Haïti*, Port-au-Prince, Imprimerie de l'Etat.

GOLEMBESKI, Dan. 1998. *French language maintenance in Ontario, Canada : Portrait of the community of Hearst*, thèse de doctorat inédite, Indiana University, Bloomington.

HELLER, Monica et Normand LABRIE (dirs.) 2003. *Discours et identités. La francité canadienne entre modernité et mondialisation*, Cortil-Wodon, Belgique, Éditions Modulaires Européennes.

HIGHFIELD, Arnold R. 1979. *The French dialect of St. Thomas, U.S. Virgin Islands : A descriptive grammar with texts and glossary*, Ann Arbor, Michigan, Karoma Publishers.

JEDWAB, Jack. 2003. « Evolving French presence in North America », Associa-tion for Canadian Studies, Polls 2003. http://www.acs-aec.ca/Polls/EvolvingFrench.pdf.

LABOV, William. 1972. *Language in the inner city : Studies in the Black English vernacu-lar*, Philadelphia, University of Pennsylvania Press.

LAVOIE Thomas (dir.). 1996. *Français du Canada – Français de France*, Tübingen, Niemeyer.

LEVINE, Marc V. 2002. « La question "démolinguistique", un quart de siècle après la Charte de la langue française », *Revue d'aménagement linguistique; L'aménagement linguistique au Québec: 25 ans d'application de la Charte de la langue française*, numéro hors série, 165-181.

MILROY, James et Leslie MILROY. 1991. *Authority in language : Investigating language prescription and standardisation*, 2ᵉ éd., London, Routledge.

MUYSKEN, Pieter. 2000. *Bilingual speech : A typology of code-mixing*, Cambridge, Cambridge University Press.

POIRIER, Claude. 1994. « La langue parlée en Nouvelle-France : vers une convergence des explications », dans Raymond MOUGEON et Édouard

BENIAK (dirs.), *Les origines du français québécois*, Sainte-Foy, Québec, Les Presses de l'Université Laval, 237-273.

POIRIER, Claude, Aurélien BOIVIN, Cécyle TRÉPANIER et Claude VERREAULT (dirs.). 1994. *Langues, espace, société : les variétés du français en Amérique du Nord*, Sainte-Foy, Québec, Les Presses de l'Université Laval.

PÖLL, Bernhard. 2001. *Francophonies périphériques. Histoire, statut et profil des principales variétés du français hors de France*, Paris, L'Harmattan.

POPLACK, Shana. 1980. « "Sometimes I'll start a sentence in Spanish y termino en español" : Toward a typology of code-switching», *Linguistics* 18, 7/8 : 581-618.

POPLACK, Shana. 1989. « Statut de langue et accommodation langagière le long d'une frontière linguistique », dans Raymond MOUGEON et Édouard BENIAK (dirs.), *Le français canadien parlé hors Québec*, Québec, Presses de l'Université Laval, 127-151.

REBOULLET, André et Michel TÉTU. 1977 *Guide culturel : civilisations et littératures d'expression française*, Paris, Hachette.

THÉRIAULT, Joseph Yvon (dir.). 1999. *Francophononies minoritaires au Canada : l'état des lieux*, Moncton, Les Éditions d'Acadie.

THIBAULT, André. 2003. « Histoire externe du français au Canada, en Nouvelle-Angleterre et à Saint-Pierre et Miquelon», dans Gerhard ERNST, Martin-Dietrich GLEßGEN, Christian SCHMITT et Wolfgang Schweickard (dirs.), *Romanische Sprachgeschichte - Histoire linguistique de la Romania*. Berlin, Walter de Gruyter, 895-911.

TREMBLAY, Rémy. 2001. Floribec : les Québécois en vacances, Montréal, INRS Urbanisation, Culture et société.

Université de Nice. 1969-1970. *Le français en France et hors de France, vol.1 Créoles et contacts africains ; vol. 2 Les français régionaux, le français en contact, Actes du colloque sur les ethnies francophones, 26-30 avril 1968*, Nice, Centre d'Études des Relations Interéthniques de Nice.

VALDMAN, Albert (dir.).1979. *Le français hors de France*, Paris, Honoré Champion.

VALDMAN, Albert et Émile SNYDER (dirs.). *Identité culturelle et francophonie dans les Amériques*, Québec, Les Presses de l'Université Laval.

VIATTE, Auguste. 1969. *La Francophonie*, Paris, Larousse.

Description de la situation sociolinguistique générale et aspects de la structure linguistique :

Les bastions de la francophonie nord-américaine

Un bastion francophone en Amérique du Nord : le Québec[1]

Julie Auger, Indiana University

1. Introduction

Le français joue au Québec un rôle unique en Amérique du Nord. En effet, le Québec est le seul territoire nord-américain où le français est à la fois la langue maternelle d'une large majorité de la population et langue officielle. Bien sûr, le fait que les francophones du Québec constituent un groupe linguistique minoritaire au sein du Canada et de l'Amérique du Nord joue aussi un rôle de première importance dans le développement de cette communauté et de son parler, l'élaboration de ses politiques linguistiques et son attitude ambivalente envers le français, cette langue qui lui tient tant à coeur mais dont il doute souvent qu'elle lui appartienne.

L'objectif de cet article est de dresser un portrait de la situation actuelle du français au Québec et de la communauté qui le parle. Pour bien situer cette communauté linguistique dans son cadre historique, géographique et socio-politique, nous commencerons par brièvement résumer l'histoire de la présence francophone au Canada. Nous décrirons ensuite les obstacles auxquels les descendants des colons français ont dû faire face pour préserver leur langue et leur culture et les moyens qu'ils se sont donnés pour y parvenir. Sur cette base, nous aborderons ensuite la question de la situation sociolinguistique au Québec à l'aube du 21ᵉ siècle et du rôle que joue le Québec auprès des autres communautés francophones d'Amérique du Nord. Finalement, nous présenterons un aperçu des principales caractéristiques du français tel qu'il se parle au Québec.

---

[1] Je remercie Denise Deshaies, France Martineau, Yves-Charles Morin, Raymond Mougeon, Claude Poirier, Albert Valdman et Marie-Thérèse Vinet de leur aide et/ou de leurs commentaires sur une version préliminaire de ce texte. Bien sûr, aucun d'entre eux ne saurait être tenu responsable des positions et des faits discutés dans cet article.

2. Bref historique de la présence francophone en Amérique du Nord

La présence francophone au Canada résulte des efforts d'exploration et de colonisation des Français, comme ce fut le cas pour l'anglais, l'espagnol et le portugais dans le Nouveau Monde. Accusant un certain retard sur leurs concurrents européens, les Français décidèrent, pendant la première moitié du 16ᵉ siècle, de se lancer à la recherche d'une nouvelle route vers les Indes et leurs richesses. C'est ainsi que Jacques Cartier « découvrit » le Canada en 1534 et en réclama la possession au nom de la France. Il fallut cependant attendre jusqu'au début du 17ᵉ siècle pour assister aux premières tentatives de colonisation. Après quelques tentatives infructueuses, la première colonie acadienne fut établie à l'Île Sainte-Croix, à la frontière actuelle entre le Nouveau-Brunswick et les États-Unis, en 1604. Quatre ans plus tard, Champlain fonda la ville de Québec sur les rives du fleuve Saint-Laurent, marquant ainsi la naissance de la Nouvelle-France. Cette nouvelle colonie, dont l'économie reposait pour une large part sur la traite des fourrures, fut le point de départ d'une importante expansion territoriale vers l'ouest canadien et le sud de ce qui allait devenir les États-Unis. À son apogée, la Nouvelle France s'étendait jusqu'aux Rocheuses canadiennes et jusqu'au golfe du Mexique.

En raison de la rigueur du climat et du peu d'intérêt que la métropole portait à ses colonies du Nouveau Monde, les populations d'Acadie et de Nouvelle-France crûrent de façon très modeste au cours des 17ᵉ et 18ᵉ siècles et la France fit peu d'effort pour défendre et conserver ses deux colonies. La France céda presque toute l'Acadie à l'Angleterre en 1713, ne conservant que l'Île-du-Cap-Breton. La Nouvelle-France tomba aux mains des Anglais en 1759 et fut définitivement cédée à l'Angleterre en 1763. Seules les îles de Saint-Pierre et Miquelon, situées au sud de Terre-Neuve, sont restées françaises et demeurent, à ce jour, un département français d'outre-mer.

3. La protection du français au Québec

Aussi longtemps que la Nouvelle-France demeurait une colonie française, le français y servait naturellement de langue quotidienne et administrative. En effet, bien qu'un certain débat persiste sur les langues que parlaient les colons au moment où ils ont quitté la France (v. par ex. Barbaud 1984 et Poirier 1994), les témoignages de l'époque établissent que le français était la langue commune dès le milieu du 17ᵉ siècle, selon certains chercheurs, et dès le début de la colonisation, selon d'autres. Une des conséquences de la conquête anglaise sera une incertitude constante par rapport aux droits linguistiques des Canadiens qui ont choisi de rester dans la colonie ou qui n'ont pu rentrer en France et leur lutte constante pour la préservation de ces droits. En effet, si ceux-ci sont, à l'occasion, officiellement garantis par les autorités britanniques, les textes légaux restent souvent muets à leur sujet et vont parfois jusqu'à les suspendre.

3.1. *Après la conquête anglaise*

Si l'usage du français dans la vie privée ne fut qu'exceptionnellement remis en question par les autorités britanniques, son emploi dans le domaine public constitue l'objet de nombreuses requêtes et batailles de la part des Canadiens d'alors. Dès 1765, une pétition est adressée au roi d'Angleterre pour réclamer l'emploi du français dans le système de justice et dans les ordres du roi. Pour ne déplaire à personne et ne pas risquer que les Canadiens français ne soient tentés de se joindre aux Américains dans leur lutte d'indépendance, de nombreux documents légaux restent silencieux sur les questions de langue. Ainsi, l'Acte de Québec de 1774 rétablit les lois civiles françaises et donne aux Canadiens accès aux fonctions publiques sans avoir à renier leur foi catholique mais ne garantit en rien l'usage du français au sein de la colonie. L'Acte constitutionnel de 1791, qui sépare le Canada en deux provinces, ne prend toujours pas position sur les questions de langue, ce qui permet au français d'être utilisé à la Chambre des députés, en dépit de l'opposition des députés anglais. La menace la plus importante pour le français survient au cours du 19ᵉ siècle. La rébellion des Patriotes de 1837, qui réclamaient un gouvernement élu et davantage de pouvoirs, se soldera par un échec cuisant des Canadiens français et par l'exil de plusieurs de ses chefs. En 1839, le rapport de Durham recommandera, « pour son propre bien », l'assimilation linguistique d'un peuple sans histoire et sans culture. Ce rapport, qui recommande aussi l'union des deux Canadas et le monolinguisme anglais dans le nouveau parlement, a ouvert la voie à l'Acte d'Union de 1840 qui, pour la première fois, impose l'anglais comme seule langue officielle aux Canadiens français. L'article 41, qui proscrit l'usage du français à l'Assemblée, est abrogé en 1848, mais l'anglais reste dans les faits la seule langue officielle.

3.2. *Au sein de la confédération canadienne*

Il faut attendre jusqu'en 1867 pour que l'Acte de l'Amérique du Nord britannique jette les fondations de la constitution canadienne que l'on connaît aujourd'hui et reconnaisse officiellement une certaine forme de bilinguisme en imposant l'usage du français et de l'anglais aux parlements d'Ottawa et de Québec et devant les tribunaux québécois et canadiens. Dans les faits, cette nouvelle constitution fait cependant bien peu pour protéger les droits linguistiques des francophones. En effet, alors que la majorité francophone du Québec peut protéger ces droits à l'aide de législations provinciales, les francophones hors-Québec ne profitent pas des mêmes protections. L'accès à des écoles françaises illustre bien les difficultés auxquelles ces francophones doivent faire face. En 1871, les écoles catholiques françaises sont soumises à des mesures discriminatoires au Nouveau-Brunswick; en 1890, une loi du Manitoba abolit les écoles catholiques et l'usage du français dans l'enseignement; en 1912, le règlement XVII de l'Ontario restreint l'usage du français dans les écoles.

Même si le français est largement utilisé au Québec en raison du poids démographique des francophones, les Québécois se rendent compte que leur situation n'est pas égale à celle de leurs compatriotes anglophones. Ils constatent, par exemple, que les perspectives d'emploi sont plus limitées pour un francophone unilingue qu'elles ne le sont pour un anglophone unilingue, qu'à compétence égale, leurs revenus sont inférieurs à ceux des anglophones et qu'ils sont donc traités comme des citoyens de deuxième classe dans leur propre province. En 1955, le refus de la compagnie de chemin de fer Canadien National de donner un nom français au nouvel hôtel Queen Elizabeth, qui était en construction à Montréal, symbolise le peu de respect qu'ont les compagnies nationales pour la majorité francophone de la ville et de la province et mobilise l'opinion publique. Cette prise de conscience sociale et politique du rôle de second plan que joue le français même au Québec est renforcée par le débat qui fait rage au même moment sur la qualité du français parlé des Québécois. Aux yeux de plusieurs, il devient donc impératif de se donner les moyens de mieux assurer les droits linguistiques de la majorité des Québécois et de mettre en oeuvre des mesures qui visent à améliorer la qualité du français au Québec et redonner aux Québécois une langue dont ils puissent être fiers.

3.3. *Depuis la Révolution tranquille*

C'est dans ce contexte que s'amorce, avec l'élection du parti libéral de Jean Lesage en 1960, la Révolution tranquille, une période de changements socio-politiques profonds. Le défi à relever était grand : il fallait que le Québec rattrape des décennies de retard par rapport aux autres nations du monde industriel en reprenant le contrôle de ses richesses naturelles et en formant une élite francophone québécoise qui puisse faire prospérer la province. Sur le plan linguistique, la première mesure concrète qui fut prise pour promouvoir le français est la création en 1961 de l'Office de la langue française. Face à la montée du nationalisme québécois et à la prise de conscience de l'importance de la langue française pour le peuple québécois, le gouvernement fédéral met sur pied en 1963 la Commission royale d'enquête sur le bilinguisme et le biculturalisme (Commission Laurendeau-Dunton). Le gouvernement québécois crée pour sa part en 1968 la Commission sur la situation de la langue française au Québec (Commission Gendron). Ces deux commissions révèlent l'inégalité du français et de l'anglais au Québec et au Canada et ouvrent la voie à une série de lois linguistiques qui visent à renforcer la position du français dans la province et au pays.

En 1969, le gouvernement fédéral adopte la Loi canadienne sur les langues officielles qui consacre l'égalité du français et de l'anglais dans tout l'appareil fédéral et qui crée des districts bilingues où les droits linguistiques des minorités francophones et anglophones doivent être respectés. La même année, le gouvernement québécois adopte sa première loi linguistique, la loi 63. Cette loi, qui sanctionne la liberté de choix en ce qui concerne la langue d'enseignement et ne reconnaît aucun caractère spécial au français, soulève la colère des Québécois francophones et contribue à la défaite du gouvernement de l'Union nationale lors des élections qui suivront. Le gouvernement libéral qui lui succède adopte en 1973 la loi 22, qui fait du français la seule langue officielle du Québec. Cependant, cette loi ne va toujours pas assez loin, entre autres parce qu'elle continue à reconnaître le libre choix de la langue d'enseignement. Compte tenu que la grande majorité des immigrants et même certains Québécois francophones choisissent d'envoyer leurs enfants à l'école anglaise et menacent ainsi de faire perdre du terrain au français au Québec, cette mesure apparaît inacceptable et contribue, encore une fois, à la défaite électorale du gouvernement qui l'a adopté.

La politique linguistique québécoise connaît son apogée avec l'arrivée au pouvoir en 1976 du Parti québécois, un parti nationaliste qui promeut l'indépendance du Québec. Pendant l'année qui suit son élection, le nouveau gouvernement adopte la loi 101, ou Charte de la langue française[2]. Cette loi, qui confirme le français comme seule langue officielle du Québec, se donne finalement les moyens de renforcer la position du français dans la province. Par exemple, pour endiguer l'anglicisation des allophones (c'est-à-dire les immigrants qui parlent une langue autre que le français ou l'anglais) et des francophones eux-mêmes, la loi restreint l'accès à l'école primaire et secondaire de langue anglaise aux enfants dont les parents ou les frères et sœurs ont fréquenté l'école anglaise au Québec[3]. Pour donner à tous les Québécois francophones la chance de travailler en français, le gouvernement étend le programme de francisation des entreprises que la loi 22 avait créé. Pour changer le visage de Montréal qui, malgré le fait qu'elle soit la deuxième plus grande ville francophone au monde, affiche surtout en anglais dans son centre-ville, la loi impose l'unilinguisme français dans l'affichage public et la publicité commerciale[4].

La loi 101 satisfait finalement la majorité des Québécois francophones. Comme on peut s'y attendre, elle est cependant très mal reçue, de façon générale, par les anglophones. Plusieurs choisiront d'ailleurs de quitter le Québec pour d'autres provinces canadiennes (Bourhis et Landry 2002 : 110). Certains contestent dans les cours de justice des articles de la loi en invoquant qu'ils portent atteinte à leurs libertés individuelles, telles que garanties par la Charte canadienne des droits et libertés, et qu'ils sont incompatibles avec la constitution canadienne. C'est ainsi, par exemple, que l'article 23 de la Loi constitutionnelle de 1982 qui prévoit l'enseignement dans la langue de la minorité à ceux qui ont reçu leur enseignement primaire ou secondaire au Canada a donné lieu à un jugement de la Cour suprême en 1984 qui a invalidé l'article de la loi 101 relatif à la langue d'enseignement. Le gouvernement du Québec a ainsi été amené à remplacer cet article par un autre qui donne maintenant

---

[2] Le texte complet de la loi 101 est disponible sur le site http://www.oqlf.gouv.qc.ca/charte/charte/index.html.

[3] Il s'agit ici des écoles publiques et des écoles privées subventionnées par le gouvernement québécois. L'accès aux écoles privées non subventionnées reste libre et ouvert à tous. Notons que des exceptions existent pour les enfants dont la famille fait un séjour temporaire au Québec et pour les enfants qui éprouvent des difficultés d'apprentissage (Paillé 2002 : 52).

[4] Il importe de noter que la loi 101 ne cible que les domaines publics et qu'elle ne concerne aucun des domaines de la vie privée.

accès à l'école primaire et secondaire de langue anglaise à ceux dont les parents, frères ou soeurs ont été scolarisés en anglais au Canada et non seulement au Québec. Bien que plusieurs jugements en faveur des plaignants aient forcé le gouvernement du Québec à affaiblir certaines provisions destinées à protéger et renforcer le fait français au Québec (v. Woehrling 2000 pour une liste complète) et même si des contestations sont toujours devant les tribunaux, l'essentiel de la loi reste en place à ce jour.

4. La situation sociolinguistique au Québec à l'aube du 21e siècle

Dans son rapport final publié en 2001, la Commission des États généraux sur la situation et l'avenir de la langue française au Québec constate que « la loi 101 a permis d'accomplir des progrès considérables » (2001 : 10). Les articles du numéro hors série de la *Revue d'aménagement linguistique* (Bouchard et Bourhis 2002) consacré au bilan de la situation linguistique au Québec à l'occasion du 25e anniversaire de la Charte de la langue française abondent dans le même sens. Le rapport résume ainsi la situation :

> Plus de 90 % des jeunes immigrants fréquentent l'école de langue française. Le français est généralement présent dans le commerce et l'affichage et son usage a progressé dans les entreprises. L'écart des revenus entre les francophones et les anglophones est pratiquement inexistant. Une forme de sécurité a gagné la population du fait que le français, langue officielle et commune, soit aujourd'hui entré dans les moeurs. (2001 : 10)

Selon ce rapport, l'objectif de faire du français la langue qui unit tous les Québécois est donc largement atteint. Cependant, de l'avis de la commission et de plusieurs experts, les gains du français au Québec ne sont pas irréversibles et la situation linguistique reste précaire (par ex., Levine 2002). En effet, le contexte nord-américain continue de rendre nécessaire la connaissance de l'anglais pour le commerce interprovincial et international et les secteurs de pointe requièrent une certaine maîtrise de l'anglais pour rester à la fine pointe du progrès. De plus, bien que les francophones et les allophones soient moins nombreux qu'avant à abandonner leur langue maternelle en faveur de l'anglais, cette dernière maintient tout son attrait.

Il importe à ce point de noter que la société québécoise, ou sa perception d'elle-même, a beaucoup changé en 25 ans, comme en témoigne l'extrait suivant tiré d'un discours prononcé par le premier ministre Lucien Bouchard à l'intention de la communauté anglophone le 11 mars 1996 : « Il serait bon de faire savoir que le nationalisme québécois que nous bâtissons actuellement ne se définit plus comme celui des Canadiens français, mais comme celui de toutes les Québécoises et de tous les Québécois. Ce mouvement ne cherche plus l'homogénéité, il embrasse la diversité et le pluralisme. » Alors que le nationalisme canadien-français du début du 20ᵉ siècle et le nationalisme québécois des années 1960-1990 étaient largement centrés sur le critère du français, langue maternelle de la majorité des Québécois, on reconnaît maintenant que l'origine française et la langue maternelle française ne sont plus nécessaires pour définir un Québécois. Le gouvernement et la majorité des pouvoirs publics mesurent les succès de la loi 101 dans le contexte de cette nouvelle reconnaissance de la diversité culturelle québécoise. À l'aube du 21ᵉ siècle, la sauvegarde du français et des droits linguistiques des francophones s'inscrit dans un discours politique et nationaliste qui se démarque nettement de la réaction de Jacques Parizeau le soir du référendum de 1995 lorsqu'il identifia le « vote ethnique » comme l'une des quatre causes de la défaite référendaire[5].

4.1. *Les francophones ont-ils regagné tous leurs droits linguistiques?*

Il est indéniable que les droits linguistiques des francophones québécois sont maintenant mieux protégés qu'à aucun autre moment depuis la conquête anglaise. Dans l'ensemble, les Québécois sont satisfaits des gains accomplis : la plupart d'entre eux sont maintenant en mesure de travailler en français, ont accès, par exemple, à des manuels d'instructions en français, des logiciels français et à des versions françaises des films étrangers. Les affiches unilingues anglaises ne constituent plus que 1 % de l'affichage public dans l'île de Montréal (Bourhis et Landry 2002 : 120). De plus, leur crainte de la menace anglophone s'est atténuée, du fait que Montréal affiche maintenant un visage plus français et que l'anglicisation qui affectait cette ville dans les années 1960 et 1970

---

[5] Au référendum du 30 octobre 1995 sur l'indépendance du Québec, le non l'avait emporté de justesse sur le oui : avec un taux de participation de 93,5 %, le non avait obtenu 50,6 % des voix, contre 49,4 % pour le oui. Ajoutons que cette déclaration de Parizeau fut si mal accueillie par les Québécois qu'elle le força à démissionner de son poste de premier ministre du Québec le lendemain du référendum.

semble maintenant mieux contrôlée. En effet, bien que plusieurs allophones continuent d'apprendre l'anglais, ils apprennent aussi le français et communiquent dans cette langue dans les commerces, au travail et dans la vie publique en général.

Il faut cependant reconnaître que certains francophones et regroupements, tels que la Société Saint-Jean-Baptiste de Montréal et des membres plus radicaux du Parti québécois, continuent de percevoir le bilinguisme comme une menace pour le français et dénoncent certains reculs du français. Par exemple, une lettre publiée dans le quotidien montréalais *Le Devoir* le 16 janvier 2003 et accessible sur le site de la Société Saint-Jean-Baptiste (www.mediom.com/~ssjbq/) dénonce le bilinguisme *de facto* qui caractérise, selon ses auteurs et suite aux fusions municipales, la nouvelle ville de Montréal. En janvier 2004, le président de la même société a publié une étude qui dénonce un accroissement constant depuis 1994 de la proportion des élèves québécois qui fréquentent l'école primaire ou secondaire de langue anglaise (Boileau 2004).

4.2. *Les anglophones face à l'affirmation des droits linguistiques des francophones*

Selon Bourhis et Landry (2002 : 110), plus de 120 000 anglophones ont quitté le Québec suite à l'adoption de la loi 101. Ceux qui sont restés ont lutté pour la protection de leurs droits linguistiques. Ils ont obtenu, par exemple, que leur droit à des services de santé en anglais soit reconnu et que l'accès à l'école anglaise soit étendu à tous les enfants dont les parents ou les frères et soeurs ont fréquenté l'école anglaise au Canada. Mais les anglophones qui sont restés se sont aussi adaptés à la nouvelle société québécoise. Les Montréalais anglophones unilingues sont en voie de disparition et il est important de reconnaître que cette communauté n'a pas attendu la loi 101 pour apprendre le français. En effet, des parents des années 1960 ont constaté que dans le nouveau contexte socio-politique québécois, il était essentiel que leurs enfants apprennent le français mieux qu'ils ne l'avaient fait eux-mêmes et leurs efforts dans ce sens sont à la source des programmes d'immersion française (Lambert et Tucker 1972). Ces programmes, qui utilisent le français comme langue d'enseignement à des degrés divers et qui permettent à des locuteurs non natifs d'acquérir une langue seconde tout en ne nuisant pas à l'apprentissage des autres matières scolaires, ont connu un énorme succès, particulièrement au Québec mais aussi partout au Canada et même ailleurs. Selon Mc Andrew (2002 : 72), « ce qu'on nomme les écoles *de langue anglaise* du Québec sont, de fait, constituées à plus de 50 % d'écoles d'immersion française, un pourcentage qui dépasse les 75 % dans le cas de la région montréalaise ». Il n'est donc pas surprenant que la jeune génération anglophone soit "la plus bilingue du Québec et, à l'exception des francophones hors Québec, du Canada » (Mc Andrew 2002 : 72). Chambers (2000 : 324) va même jusqu'à dire : « Ne pas arriver à se débrouiller convenablement en français est maintenant très mal vu par tout anglophone qui se respecte. »

4.3. *Les droits linguistiques des communautés autochtones*

Dès son adoption, la Charte de la langue française a reconnu les droits linguistiques des communautés amérindiennes et inuites. Ceux-ci sont en effet enchâssés dans le préambule de la Charte de la langue française : « L'Assemblée nationale reconnaît aux Amérindiens et aux Inuits du Québec, descendants des premiers habitants du pays, le droit qu'ils ont de maintenir et de développer leur langue et leur culture d'origine. » De plus, le droit à l'enseignement dans les langues autochtones est reconnu par l'article 88 de la Loi sur l'instruction publique du Québec. L'adoption de la loi 101 a cependant été mal accueillie par certains groupes autochtones du fait que, dans sa version originale, celle-ci soumettait les autochtones aux mêmes conditions que les allophones en ce qui a trait au choix entre l'école francophone et l'école anglophone et coupait donc pour plusieurs l'accès à l'école anglaise. Le Québec finit par inclure dans la loi 101 une mesure d'exception qui permet à plusieurs communautés autochtones d'envoyer leurs enfants à l'école de leur choix (McComber 2003).

Selon le site Aménagement linguistique dans le monde, « [l]e Québec est la seule de toutes les provinces canadiennes à avoir reconnu explicitement des droits à ses autochtones ». Ce fait explique sans doute en partie pourquoi, « [l]a majorité de ces langues autochtones sont encore parlées par leurs locuteurs, alors que la tendance est nettement à l'inverse dans le reste du Canada » (www.tlfq.ulaval.ca/axl/amnord/quebecautocht.htm) et « les Amérindiens et les Inuits du Québec réussissent mieux qu'ailleurs au Canada à maintenir la connaissance et la transmission intergénérationnelle de leurs langues » (Bouchard et Bourhis 2002 : 11).

L'usage du français dans les communautés autochtones varie grandement. Alors que le français est la langue maternelle des Hurons de la banlieue de Québec, par exemple, et qu'elle est la langue seconde des Innus et de plusieurs Micmacs, l'anglais reste la langue maternelle ou seconde d'un plus grand nombre de communautés et sert généralement de lingua franca. À ce jour, donc, il faut admettre qu'ils sont très nombreux à maîtriser l'anglais, qui est souvent leur langue maternelle, et beaucoup moins nombreux à maîtriser le français. Il est cependant intéressant de remarquer que les efforts du gouvernement du Québec au cours des 40 dernières années pour offrir des services scolaires, médicaux et gouvernementaux aux Inuits du Nunavit ont, selon McComber (2003), contribué à créer une jeune génération inuite trilingue qui peut converser en inuktitut à la maison et aussi bien en français qu'en anglais avec des visiteurs venus du sud.

4.4. *L'intégration des allophones dans une société francophone d'Amérique*

L'anglicisation des immigrants dans la région de Montréal dans les années 1960 et 1970 a joué un rôle important dans la prise de conscience des Québécois que leur langue maternelle était menacée. Par exemple, avant la loi 101, quatre écoliers allophones sur cinq fréquentaient l'école anglaise. Pour renverser cette tendance, une mesure centrale de la loi 101 a été d'imposer l'école française à tous les enfants d'immigrants[6]. Les effets de cette mesure se sont rapidement fait sentir, puisque la proportion d'écoliers allophones inscrits au secteur français a plus que triplé en 10 ans, passant de 20,5 % en 1976-1977 à 67,1 % en 1987-1988 et qu'elle atteint un plafond d'environ 80 % à partir des années 1990 (Paillé 2002 : 53)[7].

Selon Bourhis et Landry (2002 :110), les allophones ont réservé un accueil moins négatif que les anglophones, mais moins chaleureux que les francophones, à la loi 101. Il convient cependant de constater que la loi a largement eu les effets escomptés dans cette communauté. Selon Helly (2002 : 37), 77 % des allophones utilisent le français dans leurs interactions publiques. Le français est donc devenu pour eux la langue de communication intergroupe plutôt que la langue des Québé-

---

[6] Rappelons-nous que la loi comporte certaines exceptions pour les familles qui effectuent un séjour temporaire au Québec et pour les enfants qui éprouvent des difficultés d'apprentissage et que l'accès aux écoles privées non subventionnées reste ouvert à tous.

[7] Les écoliers dont les parents ou les frères et sœurs ont fait leurs études en anglais au Canada continuent d'avoir accès aux écoles anglaises subventionnées par le gouvernement québécois.

cois francophones uniquement (Mc Andrew 2002 : 73). De plus, l'intégration de ces allophones dans les écoles francophones semble avoir eu pour effet de favoriser leur intégration complète dans la communauté et non seulement leur intégration linguistique. Selon un sondage de Génération Québec (http://www.generationquebec.org/) rendu public le 1ᵉʳ mars 2003, sur 2 800 enfants d'immigrés ou immigrés en jeune âge, 40 % favoriseraient la séparation du Québec.

5.   Les liens avec les autres communautés francophones

5.1. *La place du Québec dans la francophonie*

Les Québécois sont doublement représentés auprès de l'Agence intergouvernementale de la francophonie: par le Québec, au titre de gouvernement participant, et par le Canada, au titre d'état membre. Concrètement, cette différence de statut officiel signifie que les interventions du Québec se limitent essentiellement aux questions de coopération, alors que les questions de politique étrangère relèvent du gouvernement fédéral. Les tensions politiques qui caractérisent les relations entre les gouvernements provincial et fédéral affectent donc aussi leurs rôles respectifs au sein de la francophonie internationale. Mais ce qui importe ici est le rôle très actif que joue le Québec au sein de cette francophonie. Par exemple, sur le plan linguistique, l'Office québécois de la langue française (OQLF) a joué un rôle de pionnier en créant et en mettant gratuitement à la disposition de tous les internautes le *Grand dictionnaire terminologique* qui « donne accès à près de 3 millions de termes français et anglais du vocabulaire industriel, scientifique et commercial, dans 200 domaines d'activité » et la *Banque de dépannage linguistique*, un « [o]util pédagogique en constante évolution qui propose des réponses claires aux questions les plus fréquentes portant sur la grammaire, l'orthographe, la ponctuation, le vocabulaire général et les abréviations » (www.oqlf.gouv.qc.ca/ressources/gdt_bdl2.html). Le Québec est, avec la France, le Canada, la Suisse et la Belgique, l'un des principaux bailleurs de fonds de l'agence (Boucher 2004) et il s'est fait le défenseur de la diversité culturelle et linguistique non seulement au sein de la francophonie mais aussi de la Zone de libre-échange des Amériques. Pour encourager les études universitaires en français, le Canada et le Québec offrent deux types d'aide financière. Ainsi, les ressortissants de pays francophones qui veulent faire des études universitaires au Québec peuvent obtenir une bourse de la francophonie du gouvernement canadien et une exemption des droits de scolarité supplémentaires imposés aux étudiants non québécois garantie par le gouvernement québécois pour tout étudiant qui s'inscrit à un programme d'étude axé sur le français.

5.2. *Les liens avec les autres communautés francophones canadiennes*[8]

Le gouvernement du Québec dispose d'une politique officielle qui vise à accroître la concertation entre le Québec et les communautés francophones et acadiennes du Canada; le Secrétariat aux affaires intergouvernementales canadiennes est responsable de sa mise en oeuvre. La position du Québec envers les communautés francophones des autres provinces canadiennes est cependant délicate; en effet, ses efforts pour soutenir ces communautés, moralement et financièrement, doivent s'inscrire dans le cadre politique du fédéralisme canadien qui reconnaît aux provinces certains domaines de juridiction qui leur sont propres.

Des ententes gouvernementales sont actives avec six provinces, l'Île-du-Prince-Édouard, la Nouvelle-Écosse, le Nouveau-Brunswick, le Manitoba, la Saskatchewan et l'Alberta, de même qu'avec le territoire du Yukon et la Société nationale de l'Acadie. Les accords avec l'Alberta et le Yukon, qui ont été signés en octobre 2004, l'imminence d'un accord semblable avec la Colombie-Britannique et les discussions récentes visant à relancer l'accord de coopération qui lie le Québec et l'Ontario, reflètent bien les efforts du présent gouvernement pour « renouer les liens entre le Québec et le reste de la francophonie canadienne, dans le but ultime d'établir des rapports plus égalitaires entre nos sociétés respectives, de nous entendre sur des projets communs et d'aligner nos stratégies politiques » (*En partenariat*, p. 2). Ces accords interprovinciaux permettent au Québec de soutenir les francophones hors-Québec de multiples façons. Par exemple, des places sont réservées aux étudiants acadiens et franco-ontariens dans les facultés de médecine québécoises et dans certains autres programmes et des programmes de bourses permettent à des étudiants franco-canadiens et acadiens de faire leurs études au Québec. Des programmes d'échanges d'élèves, d'étudiants et

---

[8] Je remercie Nicolas Boulanger du ministère des Relations internationales du Québec de toutes les informations qu'il m'a fournies à propos des liens qu'entretient le gouvernement du Québec avec les communautés francophones canadiennes et américaines et de m'avoir fait découvrir plusieurs ressources qui m'ont été très utiles dans la rédaction de cette section.

d'enseignants, le développement d'outils pédagogiques, un soutien financier pour des événements culturels et la planification linguistique,
incluant les efforts terminologiques, constituent d'autres façons
d'encourager les échanges entre le Québec et les autres provinces et
l'usage du français en situation minoritaire.

5.3. *Les liens avec les communautés francophones des États-Unis*[9]

L'ouverture du gouvernement québécois envers les autres
communautés francophones ne se limite pas aux communautés franco-
canadiennes et acadiennes. Le ministère des Relations internationales
(MRI) du Québec, qui s'occupe des liens avec les communautés francophones des États-Unis, bénéficie d'ententes gouvernementales avec la
Louisiane et le New Hampshire dans les domaines de l'éducation et de la
culture et il appuie nombre d'initiatives et de réalisations. Au cours des
dernières années, le MRI a soutenu diverses activités dans le cadre de la
Journée de la Francophonie à Washington, D.C., Miami, Atlanta, Chicago, Los Angeles, New York et Boston. Il a de plus participé au finan-
cement du Festival international de Louisiane, du film *Réveil – Waking
Up French* de Ben Levine sur les francophones du nord-est des États-
Unis et de la French Canadian Heritage Society of California. En collaboration avec le ministère de l'Éducation, il a défrayé le coût d'un
conseiller pédagogique auprès des professeurs originaires du Québec qui
enseignent au sein du Conseil pour le développement du français en
Louisiane (CODOFIL).

En plus d'apporter un soutien financier aux communautés francophones nord-américaines, le gouvernement du Québec se fait un devoir de reconnaître les efforts des individus et des organismes qui « se
consacrent au maintien et à l'épanouissement de la langue française de
l'Amérique française » (http://www.cslf.gouv.qc.ca). Le Conseil supérieur de la langue française, l'organisme gouvernemental qui a pour but
de conseiller le ministre responsable de l'application de la loi 101, décerne chaque année l'Ordre des francophones d'Amérique et le Prix du
3-Juillet-1608. Pour sa part, le Conseil de la vie française en Amérique
(CVFA, www.cvfa.ca), un organisme à but non lucratif qui reçoit un

---

[9] Je remercie Yanick Godbout et Françoise Cloutier du ministère des Relations internationales du Québec des informations qu'ils m'ont fournies à propos des liens
qu'entretient le gouvernement du Québec avec les communautés francophones des
États-Unis.

soutien financier du MRI et dont la mission est « de favoriser le développement et l'épanouissement des communautés d'origine, de langue et de culture françaises en Amérique », attribue chaque année un prix littéraire, reconnaît les efforts de personnes ou groupes qui travaillent à promouvoir la langue française en leur accordant l'Ordre du Conseil de la vie française en Amérique, décerne différentes bourses d'études et de recherche et organise des collectes de livres destinés à diverses communautés franco-américaines.

6. Le français québécois

Le français tel qu'il est pratiqué au Québec revêt de nombreux habits, selon qu'il est parlé ou écrit, qu'il sort de la bouche d'un Montréalais ou d'un Gaspésien, et selon la situation sociale dans laquelle il est utilisé. Cette situation, nous le savons, n'est aucunement unique au français québécois (FQ). En effet, la sociolinguistique a démontré que toute communauté linguistique est caractérisée par une riche gamme de ressources linguistiques qui sont utilisées selon les circonstances précises qui constituent toute situation de communication. Il serait par conséquent impossible de décrire toute la complexité du FQ dans l'espace qui nous est dévolu et la description qui suit vise donc les aspects les plus généraux du FQ et met l'emphase sur les caractéristiques qui le distinguent du français de référence (FR).

6.1. *Le développement du français québécois*

Nous l'avons vu en début d'article, le français a été apporté en sol québécois par les colons français qui ont fondé et bâti la Nouvelle-France au 17e siècle. Un débat important persiste à ce jour sur la langue ou les langues que parlaient en fait ces colons. En effet, si l'on considère que la majorité des Français ne parlaient pas français à cette époque mais plutôt diverses variétés gallo-romanes telles que le picard, le normand et le poitevin, par exemple, on peut supposer, comme le fait Barbaud (1984) que les colons ont apporté avec eux ces « patois » et que le français s'est rapidement imposé comme lingua franca, grâce en partie au rôle important joué par les filles du roi d'origine francilienne. D'autres chercheurs, dont Poirier (1994), font par ailleurs valoir que les colons étaient généralement d'origine citadine et donc susceptibles de connaître le français, parfois en plus de leur patois, et que c'est ce français relativement populaire, teinté d'un certain nombre de régionalismes, qu'ils ont immédiatement parlé entre eux.

Tout au cours du régime français, le contact avec la métropole a permis de maintenir l'arrivée de locuteurs et la possibilité, pour les lettrés bien sûr, de lire les derniers livres publiés en France. La conquête anglaise au 18e siècle coupe ce lien et isole les descendants des colons français. Cet isolement permettra au français d'évoluer de façon relativement indépendante des deux côtés de l'Atlantique.

Les causes des écarts entre le FQ et le FR sont multiples. D'une part, comme nous l'avons mentionné plus haut, il est plausible de penser que le français parlé par les colons était un français relativement populaire qui comportait certains dialectalismes. L'apport de ce français populaire s'est accru suite à la conquête anglaise, du fait que la plupart des gens instruits ont choisi de quitter la Nouvelle-France et de rentrer en France. D'autre part, l'isolement dans lequel vivront les descendants des colons français pendant deux siècles les met à l'écart des changements linguistiques qui affectent le français de l'ancienne métropole et favorise des innovations uniques. Déjà, pendant le régime français, le contact avec les langues amérindiennes fournit au FQ certains mots qui désignent des aspects de la vie nord-américaine inconnus en France. Avec la conquête anglaise, l'influence de l'anglais sur le français augmente. Mais aussi, certaines évolutions internes de la langue reflètent le caractère unique du cadre de vie des Québécois et de la société qu'ils ont bâtie. Le FQ actuel, qu'il convient de distinguer du français acadien (v. l'article de Lise Dubois dans cet ouvrage), continue de refléter ce mélange d'archaïsmes et d'innovations qui caractérise son histoire.

6.2. *Quelques caractéristiques du français québécois*

C'est surtout sur les plans phonologique et lexical que le FQ se distingue des variétés européennes du français. En effet, sur le plan grammatical, les constructions que l'on retrouve en FQ familier sont dans l'ensemble identiques à celles qui caractérisent les français familier et populaire de l'Hexagone. Notre objectif, dans les sections qui suivent, n'est pas de fournir une description complète du FQ mais plutôt d'illustrer, à l'aide d'éléments appartenant aux différents domaines linguistiques, les différentes façons dont cette variété se distingue du FR.

6.2.1. Archaïsmes

Lorsqu'une langue est parlée dans deux territoires séparés par un océan et en l'absence de liens politiques, sociaux ou autres, il est inévitable que des changements y surviennent qui différencient graduellement les deux variétés en question. Lorsque les changements qui surviennent dans la variété de référence n'atteignent pas la variété régionale et que celle-ci conserve des formes qui disparaissent de l'usage de référence, ces formes sont considérées comme des archaïsmes.

On dit souvent (v. par ex. Salien 1998 : 97) que ce sont ses archaïsmes qui caractérisent le FQ. Il est vrai que le FQ a conservé de nombreuses formes qui sont disparues du FR. Il suffit de penser aux noms des repas pour en trouver un exemple : au Québec, comme c'était le cas dans la France du 17e siècle, on déjeune le matin, on dîne le midi et on soupe le soir. En fait, cet usage se maintient dans plusieurs régions de France et il n'est pas rare de voir des Picards, par exemple, choisir le nom du repas qu'ils s'apprêtent à prendre en fonction de leur interlocuteur : ils dînent en famille le midi, mais ils déjeunent avec un Parisien.

Les traits archaïques du FQ appartiennent à tous les sous-domaines de la langue. Sur le plan lexical, par exemple, nous retrouvons les mots suivants qui ne sont plus guère employés en FR ou qui sont considérés vieillis dans les dictionnaires d'usage : *asteure* « maintenant », *blé d'Inde* « maïs », *niaiser* « perdre son temps », *blonde* « petite amie », *grafigner* « égratigner » et *noirceur* « obscurité, nuit ». D'autres mots qui sont couramment utilisés par tous les francophones conservent en FQ un sens qui s'est perdu en FR : c'est le cas, notamment, de *jaser* qui s'utilise au Québec dans le sens de « bavarder » et de *soulier* dans le sens générique de « chaussure ».

Sur le plan phonologique, on note que le FQ maintient certaines prononciations qui étaient fréquentes au 17e siècle. C'est le cas, par exemple, des prononciations *moé* et *toé* pour *moi* et *toi*, de la prononciation [ɛ] pour *oi* dans des mots comme *frette* « froid » et *seye* « soit » et de la prononciation des consonnes finales comme dans *frette*, *lit* et *boutte* « bout ». Le FQ maintient aussi plusieurs distinctions phonologiques qui sont récemment disparues du FR. De ces distinctions, la distinction de longueur entre /ɛː/ et /ɛ/ que l'on trouve dans des paires comme *maître* et *mettre* est sans doute oubliée depuis le plus longtemps en FR. Les deux voyelles ouvertes /a/ et /ɑ/ des mots *patte* et *pâte* et les voyelles nasales /ɛ̃/ et /œ̃/ des mots *brin* et *brun*, par exemple, sont encore notées comme étant distinctes dans le *Petit Robert* même si de nombreux Français traitent les mots des deux paires comme étant homophones. De même, la distinction entre les voyelles mi-ouvertes et mi-fermées se maintient solidement en FQ, de sorte que *pré* et *prêt*, *côte* et *cote* et *jeûne* et *jeune* restent bien distincts les uns des autres.

Sur le plan grammatical, le FQ fait preuve à la fois de conservatisme et d'innovation dans son utilisation de la particule *-tu*. Cet élément, qui se place après le verbe conjugué pour former une question, une exclamation ou pour marquer le changement de situation (Vinet 2001), comme on peut le voir en (1) ci-dessous, trouve son origine dans l'inversion du pronom sujet *il* dans l'inversion simple et complexe (*Parle-t-il français? Paul parle-t-il français?*). La forme *-ti*, que l'on trouvait autrefois abondamment en français familier hexagonal et dans les parlers d'oïl du nord de la France, aurait pu devenir, selon Foulet (1921), la forme la plus commune de l'interrogation en français. Alors que le FR a fini par rejeter cette forme trop associée avec les régions et le parler populaire, le FQ a généralisé l'usage de *-ti* à toutes les personnes verbales, mais il a aussi, au cours du 20ᵉ siècle, modifié la qualité de la voyelle, vraisemblablement par analogie avec le pronom inversé *-tu* (Picard 1992).

(1) a. *J'parle-tu bien français?*
     b. *Tu vas-tu t'en rappeler?*
     c. *Elle parle-tu bien français un peu!*
     d. *Fak là, il part-tu pas à crier.*

Un autre archaïsme grammatical se retrouve dans l'emploi de *après* pour marquer l'aspect progressif comme en (2). Cette construction, fréquente dans l'ouest de la France (Société du parler français au Canada, *Glossaire du parler français au Canada*), attestée dans le Lyonnais (Vulpas 1993) et considérée comme vieillie en français (Dupré 1972 : 146), demeure fréquemment utilisée au Québec lorsque le locuteur ne veut pas se contenter d'un temps simple pour marquer le caractère en cours de l'action.

(2) a. *Je suis après lire le dernier roman de Michel Tremblay.*
     b. *Elle était justement après le faire.*

Comme le souligne Wolf (1991), les *Remarques* de Vaugelas permettent de faire remonter au français de la cour parisienne plusieurs traits morphosyntaxiques du FQ. C'est le cas, par exemple, de l'emploi de *ici* au lieu de *ci* dans les syntagmes nominaux démonstratifs, de l'emploi de *y* pour le clitique *lui*, de *je vas*, de la forme complexe *quand c'est que* et de la conjugaison du verbe *s'assire*; voir (3). C'est le cas aussi de la construction *mais que* suivie du subjonctif qui s'emploie pour exprimer une proposition temporelle future; par exemple : *Appelle-moi mais que tu sois prête*, qui signifie « Appelle-moi quand tu seras prête ». Cette construction était assez fréquente en français parisien du 17e siècle pour que Vaugelas (1647/1996 : 125) y consacre une de ses célèbres remarques :

> *Mais que* pour *quand* est un mot dont on use fort en parlant, mais qui est bas et qui ne s'écrit point dans le beau style. Par exemple, on dit à toute heure et même à la cour *venez-moi quérir mais qu'il soit venu* pour dire *quand il sera venu*. Un de nos plus fameux écrivains a dit : *L'affection avec laquelle j'embrasserai votre affaire, mais que je sache ce que c'est, vous fera voir*, etc. Il affectait toutes ces façons de parler populaires en quelque style que ce fût, lesquelles néanmoins ne se peuvent souffrir qu'au plus bas et au dernier de tous les styles.

(3)   a.   *ce moment ici, c'te maison ici*
      b.   *Marie, j'y parle jamais.*
      c.   *Je vas jamais les voir.*
      d.   *Quand c'est qu'il faut partir?*
      e.   *je m'assis, ils s'assisent, assis-toi, assisez-vous*, etc.

Pour prouver que ces formes constituent réellement des archaïsmes, l'idéal serait de démontrer qu'elles ont été utilisées de façon continue au Québec depuis l'époque coloniale. Cette continuité, qui apparaît tout à fait plausible, n'a cependant pas, à notre connaissance, été établie et il est tout à fait possible, étant donné que « la civilisation canadienne-française n'est pas une civilisation de grande écriture » (Claude Poirier, communication personnelle, 30 juin 2004), que cette démonstration soit impossible à faire.

6.2.2. Régionalismes

Comme une proportion importante des colons de la Nouvelle-France venaient de Normandie, du Poitou et, plus généralement, de l'ouest de la France, il n'est pas surprenant de trouver en FQ un certain nombre de régionalismes de ces régions. Ce qui surprend davantage est le petit nombre d'éléments qui sont clairement d'origine dialectale. En effet, plusieurs dialectalismes attestés en FQ, peut-être tous, appartenaient vraisemblablement aussi au français populaire de l'époque ou étaient d'un usage plus général en des temps plus anciens. C'est le cas, par exemple, de mots comme *champlure* « robinet », *abrier* « couvrir » ou vraisemblablement de *maganer* « abîmer », dont on trouve des formes semblables avec le même sens dans différents dialectes hexagonaux (*Glossaire du parler français au Canada*). Qu'ils aient été empruntés directement aux dialectes gallo-romans ou qu'ils aient transité par le français populaire des colons, les formes en (4) illustrent les dialectalismes du FQ. L'incertitude qui caractérise le genre de plusieurs noms à origine vocalique, telle qu'illustrée en (5), est un trait grammatical qui a vraisemblablement été apporté du nord de la France.

(4) a. *mouiller à siaux* « pleuvoir à boire debout »
   b. *siler* « faire entendre un petit son prolongé » (par ex. : *les oreilles me silent*)
   c. *chicoter* « tracasser »
   d. *garrocher* « lancer »
   e. *babounes* « grosses lèvres »

(5) a. *une autobus* (par extension, *la bus*), *de la belle argent, de la belle ouvrage, une avion, une incendie, une orteil, une ulcère*
   b. *un affaire, un auto, un étiquette, un image, un horloge*

6.2.3. Emprunts

L'évolution du français au Québec est marquée par les contacts avec, d'une part, les langues amérindiennes et, d'autre part, l'anglais. Nous le verrons, ces deux situations de contact ont affecté le FQ de façon fort différente.

Les effets du contact avec les langues amérindiennes sont somme toute relativement limités et n'affectent que le lexique. C'est dans la toponymie québécoise que la présence autochtone ressort le plus clairement. Le mot *Québec* lui-même est d'origine amérindienne et signifie « là où le fleuve devient étroit ». Les villes de Donnacona et Chicoutimi, le village de Natashquan, le lac Mistassini, le réservoir Manicouagan, la rivière Péribonca et les villages inuits qui ont récemment restauré leurs noms autochtones comme Kuujjuaq reflètent la présence de populations amérindiennes et inuites dans les différentes régions du Québec. La faune et la flore constituent un autre domaine d'influence notable, les colons français ayant dû emprunter aux populations locales de nombreux mots servant à désigner des plantes et des animaux qui leur étaient inconnus. Ainsi, par exemple, le mot *atoca* désigne une petite baie rouge acidulée dont on fait aujourd'hui une sauce qui accompagne la dinde rôtie, le *carcajou* fait référence au mammifère carnivore qu'on appelle aussi le *glouton* et le *ouaouaron* à une grenouille de très grande taille qui vit en Amérique, alors que les mots *achigan* et *maskinongé* désignent des poissons trouvés en abondance dans les lacs et les rivières québécois. Ces mots s'ajoutent bien sûr à des mots tels que *mocassins*, *manitou* et *tomahawk* qui sont d'un usage général en français.

Les contacts entre le français et l'anglais en Amérique du Nord sont aussi anciens que la colonisation européenne elle-même. La nature de ces contacts a beaucoup varié au cours des siècles, mais leur intensité et leur continuité ont laissé des traces importantes dans le français du Québec. Comme nous le verrons, ce n'est pas tant le nombre de mots d'origine anglaise qui distingue le FQ du français de France que les choix différents effectués par les deux communautés linguistiques. C'est d'ailleurs ce qui permet à certains Québécois de critiquer le français de leurs cousins hexagonaux et d'opposer les mots anglais que ces derniers utilisent aux mots français en usage au Québec.

Les emprunts lexicaux à l'anglais touchent à tous les domaines d'activité au Québec, mais ils sont particulièrement nombreux dans les domaines technologiques en raison de l'étiquetage et des manuels d'instructions qui, à une certaine époque, étaient unilingues anglais. Ainsi, par exemple, le vocabulaire de l'automobile est, au Québec, ou du moins l'était, dominé par des termes anglais : *brake*, *windshield*, *power stearing*, *dash*, etc.[10]. De même, le vocabulaire du travail en usine parle de *puncher*, *cédule*, *overtime*, *slot* et *clock*, sans doute en raison du fait que les anglophones ont longtemps dirigé les usines dans lesquelles travaillaient les Québécois. Mais on trouve aussi de nombreux mots de la vie de tous les jours, comme le verbe *bâdrer* (< *bother*) qui signifie « embêter », le nom *chum* qui désigne soit un petit ami, soit un ami et qui s'emploie dans les deux genres, le mot *binnes* (< *bean*) pour désigner un plat de fèves mijotées faisant partie de la cuisine traditionnelle québécoise et l'expression *c'est le fun* qui est utilisée depuis beaucoup plus longtemps au Québec qu'en France[11].

Au-delà des emprunts lexicaux, on retrouve aussi en FQ de nombreux anglicismes d'une nature plus subtile, du fait que leur forme est française mais que leur sens ou leur structure est anglaise. Ainsi, par

---

[10] Notons cependant que le vocabulaire de l'automobile s'est considérablement francisé dans l'usage général et que plusieurs mots français sont maintenant d'un usage courant: *frein*, *pare-brise*, *pneu*, *volant*, *pare-choc*, etc.

[11] En France, on entend plutôt *c'est fun* sans article défini.

exemple, le mot *balance* a pris au Québec le sens de « solde », *change* signifie « monnaie », à la fois dans le sens de pièces de monnaie et de l'argent
que l'on rend dans une transaction financière, et le mot *lumière* peut désigner un feu de circulation. La traduction littérale d'expressions ou de
mots composés constitue une autre source d'anglicismes souvent ignorée des locuteurs. Ainsi, les Québécois qui critiquent l'emploi de *week-end*
par les Français ne se rendent pas compte que *fin de semaine* en constitue
un calque. L'expression *prendre une marche* « faire une promenade à pied »
et le composé *laine d'acier* utilisé pour désigner la paille de fer ou le tam-
pon métallique qui sert à récurer les casseroles correspondent à l'anglais
take a walk et *steel wool*.

Bien qu'il soit difficile de l'établir de façon absolument certaine,
il est probable que le contact avec l'anglais a aussi favorisé la rétention
en FQ de mots, de sens et de constructions qui ont une origine gallo-
romane (français du 17e siècle ou patois) et qui sont disparus du FR ou
qui lui sont restés inconnus. Par exemple, le nom *breuvage* dans le sens
générique de « boisson » est déjà attesté dans les récits de voyage de Jacques Cartier au 16e siècle, ce qui permet de déterminer que ce sens n'est
pas au départ un anglicisme (Poirier 1998a : xxii). Par contre, il est plausible de penser que la parenté avec le mot *beverage* a pu contribuer à
conserver ce sens plus longtemps au Québec qu'en France. De façon
parallèle, on peut penser les structures du type *le gars que je vis avec*,
qui mettent en jeu un emploi adverbial de la préposition (ou une préposition suivie d'un pronom nul; cf. *Je vis avec*) et non une préposition or-
pheline comme en anglais, pourraient néanmoins être favorisées en FQ
par le parallélisme de surface que l'on observe entre cette structure du
parler familier ou populaire et l'anglais *the guy I live with*. Cet effet de
l'anglais explique sans doute aussi la structure *grand assez* en français acadien : bien que cette construction soit vraisemblablement d'origine gallo-
romane (cf. son attestation en picard du Vimeu; Vasseur 1996 : 87), le
parallèle avec *tall enough* a pu contribuer à préserver cet ordre des mots
jusqu'à ce jour.

Les anglicismes constituent la bête noire des Québécois. Dans
un contexte où la place du français au côté de l'anglais ne semble jamais
tout à fait assurée, ces incursions de la langue dominante dans leur langue maternelle sont perçues comme une menace réelle pour la survie du
français. Les emprunts à l'anglais sont donc dénoncés et évités et même
les lexicographes hésitent à les faire figurer dans leurs dictionnaires (v.
Boulanger, *Le Dictionnaire québécois d'aujourd'hui*; Poirier et al., *Le diction-*

naire du français Plus et de Villers, *Le Multidictionnaire de la langue française*). En fait, l'un des rôles les plus importants de l'OQLF consiste à créer une terminologie française pour remplacer les termes anglais déjà établis dans l'usage québécois et enrayer l'invasion de termes anglais liés aux nouvelles technologies.

C'est dans ce contexte sociologique qu'il faut comprendre la préférence des Québécois pour des termes tels que *motoneige, traversier, commanditer, défi, vol nolisé* et *chèque de voyage* alors que le FR utilise les termes *scooter des neiges, ferry/ferry-boat, sponsoriser, challenge, charter* et *traveller's check/chèque*. Ce rejet de l'anglicisme, combiné avec une augmentation du niveau d'instruction moyen des Québécois et un contact plus soutenu avec les autres francophones, explique aussi que certains anglicismes accusent un recul important au cours des décennies récentes. Par exemple, des mots comme *barley, brake, pantry* et *barbier* ont perdu du terrain au profit de leurs équivalents français, *orge, frein, garde-manger* et *coiffeur*. Même si le cas de *coiffeur* va au-delà du simple remplacement d'un anglicisme, du fait que le coiffeur n'exerce pas le même métier que le barbier, il n'en demeure pas moins qu'il illustre une tendance importante de l'évolution du français au Québec. Le retour au terme *service de vaisselle*, qui était autrefois fréquent mais qui avait été remplacé pendant un temps par *set de vaisselle*, constitue un autre exemple de la francisation du lexique québécois (Poirier 1998b).

Il serait cependant faux de penser que tous les anglicismes sont menacés de disparition en FQ. En effet, l'usage courant résiste à plusieurs recommandations de l'OQLF, qui sont parfois reléguées aux emplois officiels, écrits. Par exemple, dans le domaine de la restauration rapide, les *hambourgeois, chiens chauds*[12] et *sandwichs à la viande fumée* des menus n'ont pas réussi à déloger les *hamburgers, hot dogs* et *smoked meat* que les clients commandent. Des expressions comme *prendre un break* pour « faire une pause » et *c'est le fun*, des mots comme *chum* et *zipper* restent fréquemment utilisés. Dans le cas de *chum*, il est possible que la connotation affective de ce mot et le fait que les couples québécois font souvent le choix de la vie commune sans mariage contribuent à créer un attachement à ce mot qui n'a, par ailleurs, aucun équivalent simple en français et qui forme avec son féminin *blonde* une paire de mots qui est bien québécoise. Le mot *zipper*, qu'il s'agisse du nom [zɪpœʁ] ou du verbe

---

12 Claude Poirier nous fait remarquer que l'OQLF n'a jamais recommandé *chien chaud*. Il semble donc que les locuteurs eux-mêmes ont favorisé son emploi dans leur effort de francisation des menus.

[zɪpe], représente pour sa part une solution beaucoup plus économique que la *fermeture éclair* et *monter sa fermeture éclair*. Mais plusieurs autres emprunts qui se maintiennent et ne semblent pas menacés par leurs équivalents français peuvent être qualifiés de superflus et ne bénéficient pas d'explications semblables, comme c'est si souvent le cas dans les situations de contact linguistique.

6.2.4. Innovations

Les emprunts discutés dans la section précédente représentent un type d'innovation qui distingue le FQ du FR et de plusieurs autres français et démontrent bien qu'il est erroné d'assimiler ce français au français du 17ᵉ siècle. Dans cette section, nous verrons que le FQ a aussi beaucoup innové en utilisant ses propres ressources.

Plusieurs mots français employés au Québec (et au Canada) possèdent des sens différents de ceux qu'ils connaissaient dans la mère patrie. C'est le cas, notamment, de mots appartenant au vocabulaire marin[13]. Par exemple, l'emploi des verbes *embarquer* et *débarquer* s'est étendu à toutes les sortes de véhicules dans lesquels on entre, ce qui fait que les Québécois peuvent embarquer dans une auto ou débarquer d'un train. Le mot *bord* ne fait plus nécessairement référence au côté d'un bateau mais peut être utilisé dans le sens de *côté* dans une expression comme *de l'autre bord de la haie*. Le verbe *adonner*, dans son emploi intransitif, généralise le sens de « tourner dans un sens favorable » en parlant du vent pour signifier « être favorable »; par exemple: *Appelle-moi si ça adonne*. Le verbe *gréer* peut pour sa part s'appliquer à toutes sortes de préparatifs au Québec et le participe passé *gréé* signifie « prêt ». Finalement, le mot *prélart*, qui désigne dans le vocabulaire maritime une grosse toile servant à recouvrir les marchandises, désigne aujourd'hui au Québec un revêtement de plancher que l'on appelle aussi *linoléum*. Les glissements sémantiques ont aussi affecté de nombreux mots du vocabulaire plus général. Parfois, les glissements sont relativement faibles. Par exemple, le mot *piastre*, qui désigne une monnaie étrangère, a pris le sens de « dollar » au Québec et un *cèdre* désigne de ce côté de l'Atlantique l'arbre que l'on appelle le *thuya* en France. D'autres glissements reflètent l'imagination ou le côté pratique des premiers colons. C'est le cas du mot *suisse* qui désigne le petit écureuil rayé qui porte le nom de *tamia* en FR : les rayures de son pelage rappellent celles des uniformes des soldats de la garde suisse au Vatican.

---

[13] Claude Poirier nous fait remarquer qu'à l'exception de *prélart*, toutes ces extensions sémantiques sont aussi attestées dans certaines régions de France.

Le FQ comporte aussi des innovations lexicales. Certaines sont relativement anciennes, comme le mot *poudrerie* qui est attesté depuis le début du 18ᵉ siècle et qui désigne la neige fine soulevée par le vent. De même, le mot *canneberge*, un autre nom pour l'atoca, l'*épinette*, une sorte de conifère, et la *tuque*, ce bonnet de laine souvent garni d'un pompon, font partie intégrante du vocabulaire québécois depuis plusieurs générations. Certains suffixes connaissent une productivité plus importante en FQ qu'en FR. C'est le cas du suffixe *-able* qui peut même se combiner avec des verbes intransitifs pour produire *parlable*, *allable* et *rejoignable*, par exemple (Léard 1995).

D'autres innovations sont beaucoup plus récentes et plusieurs sont le produit des efforts terminologiques de l'OQLF. C'est le cas, par exemple, de mots comme *covoiturage*, *cégep*, qui désigne un type d'établissement scolaire, ou de *acériculture*. Le mot-valise *courriel*, qui remplace de plus en plus *e-mail*, même dans le parler de certains Européens, illustre parfaitement la mission poursuivie par l'Office de fournir une terminologie française à tous les francophones. Dans la même optique, l'Office a aussi proposé les termes *pourriel* et *polluriel* pour désigner les messages importuns et souvent sans intérêt qui sont envoyés en masse. L'avenir nous dira si ces termes peuvent remplacer les termes anglais *spam* et *junk* mais déjà on peut observer dans la presse une volonté certaine de promouvoir ces termes. Par exemple, on a pu lire la manchette *La guerre contre le pourriel s'intensifie* dans l'édition du 13 avril 2004 du quotidien *Le Devoir*. Pour traduire le très populaire *chat* (qui a en outre le désavantage de ressembler à un mot français qui se prononce différemment), l'OQLF a proposé un autre mot valise : *clavardage*. Un dernier exemple suffira à illustrer le travail de l'OQLF dans ce domaine : celui du verbe *télécharger*, qui s'utilise à la fois pour les opérations de *download* et de *upload* mais que l'Office propose de réserver au sens de « download » et de lui opposer le terme *téléverser* pour « upload ».

La féminisation des titres de profession est un autre domaine où l'OQLF a joué un rôle de leader. Si la France se résout depuis peu à utiliser des formes féminines pour désigner les femmes ministres, juges, professeurs et ambassadeurs, le Québec a amorcé ce virage dès les années 1980 et l'usage des formes féminines s'y est fermement établi[14].

---

[14] Il existe bien sûr quelques exceptions. Par exemple, Lamonde (2004) emploie la forme *auteur* plutôt que *auteure*. Mais il est intéressant de noter que la revue *L'Actualité* qui, selon Raunet (2001 : 77) rejetait toujours la féminisation en janvier 2001, a depuis adop-

Ainsi, les termes *agente*, *rectrice* et *députée* y sont d'usage commun, de même que *doyenne* pour désigner une femme qui dirige une faculté universitaire, *mairesse*, *ambassadrice* et *présidente* qui désignent les femmes qui occupent ces fonctions plutôt que les épouses des hommes qui ont de telles fonctions, et les noms *juge* et *ministre* se combinent avec des articles masculins ou féminins, selon le sexe de la personne dont il est question. Ce processus de féminisation, qui fait usage des ressources morphologiques du français, a la particularité d'avoir généralisé un schéma de dérivation marginal du français; en effet, alors qu'en FR seuls quelques féminins sont formés à l'aide d'un *e* ajouté à un suffixe *-eur* (*supérieure*, *prieure*, *meilleure*), il a été préféré par les Québécois pour les termes *professeure*, *docteure*, *metteure en scène*, *camionneure* et *gouverneure* et il s'est depuis étendu à la forme *chercheure*, qui remplace souvent *chercheuse* malgré les objections de l'OQLF qui dénonce la forme *chercheure* comme « impropre »[15].

Sur le plan grammatical, nous avons vu plus haut que la réinterprétation du *-ti* interrogatif/exclamatif en *-tu* constitue une innovation récente. Les propositions infinitives hypothétiques décrites par Martineau et Motapanyane (1996) et illustrées en (6) à l'aide d'exemples tirés de leur article, constituent une autre innovation probable, du fait qu'elles sont inconnues en français hexagonal (Villiard et Vinet 1983) et, à notre connaissance, dans les variétés d'oïl de l'ouest de la France.

(6) a. *Retourner en arrière, on trouverait ça vieux jeu.*
 b. *Ma mère, m'avoir fait ça, je lui parlerais plus.*

6.2.5. Autres caractéristiques importantes

Alors que les nombreux travaux des glossairistes, lexicologues et lexicographes québécois et de l'équipe du Trésor de la langue française au Québec permettent de tracer avec une certaine certitude l'histoire des particularités lexicales et sémantiques du FQ, la rareté relative de travaux

---

té les formes *Dre*, *écrivaine*, *auteure*, *première ministre* et *metteure en scène*. Ces formes sont en effet toutes attestées dans différents numéros publiés entre décembre 2003 et juillet 2004.

[15] De Villers (2001 : 41) rapporte que le rejet de *chercheure* par l'OQLF a influencé l'usage du journal *Le Devoir*. Ce journal, qui employait *chercheure* dans plus de 50 % des cas dans l'échantillon de 1997, a presque éliminé l'emploi de cette forme dans l'échantillon de 1999. La forme *chercheure* demeure cependant fréquente. Par exemple, on trouve la manchette suivante dans l'édition du 3 janvier 2004 du journal *Le Soleil* de Québec : *Meriem Benchabane, chercheure en biotechnologie.*

de nature historique en phonologie et en morphosyntaxe rend la tâche beaucoup plus ardue en ce qui concerne ses particularités phonologiques et grammaticales. Bien sûr, les travaux de Juneau (1972) et Juneau et Poirier (1973) démontrent que certaines prononciations, telles que l'épenthèse dans des mots comme *brouette* [bərwɛt], la métathèse du type *cretons* [kərtɔ̃] ou l'ouverture de /ɛ/ en [a] devant /ʁ/ dans *ferme* [faʁm], sont attestées en FQ depuis le 17ᵉ ou le 18ᵉ siècle. Cependant, comme le remarquent Juneau (1972) et Morin (2002), notre connaissance des variétés gallo-romanes et des français régionaux en usage en France au 17ᵉ siècle sont très incomplètes. Il est donc essentiel de montrer une grande prudence dans notre interprétation de l'histoire des prononciations québécoises. En effet, il ne convient pas de constater que tel patois moderne connaît telle prononciation pour établir que cette prononciation existait déjà au 17ᵉ siècle. Les prononciations québécoises et patoisantes pourraient constituer des innovations plus ou moins récentes et indépendantes. Par exemple, si l'attestation du phénomène dès la fin du 17ᵉ siècle (Juneau 1972) nous permet de penser que la métathèse dans des formes comme *guernouille*, *quertons* et *bardasser/berdasser* « bredasser, secouer » remonte au français métropolitain ou aux patois de l'époque coloniale, il n'est pas exclu qu'elle constitue une innovation indépendante. Il en va de même pour la diphtongaison des voyelles longues dans des mots comme *bête*, *pâte*, *pince* et *presse*. La même prudence guide la discussion de l'origine de la diphtongaison des voyelles longues (par ex., *père* [paᵉʁ] et *pâte* [pɑʷt]) et du relâchement des voyelles hautes en syllabe fermée (par ex., *binne* [bɪn] et *poule* [pʊl]) que l'on trouve dans Dumas (1987).

L'affrication des consonnes /t, d/ devant les voyelles et semivoyelles fermées antérieures (par ex., *dire* [dᶻiʁ], *tuque* [tˢʏk], *diable* [dᶻjɑb]) constitue l'un des traits phonologiques les plus caractéristiques du FQ. Pourtant, son origine est fort disputée. Selon Gendron (1970) et Walker (1979), il s'agit vraisemblablement d'une innovation québécoise. En effet, bien que cette prononciation existe en France, ces auteurs observent qu'elle y est cantonnée dans des régions qui n'ont aucun lien avec la colonisation de la Nouvelle-France (d'où l'absence d'affrication en français acadien). Cependant, Poirier (1994) et Morin (2002) font observer que les français et les créoles des Antilles et de l'océan Indien connaissent une affrication semblable. Même s'il n'est pas exclu que l'affrication se soit développée de façon indépendante dans toutes ces communautés, Poirier (1994) propose qu'elle constituait sans doute une « tendance latente » en France : ce phénomène allophonique, qui n'atteignait pas le seuil de perception des commentateurs linguistiques de l'époque, aurait été dispersé au Canada, aux Antilles et dans l'océan Indien par les colons français du 17ᵉ siècle.

6.3. *La question de la qualité de la langue au Québec*

Plus qu'à taper sur une rondelle avec un bâton, le véritable sport national des Québécois consiste à parler de la langue. (Laforest 1997 : 9)

Si la sauvegarde du français se retrouve au centre de nombreuses conversations au Québec, c'est sans doute la question de la qualité de la langue qui mérite d'être considérée comme une véritable obsession. Sur ce point, on voit bien que les Québécois sont apparentés à leurs cousins français; il suffit de considérer le duel récent entre Maurice Druon et Bernard Pivot pour voir à quel point la qualité de la langue inquiète aussi les Français (Tremblay 2004). Mais l'insécurité linguistique qui caractérise la quasi-totalité des Québécois, incluant les plus instruits et les dirigeants, semble pousser le débat à des hauteurs inconnues même des Français.

Selon Bouchard (1998 : 67), ce n'est qu'au milieu du 19ᵉ siècle que les habitants du Québec, qui se nommaient alors les Canadiens, ont pris conscience de l'écart qui séparait leur parler du français de la métropole. Dès cette époque, c'est surtout la contamination par l'anglais qui attire l'attention. Mais au fur et à mesure que les contacts avec la France augmentent, les Québécois prennent aussi conscience des écarts phonologiques, grammaticaux et lexicaux qui distinguent leur français de celui de l'Hexagone. La publication, en 1960, d'un livre intitulé *Les insolences du frère Untel* par Jean-Paul Desbiens marque un sommet dans les débats sur la qualité de la langue. Sa dénonciation du *joual* comme langue des Québécois fait l'effet d'une bombe. Le terme *joual*, une prononciation populaire du mot *cheval* qui désigne le parler de la classe ouvrière de Montréal, a été popularisé par André Laurendeau, alors directeur du journal montréalais *Le Devoir*, et repris par Desbiens et il est rapidement devenu le symbole de la pauvreté linguistique des Québécois. Des milliers de lettres dans le courrier des lecteurs, des articles et des ouvrages sont publiés et la vaste majorité de ces textes déplorent la grammaire bafouée, la prononciation négligée mais surtout l'invasion des mots et tournures anglais (v. par ex. Cajolet-Laganière et Martel 1995).

La société québécoise a beaucoup évolué depuis 1960. Alors que l'instruction a longtemps été réservée à l'élite, l'université est maintenant accessible à tous, de sorte que la population est, dans l'ensemble, beaucoup plus instruite qu'elle ne l'était il y a tout juste un demi-siècle. Les médias et les voyages ont permis un contact beaucoup plus soutenu avec les autres francophones. Mais aussi, la montée du nationalisme et ses conséquences économiques et sociales ont eu un effet positif sur la perception que les Québécois ont d'eux-mêmes. Tous ces facteurs ont contribué à améliorer la qualité du FQ. En effet, depuis les années 1960, de nombreux anglicismes sont sortis de l'usage québécois (Bouchard 1998), la prononciation s'est « dédialectalisée » (Cajolet-Laganière et Martel 1995) et la proportion des Québécois qui peuvent « bien » s'exprimer en français est sans doute plus grande qu'elle ne l'a jamais été (Ouellon 1998). Selon Cajolet-Laganière et Martel (1995 : 69), « l'écart entre la langue parlée par la majorité des Québécois et le français international standard est nettement plus faible aujourd'hui qu'il y a une génération ».

Pourtant, le débat sur la qualité du français au Québec se poursuit sans relâche. Dans les années 1990, Georges Dor, un chansonnier devenu célèbre dans les années 1960 grâce à la chanson *La Manic*, a publié quatre livres qui reprennent le cheval de bataille de Desbiens et qui dénoncent la pauvreté du français au Québec. Dans le premier de ces livres, *Anna braillé ène shot (Elle a beaucoup pleuré)*, Dor constate que 35 ans après *Les insolences du frère Untel*, les Québécois pataugent toujours dans leur baragouinage local (1996 : 187) et que « [l]e joual, c'est l'indigence du langage » (1996 : 189). Un autre livre, intitulé *Les qui qui et les que que ou le français torturé à la télé* (1998), illustre, à l'aide d'exemples recueillis au cours des années, les nombreuses erreurs de français que l'on peut entendre à la télévision québécoise. Dans tous ses livres, Dor utilise des orthographes fantaisistes qui ridiculisent et rendent quasi incompréhensibles les exemples décriés, il les présente comme s'ils représentaient la seule façon de dire les choses, rejetant l'idée que ces formes aient leur place dans les conversations familières mais que les Québécois les remplacent par des formes plus standard dans les situations plus formelles, et il fait fi des mises en garde des linguistes qui essaient de replacer ces exemples dans un contexte historique et sociolinguistique qui leur rende justice. Autrement dit, il reproche à des Québécois, souvent d'origine modeste, de ne pas parler comme des livres ou comme des intellectuels français. Pourquoi de tels propos alarmistes sur la qualité du français au Québec rejoignent-ils tant de Québécois? Pourquoi les efforts des linguistes pour présenter une vue plus nuancée et réaliste (par ex., Laforest 1997) tombent-ils dans l'oreille d'un sourd? Et pourquoi le débat ne semble-t-il ni s'atténuer, ni progresser? Il faut sans doute en conclure, comme le fait Ouellon (1998 : 31), que la question de la qualité de la langue au Québec engendre un malaise profond et témoigne d'un fort sentiment d'insécurité linguistique.

6.4. *Le français québécois standard*

C'est bien sûr dans des contextes où les Québécois essaient de « bien » parler que leur insécurité linguistique se manifeste avec le plus d'acuité. Nous l'avons vu plus haut, le français au Québec est caractérisé par un vocabulaire et une prononciation qui lui sont propres. Il possède très peu de traits grammaticaux qui lui soient uniques, mais les constructions propres au français familier abondent. S'il est relativement facile de décider qu'il convient d'éviter une construction comme *Donne-moi-le pas* dans une entrevue télévisée ou qu'il est préférable de formuler ses questions à l'aide de l'inversion plutôt que du marqueur interrogatif *-tu* (par ex., *Parle-t-elle français?* plutôt que *Elle parle-tu français?*), les choix ne sont pas toujours aussi clairs sur les plans lexical et phonologique. Doit-on *aller magasiner* ou *faire son shopping*, prendre le *traversier* ou le *ferry?* Convient-il d'éviter toute affrication dans la prononciation de mots comme *tuque* et *dire* et de faire disparaître la distinction de longueur vocalique qui différencie des mots comme *maître* et *mettre?*

Le FR, qui correspond essentiellement à une vision idéalisée du parler des intellectuels et autres personnalités publiques françaises, a longtemps été considéré comme le seul standard possible dans toute la francophonie. Dans le contexte récent d'une plus grande ouverture envers la diversité linguistique et culturelle et d'une francophonie qui se veut accueillante, on a pu observer au cours des dernières décennies une plus grande reconnaissance des différents français régionaux. Ajoutons encore le chemin parcouru au Québec en termes d'identité sociale et de nationalisme, le développement d'une élite économique et politique francophone québécoise et les efforts de l'OQLF pour créer et promouvoir une terminologie française adaptée au contexte nord-américain, et le développement d'une norme linguistique propre aux Québécois apparaît inévitable.

Comme le fait remarquer Francard (ce volume), le choix d'une norme du français spécifique aux Québécois ne va cependant pas de soi. À ses débuts, dans les années 1960, l'OQLF préconisait un alignement sur le FR et rejetait la quasi-totalité des écarts québécois. Cette position, énoncée dans sa publication *Norme du français écrit et parlé au Québec*, publiée en 1965, est reflétée dans le *Dictionnaire des difficultés de la langue fran-*

çaise au Canada publié pour la première fois en 1967 par Dagenais. À titre d'exemple, le composé *cabane à sucre*, qui désigne le bâtiment dans lequel on transforme l'eau d'érable en sirop, est condamné parce que jugé non conforme aux règles de la composition nominale en français; cet ouvrage propose de le remplacer par *sucrerie d'érablière* (Dagenais 1990 : 229-230). Cette intransigeance des autorités qui s'opposent à tout ce qui définit les Québécois sur le plan linguistique a sans doute encouragé certains auteurs et intellectuels à rejeter en bloc le FR comme norme québécoise et à promouvoir le joual comme langue et symbole national. Cette bataille du joual, qui a fait couler beaucoup d'encre dans les années 1970, appartient maintenant au passé : les Québécois ont en effet clairement dit non au joual (v. par ex. Bouchard 1998 : 15). Plus récemment, un certain consensus s'est dégagé dans la population et chez la plupart des linguistes en faveur d'une norme québécoise qui permet aux Québécois de garder leur place dans la francophonie internationale tout en marquant leur identité sur le plan linguistique. La reconnaissance de cette norme, qui est encore en germe et qui est souvent plus implicite qu'explicite, ressort clairement lorsque l'on demande aux Québécois quel français ils veulent voir leurs enfants apprendre à l'école (Bouchard et Maurais 1999) et dans la façon dont ils jugent leurs pairs qui choisissent de parler « à la française ». Le rejet d'une norme québécoise du français, tel qu'exprimé par Barbaud (1997) et Nemni (1998) et récemment repris par Meney (2004), qui nie l'existence d'un FQ standard en partie distinct du FR, ne reflète donc pas la réalité.

Le FQ standard possède une prononciation qui lui est propre et qui correspond à celle des annonceurs et lecteurs de nouvelles de Radio-Canada (Cox 1998). Cette norme, qui a été adoptée officiellement par l'Association québécoise des professeurs et professeures de français (Cajolet-Laganière et Martel 1995 : 13), est exempt des prononciations qui sont les plus marquées et les plus associées au parler populaire et familier, comme la diphtongaison des voyelles longues (*presse*, *pâte*) et la postériorisation du /a/ final dans des mots comme *Canada* ou *syndicat*. Mais elle conserve, par exemple, un degré d'affrication, la distinction entre les voyelles courtes et longues des mots *mettre* et *maître*, de même que la distinction entre les deux *a* dans *patte* et *pâte* (Cox 1998). Cet accent, qui permet à tous les francophones de comprendre sans difficulté le bulletin de nouvelles de Radio-Canada qui est diffusé par TV5, en marque néanmoins clairement l'origine géographique; c'est celui que les Québécois s'attendent à entendre dans la bouche de leurs dirigeants[16].

C'est sur le plan lexical que le FQ standard se démarque le plus clairement du FR et qu'il commence à clamer bien haut ses particularités. Cajolet-Laganière et Martel (1998 : 131) ont dépouillé de nombreux « textes d'auteurs et d'organismes qui sont valorisés ou bien qui font autorité au Québec » et rapportent que « dans chacun de ces textes, on relève des marques linguistiques caractéristiques du français québécois standard ». Auger (2003) illustre, à l'aide de quelques exemples tirés du fichier lexical du Trésor de la langue française au Québec, l'emploi de québécismes dans les revues, journaux et autres ouvrages « sérieux » québécois. S'il manque toujours au Québec son propre *Petit Robert* pour asseoir définitivement sa norme lexicale, il faut cependant reconnaître que le *Multidictionnaire de la langue française* (de Villers 2003) fournit, dans sa dernière édition, les jalons d'une norme québécoise qui se distingue clairement du FR. Ce dictionnaire, qui se limite au « bon usage québécois » (de Villers 2003 : xiii) et qui exclut donc de nombreux mots et expressions jugés trop populaires ou vulgaires[17],

signale les usages propres au Québec et précise leur statut par rapport à la norme du français au Québec, selon qu'ils sont admis comme standards, qu'ils appartiennent à des registres de langue ou qu'ils sont discutables, voire à éviter en communication soignée, le plus souvent parce que ce sont des anglicismes ou des formes fautives, parfois simplement vieillies, perpétuées par la tradition orale. Dans tous les cas, le souci est de fournir à l'usager les renseignements les plus sûrs, de lui proposer une solution quand les avis sont partagés, non sans savoir qu'il demeure libre de faire ses propres choix, à ses risques et périls, mais, cette fois, en connaissance de cause. (de Villers 2003 : xii)

Le compte rendu de Poirier (2004) et notre propre survol de ce dictionnaire dévoilent de nombreuses lacunes, erreurs et décisions dou-

---

[16] D'où les critiques fréquentes de Jean Chrétien, premier ministre du Canada de 1993 à 2003, qui parlait un français fortement empreint de traits du français québécois familier.

[17] Par exemple, les jurons québécois (les sacres : *crisse, câlisse, tabarnak*), de nombreux mots du vocabulaire sexuel (*plotte* « vulve, fille/femme jugée facile », *gosse* « testicule », *se crosser* « se masturber ») et des anglicismes condamnés (*brake, break* « pause ») sont absents du dictionnaire.

teuses quant à l'acceptabilité et au registre de certains québécismes[18]. Pour sa part, l'étude de Lamonde dénonce la lenteur avec laquelle les différentes éditions de ce dictionnaire reconnaissent plusieurs emplois critiqués en français québécois, les définitions de certains mots et la « langue brouillonne, voire carrément fautive, qu'on nous donne maintenant à lire dans les ouvrages de référence québécois » (2004 : 146). À l'occasion, le lecteur fait face à des choix difficiles lorsque le *Multidictionnaire* s'oppose aux recommandations de l'OQLF dans son *Grand dictionnaire terminologique* (Poirier 2004). Ces critiques nous forcent à conclure que cet ouvrage ne constitue toujours pas la ressource qu'attendent les Québécois pour les guider dans leurs choix linguistiques. Malgré ses lacunes, on ne peut cependant nier que les entrées de nombreux mots reflètent les choix lexicaux des Québécois et qu'ils marquent la distance que ceux-ci prennent envers certains éléments de la norme hexagonale promue par les dictionnaires français.

Dans le *Multidictionnaire*, les québécismes dont l'usage ne franchit pas l'océan Atlantique sont signalés au moyen d'une fleur de lis, mais ceux-ci occupent une place importante dans la nomenclature du dictionnaire et dans les entrées. Ainsi, par exemple, les entrées de nombreux québécismes de sens fournissent d'abord le sens québécois et ne fournissent qu'ensuite le sens le plus fréquent en France et/ou dans le reste de la francophonie. C'est le cas de *déjeuner* et *dîner*, de *magasinage*, de même que de *marabout*, dont le sens « grincheux » précède le sens « oiseau échassier ». Dans le cas de *souper*, il est intéressant de noter que seul le sens québécois est mentionné. Cependant, lorsque le sens québécois est jugé familier, celui-ci est relégué en deuxième place, comme c'est le cas de *jaser* dans le sens de « bavarder »[19]. Certaines entrées mentionnent l'existence d'un autre mot utilisé ailleurs dans la francophonie (par exemple, on donne l'équivalent *crèche* dans l'entrée du mot *garderie*). D'autres ne mentionnent que le mot québécois : s'il n'est pas vraiment étonnant que dans le domaine du hockey nulle mention ne soit faite du

---

[18] Par exemple, nous ne comprenons pas bien pourquoi le sens québécois de « chaussure de sport » n'est pas mentionné pour le mot *espadrille*, pourquoi le mot *laveuse* est accepté dans le sens de « lave-linge » mais pas le mot *brocheuse* dans le sens de « agrafeuse », ou pourquoi le sens québécois du mot *cartable*, qui désigne une reliure à anneaux dans laquelle on arrange des feuilles, est une *impropriété* et pourquoi le mot *babillard* dans le sens de « tableau d'affichage » est donné comme familier, alors que le *Grand dictionnaire terminologique* ne lui accole aucune marque stylistique.

[19] Il n'est cependant pas clair pourquoi certains sens standard, comme celui de « magasin de tabac et de journaux » pour *tabagie* ne figurent pas en première place dans l'entrée de ce mot.

synonyme français *palet* pour *rondelle*, il convient aussi de mentionner l'absence du mot *estran* dans l'entrée *batture*. Parfois, l'équivalent français sert de définition, comme c'est le cas du mot *téléroman*, qui est défini comme « feuilleton télévisé » ou du mot *soulier* qui est défini comme « chaussure ». Dans les cas où les Québécois utilisent une forme différente, comme c'est le cas du mot *yogourt*, cette forme est donnée la première et elle est suivie de la variante commune dans le reste de la francophonie.

(7)   **YOGOURT** ou **YOGHOURT** ou **YAOURT** (y aspiré) n.m.
Au Québec, le nom se prononce le plus souvent *yo-gour*; dans le reste de la francophonie, il se prononce surtout *ya-ourt* (avec ou sans *t* final).

Le parti pris des Québécois contre les anglicismes est clairement reflété dans cet ouvrage. D'une part, de nombreux anglicismes québécois sont condamnés, comme l'indique l'astérisque qui les précède et les recommandations contenues dans l'article lui-même (v. par ex. *pet shop* « animalerie » et *drabe* « beige »). D'autre part, plusieurs anglicismes du FR sont explicitement rejetés. Bien que les critères qui distinguent les anglicismes acceptables et condamnables ne soient pas toujours clairs, il est intéressant de lire, par exemple, l'entrée du mot *pull* reproduite ci-dessous, de même que les entrées pour *gardien/gardienne* et *baby-sitting*. *Sponsor* et ses dérivés sont signalés comme équivalents français de *commanditaire* et ses dérivés. *Shopping*, *ferry* et *job* appartiennent à la catégorie des anglicismes condamnés. Le *Multidictionnaire* admet plusieurs anglicismes qui sont partagés avec le reste de la francophonie, mais condamne le genre féminin courant en FQ et prescrit le genre utilisé par les Français: alors que *job*, *sandwich* et *toast* sont tous féminins en FQ, le dictionnaire avertit les lecteurs qu'ils doivent s'employer au masculin comme en FR.

(8)   **PULL** ou **PULL-OVER** n.m.
Anglicisme utilisé en France pour *tricot* (que l'on passe par-dessus la tête).

(9)   **GARDIEN** n.m.
GARDIENNE n.f.
Personne chargée de veiller sur quelqu'un, de garder quelque chose. *Un gardien de but au hockey. Des gardiens de sécurité. Une gardienne d'enfant* (et non une *baby-sitter).

(10)   ***BABY-SITTING**
Anglicisme pour *garde d'enfants.*

Les marques d'usage et les recommandations qui accompagnent les québécismes démontrent clairement que tous les mots du vocabulaire québécois n'ont pas le même statut sociolinguistique et que seuls certains d'entre eux sont acceptables dans les situations formelles et à l'écrit. On peut contraster, par exemple, les entrées des verbes *magasiner* et *maganer*.

(11)   **MAGASINER** v. intr.
[fleur de lis] Faire des courses, du lèche-vitrines. *Huguette aime bien magasiner dans les petites boutiques de son quartier.*

(12)   **MAGANER** v. tr.
[fleur de lis] (FAM.) Endommager, détériorer. *J'ai magané mes chaussures dans la boue.* SYN. abîmer; gâter.
L'emploi du verbe est courant au Québec dans la langue familière, mais il est vieilli dans le reste de la francophonie. On évitera de l'employer dans un texte courant ou de style soutenu.

Tout dictionnaire se doit d'être, dans la mesure du possible, un miroir de la communauté linguistique dont il recense le vocabulaire. Le *Multidictionnaire* reflète bien les efforts récents des Québécois pour s'exprimer dans une langue qui traite les hommes et les femmes de façon égale. Il le fait en fournissant la forme féminine qui correspond à chaque titre de profession, en consacrant six pages à une liste des titres et fonctions pour les femmes et les hommes et en fournissant des définitions qui correspondent à l'usage québécois de noms qui sont utilisés différemment au Québec et en France. Ainsi, *mairesse* désigne au Québec la « [p]ersonne élue à la direction d'une administration municipale » et non l' « épouse du maire » comme c'est le cas dans le *Petit Robert*. De même, les termes *madame* et *mademoiselle* renvoient à des titres de civilité donnés aux femmes et aux jeunes filles, respectivement, indépendamment du statut conjugal.

Bien sûr, les termes québécois ne sont pas les seuls utilisés au Québec. Certains auteurs préfèrent des mots du FR à des mots québécois bien établis, comme on peut le voir avec l'usage de *blue jeans* et *pull* en (13). Il est cependant permis de penser que dans un exemple comme (14), où les mots *ferry* et *traversier* coexistent, le mot du FR s'ajoute comme une ressource stylistique qui vient enrichir plutôt que remplacer le mot québécois.

(13)   Elle s'est pointée en «blue jeans» et pull rose, café à la main, devant un groupe d'invités dans la grande bibliothèque de « son » nouvel hôtel, rue Mercer, au coeur de la Ville Reine, inauguré l'an dernier en pleine crise du SRAS. (L'entrevue – Les cousins Germain, *Le Devoir*, 5 avril 2004, http://www.ledevoir.com/2004/04/05/51532.html)

(14)   Au large de l'île de Paros dans la mer Égée, les recherches ont été abandonnées pour retrouver des survivants du ferry Empress Samena qui a coulé hier soir dans une tempête. [...] Le guide touristique international Greek Island Hopping a décrit le navire comme le pire traversier des îles grecques. (http://radio-canada.ca/nouvelles/, 27 septembre 2000)

Comme le soulignent Francard (ce volume) et Thibault (2003), le travail de la norme endogène québécoise reste à poursuivre. Dans ce sens, le *Multidictionnaire* représente une avancée dans la reconnaissance de la norme québécoise. Celui-ci fournit finalement aux Québécois des définitions des mots *sous-ministre* et *covoiturage*[20], mots qui, jusque là, demeuraient absents des dictionnaires disponibles au Québec (Cajolet-Laganière et Martel 1998 : 136). Cependant, les mots *carte-soleil, repêchage* et *téléjournal*, qui sont tout aussi standard et fréquents, restent introuvables dans cet ouvrage. De plus, d'autres ouvrages importants, tels *Le nouveau dictionnaire visuel multilingue* (Corbeil et Archambault 2003) ne font qu'une place encore tout hésitante aux mots québécois. Ainsi, alors que, par exemple, cet ouvrage propose, côte à côte, les termes *cerf de Virginie/chevreuil, lave-linge/laveuse* et *moufle/mitaine*, il est étonnant de constater qu'il omet les termes *suisse, bleuet* et *calculatrice* comme équivalents québécois de *tamia, myrtille* et *calculette*.

7. Conclusion

Dans la conclusion de son rapport, la Commission des états généraux sur la situation et l'avenir de la langue française au Québec

---

[20] Contrairement à ce que déclarent Cajolet-Laganière et Martel (1998 : 136), les mots *douance* et *chiropratique* (de même que *chiropraticien*) figuraient déjà dans le *Dictionnaire du français Plus* (Poirier et al.) publié en 1988. Je remercie Claude Poirier d'avoir attiré mon attention sur ce fait.

note que même si les Québécois sont plus confiants en ce qui concerne l'avenir du français dans leur province, une certaine inquiétude demeure : « Les acquis sont là, mais fragiles. Rien n'est irréversible. » (2001 : 194). Le contexte nord-américain, une plus grande ouverture sur le monde, le caractère plus cosmopolite de la société sont quelques-uns des facteurs responsables de l'attrait constant qu'exerce l'anglais sur les francophones et les allophones du Québec. Pourtant, les progrès accomplis en moins d'un demi-siècle illustrent de façon éloquente ce dont une société est capable quand elle s'en donne les moyens. Bien sûr, le Québec dispose d'un atout majeur qui manque à toutes les autres communautés francophones en Amérique du Nord : un statut majoritaire au sein d'une entité géographique et politique qui dispose d'un réel pouvoir de décision. Comme il l'a bien compris, il a donc le devoir de partager les ressources dont il dispose avec les autres francophones d'Amérique, dans l'espoir que ce partage et ces échanges bénéficieront à tous et à l'ensemble de la francophonie en général.

Références

AUGER, Julie. 2003. « Le français au Québec à l'aube du XXIᵉ siècle », *The French Review*, 77 : 86-100.

BARBAUD, Philippe. 1984. *Le choc des patois en Nouvelle-France : essai sur l'histoire de la francisation au Canada*, Sillery, Presses de l'Université du Québec.

BARBAUD, Philippe. 1997. « La diglossie québécoise », dans Marta DVORAK (dir.), *Canada et bilinguisme*, Rennes, Presses universitaires de Rennes, 65-82.

BOILEAU, Josée. 2004, 28 janvier. « La goutte d'eau », *Le Devoir*, www.ledevoir.com.

BOUCHARD, Chantal. 1998. *La langue et le nombril; Histoire d'une obsession québécoise*, Montréal, Fides.

BOUCHARD, Pierre et Richard Y. BOURHIS (dirs). 2002. *Revue d'aménagement linguistique; L'aménagement linguistique au Québec : 25 ans d'application de la Charte de la langue française*, numéro hors série.

BOUCHARD, Pierre et Richard Y. BOURHIS. 2002. « Introduction : la Charte de la langue française. Bilan, enjeux et perspectives », dans Pierre BOUCHARD et Richard Y. BOURHIS (dirs.), *Revue d'aménagement linguistique; L'aménagement linguistique au Québec : 25 ans d'application de la Charte de la langue française*, numéro hors série, 9-16.

BOUCHARD, Pierre et Jacques MAURAIS. 1999. « La norme et l'école. L'opinion des Québécois », dans Conrad OUELLON (dir.), *La norme du français au Québec; Perspectives pédagogiques*, (*Terminogramme* 91-92), Québec, Office de la langue française, 91-116.

BOUCHER, Guylaine. 2004, 13 et 14 mars. « Une entrevue avec Monique Gagnon-Tremblay – Une francophonie solidaire », *Le Devoir*, www.ledevoir.com.

BOULANGER, Jean-Claude. 1992 (nouv. éd.). *Dictionnaire québécois d'aujourd'hui*, Saint-Laurent, Québec, Dicorobert.

BOURHIS, Richard Y. et Rodrigue LANDRY. 2002. « La loi 101 et l'aménagement du paysage linguistique au Québec », dans Pierre BOUCHARD et Richard Y. BOURHIS (dirs.), *Revue d'aménagement linguistique; L'aménagement linguistique au Québec : 25 ans d'application de la Charte de la langue française*, numéro hors série, 107-131.

CAJOLET-LAGANIÈRE, Hélène et Pierre MARTEL. 1995. *La qualité de la langue au Québec*, Québec, Institut québécois de recherche sur la culture.

CAJOLET-LAGANIÈRE, Hélène et Pierre MARTEL. 1998. « La reconnaissance d'un usage standard propre au Québec ou le moyen de vaincre notre insécurité linguistique », dans Annette BOUDREAU et Lise DUBOIS (dirs.), *Le français, langue maternelle, dans les collèges et les universités en milieu minoritaire*, Moncton, Éditions d'Acadie, 125-140.

CHAMBERS, Gretta. 2000. « Les relations entre anglophones et francophones », dans Michel PLOURDE, Hélène DUVAL et Pierre GEORGEAULT (dirs.), *Le français au Québec, 400 ans d'histoire et de vie*, Québec, Fides, 319-325.

Commission des États généraux sur la situation et l'avenir de la langue française au Québec. 2001. *Le français, une langue pour tout le monde : une nouvelle approche stratégique et citoyenne*, Québec.

CORBEIL, Jean-Claude et Ariane ARCHAMBAULT. 2003. *Le nouveau dictionnaire visuel multilingue : français, anglais, espagnol, allemand*, Montréal, Québec Amérique.

COX, Terry B. 1998. « Vers une norme pour un cours de phonétique française au Canada », *The Canadian Modern Language Review*, 54 : 172-97.

DAGENAIS, Gérard. 1990. *Dictionnaire des difficultés de la langue française au Canada*, Québec, Éditions Pedagogia.

DE VILLERS, Marie-Éva. 2001. « Analyse d'un titre de presse : illustration d'une norme », dans Diane RAYMOND et André A. LAFRANCE (dirs.), *Norme et médias*, (*Terminogramme* 97/98), Québec, Les Publications du Québec, 21-46.

DE VILLERS, Marie-Éva. 2003. *Multidictionnaire de la langue française*, 4e édition, Montréal, Québec Amérique.

DESBIENS, Jean-Paul. 1960. *Les insolences du frère Untel*, Montréal, Éditions de l'homme.

DOR, Georges. 1996. *Anna braillé ène shot (Elle a beaucoup pleuré) : essai sur le langage parlé des Québécois*, Outremont, Lanctôt Éditeur.

DOR, Georges. 1998. *Les qui qui et les que que ou le français torturé à la télé : un troisième et dernier essai sur le langage parlé des Québécois*, Outremont, Lanctôt Éditeur.

DUMAS, Denis. 1987. *Nos façons de parler*, Sillery, Presses de l'Université du Québec.

DUPRÉ, P. 1972. *Encyclopédie du bon français dans l'usage contemporain*. Paris, Éditions de Trévise.

En partenariat, 4 (1). 2004. [http://www.saic.gouv.qc.ca/publications/en_partenariat_avril2004.pdf].

FOULET, Lucien. 1921. « Comment ont évolué les formes de l'interrogation », *Romania*, 47 : 243-348.

GENDRON, Jean-Denis. 1970. « Origine de quelques traits de prononciation du parler populaire franco-québécois », dans *Phonétique et linguistique romanes, mélanges offerts à M. Georges Straka*, Lyon, Société de linguistique romane, 339-352.

HELLY, Denise. 2002. « La question linguistique et le statut des allophones et des anglophones au Québec », dans Pierre BOUCHARD et Richard Y. BOURHIS (dirs.), *Revue d'aménagement linguistique; L'aménagement linguistique au Québec : 25 ans d'application de la Charte de la langue française*, numéro hors série, 37-49.

JUNEAU, Marcel. 1972. *Contribution à l'histoire de la prononciation française au Québec; Étude des graphies des documents d'archive*, Québec, Les Presses de l'Université Laval.

JUNEAU, Marcel et Claude POIRIER. 1973. *Le livre de comptes d'un meunier québécois (fin XVIIᵉ – début XVIIIᵉ siècle); Édition avec étude linguistique*, Québec, Les Presses de l'Université Laval.

LAFOREST, Marty. 1997. *États d'âme, états de langue*, Québec, Nuit Blanche Éditeur.

LAMBERT, Wallace E. et G. Richard TUCKER. 1972. *Bilingual education of children; the St. Lambert experiment*, Rowley, Massachusetts, Newbury House.

LAMONDE, Diane. 2004. *Anatomie d'un joual de parade : le bon français d'ici par l'exemple*, Montréal, Les Éditions varia.

LÉARD, Jean-Marcel. 1995. *Grammaire québécoise d'aujourd'hui : comprendre les québécismes*, Montréal, Guérin Universitaire.

LEVINE, Marc V. 2002. « La question "démolinguistique", un quart de siècle après la Charte de la langue française », dans Pierre BOUCHARD et Richard Y. BOURHIS (dirs.), *Revue d'aménagement linguistique; L'aménagement linguistique au Québec : 25 ans d'application de la Charte de la langue française*, numéro hors série, 165-181.

MARTINEAU, France et Virginia MOTAPANYANE. 1996. « Hypothetical infinitives and crosslinguistic variations in continental and Quebec French », dans James R. BLACK et Virginia MOTAPANYANE (dirs.), *Microparametric syntax and dialect variation*, Amsterdam, Benjamins, 145-168.

MC ANDREW, Marie. 2002. « La loi 101 en milieu scolaire: impacts et résultats », dans Pierre BOUCHARD et Richard Y. BOURHIS (dirs.), *Revue d'aménagement linguistique; L'aménagement linguistique au Québec : 25 ans d'application de la Charte de la langue française*, numéro hors série, 69-82.

MCCOMBER, Louis. 2003. « Le Nunavik québécois, une percée francophone dans l'Arctique canadien ? », dans Pauline HURET (dir.), *Les Inuit de l'Arctique canadien*, Québec, CIDEF-AFI. francnord.ca/Nunavikfran.htm.

MENEY, Lionel. 2004, 7 janvier. « Parler français comme un vrai Québécois ? », *Le Devoir*, www.ledevoir.com.

MORIN, Yves-Charles. 2002. « Les premiers immigrants et la prononciation du français au Québec », *Revue québécoise de linguistique*, 31(1) : 39-78.

NEMNI, Monique. 1998. « Le français au Québec : représentation et conséquences pédagogiques », *Revue québécoise de linguistique*, 26 (2) : 151-75.

Office de la langue française. 1965. *Norme du français écrit et parlé au Québec*, Québec, Ministère des affaires culturelles.

OUELLON, Conrad. 1998. « La qualité de la langue : discours et réalité », dans Denise DESHAIES et Conrad OUELLON (dirs.), *Les linguistes et les questions de langue au Québec : points de vue*, Québec, Centre international de recherche en aménagement linguistique, 31-38.

PAILLÉ, Michel. 2002. « L'enseignement en français au primaire et au secondaire pour les enfants d'immigrants : un dénombrement démographique », dans Pierre BOUCHARD et Richard Y. BOURHIS (dirs.), *Revue d'aménagement linguistique; L'aménagement linguistique au Québec : 25 ans d'application de la Charte de la langue française*, numéro hors série, 51-66.

PICARD, Marc. 1992. « Aspects synchroniques et diachroniques du *tu* interrogatif en québécois », *Revue québécoise de linguistique*, 21 (2) : 65-75.

POIRIER, Claude. 1994. « La langue parlée en Nouvelle-France : vers une convergence des explications », dans Raymond MOUGEON et Édouard BENIAK (dirs.), *Les origines du français québécois*, Sainte-Foy, Les Presses de l'Université Laval, 237-273.

POIRIER, Claude. (dir.). 1998a. *Dictionnaire historique du français québécois*, Québec, Les Presses de l'Université Laval.

POIRIER, Claude. 1998b. « Vers une nouvelle représentation du français du Québec : les vingt ans du *Trésor* », *The French Review*, 71 : 912-929.

POIRIER, Claude. 2004. « Le Multi : un dictionnaire ambigu », *Québec français*, 132: 26-27.

POIRIER, Claude, A. E. SHIATY, Pierre AUGER et Normand BEAUCHEMIN. 1988. *Dictionnaire du français Plus : à l'usage des francophones d'Amérique*, Montréal, Centre Éducatif et Culturel.

RAUNET, Daniel. 2001. « La norme dans les médias », dans Diane RAYMOND et André A. LAFRANCE (dirs.), *Norme et médias*, (*Terminogramme* 97/98), Québec, Les Publications du Québec, 73-94.

SALIEN, Jean-Marie. 1998. « Quebec French : Attitudes and pedagogical perspectives », *Modern Language Journal*, 82 (1) : 95-102.

Société du parler français au Canada. 1968. *Glossaire du parler français au Canada*, Québec, Les Presses de l'Université Laval.

THIBAULT, André. 2003. « Histoire externe du français au Canada, en Nouvelle-Angleterre et à Saint-Pierre et Miquelon », dans Gerhard ERNST, Martin-Dietrich GLEßGEN, Christian SCHMITT et Wolgang SCHWEICKARD (dirs.), *Romanische Sprachgeschichte - Histoire linguistique de la Romania*, Berlin, Walter de Gruyter, 895-911.

TREMBLAY, Odile. 2004, 9 mars. « Prise de bec littéraire; Bernard Pivot et Maurice Druon croisent le fer à propos de la qualité de la langue française », *Le Devoir*, www.ledevoir.ca.

VASSEUR, Gaston. 1996. *Grammaire des parlers picards du Vimeu (Somme)*, Abbeville, F. Paillart.

VAUGELAS, Claude Favre de. 1647/1996. *Remarques sur la langue française utiles à ceux qui veulent bien parler et bien écrire*, Paris, Éditions Ivrea.

VILLIARD, Pierre et Marie-Thérèse VINET. 1983. « Remarques sur l'expression de l'hypothèse en québécois », dans Jean-Marcel LÉARD (dir.), *Travaux de linguistique québécoise 4*, Québec, Les Presses de l'Université Laval, 209-221.

VINET, Marie-Thérèse. 2001. *D'un français à l'autre; La syntaxe de la microvariation*, Montréal, Fides.

VULPAS, Anne-Marie. 1993. *Le parler lyonnais*, Paris, Rivages.

WALKER, Douglas. 1979. « Canadian French », dans J. K. CHAMBERS (dir.), *The languages of Canada*, Montréal, Didier, 133-167.

WOEHRLING, José. 2000. « La Charte de la langue française : les ajustements juridiques », dans Michel PLOURDE (dir.), *Le français au Québec : 400 ans d'histoire et de vie*, Montréal, Fides et Publications du Québec, 285-291.

WOLF, Lothar. 1991. « Le langage de la Cour et le français canadien. Exemples de morphologie et de syntaxe », dans Brigitte HORIOT (dir.), *Français du Canada – français de France; Actes du deuxième Colloque international de Cognac du 27 au 30 septembre 1988*, Tübingen, Max Niemeyer Verlag, 115-123.

Le français en Acadie des Maritimes

Lise Dubois, Université de Moncton

1. Introduction

L'an 2004 marque le 400e anniversaire de la présence française dans les provinces Maritimes : les débuts de l'Acadie remontent donc à 1604, année où Pierre du Gua, sieur de Monts, en compagnie de Samuel de Champlain, établissent une colonie d'une centaine d'hommes à l'île Sainte-Croix, dans la baie Française (aujourd'hui baie de Fundy). Pendant la centaine d'années qui suit, l'Acadie se trouve tantôt sous la domination de la France, tantôt sous celle de l'Angleterre (pour plus de renseignements sur les conflits et traités successifs entre la France et l'Angleterre entre 1604-1713, v. Daigle 1993). Pendant cette période turbulente, des colonies s'établissent le long du littoral de la baie Française, surtout en Nouvelle-Écosse : la principale est Port-Royal. Contrairement aux colons de la Nouvelle-Angleterre et de la Nouvelle-France qui doivent défricher des terres boisées pour s'y installer, les colons acadiens cultivent au moyen de digues[1] les terres d'alluvions qui longent la baie (Daigle 1987, 1993 : 11-12). Cette pratique, selon les historiens, détermine non seulement l'aménagement physique des établissements, mais aussi la structure sociale, en favorisant les regroupements de familles. En raison de l'incertitude politique qui règne en Europe, la France cesse d'envoyer des colons en Acadie dès la fin du 17e siècle, période où le nombre des Acadiens s'élève à environ 500, issus d'une cinquantaine de familles souches (Daigle 1987, 1993), venues surtout du centre ouest de la France (Basque et al. 1999 : 19).

En 1713, le traité d'Utrecht cède définitivement l'Acadie, à l'exception de l'île Royale (aujourd'hui île du Cap-Breton), aux Anglais, qui, durant les quarante prochaines années, encouragent les colons de langue française à y rester pour des raisons tant économiques que militaires (Doucet 1993 : 302). Pendant ces quarante années de bonne entente, quoique parfois tendue, entre les Acadiens et leurs dirigeants an-

---

[1] Ces digues sont nommées « aboiteaux » en Acadie.

glais, on assiste à la fondation de la ville de Halifax en 1749 et à l'arrivée d'un nombre accru de colons britanniques en quête de terres arables. De plus, vers le milieu du siècle, les dirigeants anglais se voient imposer un programme de « britannisation » des colonies nord-américaines (Doucet 1993 : 36). Ces événements contribuent à façonner la conjoncture politique qui mène à l'imposition du fameux serment d'allégeance à la couronne britannique que les Acadiens refusent de prêter, refus qui sert de prétexte à la Déportation, événement tragique qui marque de façon indélébile l'évolution sociale, politique, économique et linguistique de l'Acadie des Maritimes[2]. En raison de ces déportations, celle-ci passe d'une collectivité qui a le sentiment de pouvoir agir sur sa destinée à des groupements qui sont dispersés çà et là dans les provinces Maritimes et qui sont exclus pendant près d'un siècle de toute participation à la vie sociale et politique (Doucet 1993 : 304-308, Thériault 1993 : 47-58).

Ayant obtenu en 1764 l'autorisation de réintégrer le territoire, mais non leurs anciennes terres qui sont maintenant occupées par des colons anglais, un certain nombre d'Acadiens reviennent s'installer dans les régions des Maritimes qui forment aujourd'hui essentiellement ce qu'on désigne comme les « régions acadiennes »[3] (v. la carte 1 ci-dessous). Pendant cette période de reconstruction, ils s'adonnent principalement à des activités économiques de survivance, soit l'agriculture et la pêche. L'Acadie d'avant la Confédération canadienne (1867) se retrouve impuissante à influencer les décisions politiques et se caractérise par l'absence presque totale d'une classe moyenne en raison principalement du peu de maisons d'enseignement qui auraient pu contribuer à sa formation (Doucet 1993 : 309). Certains historiens appellent cette période de l'histoire de l'Acadie la période du « silence ». Attribut contesté, on semble aujourd'hui préférer l'appeler la période de

---

[2] En 1755, le gouverneur Charles Lawrence profite donc de la présence de troupes britanniques dans la région pour expulser les Acadiens de leurs terres et les déporter vers l'Angleterre, la Nouvelle-Angleterre et la France. Environ 10 000 Acadiens sont déportés entre 1755 et 1763 (Basque et al. 1999 : 22), d'une population dont on estime le nombre à 12 000 en 1750 (Daigle 1993 : 22). Ceux qui échappent à la déportation se cachent dans les bois ou se réfugient dans d'autres régions des Maritimes et du Canada.

[3] Au Nouveau-Brunswick, il s'agit du nord-ouest (le Madawaska), du nord-est (le long de la baie des Chaleurs et de la Péninsule acadienne), et du sud-est (la vallée de Memramcook et le long du littoral atlantique). En Nouvelle-Écosse, ce sont les régions de la baie Sainte-Marie et de Chéticamp, ainsi que l'île Madame, qui accueillent les Acadiens en quête de nouvelles terres. Enfin, à l'Île-du-Prince-Édouard, les Acadiens s'établissent dans la région de la Malpèque (Basque et al. 1999 : 23, Thériault 1993 : 48-49).

« l'enracinement » (Thériault 1993 : 46). Quoi qu'il en soit, la dispersion des établissements acadiens et l'isolement dans lequel ils ont évolué pendant plus d'un siècle contribuent considérablement au maintien du français.

Petit à petit au cours du 19ᵉ siècle, à peu près à la même période où naît la confédération canadienne, se forge une conscience collective acadienne, qui entraîne la création d'institutions acadiennes (des écoles et des collèges, le premier journal acadien, des conventions nationales, un drapeau, etc.), la formulation de revendications et la naissance d'un discours nationaliste. L'expression de l'ethnicité des Acadiens se revêt ainsi d'une dimension institutionnelle (Allain et al. 1993 : 350). C'est également à ce moment que l'on façonne le discours social, discours à la fois mobilisateur et intégrateur, qui conditionne les pratiques sociales acadiennes pendant près d'un siècle et dont les thèmes principaux gravitent autour du fait que le peuple acadien est possesseur d'un destin particulier forgé par une histoire unique et tragique, porteur de la tradition catholique et de la culture de l'Ancienne France (Allain et al. 1993 : 344-345). L'Acadie traditionnelle est un univers de petite production, où le pouvoir économique appartient à la bourgeoisie marchande anglophone et le pouvoir socioculturel à l'élite francophone composée essentiellement de membres du clergé et de notables acadiens.

Il faut attendre les années 1950 pour que les Acadiens connaissent de véritables progrès sur le plan de la reconnaissance de leur spécificité et de leurs droits. Ces progrès toutefois seront réalisés surtout au Nouveau-Brunswick où le poids démographique des Acadiens leur confère un pouvoir politique qui se consolide jusqu'à aujourd'hui. Ces progrès coïncident avec une série de réformes qui changent non seulement la société acadienne, mais aussi toute la société canadienne. Sur la scène nationale, la Commission royale d'enquête sur le bilinguisme et le biculturalisme (Commission Laurendeau-Dunton) recommande une importante restructuration de l'administration fédérale et la reconnaissance des minorités linguistiques en réponse à l'agitation culturelle et politique que vit la province du Québec, en pleine « révolution tranquille ». Au Nouveau-Brunswick, ce vent de changement s'amorce en 1958, lorsqu'un Acadien, Louis J. Robichaud, prend la direction du Parti libéral. Deux ans plus tard, il remporte les élections provinciales et son gouvernement adopte peu après une série de réformes, dont la principale est la *Loi sur les langues officielles du Nouveau-Brunswick* (discutée plus loin), qui visent ostensiblement à diminuer les disparités régionales et à assurer des services publics de qualité égale à tous les Néo-

Carte 1. Répartition de la population

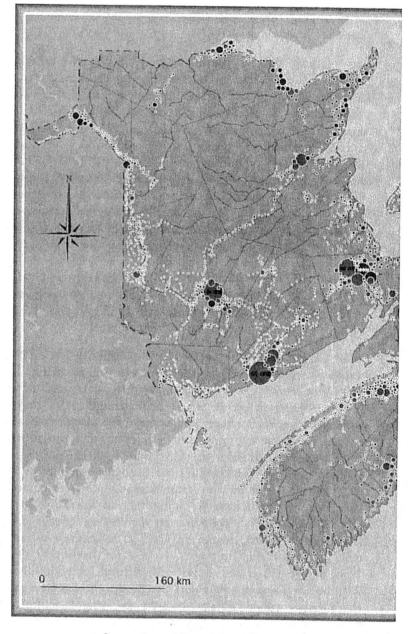

Source : Samuel Arseneault, professeur, département d'histoire

des Maritimes selon la langue, 2001

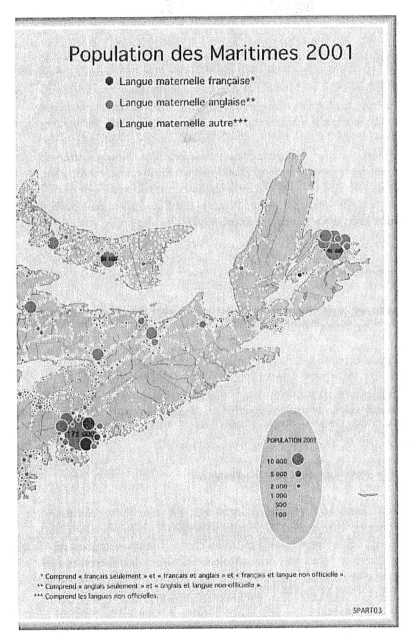

et de géographie, Université de Moncton.

Brunswickois. Ainsi, grâce au nouveau cadre législatif, les Acadiens des trois provinces Maritimes se créent pendant les 40 années qui suivent, non sans luttes et à des degrés qui varient de province en province, des espaces linguistiques homogènes, qui gravitent surtout autour du monde scolaire et du monde associatif. Aujourd'hui, les Acadiens sont de plus en plus nombreux à jouer un rôle clé sur la scène politique et administrative. De même, sur le plan économique, il existe au sein de la collectivité acadienne un potentiel entrepreneurial plus fort que dans les régions avoisinantes (Allain et al. 1993 : 376). Au chapitre de l'éducation, on peut aujourd'hui au Nouveau-Brunswick et en Nouvelle-Écosse s'instruire en français de l'école primaire jusqu'à l'université. Finalement, d'importantes décisions de différents tribunaux contribuent également à assurer la survie des écoles de langue française à l'Île-du-Prince-Édouard et en Nouvelle-Écosse (Landry et Rousselle 2003).

2.   Situation actuelle

2.1. *Répartition de la population des provinces Maritimes selon la langue*

Sur la carte ci-dessus, le lecteur peut voir où vivent les Acadiens des provinces Maritimes. Il peut s'apercevoir assez rapidement que les francophones sont en minorité sur le territoire, surtout dans les agglomérations urbaines, et qu'une partie de la population acadienne se concentre dans de petites communautés (par ex. le long du littoral atlantique et le nord-ouest du Nouveau-Brunswick).

2.2. *Données sociolinguistiques*

La situation sociolinguistique de l'Acadie des Maritimes d'aujourd'hui est complexe. En effet, la population acadienne habite des aires géographiques fragmentées qui relèvent de trois juridictions provinciales, qui sont plus ou moins isolées les unes des autres et qui connaissent d'importantes disparités sur les plans social, économique et institutionnel. On y trouve des régions presque entièrement homogènes sur le plan linguistique, ou bien anglophones, ou bien francophones, ainsi que des régions mixtes, c'est-à-dire des régions où habitent des locuteurs des deux langues. Dans certaines régions hétérogènes, notamment le sud-est du Nouveau-Brunswick ou encore le sud-ouest de la Nouvelle-Écosse, en plus de l'anglais, langue dominante, et du français standard, on trouve une forte présence d'autres variétés du français : le français dit acadien, variété du français marquée surtout par des traits archaïsants, le *chiac* (sud-est du Nouveau-Brunswick) ou *l'akadjonne* (sud-ouest de la Nouvelle-Écosse), variétés qui portent à des degrés divers les traces de l'anglais tant sur les plans phonétique et morphologique que lexical.

De toutes les provinces canadiennes où l'on trouve une collectivité minoritaire de langue française, c'est sans contredit le Nouveau-Brunswick qui offre aux francophones minoritaires le contexte le plus favorable dans lequel s'épanouir, grâce surtout à leur poids démographique et à la complétude institutionnelle qui en découle. En effet, selon le recensement de 2001, la proportion de la population de la province qui se déclare de langue maternelle française est d'environ 33 %. En Nouvelle-Écosse, la proportion de la population se déclarant de langue maternelle française est moins de 4 % et, à l'Île-du-Prince-Édouard, un peu plus de 4 % (v. tableau 1 ci-dessous). Au Nouveau-Brunswick, la population de langue maternelle française ne cesse d'augmenter jusqu'en 1991, année où l'augmentation démographique accuse un ralentissement. Ce ralentissement est attribuable à des facteurs qui ne sont pas étrangers aux sociétés occidentales : dénatalité, migration et urbanisation (Roy 1993 : 159). Par ailleurs, le nombre de personnes de langue maternelle française reste constant jusqu'en 1991 en Nouvelle-Écosse, année où il accuse un fléchissement, alors qu'il baisse de façon continue depuis 1931 à l'Île-du-Prince-Édouard (Roy 1993).

Tableau 1
Population se déclarant de langue maternelle française
dans les provinces Maritimes, 1981 et 2001[4]

	Île-du-Prince-Édouard	Nouvelle-Écosse	Nouveau-Brunswick
1981	5 910 (4,88 %)	35 695 (4,25 %)	231 945 (33,65 %)
2001	5 890 (4,4 %)	35 380 (3,9 %)	239 400 (33,2 %)

Le contact intense avec l'anglais est sans nul doute la caractéristique la plus saillante des communautés francophones des provinces Maritimes, dont l'intensité varie d'une région à l'autre selon la densité démographique et selon les espaces linguistiques homogènes dont dis-

---

4   Sources : Roy 1993, Landry et Rousselle 2003.

pose la communauté. En effet, ce contact ne peut qu'influer sur les comportements langagiers, par exemple la langue le plus souvent employée au foyer. Le tableau 2 indique l'évolution sur 20 ans de la langue d'usage au foyer chez les francophones.

Tableau 2
Population dont la langue du foyer
est le plus souvent le français, 1981 et 2001[5]

	Île-du-Prince-Édouard	Nouvelle-Écosse	Nouveau-Brunswick
1981	3 725 (3,07 %)	24 450 (2,91 %)	216 585 (31,42 %)
2001	2 820 (2,1 %)	19 790 (2,2 %)	217 775 (30,3 %)

2.3. *Tendances*

La bilinguisation français-anglais des locuteurs dont la langue maternelle est le français est, en Nouvelle-Écosse et à l'Île-du-Prince-Édouard, un fait presque accompli et, au Nouveau-Brunswick, un phénomène en progression. En effet, le taux de bilinguisme chez les francophones de la Nouvelle-Écosse est de 93,7 % et chez les francophones de l'Île-du-Prince-Édouard, de 90,1 %. Les francophones du Nouveau-Brunswick sont les seuls à avoir un taux d'unilinguisme français non négligeable (environ 28 %, Landry et Rousselle 2003 : 68). La pénétration croissante de la langue dominante entraîne, selon certains chercheurs, un bilinguisme de nature soustractive chez les francophones minoritaires, c'est-à-dire plus on utilise l'anglais (par ex. comme langue de travail et/ou comme langue des communications usuelles) et plus le français est restreint au foyer, à l'école et aux activités qui entourent la communauté immédiate. Ce phénomène de bilinguisation est lié à une autre tendance sociale, l'urbanisation des francophones des provinces Maritimes.

Au cours de la décennie 1981-1991, presque toutes les agglomérations urbaines à prédominance anglophone d'une certaine importance, à l'exception de Saint-Jean au Nouveau-Brunswick, ont effectivement connu une augmentation notable de leur population de langue française allant de 12,5 % pour Moncton à 39,9 % pour Fredericton (Nouveau-Brunswick), en passant par 35,3 % pour Charlottetown (Île-du-Prince-Édouard) et 22,5 % pour Halifax (Nouvelle-Écosse). Si les francopho-

---

[5]   Sources : Roy 1993, Landry et Rousselle 2003.

nes sont venus, et sans doute continuent de venir, renflouer les villes surtout anglophones, les régions acadiennes dites traditionnelles ont connu pour la même période ou bien une augmentation négligeable de population ou bien une décroissance. Par exemple, les régions du nord-ouest et du nord-est du Nouveau-Brunswick ont accusé une croissance de 1,2 % et de 2,3 % respectivement, alors que la région Évangéline (comté de Prince) à l'Île-du-Prince-Édouard a vu sa population francophone décroître de 11,8 %, celle du sud-ouest de la Nouvelle-Écosse, de 5 % et celle du Cap-Breton (Nouvelle-Écosse), de 12,7 % (Beaudin 1999 : 243-246). Cette migration des francophones vers les villes à prédominance anglophone a sans aucun doute d'importants effets sur les pratiques langagières, notamment sur la langue de travail, sur la langue de communication dans les affaires quotidiennes, sur la langue de l'engagement communautaire et, bien entendu, sur les modalités de l'expression de l'appartenance au groupe francophone.

3. Le français dans les provinces Maritimes

Contrairement aux origines du français québécois, qui occupent depuis près d'un siècle une place importante en linguistique historique et qui ont donné lieu à des thèses divergentes (Mougeon et Beniak 1994), la genèse du français acadien a fait l'objet de peu de recherches. Celles-ci parviennent cependant à expliquer en partie la formation et l'implantation du français en Acadie. L'histoire complexe de la colonie acadienne – arrivages successifs de colons provenant de diverses régions de France, grands mouvements de la population au 18e siècle, isolement géographique de certains villages et ouverture d'autres, présence ou absence d'appui institutionnel – fait que le français parlé dans les provinces Maritimes n'est pas une langue unifiée (Flikeid 1994 : 275-326). Il serait donc faux de croire que tous les Acadiens de ces trois provinces parlent le français de la même façon et entretiennent avec leur langue maternelle des rapports semblables. Malgré les différences phonétiques, morphologiques et lexicales qui existent entre les régions de l'Acadie, il est généralement admis aujourd'hui que le français des provinces Maritimes comporte suffisamment de traits distinctifs pour qu'on puisse affirmer que le français en Amérique du Nord s'articule autour de deux grands axes : l'axe laurentien, qui comprend les variétés québécoises et celles de la diaspora québécoise à l'ouest du Québec, et l'axe acadien. L'une des hypothèses les plus souvent avancées pour expliquer la formation de deux français régionaux distincts sur le territoire nord-américain veut que les colons qui ont peuplé l'Acadie venaient en majorité du centre-ouest de la France, alors que ceux qui ont peuplé le Québec venaient en majorité de la Normandie et de l'île de France (Massignon 1962, Charpentier 1994, Flikeid 1994, Péronnet 1995). Aussi les différences d'origine des populations acadienne et québécoise seraient-elles reflétées dans la langue.

Bien que le français de l'Acadie n'ait pas été étudié dans toute sa complexité, on connaît assez bien les traits qui le distinguent des autres parlers français, tant en Amérique du Nord qu'ailleurs. À ce jour, toutefois, les aspects phonologiques, phonétiques et lexicaux ont davantage été étudiés de façon systématique et exhaustive que les aspects morphologiques et syntaxiques. Dans les lignes qui suivent est présentée une synthèse des principaux traits du français tels que révélés par un certain nombre d'études clés que le lecteur trouvera dans la bibliographie.

Dans un article sur les changements phonologiques que subit le franco-acadien, Phlipponneau (1991) signale que les études antérieures avaient conclu que le système consonantique du parler acadien ne différait que très peu de celui du français moyen, hormis l'existence du phonème /h/ qui permet la distinction entre des mots comme *haler* et *aller*, *haut* et *eau* (v. aussi Péronnet 1995). Selon Péronnet (1995 : 408), le trait phonétique typique du franco-acadien du point de vue consonantique est la palatalisation des vélaires /k/ et /g/ et des dentales /t/ et /d/. L'affrication des dentales, typique du québécois, est quasi inexistante en Acadie. Sur le plan vocalique, le trait phonétique le plus répandu est l'ouisme, qui l'est beaucoup moins au Québec ; en Acadie, il se réalise, entre autres, dans les mots suivants : *homme* [um], *pommier* [pumje] et *bonne* [bun]. Enfin, la diphtongaison est moins répandue en franco-acadien qu'en québécois et se réalise différemment ; de même, la prononciation caractéristique de *oi* en québécois (*mwe* et *twe*, par ex.) ne s'entend qu'en une seule région de l'Acadie, soit le nord-ouest du Nouveau-Brunswick, région limitrophe du Québec qui a été largement peuplée par des Québécois.

Les chercheurs se sont surtout arrêtés sur l'aspect lexical du franco-acadien. Les premières études remontent en effet à la première moitié du siècle : d'abord celle de Pascal Poirier, intitulée *Le Glossaire acadien*, publiée par fascicules entre 1925 et 1926[6], puis celle de Geneviève Massignon, intitulée *Les Parlers français d'Acadie*, faite en 1946-47 et publiée en 1962. Selon cette dernière étude, la caractéristique principale

---

[6]   Cet ouvrage de Pascal Poirier a été publié en édition critique par P. Gérin en 1994.

du vocabulaire acadien est son conservatisme, qui se manifeste par le maintien de termes français archaïques provenant de l'ancien et moyen français et que l'on retrouve encore dans les patois en France, de termes français vieillis (par ex. *abrier* pour « couvrir », *bailler* pour « donner », *hucher* pour « crier », etc.) et de termes français populaires (par ex. *espérer* pour « attendre », *mitaine* pour « moufle », *train* pour « bruit »), ainsi que par l'emploi de termes français employés dans un sens différent du français standard (par ex. *châssis* pour « fenêtre », *billots* pour « billes de bois »). La seconde caractéristique du vocabulaire acadien, selon Massignon, est son adaptation aux réalités nord-américaines, qui se manifeste par ses termes créés de toutes pièces ou encore par ses termes empruntés soit aux langues amérindiennes, soit à l'anglais (1962 : 732-733). Péronnet souligne par ailleurs l'importante variation régionale du lexique acadien et, d'autre part, la grande ressemblance entre ce dernier et le lexique québécois (1995 : 413-414). Selon une étude comparative de termes classés comme acadianismes, seulement 25 % de ceux-ci étaient inconnus au Québec (Péronnet 1989b : 245).

Selon Péronnet (1995 : 417-420), les deux traits principaux qui distinguent le franco-acadien sur le plan morphologique sont des survivances du français archaïque et populaire. Le premier, bien connu et toujours répandu, est la terminaison verbale en *-ont* au présent et *-iont* à l'imparfait à la 3ᵉ personne du pluriel (par ex., ils *écrivont*, ils *mangiont*). Le deuxième est une tendance marquée à l'économie des formes. D'abord, le franco-acadien fait un emploi presque exclusif de l'auxiliaire *avoir* dans les temps composés (par ex., ils *aviont venu*). Péronnet soutient que les auxiliaires *avoir* et *être* « constituent un système d'opposition plus systématique en français acadien qu'en français standard » (1995 : 417), l'usage du verbe *être* étant limité à sa fonction de copule (je *suis* fatigué). Puis, le franco-acadien régularise les conjugaisons verbales des verbes irréguliers, comme *faire, aller, boire* (par ex., vous *disez*, que je *faise*, vous *boivez*, etc.).

Les traits syntaxiques qui caractérisent le franco-acadien proviennent, comme les traits morphologiques caractéristiques, du français archaïque et populaire. Certaines de ces structures syntaxiques sont également connues au Québec, par exemple l'emploi de *à* pour exprimer l'appartenance (le livre *à* Pierre) et dans certaines expressions temporelles (*à* tous les mois). L'ajout du *que* après certaines conjonctions est particulièrement tenace : *si que, quand que, à cause que,* etc. Dans l'ensemble, toutefois, la syntaxe du franco-acadien diverge peu de celle du français contemporain.

Ce bref survol aura servi à montrer que le franco-acadien tradi-tionnel est un français où se côtoient des formes archaïsantes ou vieil-lies, c'est-à-dire des formes disparues en France ou qui ne survivent que dans les patois, des formes dites « populaires », c'est-à-dire des formes qui n'appartiennent pas aux registres soutenus, et des formes emprun-tées à d'autres langues[7]. Cet état de fait est de toute évidence étroite-ment lié à des facteurs d'ordre historique et socioculturel. Toutefois, à la suite des transformations sociales que connaît l'Acadie du Nouveau-Brunswick depuis la seconde moitié du siècle – urbanisation accrue, intensification des contacts avec le Québec et le monde anglophone, mise en place de programmes de scolarisation en français – le franco-acadien traditionnel subit des pressions accrues et de l'anglais et du français normatif (Péronnet 1995 et 1996, Phlipponneau 1991).

Dans un article paru en 1996, Péronnet tente d'établir l'état de l'évolution du franco-acadien traditionnel en appliquant le modèle déve-loppé par Chaudenson et al. (1993), modèle de classement des nou-veaux traits d'une langue dominée, restreinte dans son usage, et en pre-nant en considération l'incidence sur la norme conservatrice d'un plus grand contact avec la langue standard. Selon Péronnet, on ne saurait analyser le changement linguistique en cours en Acadie sans tenir compte de ces deux tendances, c'est-à-dire l'anglicisation d'une part et la standardisation d'autre part. La première conclusion de Péronnet est que les traits distinctifs du franco-acadien tendent à s'estomper. En ef-fet, sur le plan lexical, une baisse de la vitalité de certains acadianismes dans quelques régions de l'Acadie avait déjà été observée. Elle montre également l'influence de l'anglais sur la morphosyntaxe, surtout chez les jeunes (par ex., *Tu peux toujours appliquer pour des bourses*, Péronnet 1995 : 421)[8]. Sur le plan lexical toujours, elle montre que le mouvement vers le français standard est la tendance dominante. Pour ce qui est du point de

---

[7]   Voici quelques exemples de mots empruntés aux langues amérindiennes tirés du *Glos-saire du parler acadien* de Pascal Poirier : *cacaouit*, mot d'origine micmac qui désigne une espèce de canard de mer; *marchouère*, mot emprunté au micmac pour désigner le chat sauvage; *mocauque*, qui désigne une tourbière, genre de terrain caractéristique de cette région du Canada. Les mots empruntés à l'anglais sont très présents dans le lexique acadien : *thépot* qui vient de *teapot* pour « théière »; *stouque* pour *stook* (« gerbe »). Péron-net (1995 : 412) cite également *boucouite* pour *buckwheat* (« sarrasin »). Les emprunts plus récents à l'anglais sont également importants dans le lexique acadien contempo-rain.

[8]   Le lecteur consultera avantageusement sur cet aspect la thèse de Perrot (1995) pour le parler des jeunes du sud-est du Nouveau-Brunswick et son article dans ce volume, de même que l'ouvrage de King (2000) pour le français de l'Île-du-Prince-Édouard.

vue phonétique, Phlipponneau (1991) avait aussi montré l'influence du français standard et de l'anglais chez les jeunes dans la réalisation des occlusives et du phonème /r/.

4. Politiques linguistiques

Le concept de politique linguistique désigne traditionnellement les mesures constitutionnelles, juridiques ou réglementaires de nature linguistique qu'adopte un État dans le but de gérer les inégalités et les tensions qui découlent de la coexistence d'au moins deux langues, donc d'au moins deux groupes linguistiques, sur son territoire. L'État intervient sur la langue pour résoudre des problèmes sociaux, économiques et politiques (Daoust et Maurais 1987 : 11). Récemment, dans le cadre de la sociolinguistique, la définition classique de politique linguistique a été élargie pour permettre de prendre en compte l'action politique des membres de la communauté linguistique ou culturelle. Ainsi, comme le précise Labrie (1999, 2001), cette nouvelle définition permet d'englober tant les mesures des décideurs que les actions d'acteurs sociaux, et, par conséquent, les multiples rapports de force à l'œuvre dans une économie linguistique pluraliste. Comme le fait ressortir Labrie (1999), la politique linguistique, et l'aménagement qui en découle, ne relèvent pas uniquement de l'État, mais aussi des groupes, des communautés linguistiques ou autres, du monde associatif, des médias, etc., qui, partant, participent à l'aménagement du statut des langues et à la codification des pratiques langagières. Cette approche a l'avantage d'appréhender les politiques linguistiques comme l'expression des rapports de force autour du « contrôle social visant le pluralisme et la variation linguistique » (Labrie 1999 : 201).

Dans l'économie linguistique de l'Acadie des Maritimes, se côtoient langues et variétés de langues dans des marchés linguistiques qui n'ont pas les mêmes valeurs sociales : les marchés officiels, c'est-à-dire ceux où dominent la norme prestigieuse, sont occupés par deux langues légitimes, le français et l'anglais, cette dernière langue s'étendant toujours plus dans l'appareil gouvernemental, le secteur commercial, etc. Dans cette situation de contact, les variétés de français autres que la variété légitime ont du mal à être reconnues; elles ont donc longtemps été réservées aux situations informelles de communication, reléguées aux marchés « francs » selon les termes de Bourdieu (1983).

C'est le Nouveau-Brunswick qui a vu, au cours des cinquante dernières années, l'adoption de mesures législatives et constitutionnelles qui ont favorisé l'utilisation du français, grâce aux luttes acharnées qu'a livré la société acadienne pour la reconnaissance de ses droits. La première intervention linguistique est la *Loi sur les langues officielles du Nouveau-Brunswick* de 1969, qui fait du Nouveau-Brunswick une province officiellement bilingue où les deux langues co-officielles, l'anglais et le français, ont un statut égal. Les dispositions de la loi, mises en vigueur progressivement jusqu'en 1977, touchent à la langue de l'Assemblée législative, des publications officielles, de services, de l'enseignement et des tribunaux. Bien que les Acadiens voient la loi comme un outil imparfait qui ne leur confère pas la véritable égalité, ils accueillent favorablement le bilinguisme officiel des instances administratives de la province. En 1981, l'Assemblée législative du Nouveau-Brunswick adopte la *Loi reconnaissant l'égalité des deux communautés linguistiques officielles* qui reconnaît l'égalité du statut, des droits et des privilèges des deux communautés linguistiques de la province, venant confirmer le principe de dualité linguistique et culturelle de la province. Cependant, tout comme la première loi linguistique de 1969, elle n'a pas force exécutoire. Quoi qu'il en soit, en 1993, cette loi est enchâssée dans la constitution canadienne, donnant ainsi un statut unique à l'Acadie du Nouveau-Brunswick puisque, désormais, l'appartenance à la communauté identitaire est un droit constitutionnel. Enfin, en 2002, une nouvelle loi sur les langues officielles du Nouveau-Brunswick est adoptée; parmi les nouveautés, celle-ci élargit la portée de la loi originale aux municipalités et aux soins de santé et institue non seulement un mécanisme de plainte, mais aussi l'obligation du gouvernement de faire la promotion des deux langues officielles (LeBlanc 2003).

Ces mesures ont indéniablement permis au français, dont l'usage avait été essentiellement limité aux domaines de la vie entourant immédiatement la collectivité acadienne, de s'étendre à des institutions, à des milieux et à des domaines desquels il avait été exclu. À titre d'exemples, notons l'Université de Moncton, qui fonctionne uniquement en français, a diplômé environ 38 000 personnes depuis 1963. Toujours dans le secteur de l'éducation, signalons l'adoption en 1978 de la dualité administrative[9] au ministère de l'Éducation de la province qui a créé des espaces unilingues français de la première à la dernière année de

---

[9]   Système selon lequel chaque unité administrative de l'administration provinciale a des composantes francophone et anglophone où la langue de travail est le français et l'anglais respectivement et où les services de coordination et d'appui technique sont bilingues. À ce jour, seul le ministère de l'Éducation fonctionne ainsi.

scolarisation. Dans le domaine des soins de santé, la société acadienne s'est dotée au cours des dernières années d'un centre hospitalier d'envergure provinciale où sont centralisés les services médicaux plus spécialisés (chirurgie, oncologie, médecine nucléaire, etc.), qui sont dispensés en français.

En Nouvelle-Écosse et à l'Île-du-Prince-Édouard, les progrès des communautés linguistiques s'inscrivent surtout dans le domaine de l'éducation, en vertu de l'article 23 de la *Charte canadienne des droits et libertés*, ces provinces n'ayant pas adopté de mesures linguistiques législatives équivalentes à celles du Nouveau-Brunswick. L'article 23 de la *Charte* garantit le droit aux minorités francophones et anglophones du Canada de faire instruire leurs enfants dans leur langue (en français pour les minorités francophones) dans des écoles financées à même les fonds publics et gérées par les communautés elles-mêmes (Landry et Rousselle 2003 : 141, 146). La Cour suprême du Canada a confirmé à plus d'une reprise ces droits (Landry et Rousselle 2003 : 142). Dans ces provinces, le maintien et l'épanouissement du français passe d'abord et avant tout par l'institution scolaire.

Parallèlement à ce processus selon lequel le français s'approprie de nouveaux domaines d'usage selon la logique du respect des droits collectifs, on a vu récemment s'amorcer des processus selon lesquels on revendique une plus grande place aux français locaux dans certains secteurs, dont les milieux artistiques et les médias. Pour ce qui est de ce dernier secteur, les radios communautaires sont des sites privilégiés pour examiner l'influence des acteurs sociaux sur le « contrôle social sur le pluralisme et sur la variation linguistique dans le sens de leur accroissement ou, à l'inverse, de leur restriction » (Labrie 1999 : 201). À titre d'exemple, dans le sud-est du Nouveau-Brunswick, la radio communautaire a été mise sur pied par des personnes qui cherchaient à donner la parole aux francophones qui ne l'avaient que rarement exercée en public en raison de leur insécurité linguistique (v. Boudreau dans ce volume, Dubois 2003). Cette radio non seulement a entraîné un changement linguistique important en francisant les habitudes d'écoute des francophones dont la majorité syntonisaient depuis longtemps les radios de langue anglaise, mais aussi a engendré une production musicale en français qui ne cesse de croître (pour une analyse plus approfondie de ce phénomène, v. Boudreau et Dubois 2003).

4. Conclusion

Les communautés francophones des Maritimes sont des communautés en mouvance tant sur le plan démographique que sur le plan linguistique. Il est vrai que l'effectif francophone accuse des baisses qui sont perçues comme étant menaçantes pour la vitalité et de la langue et des communautés. En effet, il ne fait aucun doute que des phénomènes sociaux comme la dénatalité, l'émigration, les transferts linguistiques, l'exogamie et l'urbanisation ont des conséquences négatives sur l'effectif des communautés francophones des Maritimes (v. les tableaux 1 et 2 ci-dessus). Cependant, il serait simpliste de mesurer la vitalité de ces communautés et de leur langue à l'aune unique des chiffres. Si, d'un côté, les communautés francophones accusent une certaine érosion de leurs effectifs, de l'autre côté, la complétude institutionnelle, elle, se consolide grâce à la création d'espaces francophones dans plusieurs sphères de la vie, ce qui permet aux communautés de se reproduire. De plus, ces espaces transforment les pratiques linguistiques (v. l'article de Boudreau dans ce volume pour un exemple éloquent de transformation des pratiques linguistiques; v. aussi Boudreau et Dubois 2001 et 2003b). Au cours des dernières années, ces espaces se sont multipliés en raison de plusieurs phénomènes, notamment des jugements favorables de la part de la Cour suprême du Canada dans le domaine de l'éducation (v. Landry et Rousselle 2003), l'essor que connaissent les radios communautaires francophones partout dans les Maritimes et l'activité artistique et culturelle croissante qui s'inscrit dans des réseaux à la fois régionaux, nationaux et internationaux. À l'heure actuelle, d'autres phénomènes sont à l'œuvre qu'il ne faut pas négliger quand on examine l'évolution possible des communautés francophones minoritaires, entre autres la nouvelle économie qui met l'accent sur les compétences multilingues (par ex. dans les centres d'appel et l'industrie du tourisme) et l'accroissement des réseaux transnationaux de toutes sortes, lesquels mènent à la transformation des liens entre langue et identité sur les plans tant locaux qu'internationaux.

Références

ALLAIN, Greg, Isabelle MCKEE-ALLAIN et Joseph-Yvon THÉRIAULT. 1993. « La société acadienne : lectures et conjonctures », dans Jean DAIGLE (dir.), *L'Acadie des Maritimes*, Moncton, Centre d'études acadiennes, Université de Moncton, 341-384.

BASQUE, Maurice, Nicole BARRIEAU et Stéphanie CÔTÉ. 1999. *L'Acadie de l'Atlantique*, Moncton, Centre d'études acadiennes.

BEAUDIN, Maurice. 1999. « Les Acadiens des Maritimes et l'économie », dans Joseph-Yvon THÉRIAULT (dir.), *Francophonies minoritaires au Canada : l'état des lieux*, Moncton, Éditions d'Acadie, 239-264.

BOUDREAU, Annette et Lise DUBOIS. 2001. « Langues minoritaires et espaces publics : le cas de l'Acadie », *Estudios de sociolingüística*, 2 (1): 37-60.

BOUDREAU, Annette et Lise DUBOIS. 2003a. « Le cas de trois radios communautaires en Acadie », dans Monica HELLER et Normand LABRIE (dirs.), *Discours et identités. La francité canadienne entre modernité et mondialisation*, Cortil-Wodon, Belgique, Éditions Modulaires Européennes, 271-297.

BOUDREAU, Annette et Lise DUBOIS. 2003b. « Les espaces sociolinguistiques de l'Acadie des Maritimes », dans Monica HELLER et Normand LABRIE (dirs.), *Discours et identités. La francité canadienne entre modernité et mondialisation*, Cortil-Wodon, Belgique, Éditions Modulaires Européennes, 89-113.

BOURDIEU, Pierre. 1982. *Ce que parler veut dire. L'économie des échanges linguistiques*, Paris, Fayard.

BOURDIEU, Pierre. 1983. « Vous avez dit populaire? » *Actes de la recherche en science sociales*, 46 : 98-105.

CHARPENTIER, Jean-Michel. 1994. « Le substrat poitevin et les variantes régionales acadiennes actuelles », dans Claude POIRIER, Aurélien BOIVIN, Cécyle TRÉPANIER et Claude VERREAULT (dirs.), *Langues, espace, société : les variétés du français en Amérique du Nord*, Sainte-Foy, Québec, Presses de l'Université Laval, 41-68.

CHAUDENSON, Robert, Raymond MOUGEON, et Édouard BENIAK. 1993. *Vers une approche panlectale de la variation du français*, Aix-en-Provence, Institut d'études créoles et francophones.

DAIGLE, Jean. 1987. « Colonisation des marais par les Acadiens », dans R. Cole HARRIS (dir.), *Atlas historique du Canada. Volume I – Des origines à 1800*, Montréal, Presses de l'Université de Montréal, Planche 29.

DAIGLE, Jean. 1993. « L'Acadie de 1604 à 1763, synthèse historique », dans Jean DAIGLE (dir.), *L'Acadie des Maritimes*, Moncton, Centre d'études acadiennes, Université de Moncton, 1-43.

DAOUST, Denise et Jacques MAURAIS. 1987. « L'aménagement linguistique », dans Denise DAOUST et Jacques MAURAIS (dirs.), *Politique et aménagement linguistique*, Québec, Conseil de la langue française; Paris, Le Robert, Collection L'ordre des mots, 7-47.

DOUCET, Philippe. 1993. « La politique et les Acadiens », dans Jean DAIGLE (dir.), *L'Acadie des Maritimes*, Moncton, Centre d'études acadiennes Université de Moncton, 299-340.

DUBOIS, Lise. 2003. « Radios communautaires acadiennes : idéologies linguistiques et pratiques langagières », dans Maurice BASQUE, André MAGORD et Amélie GIROUX (dirs.), *L'Acadie plurielle. Dynamiques identitaires collectives et développement au sein des réalités acadiennes*, Moncton, Université de Moncton, Centre d'études acadiennes, 307-323.

FLIKEID, Karin. 1994. « Origines et évolution du français acadien à la lumière de la diversité contemporaine », dans Raymond MOUGEON et Édouard

BENIAK, (dirs.), *Les origines du français québécois*, Sainte-Foy, Les Presses de l'Université Laval, 275-326.

KING, Ruth. 2000. *The lexical basis of grammatical borrowing : A Prince Edward Island French case study*, Amsterdam, John Benjamins.

LABRIE, Normand. 1999. « Vers une nouvelle conception de la politique linguistique ? », dans Peter J. WEBER (dir.), *Contact + Confli(c)t : Language planning and minorities / Sprachplanung und Minderheiten / L'aménagement linguistique/ Tallbeleid en minderheden*, Bonn, Dümmler, 201-222.

LABRIE, Normand. 2001. « Politique linguistique ou action politique? Questions de méthodologie », dans Peter NELDE et Rosita RINDLER SCHJERVE (dirs.), *Plurilingua : Minorities and language policy*, Bruxelles, Asgard Verlag, 61-74.

LANDRY, Rodrigue et Serge ROUSSELLE. 2003. *Éducation et droits collectifs. Au-delà de l'article 23 de la Charte*, Moncton, Éditions de la Francophonie.

LEBLANC, Matthieu. 2003. *L'aménagement linguistique au Nouveau-Brunswick : l'état des lieux*, rapport sous la direction d'Annette BOUDREAU, Moncton, CRLA.

MASSIGNON, Geneviève. 1962. *Les parlers français d'Acadie*, Tomes 1 et 2, Paris, Librairie C. Klincksieck.

MOUGEON, Raymond et Édouard BENIAK. 1994. « Présentation », dans Raymond MOUGEON et Édouard BENIAK (dirs.), *Les origines du français québécois*, Sainte-Foy, Presses de l'Université Laval, 1-55.

PÉRONNET, Louise. 1989. « Analyse des emprunts dans un corpus acadien », *Revue québécoise de linguistique théorique et appliquée*, 8 (2) : 229-251.

PÉRONNET, Louise. 1995. « Le français acadien », dans Pierre GAUTHIER et Thomas LAVOIE (dirs.), *Français de France et français du Canada : les parlers de l'Ouest de la France, du Québec et de l'Acadie*, Lyon, Université Lyon III Jean Moulin, Centre d'études linguistiques Jacques Goudet [Série dialectologie 3], 199-239.

PÉRONNET, Louise. 1996. « Nouvelles variétés de français parlé en Acadie du Nouveau-Brunswick », dans Annette BOUDREAU et Lise DUBOIS, *Actes du colloque Les Acadiens et leur(s) langue(s)*, Moncton, Éditions d'Acadie et CRLA, 121-136.

PERROT, Marie-Ève. 1995. *Aspects fondamentaux du métissage français/anglais dans le chiac de Moncton (Nouveau-Brunswick, Canada)*, thèse de doctorat inédite, Université de la Sorbonne Nouvelle Paris III, Paris.

PHLIPPONNEAU, Catherine. 1991. « La dynamique phonologique dans les usages acadiens contemporains », *La linguistique*, 27 (2) : 131-136.

POIRIER, Pascal. 1994. *Le Glossaire acadien*, édition critique établie par Pierre M. GÉRIN, Moncton, Éditions d'Acadie; Centre d'études acadiennes.

ROY, Muriel. 1993. « Démographie et démolinguistique en Acadie, 1871-1991 », dans Jean DAIGLE (dir.), *L'Acadie des Maritimes*, Moncton, Université de Moncton, Centre d'études acadiennes, 141-206.

THÉRIAULT, Léon. 1993. » L'Acadie de 1763 à 1990, synthèse historique », dans Jean DAIGLE (dir.), *L'Acadie des Maritimes*, Moncton, Université de Moncton, Centre d'études acadiennes, 45-91.

Le français en Ontario[1]

Terry Nadasdi, University of Alberta

1. Introduction

L'objectif de ce chapitre est de présenter un survol du français et des francophones de l'Ontario. Dans un premier temps, nous considérerons plusieurs mesures législatives reliées au statut du français en Ontario. Nous examinerons aussi des données démographiques afin de décrire la situation actuelle des Franco-Ontariens, en accordant une place particulière à l'emploi du français dans le domaine public. Par la suite, nous nous concentrerons sur les particularités du franco-ontarien, particularités qui découlent, en grande partie, des possibilités d'employer le français dans la vie quotidienne. Dans notre examen des particularités propres aux Franco-Ontariens qui n'emploient pas le français de façon quotidienne, nous considérerons des données de locuteurs L2 (langue seconde) aussi bien que celles de locuteurs L1 (langue maternelle) du Québec. Cette comparaison montrera que même si les possibilités d'utiliser le français sont limitées pour certains Franco-Ontariens, le type de français qu'ils parlent correspond, grosso modo, à celui des autres francophones du Canada (exception faite des Acadiens).

2. Survol historique du français en Ontario

La présence de francophones en Ontario découle de plusieurs vagues d'immigration, surtout du Québec (cf. Mougeon et Beniak 1991). La période principale de cette immigration se situe entre 1830 et 1930 et est en grande partie attribuable aux conditions économiques de l'époque. Même si les francophones furent les premiers habitants européens de la province, la dominance anglophone remonte assez loin. C'est surtout vers la fin du 19e et la première moitié du 20e siècle que le français s'est vu « officiellement » exclu du domaine public, même si son statut officiel

---

[1] Je voudrais remercier Raymond Mougeon qui a relu une version préliminaire de ce chapitre.

a été reconnu en 1867 par l'article 133 de l'Acte de l'Amérique du Nord Britannique, qui a créé la confédération canadienne. Par exemple, en 1885, l'anglais devint obligatoire pour les enseignants et peu après, en 1889, les manuels de langue française furent interdits dans les écoles. Mais la mesure la plus sévère en Ontario est le règlement 17 (1912) qui interdisait qu'on parle en français à l'école. Ce règlement, qui n'a été aboli qu'en 1944, a fortement diminué le statut du français en Ontario. En même temps, il a été un point de ralliement pour les francophones de la province qui n'ont jamais accepté la dominance anglaise dans le domaine de l'éducation.

Depuis l'abolition du règlement 17, le français a reçu l'appui gouvernemental de plusieurs façons. Sans doute, le changement le plus important est l'établissement d'un réseau d'écoles de langue française à travers toute la province qui permet l'éducation en français de la maternelle jusqu'à la fin de l'école secondaire (c'est-à-dire jusqu'à l'âge de 18 ans). Ces écoles, plus de 200 au total, se trouvent dispersées aux quatre coins de la province. Plus récemment, le gouvernement ontarien a reconnu certains droits des Franco-Ontariens en adoptant la loi sur les services en français (1986) qui garantit le droit de recevoir des services en français par le gouvernement provincial dans 23 régions désignées de la province. Les régions désignées sont celles où les francophones représentent au moins 10 % de la population, ou les centres urbains, où l'on trouve plus de 5 000 francophones. Ces 23 régions sont indiquées dans la carte ci-dessous:

Régions et centres urbains indiqués sur la carte 1 :

1. Ville de Toronto
2. Ville de Hamilton
3. Municipalité régionale de Niagara
4. Ville d'Ottawa
5. Municipalité régionale de Peel
6. Ville du Grand Sudbury: la totalité
7. Comté de Dundas; le canton de Winchester
8. Comté d'Essex; la ville de Windsor; les villes de: Belle River et Tecumseh; les cantons de: Anderdon, Colchester North, Maidstone, Sandwich South, Sandwich West, Tilbury North, Tilbury West et Rochester
9. Comté de Glengarry
10. Comté de Kent; la ville de Tilbury; les cantons de: Dover et Tilbury East
11. Comté de Prescott
12. Comté de Renfrew; la cité de Pembroke; les cantons de: Stafford et Westmeath
13. Comté de Russell
14. Comté de Simcoe; la ville de Penétanguishene; les cantons de Tiny et Essa
15. Comté de Stormont
16. District d'Algoma
17. District de Cochrane
18. District de Kenora; le canton d'Ignace
19. District de Nipissing
20. District de Sudbury
21. District de Thunder Bay; les villes de Geraldton, Longlac et Marathon; les cantons de Manitouwadge, Beardmore, Nakina et Terrace Bay
22. District de Timiskaming
23. Comté de Middlesex; la ville de London.

Carte 1
Régions et centres urbains ontariens
ayant une présence francophone signifiante

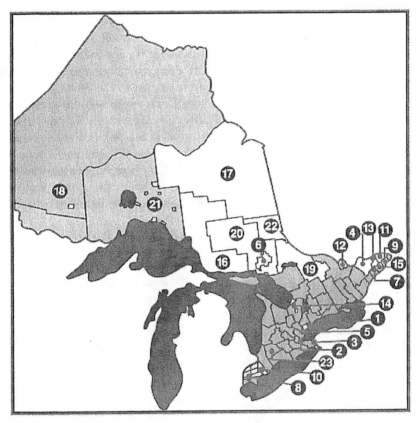

Source : http://www.ofa.gov.on.ca/francais/loi-carte.html

Au niveau municipal, on compte une quarantaine de municipalités qui offrent officiellement des services en français à leurs citoyens francophones.

Notons finalement que le français et l'anglais sont les langues officielles du système judiciaire en Ontario, mais que l'anglais est la seule langue officielle de la province, même si le Canada est officiellement bilingue au niveau fédéral.

2.1. *Distribution actuelle*

D'après le recensement de 2001, il y a 522 765 Ontariens qui se déclarent francophones (c'est-à-dire de langue maternelle française), ce qui correspond à 4,6 % de la population totale de la province. Notons que ce nombre inclut 37 135 Ontariens qui disent avoir appris l'anglais et le français en même temps dans leur enfance. Toutefois, il ne faut pas perdre de vue le fait que dans certaines régions, les francophones de l'Ontario constituent une forte majorité de la population locale (à Hawkesbury, par exemple, où les francophones représentent 86 % de la population), alors que dans d'autres régions ils ne constituent qu'une toute petite minorité, ce qui est le cas à Pembroke où moins de 7 % de la population est francophone. Dans d'autres villes encore, les francophones représentent des pourcentages encore plus faibles, de sorte que l'on peut difficilement parler d'une communauté francophone sur le plan local. Les communautés où les francophones constituent une partie importante de la population se concentrent surtout dans l'est (près de la frontière québécoise) et dans le nord de la province.

Bien que les francophones représentent moins de 5 % de la population ontarienne, la langue demeure très vivante dans certaines régions, fait en partie attribuable aux réseaux d'écoles francophones ainsi qu'aux associations francophones de la province, notamment l'ACFO (L'Association canadienne-française de l'Ontario) dont la mission est le développement et l'épanouissement de la communauté franco-ontarienne. Notons aussi qu'on y trouve six stations de radio communautaires et cinq stations d'État. Pour ce qui est de la télévision, les Franco-Ontariens ont accès à deux postes canadiens[2] (La Télévision française de l'Ontario et la Société Radio-Canada). Quant aux médias écrits de langue française, on dénombre 17 hebdomadaires, 2 bimensuels, 1 quotidien (*Le Droit*), et 5 revues.

2.2. *Restriction dans l'emploi du français*

Le pourcentage de francophones dans une région donnée est directement lié aux possibilités d'utiliser le français de façon quotidienne. Dans certaines régions, les francophones n'utilisent le français qu'à l'école alors que dans d'autres le français s'emploie dans tous les domaines de la société ontarienne. D'après la terminologie de Mougeon et Be-

---

[2] En fait, avec un service de câble ils peuvent capter cinq chaînes de télévision en français (RDI, TVA, TFO, SRC et TV5).

niak (1991), l'emploi du français est « restreint » dans les cas où cette langue ne s'emploie que dans un petit nombre de domaines et on peut s'attendre à ce qu'il y ait des retombées linguistiques d'une telle restriction. Afin de mesurer plus finement la restriction dans l'emploi du français, Mougeon et Beniak ont développé une méthodologie qui permet de quantifier la restriction dans l'emploi du français (cf. Mougeon et Beniak 1991). Cette méthodologie a servi de point de départ à de nombreuses études qui ont considéré le rôle de la restriction dans l'emploi du français dans la variation linguistique. Avant de considérer quelques exemples tirés de ces études, résumons brièvement la façon dont Mougeon et Beniak ont quantifié la restriction dans l'emploi du français.

Afin d'évaluer les retombées linguistiques de la restriction, une centaine d'adolescents francophones inscrits dans des écoles secondaires de langue française en Ontario ont répondu à une série de questions portant sur leur emploi du français dans la vie quotidienne, par exemple, « quand vous parlez à votre mère est-ce que vous utilisez le français: a) toujours; b) souvent; c) parfois; d) jamais? ». Les réponses à ces questions ont permis de classer les adolescents en trois catégories de restriction linguistique : i) les locuteurs non-restreints, qui utilisent le français (presque) toujours; ii) les locuteurs semi-restreints, qui utilisent le français et l'anglais à des fréquences similaires et iii) les locuteurs restreints, qui utilisent surtout l'anglais (mais qui fréquentent quand même une école francophone). Nous nous référons à ces catégories dans notre discussion des « particularités » du français parlé en Ontario. Nous renvoyons le lecteur à Mougeon (dans ce volume) et à Mougeon et Beniak (1991) pour plus de détails sur cette catégorisation.

3. Particularités du français parlé en Ontario

Étant donné l'origine (surtout) québécoise des Franco-Ontariens, on trouve rarement des différences qualitatives qui distinguent le parler de ces derniers du français parlé des francophones du Québec. Ceci dit, il existe de nombreuses différences quantitatives, qui sont propres à certains sous-groupes de Franco-Ontariens, et qui reflètent leur niveau de bilinguisme et de restriction linguistique. Autrement dit, il est, à toute fin pratique, impossible de dresser une liste de traits partagés par tous les Franco-Ontariens et qui leur sont propres (hormis quelques emprunts lexicaux). La seule manière d'identifier des traits distinctifs est en fait de considérer des sous-groupes de la population et de tenir compte des différents niveaux d'emploi du français. Ce faisant, il est possible de trouver des tendances quantitatives qui caractérisent le français parlé dans certaines régions de l'Ontario ou sous-groupes de locuteurs dans une région ou localité données.

Considérons donc chaque catégorie de locuteurs (selon la restriction) afin de voir ce qui caractérise leur parler.

3.1. *Le français des locuteurs restreints*

Le parler des locuteurs restreints se caractérise par au moins trois traits: a) l'absence/emploi diminué de certaines variantes vernaculaires; b) l'emploi relativement réduit de certaines variantes informelles; et c) l'emploi relativement réduit de certaines variantes complexes. Examinons des exemples de chaque catégorie pour illustrer ces phénomènes.

3.1.1. Absence/réduction de certaines variantes vernaculaires[3]

Les locuteurs restreints, habitant dans les communautés où les francophones sont très minoritaires sur le plan local, n'ont pas souvent l'occasion d'utiliser le français en dehors de l'école. Cet état de choses fait en sorte que les locuteurs restreints n'ont pas beaucoup de contact avec le français vernaculaire. Il en résulte que de telles formes sont parfois absentes de leur parler. Considérons par exemple le tableau 1 qui présente des données quantitatives relatives à l'emploi de trois variantes vernaculaires par les trois groupes de locuteurs. Les trois variantes vernaculaires présentées dans ce tableau sont le *à* possessif, par exemple : « la soeur à ma mère »; *ouvrage* dans le sens de « travail rémunéré », par exemple: « mon père part pour l'*ouvrage* »; et *rester* dans le sens de « habiter », par exemple: « je *reste* chez mes parents ». Comme on peut le voir dans le tableau 1, les deux premières variantes vernaculaires sont complètement absentes du parler des locuteurs restreints, bien qu'elles soient employées par les deux autres groupes de locuteurs. Pour ce qui est de la troisième variante, *rester*, on note que cette forme se retrouve dans le parler des locuteurs restreints, mais que son taux d'emploi est nettement inférieur à ce qu'on trouve pour les deux autres catégories de restriction linguistique. On voit donc que le parler des locuteurs

---

[3] C'est-à-dire qui sont non standard, typiques du parler de la classe ouvrière et souvent stigmatisées.

Tableau 1
Emploi de variantes vernaculaires par les adolescents franco-ontariens[4]

	à possessif	*ouvrage* (« emploi »)	*rester* (« habiter »)
locuteurs restreints	0 %	0 %	21 %
locuteurs semi-restreints	21 %	7 %	45 %
locuteurs non-restreints	19 %	10 %	63 %

restreints peut receler des formes vernaculaires, mais que dans la majorité des cas la fréquence d'emploi de ces variantes est tout de même réduite[5]. Lorsque ces derniers emploient les variantes vernaculaires à des degrés similaires aux autres groupes, il y a souvent des facteurs intrasystémiques qui appuient de tels usages. C'est effectivement ce qu'on trouve dans l'alternance des auxiliaires *être* et *avoir*. Il est vrai que les locuteurs restreints emploient la variante vernaculaire (*avoir*) plus souvent que les locuteurs non-restreints (46 % vs 33 %). Toutefois, il s'agit là d'une régularisation dans le système des auxiliaires (cf. section 3.1.3.). Le lecteur trouvera une discussion plus détaillée de la dévernacularisation du français des locuteurs restreints dans Mougeon (ce volume).

3.1.2. Emploi relativement diminué des variantes informelles[6]

La distribution des variantes informelles confirme les tendances que nous avons déjà observées pour les variantes vernaculaires. Considérons les résultats présentés dans le tableau 2. Comme on peut le voir dans ce tableau, les locuteurs restreints effacent le schwa, par exemple: *un p'tit*, (cf. Mougeon, Nadasdi, Rehner et Uritescu 2002), le /l/, par exemple: *i'travaillent* (cf. Tennant 1994) et le *ne*, par exemple *on __ veut pas* (cf. Sandy 1997) moins souvent que les autres locuteurs de l'Ontario.

---

[4] Toutes les différences dans ce tableau et dans tous les tableaux sont statistiquement significatives.

[5] Même si cette tendance est bien établie, on note qu'il y a parfois des exceptions, par exemple l'emploi de la variante futur *m'as* pour *je vais*, par exemple: « *m'as* le faire demain », qui s'emploie à des fréquences presque identiques pour les trois catégories de locuteurs (cf. Mougeon et Beniak 1991)

[6] C'est-à-dire qui sont non standard mais qui s'emploient par tous les locuteurs et ne sont pas stigmatisées.

Tableau 2
Emploi de variantes informelles par les adolescents franco-ontariens

	effacement de schwa	effacement de /l/ dans *ils*	Effacement de *ne*
locuteurs restreints	55 %	90.5 %	97 %
locuteurs semi-restreints	65 %	91.1 %	98 %
locuteurs non-restreints	73 %	99 %	99 %

Toutefois, il est évident que, dans l'ensemble, l'emploi de ces variantes est très similaire pour les trois cas. On voit donc qu'il s'agit plutôt d'une faible tendance qui est bien moins prononcée que ce qu'on a trouvé pour les variantes vernaculaires. Nous renvoyons à nouveau le lecteur à Mougeon (ce volume) pour plus de détails sur ces variables.

3.1.3. Emploi relativement diminué de variantes complexes (d'un point de vue structural)

Un autre trait qui caractérise le parler des locuteurs restreints est la tendance à régulariser certains emplois qui, d'un point de vue structural, représentent des irrégularités dans le système grammatical du français. Des exemples de ce type sont présentés dans le tableau 3. Les deux premières colonnes du tableau 3 présentent des données pour le pronom locatif postposé, par exemple, *je vais là* vs *j'y vais*, et les pronoms indirects postposés, par exemple : « elle dit à *nous-autres* » vs « elle *nous*

Tableau 3
Emploi des variantes régularisées par les adolescents franco-ontariens

	pronoms locatifs postposés	pronoms indirects postposés	formes verbales régularisées
locuteurs restreints	93 %	14 %	19 %
locuteurs semi-restreints	70 %	3 %	14 %
locuteurs non-restreints	31 %	1 %	2 %

dit » (cf. Nadasdi 2000). Dans les deux cas, les locuteurs restreints font montre d'une tendance prononcée à suivre l'ordre canonique de la phrase, à savoir, sujet-verbe-objet, ce qui constitue en quelque sorte une régularisation de la morphosyntaxe française. La troisième colonne du tableau présente les résultats de l'emploi des formes verbales régularisées à la 3ᵉ personne, par exemple: « ils *dit* » vs « ils *disent* » (cf. Mougeon et Beniak 1995). Dans ce cas précis, on observe une tendance chez les locuteurs restreints à régulariser les formes verbales à la 3ᵉ personne qui se traduit par le remplacement des formes plurielles distinctives par des formes du singulier.

3.2. *Les locuteurs semi-restreints*

Les locuteurs semi-restreints, c'est-à-dire ceux qui utilisent l'anglais et le français à des fréquences plus ou moins égales, font montre de certaines tendances qu'on a relevées pour les locuteurs restreints, mais à des degrés moins prononcés. Comme on peut le voir dans les tableaux 1 et 2 présentés ci-dessus, les locuteurs semi-restreints utilisent moins de variantes vernaculaires et informelles que les locuteurs non-restreints. Donc, on peut dire que, généralement, leur emploi de ces formes les place à mi-chemin entre les deux autres catégories de restriction dans l'emploi du français. En plus de ce statut général de « groupe moyen », les locuteurs semi-restreints se démarquent des deux autres groupes de plusieurs façons. Considérons les données présentées dans le tableau 4 :

Tableau 4
Particularités des locuteurs semi-restreints

	so (connecteur)	*char* (« auto »)	*sontaient* (« étaient »)
locuteurs restreints	19 %	15 %	0 %
locuteurs semi-restreints	52 %	33 %	12 %
locuteurs non-restreints	8 %	26 %	6 %

À la différence des résultats présentés dans les tableaux précédents, ceux du tableau 4 montrent que les locuteurs semi-restreints emploient certaines variantes plus souvent que les deux autres groupes. Ces usages impliquent: a) l'emploi de *so* comme connecteur, par exemple: « *So* je parle anglais avec eux » (cf. Mougeon et Beniak 1991); b) l'emploi de *char* dans le sens de « auto/voiture », par exemple: « il conduisait un *char* » (cf. Nadasdi et al. 2004); et c) l'emploi de *sontaient* dans le sens de *étaient*, par exemple: « les tours que je jouais *sontaient* pas méchants » (cf. Mougeon et Beniak 1991). Considérons chacune de ces variantes pour mieux comprendre la fréquence élevée de ces formes dans le parler des locuteurs semi-restreints. Dans le cas de *so*, il s'agit d'un emprunt lexical de base. D'après Mougeon et Beniak (1991), le fait que cette forme s'emploie notamment dans le parler des locuteurs semi-restreints peut être attribué au fait que le contact linguistique, dans le sens de « emploi régulier de deux langues » est le plus intense pour ce groupe de locuteurs. Pour ce qui est de la forme vernaculaire, *char*, son emploi particulièrement fréquent par les locuteurs semi-restreints s'explique par le fait que le parler de ces locuteurs est influencé par deux facteurs qui ne jouent pas forcément dans le parler des locuteurs restreints et non-restreints. Il s'agit plus précisément de a) la connaissance de l'anglais (cf. *car*) et b) le contact avec le français vernaculaire. Ce sont vraisemblablement les deux sources qui contribuent à l'emploi de la variante *char*. Les locuteurs non-restreints connaissent bien le français vernaculaire, mais ont relativement peu de contact avec la forme anglaise *car*; les locuteurs restreints parlent l'anglais fréquemment, mais ont peu de contact avec le français vernaculaire. On voit donc que ce n'est que dans le parler des locuteurs semi-restreints que ces deux facteurs exercent une influence importante. Pour ce qui est de la forme *sontaient*, Mougeon et Beniak (1989) sont d'avis que la présence de cette variante dans le parler des locuteurs semi-restreints s'attribue au fait qu'ils l'ont employée pendant leur enfance, tout comme les locuteurs non-restreints et les Québécois (cf. Deshaies, Martin et Noël 1981). Toutefois, le fait que les locuteurs semi-restreints n'utilisent pas (et n'entendent pas) le français autant que les locuteurs non-restreints fait en sorte que cette forme enfantine tend à persister dans leur parler. Quant aux locuteurs restreints, ces deux auteurs estiment qu'ils ont été sous-exposés au français durant leur enfance de sorte qu'ils ne sont pas passés par l'étape d'apprentissage où les enfants produisent spontanément *sontaient*.

3.3. *Le français des locuteurs non-restreints*

Le français parlé des Franco-Ontariens qui ne connaissent pas de restriction dans l'emploi du français et dont l'emploi de l'anglais est modeste, se distingue difficilement du français québécois. Par exemple, si on se base sur les recherches publiées, on arrive à la conclusion que toutes les caractéristiques du français québécois (exception faites des variantes régionales) se retrouvent dans le parler des Franco-Ontariens dont l'emploi de la langue n'est pas restreint. Cette équivalence se voit dans les données du tableau 5 ci-dessous qui présentent la distribution d'une dizaine de variantes standard et non-standard :

Tableau 5
Comparaison entre les locuteurs non-restreints et les Québécois

	Franco-Ontariens non-restreints	Québécois[7]
1. *nous* (pronom sujet)	1 %	2 %
2. *juste* (adverbe de restriction)	66 %	52 %[8]
3. effacement de *ne*	99,6 %	99,5 %
4. *seulement* (adverbe de restriction)	16 %	17 %
5. (*ça*) *fait que* (connecteur)	76 %	55 %
6. effacement de /l/ dans *ils*	99 %	92 %
7. *ouvrage* (« emploi »)	10 %	14 %
8. *rester* (« habiter »)	63 %	64 %
9. *char* (« auto/voiture »)	26 %	23 %
10. auxiliaire *avoir*	34 %	34 %

Comme le révèle le tableau 5, la comparaison des résultats tirés des études sur le français québécois et ceux portant sur le français des locuteurs non-restreints suggère que le français parlé de ces deux groupes est très similaire d'un point de vue quantitatif. Précisons que nous ne prétendons pas qu'il serait impossible de trouver des différences éventuelles entre ces deux groupes de locuteurs. Toutefois, l'état de la recherche actuelle suggère que le français des Franco-Ontariens non-restreints est très similaire à celui des francophones du Québec. Il se peut que des différences existent, surtout au niveau lexical, mais de telles études restent toujours à faire.

Signalons aussi que, à part ce qu'on trouve dans le français parlé en général, le français des Franco-Ontariens non-restreints ne recèle pas de particularités reliées à la régularisation/simplification grammaticale. Par exemple, les locuteurs non-restreints ne régularisent pas les formes verbales à la 3e personne (sauf dans les mêmes conditions où cela existe au Québec et en France, par exemple après le pronom relatif *qui*, « les

---

[7] Ces données viennent des sources suivantes: Dessureault-Dober (1974), Sankoff et Cedergren (1976), Laberge (1977), Sankoff et al. (1978), Sankoff et Thibault (1980), Sankoff et Vincent (1980), Martel (1984), Thibault et Daveluy (1989).

[8] Notons que si on se concentre sur les jeunes Montréalais (cf. Thibault et Daveluy 1989), le pourcentage de cette variante est 73 %, ce qui est encore plus proche de ce qu'on trouve pour les Franco-Ontariens non-restreints.

gens qui *vient*»). On n'y trouve pas non plus de pronoms animés post-posés au verbe, par exemple, «j'aime *eux-autres*», bien que cet usage puisse se retrouver dans le parler de certains locuteurs restreints.

4. Discussion

Les données que nous venons de présenter nous permettent d'arriver aux conclusions suivantes: a) le parler des locuteurs non-restreints ressemble fortement au français québécois; b) le parler des locuteurs semi-restreints est caractérisé par l'emploi fréquent de formes reliées au contact linguistique intense; et c) le parler des locuteurs res-treints est caractérisé par un emploi réduit de formes vernaculaires et informelles et par un emploi relativement élevé de certaines structures régularisées. La dernière de ces conclusions pourrait laisser croire que la compétence communicative (grammaticale, sociolinguistique, etc.) d'un nombre non-négligeable de Franco-Ontariens, à savoir les locuteurs res-treints, ressemble à celle des locuteurs qui apprennent le français comme L2. Effectivement, le français de ces apprenants est lui aussi caractérisé par la régularisation morphosyntaxique et par un emploi réduit de va-riantes qui appartiennent au français vernaculaire/informel (cf. Mou-geon, Nadasdi et Rehner 2002). Toutefois, il serait erroné, selon nous, de conclure que le parler des locuteurs restreints équivaut à celui d'apprenants avancés et ce pour plusieurs raisons.

Premièrement, on trouve dans le système grammatical des ap-prenants L2 des structures non-natives que les locuteurs restreints n'utilisent jamais. Des exemples tirés du corpus d'immersion française[9] de Mougeon et Nadasdi (cf. Mougeon, Nadasdi et Rehner 2002) qui illustrent de tels emplois sont présentés ci-dessous:

a) mes parents ont toujours *me* dit ça
b) *nous rencontrons* avec nos familles
c) il veut que *tu faire*
d) *le* petit famille

---

[9] Tout comme le corpus ontarien, le corpus d'immersion est constitué d'adolescents ayant participé à des entrevues semi-dirigées. Ces adolescents ont été scolarisés en français un peu plus de 30 % du temps. Cette éducation en français inclut des cours de français et des cours tels que la géographie ou les sciences naturelles enseignés en français. Le type de programme d'immersion dans lequel sont inscrits ces élèves s'appelle «Extended French». Il commence en 5e année et va jusqu'à la fin du cycle se-condaire. Dans un tel programme, de la 5e à la 8e année, la moitié des cours sont en-seignés en français, à partir de la 9e année la proportion des cours en français n'est que de 25 %.

Dans ces phrases on voit a) le placement d'un clitique devant un participe passé, b) l'absence d'un clitique réfléchi, c) l'emploi d'un infinitif à la place d'un subjonctif et d) l'emploi d'un déterminant masculin devant un nom féminin. Même si les locuteurs qui ont produit ces phrases sont des apprenants très avancés, leur parler contient souvent des structures grammaticales qu'on ne trouverait jamais dans le parler d'un francophone, y compris ceux dont l'emploi de la langue est très restreint. On voit donc qu'il existe des écarts importants entre la grammaire des locuteurs restreints et celle des locuteurs L2 avancés.

Deuxièmement, il existe des écarts importants entre la compétence sociolinguistique de ces deux types de locuteurs. Une comparaison de l'emploi de variantes vernaculaires et informelles par les locuteurs restreints et les locuteurs L2 est présentée dans le tableau 6. Dans ce tableau nous incluons les résultats pour les locuteurs non-restreints, qui servent d'étalon de comparaison:

Tableau 6
Emploi des variantes vernaculaires/informelles
par les locuteurs restreints et par les apprenants L2

	locuteurs non-restreints	locuteurs restreints	français L2 (immersion)
1. *on* (pronom sujet défini)	99 %	99 %	56 %
2. *rester* (« habiter »)	63 %	21 %	0 %
3. effacement de *ne*	99 %	97 %	28 %
4. effacement de schwa	73 %	55 %	15 %
5. *je vas* + infinitif	91 %	86 %	10 %
6. effacement de /l/ dans *ils*	99 %	90,5 %	0,2 %
7. *m'as* + infinitif	30 %	27 %	0 %
8. *rien que* (« seulement »)	18 %	6 %	0 %
9. pronoms composés, par ex. : *eux-autres*	100 %	100 %	0 %

Les variantes présentées dans ce tableau sont 1) *on* sujet, par exemple : « *on* doit partir »; 2) *rester* dans le sens de « habiter », par exemple : « je *reste* chez ma mère »; 3) l'effacement de *ne*, par exemple : « on __veut pas y aller »; 4) l'effacement de schwa, par exemple : « sam'di »; 5) *je vas* + infinitif, par exemple : « *je vas* partir »; 6) l'effacement de /l/, par exemple : « i'travaillent »; 7) *m'as* + infinitif, par exemple : « *m'as* le faire demain »; 8) *rien que* comme adverbe de restriction, par exemple : « il y avait *rien que* trois personnes »; 9) les pronoms composés, par exemple : « c'est *eux-autres* » (vs *eux*). Comme on peut le voir dans le tableau 6, la compétence sociolinguistique des locuteurs restreints ressemble à celle des locuteurs non-restreints et non pas à celle des locuteurs L2 avancés. Il est vrai que les locuteurs restreints utilisent certaines variantes informelles moins souvent que les locuteurs non-restreints. Toutefois, l'emploi qu'ils font de ces variantes est loin de ce qu'on trouve pour les locuteurs qui apprennent le français comme L2, même ceux qui apprennent dans un programme d'immersion française.

L'écart entre la compétence sociolinguistique des locuteurs restreints et celle des locuteurs L2 se voit également lorsque qu'on considère les variantes (hyper)formelles, c'est-à-dire, qu'on ne trouve que très rarement en français parlé et qui appartiennent surtout au français formel et écrit. Considérons les données du tableau 7. Les variantes présen-

Tableau 7
Emploi des variantes (hyper)formelles
par les locuteurs restreints et les apprenants L2

	locuteurs non-restreints	locuteurs restreints	français L2 (immersion)
emploi de *ne*	0,5%	3 %	72 %
emploi de /l/ dans *ils*	1 %	9,5 %	99,8 %
donc	2 %	7 %	15 %
habiter	6 %	0 %	60 %
voiture	2 %	1 %	21 %
nous (sujet)	2 %	1 %	45 %

tées dans ce tableau sont : a) l'emploi de *ne*, par exemple : « je *ne* veux pas »; b) la prononciation de /l/ dans *ils*, par exemple : « i*ls* travaillent »; c) l'emploi de *donc* comme connecteur, par exemple : « *donc* ils sont partis »; d) l'emploi de *habiter* comme verbe de résidence, par exemple : « il *habite* chez ses parents »; e) l'emploi de *voiture* dans le sens de « auto », par exemple : « il s'est acheté une *voiture* »; l'emploi de *nous* sujet, par exemple : « *nous* sommes partis ». On voit que pour bien des variables, les locuteurs L2 affichent une nette prédilection pour les formes qui ne s'emploient presque jamais en français parlé au Canada. Cela n'est pas du tout le cas pour les locuteurs restreints qui font un emploi minimal de ces formes, tout comme les autres francophones. Cet état de choses est en fait peu étonnant étant donné que les locuteurs restreints font partie de la même communauté linguistique que les autres Franco-

Ontariens (cf. Mougeon et Nadasdi 1996 et 1998). De plus, à la diffé-rence des locuteurs L2, les locuteurs restreints ont au moins un parent francophone, ont fait toutes leurs études en français et ont (fort proba-blement) été exposés au français pendant leur enfance.

5. Conclusion

Dans ce chapitre nous avons fourni un aperçu général des fran-cophones de l'Ontario et de leur français. Nous nous sommes concentré notamment sur l'histoire des Franco-Ontariens, leur distribution actuelle et les particularités éventuelles de leur parler. Nous avons vu que le fran-çais existe en Ontario en tant que langue minoritaire qui connaît certains droits linguistiques, mais qui continue à être dominée par l'anglais à presque tous les niveaux. Le statut minoritaire du français en Ontario et la distribution des francophones dans la province font en sorte que cer-tains locuteurs utilisent le français régulièrement, alors que d'autres ne l'emploient qu'à l'école. Le français des locuteurs non-restreints ressem-ble au français québécois pour toutes les variables que nous avons considérées. Le français des locuteurs semi-restreints connaît quelques particularités qu'on peut attribuer au fait qu'ils emploient l'anglais et le français à des fréquences similaires, ce qui constitue un terrain fertile pour les phénomènes issus du contact entre les langues. Quant aux locu-teurs restreints, ils emploient les variantes vernaculaires/informelles moins souvent que les autres francophones; ils font aussi un emploi plus élevé de certaines structures régularisées. Toutefois, l'emploi qu'ils font de ces formes est très différent de ce qu'on trouve pour les apprenants de français langue seconde. On voit donc que les Franco-Ontariens constituent un groupe relativement homogène, dans la mesure où le français canadien demeure leur langue maternelle.

Références

DESHAIES, Denise, Claire MARTIN et Danielle NOËL. 1981. « Régularisation et analogie dans le système verbal en français parlé dans la ville de Québec », dans David SANKOFF et Henrietta CEDERGREN (dirs.), *Variation omnibus*, Carbondale, Illinois, Linguistic Research, 411-418.

DESSUREAULT-DOBER, Diane. 1974. *Étude sociolinguistique de « ça fait que » coor-donnant logique et marqueur d'interaction*, mémoire de maîtrise inédit, Université du Québec, Québec.

LABERGE, Suzanne. 1977. *Étude de la variation des pronoms définis et indéfinis dans le français parlé à Montréal*, thèse de doctorat inédite, Université de Montréal, Montréal.

MARTEL, Pierre. 1984. « Les variantes lexicales sont-elles sociolinguistiquement intéressantes? » *Sociolinguistique des langues romanes : actes du XVIIe Congrès international de linguistique et philologie romanes, Aix-en-Provence, 29 août-3 septembre 1983*, vol. 5, Aix-en-Provence, Université de Provence, 183-193.

MOUGEON, Raymond et Édouard BENIAK. 1989. « Recherches sociolinguistiques sur la variabilité en français ontarien », *Le français canadien parlé hors Québec: un aperçu sociolinguistique*, Québec, Les Presses de l'Université Laval, 69-104.

MOUGEON, Raymond et Édouard BENIAK. 1991. *The linguistic consequences of language contact and restriction: The case of French in Ontario, Canada*, Oxford, Oxford University Press.

MOUGEON, Raymond et Édouard BENIAK. 1995. « Le non-accord en nombre entre sujet et verbe en français ontarien: un cas de simplification? », *Présence Francophone*, 46 : 53-65.

MOUGEON, Raymond et Terry NADASDI. 1996. « Discontinuités sociolinguistiques inter-/intra-communautaires en Ontario français », *Revue du Nouvel Ontario*, 20 : 51-76.

MOUGEON, Raymond et Terry NADASDI. 1998. « Sociolinguistic discontinuity in minority language communities », *Language*, 74 (1) : 40-55.

MOUGEON, Raymond, Terry NADASDI et Katherine REHNER. 2002. « État de la recherche sur l'appropriation de la variation par les apprenants avancés du FL2 ou FLE », dans Jean-Marc DEWAELE et Raymond MOUGEON (dirs.), *L'acquisition de la variation par les apprenants du français langue seconde*, Paris, Association Encrages, 7-50.

MOUGEON, Raymond, Terry NADASDI, Katherine REHNER et Dorin URITESCU. 2002. « The sharing of constraints in minority speech communities », communication présentée à NWAV 31, Stanford University, Palo Alto, California, octobre.

NADASDI, Terry. 2000. *Variation grammaticale et langue minoritaire: Le cas des pronoms clitiques en français ontarien*, Munich, LINCOM Europa.

NADASDI, Terry, Raymond MOUGEON et Katherine REHNER. 2004. « Expression de la notion de "véhicule automobile" dans le parler des adolescents francophones de l'Ontario », *Francophonies d'Amérique*, 17 : 91-106.

SANDY, Stephanie. 1997. *L'emploi variable de la particule négative « ne » dans le parler des Franco-Ontariens adolescents*, mémoire de maîtrise inédit, Université York, Toronto.

SANKOFF, David, Pierrette THIBAULT et Hélène BÉRUBÉ. 1978. « Semantic field variability », dans David SANKOFF (dir.), *Linguistic variation: Models and methods*, New York, Academic Press, 23-43.

SANKOFF, Gillian et Henriette CEDERGREN. 1976. « Les contraintes linguistiques et sociales de l'élision de /l/ chez les Montréalais », dans Marcel BOUDREAULT et Frankwalt MÖHREN, *Actes du XIIIe Congrès international de linguistique et philologie romanes tenu à l'Université Laval, Québec, Canada, du 29* *août au 25 septembre 1971*, Québec, Les Presses de l'Université Laval, 1101-1117.

SANKOFF, Gillian et Diane VINCENT. 1980. « The productive use of *ne* in spoken Montréal French », dans Gillian SANKOFF, *The social life of language*, Philadelphia, University of Pennsylvania Press, 295-301.

SANKOFF, Gillian et Pierrette THIBAULT. 1980. « The alternation between the auxiliaries *avoir* and *être* in Montréal French », dans Gillian SANKOFF, *The social life of language*, Philadelphia, University of Pennsylvania Press, 311-345.

TENNANT, Jeff. 1994. *Variation morphophonologique dans le français parlé des adolescents de North Bay (Ontario)*, thèse de doctorat inédite, Université de Toronto, Toronto.

THIBAULT, Pierrette et Michelle DAVELUY. 1989. « Quelques traces du passage du temps dans le parler des Montréalais, 1971-1984 », *Language Variation and Change*, 1 (1) : 19-45.

La situation du français franco-américain : aspects linguistiques et sociolinguistiques

Cynthia A. Fox, University at Albany
et Jane S. Smith, University of Maine

1. Introduction

Bien que l'appellation « Franco-Américain » s'applique à tout Américain d'ascendance française, dans le nord-est des États-Unis elle a, depuis le début du siècle dernier, un emploi particulier. Selon cet usage, les Franco-Américains se caractérisent par les traits suivants : 1) naissance ou descendance franco-canadienne ou acadienne; 2) langue maternelle française; 3) religion catholique; 4) domicile en Nouvelle-Angleterre (Brault 1979). Cependant, la présence de plusieurs communautés franco-américaines dans l'État de New York indique que cette définition a toujours été trop restreinte en ce qui concerne la répartition géographique du groupe. De plus, la forte diminution de la transmission de la langue aux nouvelles générations au fil des cinquante dernières années rend aujourd'hui douteux le trait « langue maternelle française ». En effet, de nombreux « Francos[1] » mettent en question la nécessité de connaître la langue pour appartenir au groupe (Roby 2000).

Dans ce chapitre, nous proposons de dresser le portrait du français franco-américain ainsi que l'état des recherches sur cette variété à l'heure actuelle. Nous offrons d'abord une description de l'évolution historique de la communauté franco-américaine suivie d'un inventaire des études qui ont été faites sur la langue jusqu'à présent. Puis, nous discutons les données démographiques les plus récentes relatives à l'importance de la population et à l'emploi du français au foyer ainsi que l'état fragmenté des institutions franco-américaines aujourd'hui. Enfin, nous décrivons un projet de recherche collaboratif en cours financé par la National Science Foundation dont l'un des objectifs est d'établir une

---

[1] Cette troncation courante date seulement des années 1970.

base de données pour représenter le français franco-américain tel qu'il est parlé aujourd'hui par des locuteurs répartis selon l'âge et le sexe provenant de huit communautés en Nouvelle-Angleterre[2]. L'analyse des données recueillies dans le cadre de ce projet témoigne d'une diversité de situations et de pratiques langagières largement ignorée auparavant.

2. Évolution de la communauté

Le caractère unique de la situation et de l'état actuel du français franco-américain est le résultat de l'évolution complexe de la communauté. S'étalant sur plus de deux siècles, elle se divise en trois périodes distinctes que nous résumons ci-dessous (Chartier 1991, Roby 1990 et 2000, Weil 1989).

2.1. *Avant 1840*

Avant 1840, les déplacements qu'effectuent les populations francophones vers le nord-est des États-Unis ont tendance à se concentrer dans les états limitrophes. Généralement sporadiques, certains sont liés à la politique et aboutissent à la fondation de communautés permanentes. Ainsi, à la fin du 18e siècle des Acadiens de la région de Fredericton (Nouveau-Brunswick actuel) et d'autres ayant passé des années d'exil au Bas Canada s'installent dans la vallée du fleuve Saint-Jean dans le Maine[3]. De même, la création en 1787 du « Canadian and Nova Scotia Refugee Tract » permet aux Canadiens français et aux Acadiens qui ont pris armes contre la couronne britannique pendant la guerre d'Indépendance américaine de se rétablir dans le nord de l'état de New York. Se réfugient également au nord des états de New York et du Vermont des partisans du mouvement insurrectionnel des Patriotes au Bas Canada en 1837.

2.2. *1840-1930*

À partir de 1840, l'arrivée des francophones s'explique surtout par des raisons économiques. Au Bas Canada, les Canadiens-Français subissent la pression démographique due à un taux de naissance très

---

2 Subventions BCS-0003942 (Fox) et BCS-0004039 (Smith).
3 Il est à noter que la frontière entre le Maine et le Nouveau-Brunswick n'a pas été établie d'une façon définitive avant 1842.

élevé en même temps que les terres arables, déjà limitées, s'épuisent. À la Nouvelle-Écosse, ni l'agriculture, ni le chantier forestier, ni la pêche n'offrent aux Acadiens des moyens de subsistances adéquats. De l'autre côté de la frontière, par contre, on entre dans une période d'expansion industrielle rapide. Le besoin de main d'œuvre dans les manufactures fait à ce que le nord-est américain exerce un pouvoir d'attraction démesuré. Au début, la période est marquée par un va-et-vient continuel car ceux qui partent aux États-Unis considèrent leur séjour dans ce pays comme étant temporaire. Cependant, avec les années, les déplacements prennent un caractère permanent. À la fin de cette période, on estime que quelque 900 000 personnes se sont installées définitivement aux États (Roby 1990)[4].

Typiquement, c'est la famille entière qui quitte le Canada. De plus, on s'installe dans les endroits où l'on a déjà sinon de la parenté au moins des amis de son village ou de sa paroisse d'origine. Les communautés canadiennes ainsi (re)constituées sont serrées davantage par l'idéologie de la survivance. Mise de l'avant par l'élite, la survivance « évoque le maintien de l'héritage ancestral en Amérique du Nord, soit la religion catholique, la langue française, et un certain nombre de traditions canadiennes-françaises » (Chartier 1991 : 67-68). Inspirés par l'idée connue sous la formule populaire « Qui perd sa langue perd sa foi », les Franco-Américains militent pour l'établissement de paroisses nationales avec un prêtre francophone et des écoles paroissiales offrant un enseignement bilingue. En plus, ils érigent des sociétés de bienfaisance ou de secours mutuel, telles l'Association canado-américaine, l'Union Saint-Jean-Baptiste d'Amérique, et la Société de l'Assomption, et ils fondent de nombreux journaux et périodiques de langue française. Ces activités ont comme résultat la création d'un réseau d'institutions religieuses, scolaires et sociales dont un des buts principaux est le maintien du français[5].

2.3. *Après 1930*

C'est la crise de 1929 qui met fin à la « grande migration ». Il n'y a guère plus de travail mais, qui plus est, une nouvelle politique

---

4 Le nombre de déplacements varie considérablement selon la décennie. Roby (2000 : 269) remarque, par exemple, qu'entre 1920 et 1930, le nombre de Franco-Américains s'accroît de 199 065, soit de 19,1 %, et qu'il s'agit de la plus forte augmentation en chiffres absolus depuis la dernière décennie du 19e siècle.

5 Aussi tard qu'en 1950 on comptait 427 paroisses franco-américaines et 264 écoles paroissiales (Brault 1996).

s'annonce à l'effet que « seuls les travailleurs assurés d'un emploi aux États ou les personnes qui ont des répondants capables de subvenir à leurs besoins peuvent obtenir un visa pour y émigrer » (Roby 2000 : 269). À partir de 1930 et jusqu'à nos jours, le nombre d'immigrants en provenance du Canada dans les six états de la Nouvelle-Angleterre est, à une exception près, en chute constante. Seul l'état du Connecticut, dont les industries aéronautiques et militaires exigent encore de la main d'œuvre, voit le pourcentage d'immigrants canadiens se stabiliser dans les années 1940 et augmenter de plus de dix pour cent entre 1950 et 1960 avant de commencer sa propre descente (Allen 1974, Bagate et al. à paraître). D'autres exceptions à la tendance générale ne sont qu'au niveau des communautés individuelles. À titre d'exemple, notons qu'entre 1950 et 1970 la ville de Gardner dans le Massachusetts attire un nombre considérable d'Acadiens du Nouveau-Brunswick tandis qu'il n'y a aucune immigration en provenance du Canada vers la ville de Southbridge dans le même état.

En plus de la fin de l'immigration, la période depuis 1930 se caractérise par plusieurs facteurs favorisant l'assimilation du groupe à la mode de vie américaine : des transformations sociales entraînées par la Deuxième Guerre Mondiale (l'accès à l'éducation supérieure, l'amélioration du niveau de vie, l'exode vers les banlieues), un nombre croissant de mariages exogames, une modification de la politique de l'Église catholique envers le maintien de la langue, un manque d'ecclésiastiques francophones et l'abandon des programmes d'éducation bilingue dans les écoles paroissiales. De plus, les changements sociopolitiques survenus au Canada – et surtout au Québec lors de la Révolution tranquille – ont mis fin définitivement à l'image du Canada traditionnel, image à laquelle les Franco-Américains s'étaient toujours référés.

Ces transformations sociales s'accompagnent d'un délaissement du français. Le processus s'effectue à des degrés différents selon la région : de façon générale, il est plus accéléré dans la Nouvelle-Angleterre-Sud, c'est-à-dire le Connecticut, le Massachusetts et le Rhode Island, que dans la Nouvelle-Angleterre-Nord, c'est-à-dire le Vermont, le Maine et le New Hampshire (Veltman 1987, Giguère 1996). Ces tendances générales voilent le fait que, d'une communauté à l'autre, les comportements linguistiques varient considérablement.

3. Recherches sur la langue

3.1. *La période 1897-1993*

Bien que l'étude scientifique du français franco-américain remonte à la fin du 19ᵉ siècle, les recherches effectuées sur cette variété sont peu nombreuses. En effet, entre 1887, date de la parution de « Some specimens of a Canadian French dialect spoken in Maine » de Sheldon, et 1993, lorsque Fox publie une étude sur le français parlé à Cohoes (État de New York), elles consistent principalement en des « travaux isolés effectués par des chercheurs travaillant seuls et à des époques éloignées les unes des autres » (Fox et Charbonneau 1998 : 5). La description du franco-américain qui en résulte est lacunaire. D'abord, la plupart des études ne s'adresse qu'à la phonétique et à la phonologie (Sheldon 1887, Locke 1949, Soeur Mary Declin et Soeur Maris Stella 1958, De la Garza 1964, Poulin 1973, Fischer 1976, Martel et Martin 1978, Kelley 1980), parfois au lexique (Pousland 1933, Soeur Marie-Jean-Guy et Soeur Marie-Rose-Germaine 1958, Mailhot-Bernard 1982). De plus, elles sont souvent basées sinon sur des données anecdotiques (Soeur Marie Declin et Soeur Maris Stella 1958, Soeur Marie-Jean-Guy et Soeur Marie-Rose-Germaine 1958), du moins sur un nombre limité de locuteurs (Sheldon 1887, Locke 1949, De la Garza 1964, Fischer 1976, Kelley 1980). Enfin, elles couvrent quelques communautés seulement, à savoir Lewiston, Brunswick et Waterville dans le Maine, Manchester dans le New Hampshire et Salem dans le Massachusetts[6].

Prises dans leur ensemble, les études publiées de 1897 jusqu'en 1993 décrivent une variété du français parlé assez homogène. Bien que l'on fasse parfois mention de la variation régionale, ces affirmations manquent de précision quant à la nature et à la distribution des traits pertinents (v. par ex. Dubé 1971, Haden 1973). C'est en effet la variation sociale qui attire plus l'attention, mais l'objectif des ces observations est souvent de condamner les usages « fautifs » – on dénonce parfois les archaïsmes mais surtout les anglicismes – et de purifier le français (cf. Dupuis 1997). Plusieurs chercheurs se servent du modèle statique courant à l'époque pour avancer l'hypothèse selon laquelle il y aurait trois niveaux de langues (par ex. Brault 1958 et 1979, Haden 1973, Poulin 1973). Ces niveaux correspondraient aux pratiques langagières de

---

[6] Notons toutefois que le travail de Pousland (1933) à Salem est basé sur un corpus de langue écrite.

trois classes sociales distinctes : « le milieu cultivé, le milieu d'une certaine culture, et le milieu populaire » (Soeur Marie-Francia et Soeur Marie-Anaïs 1958 : 85).

Le français franco-américain tel qu'il est décrit pendant cette période serait donc un dialecte du « canadien » (québécois). Il correspondrait grosso modo à la variété parlée à Brunswick dont la description de Locke (1949) servira de point de référence pour toutes les recherches postérieures. Il est à noter que dans sa préface à cette étude, Carrière (1949) soutient que le canadien de Brunswick ne diffère de la langue parlée partout par les Canadiens français que par son degré d'anglicisation. Comme le souligne Charbonneau (1997 : 13-14), malgré qu'aucune étude empirique ne soit réalisée pendant cette période pour mesurer l'influence de l'anglais sur le français parlé des Franco-Américains, la vaste majorité des écrits s'accordent pour affirmer l'idée selon laquelle l'anglicisation est de loin le trait le plus caractéristique de cette variété.

3.2. *Après 1990*

À partir des années 1990, la nature sporadique et la diversité d'approches qui ont caractérisé les recherches sur la langue franco-américaine commencent à changer. En 1991, Fox entreprend la consti-tution d'un corpus du français parlé à Cohoes (État de New York). Composé d'entretiens sociolinguistiques effectués auprès de 24 locu-teurs, il sert de point de départ de plusieurs études dont une description générale (Fox 1993) et une analyse des attitudes linguistiques (Fox 1995), des anglicismes (Fox et Charbonneau 1995 et 1998) et de la réduction morphologique dans le genre grammatical (Fox 1998). L'approche so-ciolinguistique est adoptée également par Charbonneau (1997) qui effec-tue une enquête auprès de 23 locuteurs dans la communauté formée par les villages de Highgate et de Franklin à l'extrême nord-est du Vermont afin d'étudier l'emprunt lexical et le transfert à l'anglais, par Russo et Roberts (1999) qui étudient l'alternance entre l'emploi des auxiliaires *avoir* et *être* chez 22 locuteurs habitant les villes de Barre et de Winooski dans le même état, et par Dupuis (1997) qui s'adresse aussi au problème de l'emprunt en se servant d'un corpus d'enregistrements effectués au Massachusetts dans le cadre d'une émission diffusée à la radio régionale. Pour compléter les travaux récents, on retrouve aussi une étude compa-rative entre le franco-américain et le patois de Mauges (Kapucinski 1996), une analyse de la structure informationnelle du français parlé dans la vallée du Haut-Saint-Jean (Smith 2000), une étude sur le transfert à l'anglais à Bristol dans l'état du Connecticut (Bagate et al. à paraître), et deux mémoires de maîtrise inédits suivant une approche de linguistique historique et comparative (Martin 2000, Saint-Pierre 2002).

Les années 1990 marquent également l'élargissement de la nature des communautés étudiées. Auparavant, il s'agissait d'endroits qui sont situés dans le même territoire relativement restreint de l'est de l'aire franco-américaine. En outre, ces endroits sont parmi les plus vigoureux quant au maintien du français. Or, dans le cas de Cohoes et des villes vermontoises, il s'agit de communautés situées dans l'ouest de l'espace franco-américain. De plus, Cohoes est une ville où l'assimilation à l'anglais est très avancée. Ces extensions sont pertinentes car elles permettent la remise en cause de l'homogénéité présumée des communautés et de la langue franco-américaines.

En effet, c'est dans Fox et Charbonneau (1998) que l'on avance l'hypothèse selon laquelle il existe en français franco-américain une variation linguistique intercommunautaire qui repose sur deux axes géographiques. Le long d'un axe nord-sud, elle serait le fruit de la diversité des situations du français. Le long d'un axe est-ouest, elle serait le résultat de la « migration en chaîne » qui a donné naissance à la franco-américanie et ferait ainsi écho aux grandes divisions dialectales franco-canadiennes. Ce travail est le premier à se servir de données directement comparables venant de deux communautés différentes; il illustre aussi la pertinence du modèle avancé. En ce qui concerne l'axe nord-sud, les auteures démontrent que la ville de Cohoes (sud) et les villages de Highgate-Franklin (nord) se distinguent nettement l'un de l'autre en ce qui a trait au transfert à l'anglais et que sur le plan linguistique, « ce contraste se traduit dans le pourcentage du vocabulaire attribuable à l'influence directe de l'anglais et par la diffusion des emprunts chez les locuteurs » (Fox et Charbonneau 1998 : 82). En ce qui concerne l'axe est-ouest, elles notent l'absence dans le français parlé de Cohoes et de Highgate-Franklin de deux traits caractéristiques du français parlé dans l'est de l'aire franco-américaine. Dans le premier cas, il s'agit de la palatalisation de [k] et [g] devant les voyelles antérieures, un trait associé aux Acadiens et aux Beaucerons, que l'on trouve à Brunswick (Locke 1949), à Lewiston (Martel et Martin 1978) et à Manchester (Kelley 1980). Dans le deuxième cas, il s'agit de l'occurrence de le constrictive palatale [ʝ] au lieu de la semi-voyelle [j] en position finale ([fɪʝ] vs [fɪj]). Ce trait caractéristique de la Beauce est attesté à Brunswick (Locke 1949) et à Manchester (Kelley 1980). Les Franco-Américains de Cohoes et de Highgate-Franklin sont originaires de la même région du Québec, c'est-à-dire le sud de Montréal à l'ouest de la province. Nous reviendrons à la question de l'hétérogénéité des communautés et de la langue franco-américaines dans la section 5.

4. Situation actuelle

4.1. *Recensement 2000*

En recueillant les statistiques de première ascendance les plus récentes, nous avons inclus les trois catégories suivantes : « Français », « Canadien Français » et « Acadien/Cajun », nouvelle catégorie incluse pour la première fois dans le recensement de 2000. Selon Giguère (1996), il faut considérer non seulement la catégorie « Canadien Français » mais aussi celle de « Français » afin de trouver le nombre de Franco-Américains le plus précis. Tandis que la catégorie « ascendance canadienne-française » semble logique comme réponse, les Franco-Américains avaient tendance à se déclarer d'ascendance française lors du recensement décennal entrepris en 1990 (Giguère 1996 : 569).

Selon le recensement de 2000 (v. tableaux 1 et 2), la population totale des six états de la Nouvelle-Angleterre et de l'État de New York[7], s'élève à 16 083 208 habitants, dont plus d'un million et demi (9 %) sont d'ascendance acadienne, canadienne-française ou française. Il y a 282 923 personnes qui parlent français à la maison, c'est-à-dire 2 % de la population totale. Ce chiffre représente 17 % de la population par rapport aux trois ascendances sus-nommées. Faute de précision dans la formulation des tableaux statistiques du recensement, il nous est impossible de savoir quelle est l'ascendance principale des personnes ayant indiqué que le français est la langue du foyer. Il est fort possible qu'il figure parmi ces francophones des personnes originaires d'autres pays de la francophonie.

Quant à la rubrique « langue parlée à la maison », Giguère (1996) souligne que la question telle qu'elle est formulée sur le bulletin

---

[7] Fox (1999) indique que la répartition des paroisses françaises établies pendant la période d'immigration suggère que la plupart des immigrés se sont fixés dans un des seize comtés suivants : Albany, Clinton, Essex, Franklin, Hamilton, Jefferson, Lewis, Oneida, Onondaga, Oswego, Rensselaer, St. Lawrence, Saratoga, Schenectady, Warren et Washington. Il s'agit de la plupart des comtés contigus se trouvant tous dans la partie septentrionale de l'état.

Tableau 1
Ascendance selon le recensement de 2000

État*	Population totale	Ascendance acadienne	Ascendance canadienne-française	Ascendance française	Population d'ascendance française	Par rapport à la population totale
MA	6 349 097	312	246 169	313 337	559 818	9%
CT	3 405 565	72	86 986	130 655	217 713	6%
RI	1 048 319	36	57 024	72 246	129 306	12%
ME	1 274 923	586	100 663	137 174	238 423	19%
NH	1 235 786	56	112 037	129 139	241 232	20%
VT	608 827	63	47 077	63 134	110 274	18%
NY	2 160 691	30	58 441	130 492	188 963	9%
Total	16 083 208	1 155	708 397	976 177	1 685 729	10%

*Nouvelle-Angleterre-Sud = MA (Massachusetts), CT (Connecticut), RI (Rhode Island); Nouvelle-Angleterre-Nord = ME (Maine), NH (New Hampshire), VT (Vermont). L'État de New York (NY) ne figure pas dans les analyses de Veltman (1987) et de Giguère (1996). La ville de Cohoes ressemble plutôt aux villes de la Nouvelle-Angleterre-Sud.

Tableau 2
L'emploi du français au foyer selon le recensement de 2000

État	Population totale	Population d'ascendance française	Français au foyer	Par rapport à l'ascendance	Par rapport à la population totale
MA	6 349 097	559 818	84 484	15%	1%
CT	3 405 565	217 713	42 947	20%	1%
RI	1 048 319	129 306	19 385	15%	2%
ME	1 274 923	238 423	63 640	27%	5%
NH	1 235 786	241 232	39 551	16%	3%
VT	608 827	110 274	14 624	13%	2%
NY	2 160 691	188 963	18 292	10%	< 1%
Total	16 083 208	1 685 729	282 923	17%	2%

du recensement ne précise pas à quel degré le français se parle, soit souvent, soit de temps à autre. Qui plus est, elle ne capte pas les personnes capables de parler français mais qui ne le parlent plus au foyer. Par conséquent, ces chiffres n'éclairent que largement le statut du français comme langue d'usage, surtout dans les milieux plus urbanisés du sud de la Nouvelle-Angleterre qui accueillent aujourd'hui un plus grand nombre d'immigrants.

Le tableau 1 présente les chiffres qui indiquent que le plus grand nombre de personnes d'ascendance française, canadienne-française et acadienne se trouve au Massachusetts, où elles représentent 9 % de la population totale. Par contre, c'est dans la partie nord de la Nouvelle-Angleterre que ces ascendances représentent 19 % de la population totale du Maine, 20 % du New Hampshire et 18 % du Vermont, c'est-à-dire la plus forte concentration de personnes d'ascendance française, canadienne-française et acadienne. Cela atteste l'existence continue en 2000 de la dichotomie nord-sud suggérée par Veltman (1987) et confirmée par Giguère (1996) dans son analyse du recensement de 1990.

D'un côté, les statistiques relatives à l'emploi du français au foyer par rapport à la population totale (tableau 2) confirment cette opposition car on voit à nouveau que c'est dans la Nouvelle-Angleterre-Nord que l'emploi du français à la maison est le plus fort, quoique la différence soit de faible importance : 5, 3, et 2 % (Maine, New Hampshire, Vermont) de la population totale contre 2, 1, et 1 % (Rhode

Island, Connecticut, Massachusetts). En plus, le Maine, situé le plus au nord, compte 63 640 francophones ou 27 % des personnes d'ascendance française, canadienne-française et acadienne, pourcentage le plus important de la région.

D'autre part, les statistiques pour le Connecticut, situé au sud-ouest de la région, embrouillent un peu l'analyse, puisque les francophones de cet état constituent la deuxième population la plus importante, une constatation inattendue selon l'hypothèse de l'axe nord-sud. Tandis que les chiffres de l'emploi du français sont moins élevés dans le sud par rapport au Maine, et cela même au New Hampshire, le Connecticut fait exception à part. Qui plus est, on constate un deuxième axe de la baisse de l'emploi du français qui va de l'est vers l'ouest, et encore une fois, le Connecticut fait exception à cette tendance.

4.2. *La fragmentation de l'infrastructure de langue française*

Depuis l'apogée de l'établissement de la Franco-Américanie, les multiples institutions qui appuyaient les communautés franco-américaines, à savoir les églises, les écoles paroissiales, les associations et les médias, ont témoigné d'une forte diminution de nombres et d'influence.

En ce qui concerne l'église, il est rare de trouver des messes en français. Dans le peu de cas où l'on en trouve, il n'est plus question du soutien de la part de l'épiscopat mais plutôt du désir de quelques paroissiens souvent âgés qui la demandent, et finalement, le choix de la langue reste entre les mains du prêtre[8]. Quant aux écoles paroissiales, voilà plus de quarante ans que le français est devenu matière d'étude comme tout autre langue étrangère. Le seul programme bilingue qui existe actuellement est subventionné par le gouvernement fédéral dans deux écoles élémentaires publiques dans la vallée Saint-Jean du Maine, à Van Buren et à Madawaska. Ce programme est d'ailleurs facultatif. Bien que le maintien de la solidarité entre les Francos et la promotion de la langue française fassent partie de la raison d'être des sociétés de bienfaisance et des clubs sociaux, ce but n'attire pas suffisamment de jeunes pour rem-

---

[8] Dans le cas de Gardner, par exemple, un groupe de paroissiens a réclamé la messe en français mais le prêtre, bien que francophone, n'a pas exhaussé leur souhait. Dans une des paroisses de Southbridge, le prêtre a réintroduit la messe en français après une « pause » de dix ans.

placer la majorité des membres qui s'approchent de l'âge d'or ou qui l'ont déjà atteint. Par conséquent, l'effectif de ces sociétés est en diminution et elles n'occupent plus la même position au sein de la communauté qu'auparavant. Les médias, quant à eux, sont de nos jours presque inexistants. Le seul journal visant aujourd'hui un lectorat franco-américain est un journal trimestriel publié par le Centre franco-américain à l'Université du Maine : *Le FORUM* publie les écrits des membres de la communauté franco-américaine régionale. Dans certaines communautés, on trouve encore à la radio une ou deux émissions hebdomadaires diffusées le dimanche matin et suivant une programmation qui plaît surtout à un public d'un certain âge.

Ces grandes institutions qui par le passé ont joué un rôle important dans « la survivance » ne font aujourd'hui que conserver une partie de la culture et de la langue pour une population vieillissante et cela, dans certaines communautés seulement.

5. Le français franco-américain aujourd'hui

5.1. *Le corpus Fox-Smith*

Deux équipes de chercheurs – l'une à l'University of Albany, State University of New York l'autre à l'University of Maine – travaillent en collaboration sur une enquête sociolinguistique dont l'un des objectifs est de combler des lacunes dans la connaissance de la situation linguistique chez les Franco-Américains. Pour ce faire, nous avons choisi huit localités de la Nouvelle-Angleterre ayant des communautés franco-américaines : Van Buren, Waterville et Biddeford (Maine), Berlin (New Hampshire), Southbridge et Gardner (Massachusetts), Bristol (Connecticut) et Woonsocket (Rhode Island). Lors de la sélection de ces communautés, il y a eu, selon les statistiques du recensement de 1990, au moins 20 % des répondants qui ont déclaré une ascendance française ou canadienne-française. Le recensement montre aussi qu'un minimum de 1 000 personnes dans chacune des communautés parlaient français au foyer. Exception faite de Waterville[9], aucune des communautés n'avait fait l'objet d'une étude linguistique auparavant.

---

[9] Sheldon (1887) décrit le français d'une jeune servante à Waterville.

En choisissant ces communautés nous avons aussi considéré l'hypothèse de Fox et Charbonneau (1998), laquelle propose que l'établissement d'un corpus représentatif de cette variété de français doit prendre en compte deux sources de variation linguistique, c'est-à-dire, l'origine géographique des immigrés ainsi que le degré du transfert à l'anglais. À cette fin, nous avons choisi ces communautés selon leur position sur un axe nord-sud en suivant l'analyse de Veltman (1987) qui suggère que le transfert à l'anglais est plus avancé dans la Nouvelle-Angleterre-Sud (Massachusetts, Connecticut, Rhode Island). Finalement, la sélection des communautés s'appuie aussi sur les origines des immigrés indiquées par les géographes et les historiens (Vicero 1968, Allen 1970, Lavoie 1972, entre autres). Le tableau 3 résume les caractéristiques des huit communautés sélectionnées selon le recensement de 1990. Il est intéressant de remarquer que Waterville, avec sa population francophone de 13%, ressemble aux villes du sud, malgré sa situation en plein centre de la Nouvelle-Angleterre-Nord.

Il faut noter que le recensement de 2000 révèle que la population d'ascendance française et le nombre de personnes se servant du français au foyer diminuent dans toutes les communautés sauf Van Buren, mais la plus forte concentration de francophones se trouve toujours au nord. Les pourcentages de francophones par rapport à la population totale sont les suivants : Van Buren 75 % (-1 % par rapport à 1990), Waterville 8 % (-5 %), Biddeford 21 % (-11%), Berlin 32 % (-6 %), Woonsocket 10 % (-10 %), Bristol 5 % (-2 %), Gardner 5 % (-5 %), et Southbridge 5 % (-4 %).

Nous avons interviewé 266 personnes au total[10], dont 131 femmes et 135 hommes, âgées de 8 à 98 ans. Certaines interviews n'ont toutefois pas été prises en compte dans les analyses linguistique et sociolinguistique parce qu'elles sont en anglais. Dans d'autres cas, des interviewés nous ont recommandé des candidats qui manifestaient un grand intérêt à participer à cette étude mais qui habitaient une ville avoisinante ou qui étaient originaires de la communauté ciblée mais qui y revenaient seulement pour rendre visite à leur famille. Cela souligne le fait que la perception de ce qu'est la communauté s'est modifiée au fil des ans, car aujourd'hui elle s'étend sur une plus grande étendue et désigne des membres passagers.

---

[10] Lors de la rédaction de cet article, il nous reste à mener sept interviews pour compléter le corpus de Waterville.

Tableau 3
Caractéristiques des communautés du corpus Fox-Smith
selon les critères de sélection (Recensement de 1990)

Localité	Axe N-S	Origines	Population totale	Population d'ascendance française	Français au foyer
Van Buren, ME	N	Bas Saint-Jean, Québec oriental	2 759	82 %	76 %
Waterville, ME	N	Québec oriental, Haut Saint-Jean	17 096	39 %	13 %
Biddeford, ME	N	Centre du Québec, Haut Saint-Jean	20 710	60 %	32 %
Berlin, NH	N	Centre du Québec, Acadie	11 820	65 %	38 %
Woonsocket, RI	S	Québec occidental	43 877	55 %	20 %
Southbridge, MA	S	Québec occidental	13 631	41 %	9 %
Gardner, MA	S	Québec, Nouveau-Brunswick	20 125	37 %	10 %
Bristol, CT	S	Québec, Acadie, Haut Saint-Jean	60 640	24 %	7 %

L'interview typique dure entre 60 et 90 minutes et comprend une série de questions sur les origines de la famille, l'apprentissage et l'emploi actuel du français, les liens avec la culture francophone et l'accès aux médias francophones. À la fin de l'interview, l'enquêtrice ou l'enquêteur demande à l'interviewé de traduire oralement de l'anglais en français une série de phrases cherchant à évoquer certaines structures ou formes irrégulières qui apparaissent peu souvent dans la conversation que déclenchent les questions de l'enquête sociolinguistique[11].

---

[11] On critique parfois cette technique pour son manque d'authenticité. Cependant, dans les communautés où un transfert linguistique s'opère, la traduction intergénérationnelle est assez commune (Rottet, ce volume).

Alors que le travail du terrain est largement achevé, la transcription des données ne l'est qu'à moitié. Par conséquent, nous limiterons certains aspects de la discussion qui suit aux données venant de cinq de nos communautés seulement, à savoir Van Buren et Waterville dans la Nouvelle-Angleterre-Nord et Bristol, Woonsocket et Southbridge dans la Nouvelle-Angleterre-Sud, tout en insistant sur la nature préliminaire de nos analyses.

5.2. *La diversité des situations du français*

De manière générale, nos recherches confirment la dichotomie entre le nord et le sud en ce qui concerne le transfert à l'anglais. Par exemple, nous avons trouvé que les Franco-Américains francophones âgés de moins de 50 ans sont beaucoup plus rares que ceux qui ont plus de 50 ans dans toutes les communautés ciblées. Cependant, nous avons eu plus de succès à trouver et à interviewer ce type de locuteur plus jeune à Van Buren, à Berlin et à Biddeford qu'ailleurs. Comme le tableau 4 l'indique, ils sont deux fois plus nombreux dans le corpus du nord (n= 29) que dans le corpus du sud (n=15)[12]. De plus, à Gardner et à Bristol, les villes du sud où nous avons interviewé le plus grand nombre de locuteurs ayant moins de 50 ans, il s'agit pour la plupart de Franco-Américains nés au Canada et arrivés aux États-Unis après la période de la grande migration.

Il est à noter aussi que c'est dans une ville de sud (Southbridge) que nous avons interviewé le plus grand nombre de locuteurs âgés de 80 ans ou plus. C'est à Southbridge d'ailleurs que nous avons eu le plus de difficulté à recruter des Franco-Américains se déclarant capables de parler encore le français et que nous avons interviewé le plus grand nombre d'informateurs que nous qualifions de « semi-locuteurs ». Parmi nos informateurs originaires de cette ville, il n'y en a que trois ayant moins de 70 ans qui sont capables de soutenir une conversation en français (Stelling 2004).

Aux dires de nos locuteurs, les domaines d'usage du français sont assez restreints, et cela dans toutes les communautés. Selon eux, le français s'emploie le plus souvent au foyer, plus rarement au travail ou à l'église. Il n'y a aucun domaine où l'on l'emploie exclusivement. En règle générale, le choix de langue dépend non pas du lieu d'interaction mais

---

12 Il faut remarquer que le problème se complique dans toutes ces communautés à cause du fait que les jeunes ont plutôt tendance à quitter ces endroits pour s'installer ailleurs.

Tableau 4
Nombre d'informateurs selon la communauté et l'âge

Corpus du Nord	Rangée d'âges								Total
	0-19	20-29	30-39	40-49	50-59	60-69	70-79	80 +	
Van Buren	3		1	9	2	7	5	2	29
Biddeford			1	3	11	6	13	3	37
Berlin			3	6	4	10	5	0	28
Waterville	2			1	3	9	5	3	23
Total	5	0	5	19	20	32	28	8	117
Corpus du Sud									
Woonsocket			1	1	6	7	13	4	32
Southbridge				1	8	5	11	10	35
Bristol		1		5	7	3	10	3	29
Gardner			2	2	8	15	3	5	35
Total	0	1	3	9	29	30	37	22	131

du type d'interlocuteur. Parmi les interlocuteurs privilégiés on cite amis, époux, mère/père, enfants, frères/soeurs, parents et clients.

Si les domaines d'usage du français et le type d'interlocuteur auquel on parle la langue ne diffèrent pas de façon significative à travers les communautés ciblées, ceci n'est pas le cas pour la fréquence d'emploi de la langue (tableau 5). À Van Buren, par exemple, 79 % des locuteurs déclarent parler français quotidiennement et personne ne prétend ne jamais l'utiliser. Le contraste avec ce que l'on nous a rapporté à Southbridge est dramatique. Dans cette ville, seulement 17 % des locuteurs disent parler la langue tous les jours contre 29 % qui affirment ne jamais s'en servir.

À première vue, les fréquences d'emploi rapportées pour les villes de Waterville, de Bristol et de Woonsocket se ressemblent assez pour donner l'impression qu'elles ne soutiennent pas la dichotomie nord/sud qui apparaît pourtant si clairement lorsque l'on compare les fréquences d'emploi rapportées à Van Buren et à Southbridge. Or, quand on y regarde de plus près l'échantillon de locuteurs interviewés dans chacune de ces villes, on constate que les chiffres ne sont pas en contradiction, mais

Tableau 5
Fréquence d'emploi[a] du français selon la communauté

Nord	N=	4	3	2	1	0
Van Buren, ME	29	79 %	17 %	3 %	0 %	0 %
Waterville, ME	22	59 %	5 %	32 %	5 %	0 %
Sud						
Bristol, CT	28	50 %	11 %	15 %	18 %	3 %
Woonsocket, RI	34	49 %	18 %	12 %	21 %	0 %
Southbridge, MA	35	17 %	11 %	9 %	34 %	29 %

[a] 4 = tous les jours; 3 = fréquemment, avec plusieurs personnes; 2 = occasionnellement ou avec au moins une personne systématiquement; 1 = rarement, avec certains membres de la famille ou certains amis lorsqu'ils se rencontrent par hasard; 0 = jamais.

sont plutôt le reflet des différences significatives dans la façon dont chaque communauté s'est constituée.

Dans le cas de Bristol, par exemple, les locuteurs interviewés se divisent en trois groupes distincts par rapport à la date où la famille est arrivée aux États-Unis ainsi qu'à son lieu d'origine au Canada (Bagate et al. à paraître). Ceux qui font état de l'emploi quotidien de la langue font presque tous partie du troisième de ces groupes, c'est-à-dire les locuteurs qui sont nés et ont grandi dans la Beauce (Québec) et qui étaient francophones unilingues quand ils sont arrivés à Bristol après la Deuxième Guerre Mondiale. Les locuteurs qui déclarent le moindre emploi de la langue sont justement ceux du premier groupe, c'est-à-dire des Franco-Américains de la deuxième ou la troisieme génération dont la famille a quitté le Canada pendant la grande immigration. Pour compléter la description des locuteurs, notons que le deuxième groupe est constitué des Franco-Américains originaires d'autres communautés franco-américaines ou du Nouveau-Brunswick. Ces locuteurs sont arrivés à Bristol après la guerre.

Les chiffres indiqués pour Waterville sont aussi trompeurs dans la mesure où ils voilent le fait que seulement douze des interviewés y sont nés (n=9) ou arrivés (n=3) avant l'âge de 10 ans et que ce n'est que la moitié de ceux-ci (n=7) qui affirment parler français tous les jours. L'autre moitié est composée de francophones originaires du Québec, du Nouveau-Brunswick, ou de la Vallée du Haut-Saint-Jean. Cela confirme que, parmi les quatre communautés ciblées situées dans le nord, c'est sans doute à Waterville que le transfert à l'anglais est le plus avancé.

Au contraire de ce que nous avons observé pour Bristol, et à un moindre degré pour Waterville, les populations franco-américaines de Woonsocket et de Southbridge sont très homogènes quant à l'origine de la population. Dans le cas de Woonsocket, les locuteurs sont, à une exception près, d'ascendance franco-canadienne; 79 % sont nés à Woonsocket et la plupart d'entre eux sont de la deuxième ou de la troisième génération à y habiter. Les interviewés de Southbridge sont aussi de descendance franco-canadienne; 83 % constituent des deuxième, troisième et quatrième générations à y habiter[13]. Il est intéressant de noter que les deux villes partagent d'autres traits tels qu'un peuplement franco-américain précoce avec une croissance rapide et la création d'une infrastructure complexe de langue française. Brault (1986) décrit les organisations des deux villes il y a quatre-vingt ans de la façon suivante :

> Southbridge [...] had a Saint John the Baptist Society and local councils of two other mutuals; a Cercle Canadien that sponsored lectures on various topics, an astounding number of French plays, and many other events; another similar club; two temperance societies; a naturalization society; three bands, an orchestra and several music societies, a thrift club and a cooperative bank; many other parish and school organizations; and a French newspaper. [...] Woonsocket [...] was the headquarters of the Union Saint-Jean Baptiste d'Amérique, which locally comprised seven councils [...] three locals of the Ordre des Forestiers Franco-Américains; two each of the Association Canado-Américaine, the Sociéte des Artisans Canadiens-Français, and the Alliance Nationale; and one of the Société Jacques Cartier. It also had a daily French newspaper, La Tribune, and of course, numerous parish societies. (99)

Ces ressemblances historiques rendent la question des différences dans le maintien du français que nous observons dans les deux communautés aujourd'hui encore plus intéressante.

5.3. *La structure du français franco-américain*

La combinaison de divers facteurs promet une étude linguistique fascinante, notamment la diversité des dialectes régionaux et

---

[13] La population de Van Buren est aussi très homogène: tous les interviewés qui n'y sont pas nés sont en effet des femmes qui y sont arrivées en jeunes mariées. Rappelons cependant qu'à la différence des autres communautés ciblées, on ne peut pas considérer les Franco-Américains de Van Buren comme étant des descendants d'immigrants.

l'implantation de ceux-ci sur un axe est-ouest, la structure de ces dialectes lors de l'arrivée des locuteurs dans ces communautés et le maintien de traits qui disparaissent aujourd'hui dans leur région d'origine, ainsi que les changements éventuels suite au contact des autres dialectes, sans parler de l'influence de l'anglais. Nos observations préliminaires sur la structure de la langue sont les suivantes.

D'abord, au niveau de la phonologie, on note que le francoaméricain possède à de rares exceptions près un *r* apical, maintenant ainsi une prononciation autrefois typique du français canadien qui, aujourd'hui, perd du terrain devant la variante uvulaire dite « grasséyé » dans l'ouest de la province de Québec (Ostiguy et Tousignant 1993). De plus, le phonème /ɲ/ possède une variante vélaire /ŋ/ comme dans le mot *ligne* [lɪŋ], et l'on entend un /h/ dans de tels mots que *dehors* et *haute*. On entend les articulations [we] et [wɛ] pour la graphie *oi* et parfois le *v* des verbes *avoir* et *voir* se prononce [w]. Ainsi qu'en français canadien, il y a chute du /l/ dans les articles et les pronoms personnels en francoaméricain : *dans la ville* [dã: vɪl], *il les a* [jeza].

Dans les communautés fortement canadienne-françaises (Waterville, Biddeford, Berlin, Bristol, Southbridge et Woonsocket), on trouve l'affrication des consonnes /t/ et /d/ devant les voyelles fermées /i/ et /y/ et leurs semi-voyelles homologues /j/ et /ɥ/, comme dans *sentinelle* [sãtˢinɛl] et *commodité* [kɔmɔdᶻite]. La diphtongaison des voyelles longues en position accentuée s'y observe aussi, donnant par exemple des formes telles que *chanceuse* [ʃãsœʸz], *mère* [maᵉr], *fête* [faᵉt] et *France* [frãᵘs]. Comme on l'observe en québécois, les voyelles nasales se distinguent de celles du français de référence et l'on entend donc une voyelle fermée dans le mot *quinze* [kẽz]. Les voyelles fermées possèdent les variantes relâchées [ɪ,ʏ,ʊ] qui apparaisent en syllabe finale des mots se terminant par une consonne non allongeante. À Bristol et à Woonsocket, on remarque l'ouverture du /ɛ/ en [a] en syllabe finale ouverte, et les formes de l'imparfait se prononcent donc [eta] *étais, était*. Finalement, à Bristol, à Woonsocket et à Biddeford, mais non à Van Buren et à Waterville, les mots *fille, famille*, et *travail* contiennent la constrictive palatale [ʝ] à la place du yod pour plusieurs locuteurs.

À la différence des autres communautés, le français parlé à Van Buren et à Gardner est plutôt acadien. Par exemple, on prononce des mots *notre* et *comme* avec la voyelle fermée [u] et non le [ɔ] de la langue standard, ainsi attestant l'« ouïsme » acadien. La prononciation des mots comme *perdre* et *traverser* reflètent l'ouverture de [ɛ] en [a] devant /r/. À Gardner et à Van Buren, /t/ et de /d/ suivis du yod se palatalisent dans des mots tels que *tiendre* [tʃ] et *chaudière* [dʒ]. À Van Buren, nous avons noté l'aspiration des fricatives /ʃ/ et /ʒ/ dans les mots *acheter* et *aujourd'hui*, entre autres. On y entend aussi des traits typiques du québécois, à savoir l'articulation d'une voyelle fermée relâchée en syllabe fermée comme dans les mots *groupe* [grʊp], *mille* [mɪl] et *une* [ʏn], et l'assibilation de /d/ et de /t/ devant une voyelle fermée illustrée par les mots *grandi* [grãdᶻi], *dix* [dᶻɪs] et *naturel* [natˢyrɛl][14].

Sur le plan de la morphologie, la flexion verbale est marquée par la régularisation. Au présent de l'indicatif, on trouve que la 1re personne du singulier du verbe *aller* se prononce fréquemment [va] et que la 3e personne du pluriel de *faire* est souvent [fɛz]. Au présent du subjonctif, toutes les formes du verbe *aller* se forment en [al], par exemple, *que j'alle*. Les participes passés des verbes comme *couvrir* et même *lire* se régularisent sur le modèle de *grandir*, donnant donc *couvri, rouvri* et *li*. La désinence acadienne de la 3e personne du pluriel *-ont* s'emploie à Gardner mais non à Van Buren. Les formes de l'imparfait *onvaient* (*avoir*) et *sontaient* (*être*) sont attestées à Woonsocket et sont très fréquentes à Van Buren ainsi que chez les locuteurs originaires de la vallée du Saint-Jean qui habitent aujourd'hui à Bristol.

Pour ce qui est de la syntaxe, le franco-américain marque la négation sans *ne* et les pronoms compléments d'objet occupent une position post-verbale quand l'impératif est au négatif, par exemple, *donne-moi pas de misère*. L'interrogation se fait avec adjonction de la particule interrogative *-tu,* ou comme c'est souvent le cas chez les locuteurs acadiens, la variante *-ti,* après le verbe. Il est à noter que l'indicatif remplace parfois le subjonctif : *je pense pas qu'ils peuvent venir.*

Quant à l'influence de l'anglais, rappelons que, à l'exception de Van Buren, il s'agit de communautés établies à l'intérieur d'un océan anglophone. Dans le cas de ce dernier, c'est le contraire. Les communautés de la vallée du Saint-Jean lors de leur établissement étaient entièrement francophones et c'est l'anglais qui s'est implanté plus tard. Étant donné qu'il existe aujourd'hui moins de contextes dans lesquels les fran-

---

[14] Dans sa discussion de la structure de l'acadien, Flikeid (1997) souligne que la langue du nord-ouest du Nouveau-Brunswick, c'est-à-dire la région de l'autre côté du Saint-Jean, reflète l'influence du québécois de par la perte de la palatalisation acadienne et l'adoption de [tˢ] et de [dᶻ] québécois.

cophones parlent français, seule l'analyse variationniste que nous entre-
prendrons prochainement nous permettra de déterminer si certains
changements découlent de la perte de compétence en français ou si la
structure de la langue se modifie à cause du contact de l'anglais.

De toute façon, l'influence de l'anglais s'étend sur plusieurs niveaux, y compris dans la dérivation de nouveaux mots, lesquels sont
adaptés à la structure morphologique du français, d'où un mot tel que
travelage « voyage » et de nombreux verbes : *watcher* « regarder », *driver*
« conduire, aller en voiture », *joiner* suivi d'un substantif « s'associer à un
club, aller à l'armée ».

Au niveau de la syntaxe, cette influence se voit dans l'omission
de certains mots-outils comme c'est le cas dans *mes prières sont en français
et [en] anglais*. Dans d'autres cas, ils se peut que l'omission résulte soit de
l'influence de l'anglais, soit de la simplification (*j'ai dit à lui < je lui ai dit*)
ou de l'analogie (*je me souviens [d'] une chanson ~ je me rappelle une chanson*).
On remarque parfois l'influence de l'anglais dans l'ordre des constituants
telle que dans la phrase suivante, dans laquelle la position du complément objet direct reflète une structure focalisante de l'anglais, le sens du
verbe *traverser* est innovant et le *là* inaccentué sert de ponctuant du discours : *les fleurs coupées on peut traverser là* « on peut passer la douane (qui,
dans ce cas, se situe de l'autre côté du fleuve) avec des fleurs coupées (et
non des plantes) » ou « c'est les fleurs coupées qu'on peut emporter ».

Pour revenir sur la question du degré d'anglicisation (section
3.1), il est évident que l'anglais exerce une influence réelle sur la structure du franco-américain. Les données linguistiques que nous fourniront
ces huit communautés nous donneront l'évidence empirique nécessaire à
une analyse systématique pour déterminer de quelle manière et à quel
degré l'anglicisation distingue le franco-américain des autres variétés du
français nord-américain.

6. Conclusion

Malgré sa présence de longue date aux États-Unis, il existe peu
de documentation systématique sur la langue des Franco-Américains.
Les analyses antérieures à 1993 sont en grandie partie anecdotiques, se
basant souvent sur les observations d'un petit nombre de sujets parlants
dans un nombre limité de communautés situées dans une aire restreinte
à une petite partie de la Franco-Américanie. Le présent corpus consti-

tuera une documentation riche et variée qui se prêtera à diverses études approfondies de la structure de cette variété de français étatsunienne aujourd'hui menacée.

Références

ALLEN, James P. 1970. *Catholics in Maine : A social geography*, thèse de doctorat inédite, Syracuse University, New York.

ALLEN, James P. 1974. « Franco-Americans in Maine : A geographical perspective », *Acadiensis*, 4 : 32-66.

BAGATE, Mariame, Jodie LEMERY, Véronique MARTIN, Louis STELLING et Nadja WYVEKENS. 2004. « Les attitudes linguistiques et le transfert à l'anglais dans une communauté franco-américaine non-homogène : le cas de Bristol, Connecticut », *Francophonies d'Amérique* 17 : 17-33.

BRAULT, Gérard (dir.). 1958. *Essais de philologie franco-américaine*, Worcester, Massachusetts, Collège de l'Assomption.

BRAULT, Gérard. 1979. « Le français en Nouvelle-Angleterre », dans Albert VALDMAN (dir.), *Le français hors de France*, Paris, Champion, 75-91.

BRAULT, Gérard. 1986. *The French Canadian heritage in New England*, Hanover, New Hampshire, University Press of New England.

BRAULT, Gérard. 1996. « The Achievement of the teaching orders in New England : The Franco-American parochial schools », dans Claire QUINTAL (dir.), *Steeples and smokestacks : A collection of essays on the Franco-American experience in New England*, Worcester, Massachusetts, Assumption College, Institut français, 267-291.

CARRIÈRE, Joseph M. 1949. « Preface », dans William LOCKE, *The pronunciation of the French spoken at Brunswick, Maine*, Greensboro, North Carolina, American Dialect Society, 5-10.

CHARBONNEAU, Louise. 1997. *L'emprunt lexical et le transfert à l'anglais dans une communauté franco-américaine au nord du Vermont*, thèse de doctorat inédite, University at Albany, State University of New York, Albany.

CHARTIER, Armand. 1991. *L'histoire des Franco-Américains de la Nouvelle-Angleterre*, Silléry, Québec, Éditions du Septentrion.

DE LA GARZA, Anita-Louise Cloutier. 1964. *Phonological correspondences between Modern French and the Lewiston-Auburn dialect of French, and between the English spoken in Lewiston-Auburn and the Lewiston-Auburn dialect of French*, mémoire de maîtrise inédit, Columbia University, New York.

DUBÉ, Normand. 1971. *Guidelines for the teaching of French to Franco-Americans*, thèse de doctorat inédite, The Ohio State University, Columbus.

DUPUIS, Jacinthe. 1997. « Étude sociolinguistique de quelques caractéristiques des emprunts à l'anglais par les Franco-Américains du Massachusetts », *Revue québécoise de linguistique*, 25 (2) : 35-61.

FISCHER, Robert. 1976. *A generative phonological description of selected idiolects of Canadian French in Lewiston, Maine*, thèse de doctorat inédite, The Pennsylvania State University, University Park.

FLIKEID, Karin. 1997. « Structural aspects and current sociolinguistic situation of Acadian French », dans Albert VALDMAN (dir.), *French and Creole in Louisiana*, New York, Plenum Press, 255-286.

FOX, Cynthia A. 1993. « Une communauté franco-américaine dans l'état de New York : une étude préliminaire sur le français à Cohoes », *Francophonies d'Amérique*, 3 : 181-192.

FOX, Cynthia A. 1995. « On maintaining a Francophone identity in Cohoes, NY », *The French Review*, 69 : 264-274.

FOX, Cynthia A. 1998. « Le transfert linguistique et la réduction morphologique : le genre dans le français de Cohoes », dans Patrice BRASSEUR (dir.), *Français d'Amérique : variation, créolisation, normalisation*, Avignon, Centre d'Études Canadiennes, Université d'Avignon, 61-74.

FOX, Cynthia A. 1999. « Field notes on French in New York State », communication présentée au colloque annuel de l'International Linguistic Association, New York, New York, avril.

FOX, Cynthia et Louise CHARBONNEAU. 1995. « Le français en contact avec l'anglais : analyse des anglicismes dans le français parlé à Cohoes, NY », *La Revue Québécoise de Linguistique Théorique et Appliquée*, 12 : 37-63.

FOX, Cynthia et Louise CHARBONNEAU. 1998. « Le français franco-américain : nouvelles perspectives sur les communautés linguistiques », *Francophonies d'Amérique*, 8 : 65-84.

GIGUÈRE, Madeleine D. 1996. « New England's Francophone population based upon the 1990 Census », dans Claire QUINTAL (dir.), *Steeples and smokestacks : A collection of essays on the Franco-American experience in New England*, Worcester, Massachusetts, Assumption College, Institut français, 567-594.

HADEN, Ernest F. 1973. « French dialect geography in North America », dans William BRIGHT (dir.), *Linguistics in North America*, The Hague, Mouton, 413-422.

KAPUCINSKI, Gisèle. 1996. « Ressemblances et divergences phonétiques entre le patois des Mauges et les parlers français d'Amérique du Nord », dans Georges CESBRON (dir.), *L'Ouest français et la francophonie nord-américaine ?*, Angers, Presses de l'Université d'Angers, 137-142.

KELLEY, Henry Edward. 1980. *Phonological variables in a New England French speech community*, thèse de doctorat inédite, Cornell University, Ithaca.

LAVOIE, Yolande. 1972. *L'émigration des Canadiens aux États-Unis avant 1930. Mesure du phénomène*, Montréal, Les Presses de l'Université de Montréal.

LOCKE, William. 1949. *The pronunciation of the French spoken at Brunswick, Maine*. Greensboro, North Carolina, American Dialect Society.

MAILHOT-BERNARD, Irene. 1982. *Some social factors affecting the French spoken in Lewiston, Maine*, thèse de doctorat inédite, The Pennsylvania State University, University Park.

Marie-Francia, Soeur et Soeur Marie-Anaïs. 1958. « La syntaxe », dans Gérard BRAULT (dir.), *Essais de philologie franco-américaine*, Worcester, Massachusetts, Collège de l'Assomption, 85-123.

Marie-Jean-Guy, Soeur et Soeur Marie-Rose-Germaine. 1958. « Le glossaire », dans Gérard BRAULT (dir.), *Essais de philologie franco-américaine*, Worcester, Massachusetts, Collège de l'Assomption, 98-124.

MARTEL, Richard et Pierre MARTIN. 1978. « Le système phonologique du français de Lewiston, Maine », dans Lionel BOISVERT, Marcel JUNEAU et Claude POIRIER (dirs.), *Travaux de linguistique québécoise 2*, Québec, Les Presses de l'Université Laval.

MARTIN, Véronique. 2000. *Linguistic comparisons of the Franco-American dialect and the «patois» of the Anjou region of France*, mémoire de maîtrise inédit, University of Maine, Orono.

Mary Declan, Soeur et Soeur Maris Stella. 1958. « La phonétique », dans Gérard BRAULT (dir.), *Essais de philologie franco-américaine*, Worcester, Massachusetts, Collège de l'Assomption, 47-62.

OSTIGUY, Luc et Claude TOUSIGNANT. 1993. *Le français québécois : normes et usages*, Montréal, Guérin Universitaire.

POULIN, Norman A. 1973. *Oral and nasal vowel diphthongization of a New England French dialect*, Paris, Didier.

POUSLAND, Edward. 1933. *Étude sémantique de l'anglicisme dans le parler franco-américain de Salem (Nouvelle-Angleterre)*, Paris, Droz.

ROBY, Yves. 1990. *Les Franco-Américains de la Nouvelle-Angleterre 1776-1930*, Silléry, Québec, Éditions du Septentrion.

ROBY, Yves. 2000. *Les Franco-Américains de la Nouvelle-Angleterre : rêves et réalités*, Silléry, Québec, Éditions du Septentrion.

RUSSO, Marijke et Julie ROBERTS. 1999. « Linguistic change in endangered dialects : The case of alternation between *avoir* and *être* in Vermont French », *Language Variation and Change*, 11 : 67-85.

SAINT-PIERRE, Adèle. 2002. *A historical and phonetic study of the phenomena of palatalization and mute « e » in Québécois French*, mémoire de maîtrise inédit, University of Maine, Orono.

SHELDON, Edward S. 1887. « Some specimens of a Canadian French dialect spoken in Maine », *PMLA*, 3 : 210-218.

SMITH, Jane S. 2000. « Information structure in Maine (SJV) French », *Actes du 24ᵉ Colloque annuel de l'Association de Linguistique des Provinces Atlantiques, Moncton, N.-B., 3-4 novembre*, 125-134.

STELLING, Louis E. 2004. « Language transfer and the maintenance of French in Southbridge, Massachusetts », communication présentée à la First Annual FIGS Conference, University of Texas, Austin, février.

United States Census Bureau. 1990. *1990 Census Summary Tape File 3*.

United States Census Bureau. 2000. 2000 Census Summary Tape File 3.

VELTMAN, Calvin. 1987. *L'avenir du français aux États-Unis*, Québec, Service des communications.

VICERO, Ralph D. 1968. *Immigration of French-Canadians to New England, 1840-1900 : A geographical analysis*, thèse de doctorat inédite, University of Wisconsin, Madison.

WEIL, François. 1989. *Les Franco-Américains 1860-1980*, Paris, Belin.

La situation du français en Louisiane[1]

Michael D. Picone, University of Alabama
et Albert Valdman, Indiana University

1. Introduction

La Louisiane dite « francophone » illustre parfaitement le cas de figure où le français coexiste avec un créole qu'il a engendré. Comme le démontre Klingler (ce volume), classer tel ou tel trait linguistique, souvent même tel ou tel échantillon de discours, comme français ou créole constitue un véritable défi. Dans la configuration actuelle, les locuteurs ajustent leur comportement langagier selon les divers facteurs de la situation énonciative et le terme « français de Louisiane » recouvre en fait un continuum de variation dont les deux pôles opposés sont formés par le français de référence (FR) et le créole louisianais (CL) et le centre constitué par le parler vernaculaire dominant, le cadien (FC). La réintroduction du FR par le biais de l'école a rendu encore plus complexe ce « gumbo » linguistique[2]. Par ailleurs, depuis plus d'un siècle, l'anglais, qui avait déjà évincé le français et le CL chez les Créoles blancs et les Créoles de couleur de la Nouvelle-Orléans et des rives du bas Mississippi et de la rivière des Cannes (aux alentours des Natchitoches, le berceau des Créoles toutes ethnies confondues), exerce une forte pression déstabilisatrice sur l'ensemble du continuum. L'influence de l'anglais se traduit par force emprunts et calques, par l'alternance codique et par sa substitution progressive aux variétés vernaculaires dans leurs domaines d'utilisation traditionnels. La Louisiane francophone se caractérise par une diglossie enchâssée. L'anglais, parlé sous diverses formes, y compris avec l'accent « *cajun* », coiffe l'ensemble. Le FR se place au deuxième niveau et sert de norme externe (ou de concurrent selon l'avis de certains) aux variétés vernaculaires.

---

[1] Nous remercions Kevin Rottet de nous avoir fait part de commentaires fort judicieux sur notre texte.
[2] Ce continuum ne caractérise pas toutes les parties de la Louisiane francophone. Par exemple, il est relativement absent dans la paroisse Terrebonne d'où le CL est quasiment absent.

Paradoxalement, malgré sa dominance écrasante, l'anglais a favorisé indirectement la survivance du CL et du FC. En effet, au 19ᵉ siècle, en évinçant progressivement le FR d'alors de tous ses domaines d'utilisation, il a restreint son influence glottophagique sur ces deux variétés vernaculaires puisque, en remplaçant le FR dans les relations de diglossie, il a soustrait le CL à la décréolisation et le FC à la décadienisation. Ainsi, l'anglais a opéré comme un couteau à double tranchant, d'une part, se substituant aux variétés vernaculaires, d'autre part, en les mettant à l'abri des influences déstabilisatrices du FR, de sorte qu'il leur a permis de perdurer comme variétés autonomes, du moins temporairement.

En ce qui concerne la situation actuelle, bien qu'encore parlé par environ 200 000 personnes selon le dernier recensement, le FC ne se transmet guère de génération en génération. Par ailleurs, outre les phénomènes engendrés par le contact linguistique mentionné ci-dessous, il exhibe certains traits associés à l'étiolement linguistique (v. Rottet, ce volume).

Dans cet article sur la situation générale du français en Louisiane, nous traitons des questions laissées à l'écart par les contributions plus ponctuelles portant sur cette région francophone (v. les articles d'Ancelet et LaFleur, de Brown, de S. Dubois, de Klingler et de Rottet dans ce volume). Dans la première partie, en parallèle avec un historique de l'implantation et du développement du français en Louisiane, nous réfutons la notion sans nuances d'une division tripartite des variétés linguistiques liées au français au profit de la reconnaissance d'une variété de français constituant la langue haute d'une ancienne diglossie créolefrançais et surgissant d'un contexte dialectal compliqué. Dans la deuxième partie, nous offrons une description de la structure grammaticale et lexicale de la variété vernaculaire la mieux conservée, le FC. La troisième partie traite des phénomènes de contact et la quatrième aborde la question de l'élaboration d'une norme endogène dans le cadre d'initiatives pour le maintien et la revalorisation des variétés vernaculaires.

2. L'évolution du français en Louisiane

2.1. *La situation linguistique coloniale*

La plupart des auteurs ayant traité de la situation linguistique de la Louisiane francophone s'accordent pour reconnaître une configuration tripartite, bien que les termes choisis pour dénommer les trois variétés puissent varier d'un auteur à l'autre : (1) le français colonial, attribué aux Créoles blancs et aux Créoles de couleur ; (2) le FC, parlé par les descendants des immigrés acadiens ; (3) le créole, utilisé tant par des blancs que des noirs (Lane 1934, Tisch 1959, Smith-Thibodeaux 1977, Johannson 1981, Neumann 1985, Rottet 2001). La notion d'un français colonial, perçu comme proche du FR, suppose l'existence durant la période coloniale de conditions écolinguistiques favorables à une certaine homogénéité linguistique, en particulier une population culturellement et démographiquement homogène, comme cela semble avoir été le cas de la Nouvelle France, la province de Québec actuelle. Or, tant La Salle, qui planta le drapeau à fleur de lys à l'embouchure du Mississippi en 1689, que Lemoyne d'Iberville, qui fonda les établissements de Biloxi et de La Mobile en 1699 et 1701, ainsi que certains membres de leurs expéditions, venaient du Canada et non directement de France. Il n'est pas exclu que leur parler reflétait un certain nivellement de variétés régionales du français influencées par des dialectes oïl. Ainsi, dès le début, la Louisiane coloniale avaient deux patries : la France et le Québec. Mais la reconstruction du contexte géolinguistique et sociolinguistique de la période initiale de la colonisation de la Louisiane s'avère encore plus compliquée et requiert la prise en compte des facteurs suivants :

1) Face aux difficultés dans le recrutement de colons, John Law et la Compagnie générale d'Occident, qui avaient obtenu le monopole de la colonisation, se virent forcés de se tourner vers des colons d'origine géographique et sociale fort disparates, des locuteurs de dialectes allemands (Alsace, Bade, Suisse)[3] et de prostituées et forçats sortis des prisons (Denuzière 1990 : 243-255) qui de toute évidence ne parlaient pas le FR.

2) Dès le début de la colonisation, le développement économique de la Louisiane dépendait de l'utilisation d'une main-d'œuvre servile alloglotte, principalement d'origine africaine. Cette situation était propice à l'émergence d'un créole ciblé, non pas sur la forme standard usitée par certains segments de la population, mais sur le parler vernaculaire, lui-même fort variable.

---

[3] Vaugine (Canac-Marquis et Rézeau à paraître) indique que les familles allemandes établies au nord de la Nouvelle-Orléans étaient desservies par « un capucin de cette nation » et un officier subalterne « qui possede la langue allemande ».

3) L'immigration entre 1764 et 1785 des réfugiés acadiens (Leblanc 1993) introduisit un parler d'origine nettement dialectale, puisqu'ils provenaient généralement de régions patoisantes de France. Mais, ce qui est de prime importance, l'absence d'immigration après cette période isola le parler originel des changements subit ultérieurement par l'acadien dans les Provinces Maritimes. En revanche, les contacts entre la Louisiane et la France se poursuivirent jusque vers la moitié du 19ᵉ siècle.

4) Il existait en Louisiane avant l'implantation de variétés de français et la création du CL une langue véhiculaire amérindienne, le jargon mobilien, qui servait pour les contacts interlinguistiques le long du bas Mississippi (Margry 1879-1888, Crawford 1978, Drechsel 1997). Cette langue concurrençait le français comme lingua franca et augmentait la complexité de la situation linguistique coloniale.

Évidemment, ces divers facteurs rendaient difficiles l'établissement de liens sociaux entre les diverses communautés fondatrices et retardèrent l'émergence d'une solidarité inter-communautaire favorable au maintien ou au développement d'une variété relativement uniforme du français se démarquant peu du FR.

La survivance localisée de traits dialectaux appuie la notion de l'absence d'homogénéité linguistique dans la Louisiane coloniale, c'est-à-dire la période s'étendant des premières implantations jusqu'à la cession du territoire à la jeune république américaine en 1803. L'on retrouve dans la région de la Ville Platte au nord, et nullement ailleurs, la spirantisation des dentales /t/ et /d/ devant les voyelles antérieures hautes (*dit* [dᶻi], *tu* [tˢy]), un trait caractéristique des parlers laurentiens du Canada. Seule la région des marais, les paroisses Lafourche et Terrebone, connaît la glottalisation et le dévoisement de la fricative voisée [ʒ] (*jamais* [hamɛ]).

Par ailleurs, le témoignage de l'émergence d'une certaine stratification diastratique, quelles que soient les origines des locuteurs, est peut-être déjà perceptible en 1751, dans les remarques de Vaugine :

> Les habitans [terme caractérisant les maîtres d'« habitations », c'est-à-dire d'établissements agricoles] de la dependance de cette capitalle parle bien sans patois, quoyque la plus grande partie ne soient sorties que des villages de France et du Canada. Le commerce avec les étrangers a beaucoup contribué a les rende affables et polis et ne veulent jamais convenir etre originaires d'un village et insinuent as-

ses adroitement pour cet effet qu'ils sortent de belles origines et cela fondé, a ce que je pense, sur le bapteme qu'on fait au passage du tropique, qui détruit la roture et grossierté quy peut y etre attaché. (Canac-Marquis et Rézeau à paraître) [4]

En revanche, des contacts réguliers entre la Louisiane et le pays des Illinois, dont le peuplement était principalement canadien (v. Vézina ce volume) pouvaient donner lieu à un certain nivellement linguistique.

2.2. *Le français de plantation*

Pour résumer la section précédente, on peut adopter le terme de français colonial à condition de le définir comme une langue fort variable puisque utilisée par une population hétérogène comprenant une forte proportion d'alloglottes. Faiblement peuplée au cours des premières décennies de sa colonisation – la population n'atteignait qu'environ 30 000 âmes vers 1780 – la Louisiane recevait peu de nouveaux francophones. D'autre part, il y manquait les institutions – écoles et fort encadrement religieux – et une vie culturelle active qui pouvaient diffuser et maintenir la variété normée de la langue.

Ce n'est en fait qu'à partir du règne espagnol et sa cession aux États-Unis que la Louisiane connut le début d'un essor économique et qu'il s'y installa une véritable société de plantation. Nous utilisons ce terme avec le sens que lui donne Chaudenson (1992). Pour expliquer la genèse et le développement des créoles à base lexicale française, cet auteur distingue deux phases dans l'établissement des sociétés plantocratiques : 1) la société d'habitation caractérisée par de petites exploitations agricoles où l'importance de la population servile alloglotte est égale ou inférieure à celle des locuteurs de la langue cible et, par conséquent, celle-ci est accessible aux alloglottes; 2) la société de plantation composée d'établissements agro-industriels dans lesquels la population servile est prépondérante et, ayant un accès limité à la langue cible, crée une variété créolisée de celle-ci. L'arrivée en 1809 de 10 000 réfugiés Saint-Dominguois (blancs, mulâtres et noirs libres ainsi qu'esclaves) expulsés de leur premier havre à Cuba doubla le nombre des habitants de la Nouvelle-Orléans (Brasseaux 1990 : xii). La première moitié du 19e siècle vit une importante immigration directe de France, d'abord des réfu-

---

[4] Le journal de Vaugine décrit de manière détaillée la remontée du Mississippi lors d'une des expéditions officielles annuelles que cet officier commanda. Dans ce cas, la montée et la descente du fleuve, avec des arrêts dans les divers postes français, s'étala sur plus de trois ans.

giés bonapartistes, puis des personnes attirées par un essor économique
dû en partie à des innovations technologiques dans la production du
coton et la transformation de la canne à sucre. Il se forma à la Nouvelle-
Orléans, sur les bords du Mississippi de Donaldsonville à la Pointe
Coupée et le long des bayous Tèche et Terrebonne ainsi que de la rivière
des Cannes, une élite de propriétaires terriens formée principalement des
Créoles blancs mais aussi des Créoles de couleur et des Acadiens. La
prospérité aidant, les membres de cette élite envoyaient leurs fils (et
moins souvent leurs filles) suivre des études en France ou engagèrent
des tuteurs et gouvernantes maîtrisant le « bon » français (Lanusse 1845,
Desdunes 1911). Ainsi se généralisa en Louisiane une variété de français
se distinguant peu du FR qui se disséminait dans l'Hexagone grâce à la
politique scolaire de la Troisième République. Eu égard à son lien intime
avec la prospérité engendrée par le développement de la société de plantation le terme de *français de plantation* (FP) nous semble parfaitement
approprié pour dénommer cette variété de français.

Il est clair que, évoluant de pair avec le français de France, ce
FP ne peut être considéré comme une forme du français colonial ayant
subi une évolution strictement endogène. Tout au plus peut-on dire qu'il
est son successeur. Par ailleurs, la prospérité de la période précédant la
Guerre de Sécession dépendait d'une grande masse servile, formée principalement d'esclaves créolophones d'origine africaine. Il s'instaura au
sein de la société plantocratique et des couches sociales des centres urbains, surtout à la Nouvelle-Orléans, qui en dépendaient économiquement, une diglossie chez laquelle le FP constituait la langue haute et le
CL la langue basse (Valdman 1979). Bien sûr, dans les grandes plantations, les esclaves et les pauvres blancs qui travaillaient à leur côté ne
maîtrisaient guère la langue haute et usaient principalement du créole.
En revanche, les membres de l'élite alternaient dans l'usage des deux
langues selon la situation énonciative et le contexte social. En fait pour
les enfants, élevés par des domestiques et partageant les jeux de compa-
gnons serviles, le CL constituait leur langue première, comme le déclarent de nombreux auteurs issus de la classe des Créoles blancs, dont
Mercier (1880 : 2) :

> Tous les petits blancs d'origine française, en Louisiane, ont parlé ce
> patois [le CL] concurremment avec le français ; il y en a même
> parmi nous qui ont fait usage exclusivement du dialecte des nègres,
> jusqu'à l'âge de dix ou douze ans ; je suis de ceux-là [...]

Mercier ajoute qu'à la Nouvelle-Orléans, bien que le CL constituât la langue de l'intimité, la connaissance du français était partagée par toutes les strates de la société. Comme c'est le cas partout où coexistent un créole à base lexicale française et le français, tous les membres de la société de plantation témoignent d'une attitude ambivalente envers la langue basse. D'une part, on loue ses qualités expressives (Mercier 1880) ; d'autre part, on le caractérise comme une forme abâtardie du français (Tinker 1932 : 401).

2.3. *Le déclin du français de plantation*

Les échanges avec la France et l'afflux continu de locuteurs métropolitains de niveau social élevé maintinrent le FP proche du FR tant que perdura la prospérité économique. Il n'est nullement surprenant que la langue des auteurs louisianais de l'époque ne se distingue guère de celle de leurs homologues de l'Hexagone. Mais la Guerre de Sécession provoqua la ruine de l'économie plantocratique et, avec elle, le déclin de la diglossie FP-CL. Comme l'exprime Tinker (1932 : 6) :

> Le Sud entier fut ruiné et les Créoles avec lui. Ils n'avaient plus le moyen de s'offrir des voyages à Paris avec leur famille ou d'envoyer leurs fils dans des établissements français. Leur misère, comme un ciseau, coupa le cordon ombilical qui les rattachait à la France et par lequel la France entretenait la vie intellectuelle de ses enfants dans la Louisiane. La guerre civile condamna la langue française aux États-Unis.

L'élite francophone, subissant partout les pressions glottophagiques d'une population anglophone allant s'accroissant, adopta progressivement la langue dominante. D'ailleurs, la pression favorisant l'adoption de l'anglais venait également de la classe la plus déshéritée (Picone 2003). Dans presque tous les secteurs de la Louisiane, quantité de planteurs provenant des états anglophones s'installèrent avec leurs esclaves anglophones. De même, depuis 1808, les planteurs francophones déjà en place étaient obligés d'acheter en très grand nombre des esclaves originaires des régions anglophones à cause de l'interdiction générale de l'importation d'esclaves. Les esclaves des plantations possédées par les planteurs francophones – les Créoles blancs et les Créoles de couleur ainsi que les Acadiens assimilés par la société plantocratique – abandonnèrent le CL au profit de la variété d'anglais en usage parmi les esclaves anglophones de plus en plus nombreux. Il n'est pas exclu non plus que l'anglais ait été parfois transmis aux enfants des planteurs par des gardiennes serviles parlant anglais. En fin de compte, ce n'est qu'au sein de la population d'origine acadienne isolée par son statut social inférorisé ainsi que par l'absence de voies de communication que se conserva une variété de français, le FC.

Que reste-t-il aujourd'hui du FP ? Avec la disparition de la société de plantation et l'anglicisation des élites – blancs et Créoles de couleur – de la Nouvelle-Orléans, il n'en subsiste que des traces. Dans la paroisse de Plaquemines, au sud de la Nouvelle-Orléans, existe un petit groupe de locuteurs qui se disent Créoles d'origine mixte française, espagnole et amérindiennes. Particulièrement notable est l'absence d'instruction formelle en français parmi ce groupe et un faible niveau éducatif en anglais. De teint basané, ces Créoles subirent la discrimination raciale pendant l'ère de la ségrégation, en partie à cause de leur isolement et de leur refus de s'inscrire dans les écoles pour gens de couleur. Quoique l'examen exhaustif des traits linguistiques de cette population reste à faire, il est notable que leur parler s'oppose au FC par l'utilisation d'un /r/ dorsal au lieu du /r/ apical. Il se distingue également au plan phonologique par des différences dans le timbre des voyelles et des structures intonatives plus proches du FR. Le /r/ dorsal se retrouve aussi à la Grande Isle, également au sud de la Nouvelle-Orléans. L'éminent romaniste W. von Wartburg remarquait que dans cette localité les anciennes familles originaires de France et de la Nouvelle Orléans avaient préservé le français de cette ville (1942 : 75).

3. La structure du français louisianais

Il est paradoxal qu'en Louisiane les meilleures études descriptives portent sur le CL (Neumann 1985, Klingler 2003) plutôt que sur les variétés de français. Il n'existe aucune étude ciblée ni sur le français des colons ni sur le FP, et en ce qui concerne la variété la plus vivace, le FC, la plupart des travaux sont des mémoires de maîtrise de Louisiana State University (Baton Rouge) remontant aux années 1930 et 1940 qui, d'ailleurs, prennent souvent la forme de lexiques différentiels du parler de paroisses particulières. L'étude la plus globale demeure celle de Conwell et Juilland (1963) au sujet de laquelle Bright (1966 : 495) déclarait : « the job on Louisiana French remains to be done ». Les études les plus fiables sur lesquelles nous avons dû nous appuyer n'ont pas la prétention de s'appliquer au-delà du parler d'une paroisse particulière (Guilbeau 1950), voire du témoignage d'un seul locuteur (Papen 1972), ou alors elles privilégient une problématique particulière, l'étiolement linguistique (Rottet 2001, ce volume) ou la variation (Brown 1988, Byers

1988, S. Dubois ce volume). L'esquisse structurale que nous présentons ici porte principalement sur le FC et elle s'appuie donc sur des travaux aux finalités fort diverses.

3.1. *Phonologie*

Le système phonologique du FC diffère peu de celui du FR. Pour les voyelles, le trait le plus marquant au plan phonologique est l'absence d'opposition nette entre [ɔ̃] et [ɑ̃], par exemple, des paires minimales telles que *le sang* et *le son* sont neutralisées par la réalisation d'un son intermédiaire. En revanche, les différences abondent au plan phonétique. La voyelle ouverte /a/ a une articulation plus antérieure devant /r/ : *cher* [ʃær], *faire* [fær] et, au contraire, plus postérieure et haute partout ailleurs : *moi* [mwɑ], *loi* [lwɑ]. En syllabe finale ouverte /e/ a tendance à remplacer /ɛ/ : *lait* /le/, *prêt* /pre/ mais, en revanche, /ɔ/ et /œ/ se ferment en syllabe fermée : *école* [ekol], *peur* [pør]. Les voyelles à aperture moyenne ou ouverte se nasalisent devant une consonne : Louisiane [lwizjãn], *vilaine* [vilɛ̃n].

Le système consonantique du FC se distingue de celui du FR par la palatalisation des occlusives dentales et vélaires devant une voyelle antérieure : *moitié* [motʃe], *Dieu* [dʒø], *cadjin* [kadʒɛ̃], *cul* [tʃy], *gueule* [dʒøl] (et, aux alentours de Ville Platte, des occlusives dentales devant les voyelles antérieures fermées : *tu dis* [tˢy dᶻi]). Il existe aussi une aspirée glottale à valeur différenciative /h/, par exemple dans *la honte* /hɔ̃t/, *haler* « tirer » [hale]. La paroisse Lafourche se démarque par la spirantisation de /ʒ/ : *j'ai jamais mangé* [hehamemãhe]. L'on observe un [j] nasalisé correspondant à [ɲ] : *maquignon* « pince à linge » [makijɔ̃], *oignon* [ɔ̃jɔ̃], et /g/ précédé d'une voyelle nasale alterne avec la nasale vélaire /ŋ/ : *langue* [lãŋ]. La résonante /r/ est réalisée par un battement apico-dental : *roux* [ru], *charrer* « bavarder » [ʃare].

3.2. *Morphologie*

Dans le système nominal, certaines formes marquées du pluriel sont régularisées : des *chevals, des oeufs* [œf]. Cependant le /z/ de liaison s'étend aux chiffres et marque le pluriel : *j'ai quatre* [katz] *enfants, il y a huit* [ɥitz] *écoles.* Un grand nombre d'adjectifs ne montrent pas de forme féminine : *la terre sec, des patates frits.* Pour d'autres, il y a régularisation de la distinction de genre par l'élimination d'alternances vocaliques résultant de l'assimilation régressive de nasalisation, *vilaine/ vilain* [vilɛ̃n]/[vilɛ̃], *bonne/bon* [bɔ̃n]/[bɔ̃]. Les formes pré-vocaliques masculines différenciées des adjectifs pré-nominaux disparaissent : un *gros* [gro] *homme, un beau* [bo] *homme.*

Pour les pronoms, les principales particularités du FC sont le remplacement de *nous* par *on* ou *nous-autres* [nuzɔt], *vous* pluriel par *vous-autres* [vuzɔt] et l'extension de *eux* ([jø], [jøz]) aux fonctions de complément d'objet indirect. Le pronom *vous* subsiste mais tend à assumer la valeur exclusive de singulier de politesse. La distinction de genre est neutralisée pour la 3ᵉ personne du pluriel, *eux, eusse, eux-autres, ça, ils,* selon la localité et les caractéristiques sociales des locuteurs. Comme le signale Rottet (2001, ce volume), les locuteurs plus âgés favorisent *ils* et *eux-autres* et les plus jeunes *eusse* et *ça.* Pour les verbes pronominaux, le pronom *se* étend son domaine pour couvrir les trois personnes du pluriel : vous-*autres se lève de bon matin.* La forme des pronoms varie beaucoup selon la localité et selon les locuteurs : 1ʳᵉ personne du singulier *je* : [ʒ]/[ʒə] ou [h]/[hə]; *moi* : [mwa], [mwɔ̃], [mɔ̃] ; 2ᵉ personne du singulier : [ty], [ti]; 3ᵉ personne du singulier complément d'objet indirect *i* [i], [ij], [j]; 3ᵉ personne du pluriel complément d'objet indirect *yeux* [jø], [jøz]. Le parler de la paroisse Lafourche montre l'agglutination du pronom réfléchi au pronom possessif pour les personnes du singulier *mlamienne, tla-tienne, slasienne* (Papen 1972, Papen et Rottet 1997).

Certains des pronoms et adverbes interrogatifs se distinguent de leur équivalent du FR par leur forme : [eju, aju] pour *où,* [ekɑ̃] pour *quand,* [kofær] pour *pourquoi.* La forme *qui* (renforcée par *ce qui* dans les questions enchâssées) peut signifier *qui* ou *quoi : je veux que tu seilles qui ce qu'après venir* « je veux que tu saches qui vient », *qui tu veux dire?* « qu'est-ce que tu veux dire? ». Toutefois, dans l'état actuel des connaissances sur la variation topolectale et stratolectale, il est difficile de savoir laquelle des deux structures – *qui* = « qui » et « quoi » ou *qui* porte la même signification qu'en FR – est la plus répandue.

Le système verbal du FC s'apparente à celui des variétés vernaculaires de français, y compris le français populaire (Gadet 1992). On y retrouve une certaine régularisation des paradigmes verbaux par la réduction des désinences personnelles, le pronom indiquant la personne. Par exemple, le paradigme du présent de l'indicatif, illustré par le verbe *offrir,* ne montre que deux formes orales, celle de la forme polie de la 2ᵉ personne du singulier se distinguant des autres par l'adjonction de *-ez* au thème :

j'offre [øf],
tu offres
il, al offre
on offre
vous (forme polie, 2ᵉ personne du singulier) offrez
vous-autres [vuzøt] offre
yeux offrent, ils offre, ça offrent

La désinence *-ont* de la 3ᵉ personne du pluriel, que l'on retrouve aussi à l'imparfait (*ils aviont* [izavjõ]), semble caractériser les régions de la colonisation originale acadienne et, comme nous le verrons ci-dessous, semble servir de symbole identitaire. La réduction des formes est compensée par des formes périphrastiques utilisant l'infinitif (cf. Picone et LaFleur 2000 : 21) :

- Progressif : être après : *Al* (elle) *est après manger*
- Futur proche : aller : *Yeux* (ils/elles) *va danser*
- Accompli : sortir : *Je sors / je viens de manger*
- Obligatif : avoir pour : *J'a pour travaille*
- Impératif : allons : *Allons aller à Lafayette*
- Inchoatif : être parti : *Je sus parti danser*
- Imparfait : habitude : *J'habitude chanter*

Toutefois, il existe des formes différenciées pour le présent de l'indicatif, l'imparfait, le futur, le conditionnel et le subjonctif présent ainsi que des formes composées correspondant à leurs homologues du FR du point de vue de leur formation et de leur fonction. Pour le passé composé, l'auxiliaire *avoir* s'étend à tous les verbes, y compris les verbes pronominaux : *j'a resté, i s'a saoûlé, je m'a couché*. Mais Papen note qu'*être* est utilisé avec le plus-que-parfait : *Yeux sontaient partis dès qu'on l'a arrivé*. La distinction entre l'indicatif et le subjonctif, généralement neutralisée, subsiste pour les verbes irréguliers, le plus souvent sous la forme d'un radical unique : à *il faut que vous-autres voye* [vwaj], *que tu faises* [fɛz], *il faut qu'ils alliont/qu'il aye*. On ne saurait trop souligner la variabilité des formes dans cette variété vernaculaire non-normée. Par exemple, face à *j'a*, qui en outre se prononce [ʒa] ou [ha], on trouve aussi *j'ai*.

3.3. *Syntaxe*

Certaines particularités syntaxiques du FC reflètent les processus de régularisation mis en évidence dans le système morphologique.

Ainsi, la préposition *à* tend à se généraliser avec les noms de lieu féminins : *je vas à la France, au Canada*. La préposition *dans*, plus marquée sémantiquement que *en*, apparaît pour exprimer la notion d'inclusion : *dans l'été, dans* (« au ») *le soleil, dans* (« sous ») *la pluie*.

Le conditionnel s'emploie dans les deux propositions des constructions hypothétiques : *Si j'aurais quinze mille piastres, je m'achèterais un char neuf*. Mais la haute fréquence de ce trait en français populaire, pour ne mentionner que cette variété vernaculaire-là, démontre qu'il s'agit d'une survivance plutôt que d'une innovation (Rottet 2001).

L'adverbe négatif *pas* assume la fonction redondante du *ne* du FR : *j'ai pas rien dit, j'ai pas vu personne*, mais il n'est pas obligatoire : *j'ai plus d'argent, j'ai jamais di ça*.

L'ordre des pronoms complément d'objet diffère à l'impératif : le pronom complément indirect précède toujours le pronom complément d'objet direct. D'autre part, les pronoms sont postposés au verbe dans les phrases impératives négatives : *donne-moi-le, donne-i-le*, où *le* peut se prononcer [le], *donne-yeux-an, donne-moi-z-en, donne i pas*.

3.4. *Lexique*

Les particularités lexicales du FC abondent et contribuent à réduire l'intelligibilité entre cette variété et le FR. Par ailleurs, il existe des différences régionales notables à tel point que l'on doit se demander si au plan lexical le lien entre les variétés du CL et du FC d'une même région ne serait pas plus étroit qu'entre les variétés topolectales de ces deux langues entre elles (Klinger, Picone et Valdman 1997).

Le noyau d'un lexique différentiel du FC contiendrait des archaïsmes provenant de sources dialectales françaises dont un grand nombre se retrouve dans les autres parlers vernaculaires des Amériques – l'acadien et le québécois en particulier – ainsi que les créoles à base lexicale française du Nouveau Monde. Citons, par ex., *besson* « jumeau », *cabaner* « camper, passer la nuit », *catin* « poupée », *chassis* « fenêtre », *graffigner* « égratigner », *nénène* « marraine », *tirer* « lancer, traire », *taure* « génisse », *tasseau* « viande séchée ». Un autre pan important du lexique provient de ce que Chaudenson (1974) dénomme « le vocabulaire des îles », c'est-à-dire de termes associés à l'établissement des colonies plantocratiques des 17e et 18e siècles qui se sont propagés d'une colonie à une autre par le biais des contacts commerciaux et administratifs inter-îles et interzones. Un grand nombre d'entre eux provient d'emprunts aux diverses langues avec lesquelles le français est entré en contact, des vocables d'origine africaine : *gombo* « okra », *calinda* « danse suggestive associée au vaudou » ; espagnole ou caraïbe : *bagasse* « résidu de la canne à sucre », *maringouin* « moustique ». Associés au vocabulaire des îles, on retrouve les termes dits « marins », mais dont une grande partie a certainement une origine dialectale : *amarrer* « attacher », *embarquer* « monter dans, entrer », *haler* « tirer », *naviguer* « voyager », *virer de bord* « changer de côté ». Une analyse lexicologique exhaustive du français de Louisiane attend un inventaire actualisé des ressources lexicales de la langue[5].

Les inventaires lexicaux existants sont relativement abondants, bien que de qualité fort variable ou partielle (Ditchy 1932, Read 1931, Griolet 1986, Lavaud-Grassin 1988, Daigle 1984). En outre, il existe une trentaine de mémoires de maîtrise de Louisiana State University produits au cours des années 1930 et 1940, dont une partie fut dirigée par Read, qui décrivent le lexique différentiel de paroisses particulières[6].

L'ouvrage de Daigle, l'œuvre d'un locuteur natif, a la faiblesse de viser un objectif didactique. L'auteur prétend, d'une part, livrer un lexique épuré – « [the language] as it was spoken before it began to deteriorate after World War I » (1984 : v) – et, d'autre part, aider les locuteurs bilingues à ré-apprendre la langue de leur patrimoine. C'est en fait un dictionnaire bilingue où la partie anglais-cadien compte 429 pages contre seulement 165 pour la partie cadien-anglais. L'ouvrage de Lavaud-Grassin (1988), une thèse de doctorat inédite de l'Université de Paris-III se donne comme objet de décrire le lexique d'un français louisianais (FL) commun[7]. Précisément parce qu'il est sélectif, ce lexique

---

5 Cet inventaire est en voie de réalisation par les efforts d'une équipe interuniversitaire coordonnée par l'Institut Créole d'Indiana University. Cette initiative comprend l'élaboration d'une banque de données informatisée à partir de laquelle sera produit un dictionnaire synchronique non différentiel, *Dictionary of Cajun French*. Les données de cette banque proviennent de la compilation des glossaires existants et de la collecte récente de données sur le terrain. Le premier produit de ce projet est un CD-ROM, *À la découverte du français cadien à travers la parole*, qui offre un corpus textuel représentatif du français louisianais de 150 pages et un échantillon de la parole de diverses paroisses. Un logiciel de recherche lexicale incorporé donne accès à un glossaire d'environ 5 000 mots reliés à une concordance et aux textes dont ils sont tirés.

6 Pour une liste et une description de ces ouvrages, voir Klingler, Picone et Valdman 1997.

7 Voici comment cette auteure décrit ce FL commun : « Toutes les régions francophones de la Louisiane connaissent, à peu de variantes près, ce français cadjin, le parler de référence commun aux différentes régions, connu, sinon pratiqué, par les Créoles blancs et les Noirs créolophones, couramment utilisé par une population d'origine di-

restreint (il ne comporte que 3 700 items) n'offre qu'un aperçu partiel de la richesse lexical du FL et n'apporte aucune information sur les différences régionales. Par ailleurs, il est regrettable que cette auteure n'ait pas livré les termes exclus parce qu'ils ne faisaient pas partie de ce supposé noyau commun.

Pour les tendances lexicogéniques du FL, c'est-à-dire, ses stratégies néologiques, nous référons le lecteur au traitement détaillé de cette question dans Klinger, Picone et Valdman (1997). Comme nous le montrerons ci-dessous (partie 4), vu le bilinguisme généralisé actuel, les locuteurs font appel surtout à l'anglais plutôt qu'à des stratégies lexicogéniques internes pour combler les lacunes lexicales. Les relations avec la Nouvelle France et le pays des Illinois lors de la période fondatrice de la Louisiane, l'immigration acadienne et les apports directs de France jusqu'à la Guerre de Sécession rendent difficile l'identification des néologismes sans des études comparatives rigoureuses. Les dérivés suivants construits avec les affixes les plus productifs semblent, à première vue, être des néologismes puisqu'on ne les retrouvent pas dans le TLF : *piégeur* « trappeur », *rouleur* « vagabond », *pacanière* « verger contenant des pacaniers », *garçonnière* « grenier où dormaient les garçons », *pataterie* « cave pour conserver les pommes de terre », *mauditerie* « juron », *macaquerie* « bêtises », *encler* « fermer à clé », *cassailler* « casser ». Toutefois, des dérivés parallèles se retrouvent dans d'autres parlers américains, par ex. *pinière* « groupe de pins » en acadien (Massignon 1962), et *macaquerie* est attesté avec le même sens en créole haïtien (Valdman 1981).

4. Effets du contact linguistique

4.1. *Premiers contacts*

Pour bien rendre compte de l'impact du contact linguistique sur le FL, ce phénomène doit être examiné sous l'angle externe, c'est-à-dire de la perspective sociohistorique qui prend en compte l'interaction de diverses communautés linguistiques (Picone 1997a), ainsi que sous l'angle interne, c'est-à-dire par le biais d'un inventaire et d'une analyse des structures et unités linguistiques qui ont été ajoutées, modifiées ou éliminées par l'effet du contact avec d'autres langues. Bien que les circonstances exactes ne soient pas toujours très claires, nous avons tracé les grandes lignes de ce contact ci-dessus (partie 1) et, d'une manière

verse. Ce parler, plus ou moins proche du français académique, se comporte comme le trait d'union entre tous les francophones de Louisiane » (Lavaud-Grassin 1988 : 177).

plus détaillée dans Klingler, Picone et Valdman (1997 : 158-160, 172-176).

Nous savons, par exemple, que la diversité linguistique qui existait lors de l'ère coloniale était très importante et qu'en fait cette diversité se reflète dans le lexique actuel du FL (Read 1931). Les apports lexicaux des langues amérindiennes proviennent non seulement des relations avec les tribus locales, mais aussi d'un contact antérieur au Canada et dans la haute vallée du Mississippi (Picone 1996). Outre de nombreux toponymes, les langues locales ont légué des termes tels que *chaoui* « raton laveur » (dénommé d'abord *chat sauvage* et *chat de bois*) et *bayou* « bras de rivière à faible courant » empruntés au choctaou acquis par le biais de la langue véhiculaire régionale, le jargon mobilien (Drechsel 1997). Aux contacts antérieurs au nord avec les langues algonquines l'on doit *pacane* « noix comestible » et *plaquemine* « fruit comestible apparenté au kaki », bien que ces deux termes réfèrent à des produits faisant partie de l'environnement écologique louisianais. La présence d'esclaves d'origine africaine s'est traduite par des emprunts directs à leurs langues ou au créole tels que *couche-couche* « semoule à base de maïs » ou *bouki* « le hyène, personnage des contes populaires ». Enfin, au règne espagnol on devrait *tchourice* ou *chaurize* « type de saucisse », *lagniappe* « petit cadeau que l'on donne à un client » et *tamal* « viande enrobée de semoule de maïs » (à la paroisse Natchitoches).

4.2. *Influence de l'anglais*

Bien qu'il existe en FL des traces possibles de premiers contacts avec l'anglais avant la colonisation de la Louisiane (par ex. des éléments du vocabulaire commun au Canada et en Louisiane : *trapper* « chasser avec des trappes » et *record/récord* au sens primaire « registre, archive »), ce n'est qu'à partir du 19e siècle après la cession de la Louisiane aux États-Unis en 1803 que se fait sentir l'influence prépondérante de cette langue. L'immigration anglophone, non seulement la venue de planteurs, employés et marchands, mais aussi l'importation massive d'esclaves anglophones (Picone 2003), prit une grande importance dès la moitié de ce siècle grâce à l'expansion économique qui suivit l'acquisition du territoire par la jeune république américaine. Mais le poids de la présence anglophone, du point de vue démographique et sociopolitique, devint écrasant à la suite de la Guerre de Sécession quand les institutions et les traditions louisianaises, y compris celles portant sur la langue, s'orientèrent sur une voie assimilatrice, d'abord sous l'égide de l'occupant fédéral, et ensuite sous l'influence directe d'une population anglophone devenue majoritaire (Estaville 1990). C'est ce scénario qui a rendu précaire la situation de toutes les variétés apparentées au français.

L'influence prépondérante de l'anglais se manifeste virtuellement à tous les plans linguistiques. Mais aux plans phonologique et morphosyntaxique il est rarement clair si l'anglais est la source première d'un trait particulier du FL ou si cette langue sert à renforcer un trait pré-existant qui a survécu en Louisiane. Considérons, par exemple, le cas de l'emploi du conditionnel au lieu de l'imparfait dans la proposition introduite par *si, s'il faudrait lever les mains* [...], que Conwell et Juilland attribuent au contact bilingue, citant la construction anglaise « if he would need to raise his hands » (1963 : 153-154), mais qui, comme le fait remarquer Rottet (2001 : 186) existe dans plusieurs variétés de français évoluant indépendamment de l'anglais, dont le français populaire. En revanche, lorsque des structures parallèles à des homologues anglais ne se retrouvent pas dans d'autres variétés de français, l'appel à l'influence de la langue dominante est plus convaincant, comme c'est le cas de l'emploi du conditionnel plutôt que de l'imparfait pour exprimer la passé habituel, par ex. dans *ils auraient dansé* au lieu de *ils dansaient* modelé sur « they would dance » (Conwell et Juilland 1963 : 155-156, Rottet 2001 : 186).

Mais plus envahissants s'avèrent les calques, surtout au plan syntactico-sémantique, souvent par le biais des locutions, par exemple *Il est en dehors de lui-même* « Il est fou furieux » (*He's beside himself*), *C'est en feu* « Ça brûle » (*It's on fire*), *J'sus pas fou de ça* « Ça ne m'enthousiaste pas » (*I'm not crazy about that*), *Les brakes ont pas travaillé* « Les freins n'ont pas fonctionné » (*The brakes didn't work*). Au plan lexical, les calques prennent la forme de modélisation sur un homologue anglais, que ce soit un lexème, par ex. *récorder* « enregistrer » (*to record*) ou *improuver* « améliorer » (*to improve*), ou un syntagme, par exemple *Elle a marché à l'office* « elle est allée au bureau » (*She went to the office*), *clos d'huile* « champ pétrolifère » (*oil field*). Toutefois, ce dernier exemple illustre un cas de convergence entre un archaïsme, *huile* ayant le sens ancien de *pétrole*, renforcé par le modèle anglais.

Le rôle des emprunts dans le lexique du FL pose plusieurs problèmes. Un grand nombre d'entre eux, tels que *guimbler* « jouer [jeux de hasard] » (*to gamble*), *freezer* « congeler » (*to freeze*) et *grocery* « épicerie » (*grocery store*) sont pleinement assimilés et font partie intégrante du lexique de la langue. Toutefois, la fréquence des emprunts diffère selon le groupe d'âge. Paradoxalement, ce sont les locuteurs les plus âgés et pleinement compétents en FL qui empruntent le plus à l'anglais (Picone et LaFleur 2000). Pour la génération subséquente chez laquelle le bilinguisme FLanglais est plus avancé, en grande partie parce que cette génération a vécu l'interdiction de l'utilisation de sa langue maternelle à l'école (jusqu'aux cours des années 1960), l'emprunt est devenu une stratégie lexicogénique peu nécessaire et moins fréquente, car il est toujours possible pour ces locuteurs d'insérer dans leur discours français un élément anglais inassimilé (lexème ou syntagme) qui sera compris par leurs pairs bilingues. Lorsqu'il s'agit de lexèmes, dans la plupart des cas, le terme anglais perd sa flexion, mais sans que celle-ci soit remplacée par la flexion équivalente du FL, par exemple *J'ai DRIVE en ville* et non pas **DROVE* (ou **DRIVED*) ou **DRIVÉ*. Par ailleurs, il n'y aucun effort d'adapter la prononciation qui demeure celle de l'original anglais. Ce type d'alternance codique est particulièrement significatif parce qu'il se solde par un système morphologique intermédiaire, un intercode, qui se démarque tant du système de la langue matrice (le FL) que du système de la langue dominante. Il présente un défi aux modèles théoriques actuels de l'alternance codique selon lesquels tout énoncé doit être classé comme faisant partie de l'un ou de l'autre des systèmes en présence (Picone 1994, 1997b, Picone et LaFleur 2000).

5. Conclusion : l'avenir du français en Louisiane

Laminé par l'anglais qui exerce une pression continue, le français risque-t-il de suivre le même chemin que son congénère créole sur la pente d'une érosion menant à sa disparition? C'est en partie pour freiner une chute vertigineuse vers l'extinction du FL que fut lancé en 1968 le programme du CODOFIL (Conseil pour le Développement du Français en Louisiane)[8]. Mais l'un des effets pervers de cette initiative d'aménagement linguistique partant d'en haut fut d'introduire, ou plutôt de réintroduire, un troisième larron, le FR que le programme du CODOFIL avait choisi comme vecteur exclusif pour la revitalisation de la langue vernaculaire par le biais de l'école primaire (v. les articles de Brown et Ancelet et LaFleur, ce volume). Le programme du CODOFIL toucha peu d'écoliers, par exemple pendant l'année scolaire 1972-73 seulement 16 000 enfants étaient inscrits dans les classes du CODOFIL. Ce

---

[8] En fait, l'initiateur du programme du CODOFIL, James Domengeaux, visait à instaurer un bilinguisme français-anglais dans la totalité de la Louisiane: « [...] pour un avenir très prochain le jour où les États-Unis seront un pays bilingue. Bilingue par l'allemand comme langue seconde là où cette langue est plus répandue. Bilingue par l'italien comme langue dans les lieux où cette langue s'est développée davantage. Bilingue pour l'espagnol comme langue seconde dans les régions où l'on parle fréquemment l'espagnol. Bilingue par le français comme langue seconde là où la langue française est plus florissante » (cité dans Henry 1993 : 36).

ne fut que lorsque le Conseil pour l'Enseignement Primaire et Secondaire de Louisiane rendit l'enseignement d'une langue étrangère obligatoire à partir de la quatrième année du cycle primaire que le nombre des enfants suivant un enseignement du français augmenta de manière significative : en 1991-92 les effectifs s'élevaient à 77 924. Mais le programme du CODOFIL provoqua un autre effet pervers, la revendication de la part des militants cadiens, provenant des milieux universitaire et intellectuel pour la plupart, pour l'introduction du FC à tous les niveaux scolaires et à l'université. Domengeaux, qui en homme politique chevronné usait éloquemment de slogans, avait déclaré « Tu sauves la langue, tu sauves la culture ». Les militants cadiens se demandèrent comment le parachutage de formes exogènes par le biais des « brigades internationales » se distinguant fortement de l'usage vernaculaire porteur de la culture locale pouvait permettre à celle-ci de se maintenir. Ils élaborèrent progressivement une politique d'aménagement linguistique intelligente et réaliste partant de la base qui faisait une large place à la parole vernaculaire.

Cette politique, que décrivent en détail nos collègues Ancelet et LaFleur et Brown (ce volume), comportait, au plan du statut, la revalorisation du FL et, dans une moindre mesure, celle du CL en les illustrant par des textes littéraires (Ancelet 1980, Gravelles 1979, Barry 1989) ainsi que de matériaux pédagogiques (Abshire-Fontenot et Barry 1979, Gelhay 1985) et la promotion de son utilisation dans les médias et au sein d'activités culturelles. Au plan du corpus, après quelques balbutiements (Faulk 1977), la plupart des scripteurs se rallièrent à l'emploi de l'orthographe conventionelle qui, même si son niveau d'abstraction ne reflétait pas la prononciation, rendait accessible l'écrit louisianais au monde francophone. En revanche, ils revendiquèrent le droit à la différence aux autres plans de la langue : morphologie, syntaxe, lexique (Ancelet 1999). Il est intéressant de noter que confrontés à la variation, ils optèrent pour ce que l'on peut nommer la norme « acadienne », c'est-à-dire que leurs choix se portaient souvent sur une forme qui se rapprochait le plus de celle en usage en Acadie. Par exemple, face à l'allomorphie de la combinaison pronom de la 3e personne du pluriel et flexion verbale correspondante, ils optaient pour la combinaison *ils + -ont* (*ils chantont*) (Gravelles 1979) plutôt que pour des variantes plus fréquentes : *ils/eusse/eux-autres/ça chante* (cf. Rottet 2001)[9].

---

[9] Comme nous le fait remarquer ce dernier auteur (communication personnelle, mai 2003) il est possible que ce choix reflète la forme en usage dans la région dont sont originaires certains auteurs plutôt qu'un parti pris idéologique.

Nonobstant ces efforts méritoires, le maintien et la revitalisation du français en Louisiane se heurtent à deux obstacles majeurs. Le premier, le FC manque de vitalité. Une étude menée dans 35 communautés représentatives du Triangle francophone par Trépanier (1993) montre que le FC se transmet difficilement d'une génération à une autre. Les enquêtés étaient invités à indiquer quelle était la langue que parlaient le mieux leurs grands-parents, leurs parents, leurs enfants et eux-mêmes. Pour la génération des grands-parents, le français était retenu par 92 % des enquêtés. La proportion descendait à 84 % pour la génération des parents et à 41 % pour celle des enquêtés eux-mêmes. Pour la dernière génération, la proportion chutait vertigineusement à 3 %. Quant au second obstacle, l'inclusion de la langue vernaculaire dans les classes de français, en particulier les classes d'immersion, nécessite des enseignants capables de la manier ou, pour le moins, d'en avoir une certaine connaissance. Or, selon Tornquist (2000), des 110 enseignants assurant des cours d'immersion, seulement trois sont des Louisianais natifs « purs » et 28 des résidents de l'état naturalisés. L'enseignement du français en Louisiane dépend donc d'un corps enseignant relativement instable constitué de francophones extérieurs, les FATS (Foreign Associate Teachers). « L'école a détruit le français, l'école doit reconstruire le français » déclarait James Domengeaux. Mais l'on doit se demander si l'École peut vraiment assurer la transmission d'une langue lorsque manquent des maillons dans la chaîne de transmission naturelle. Sur ce point Valdman (1988 : 25) concluait en exprimant des doutes quant à la capacité de l'école d'assumer cette fonction :

> [...] l'école ne peut pas rétablir l'usage de la parole ancestrale chez les groupes minoritaires. Comme le souligne de nombreuses analyses, pour qu'elle contribue au maintien des langues minoritaires et à la prise de parole par ces langues, il faut que celles-ci aient prise sur les domaines d'utilisation de la parole, qu'elles assument des fonctions que ne peut prendre en charge la langue stato-nationale, qu'elles contribuent à la construction de la socialité et au développement de la sociabilité. L'école somme toute n'est qu'un des maillons de la chaîne des rapports sociaux et ce serait se bercer de vaines illusions que de lui attribuer un rôle prépondérant dans le renversement des valeurs sociales ou dans la modification des réseaux sociaux où se tissent les rapports entre variétés langagières.

Cependant, il existe un domaine restreint où le français louisianais se préserve et se répand naturellement sans l'intervention de l'école. Il s'agit de l'expression artistique (Picone 1997a : 140-143). Les auteurs francophones en Louisiane ne sont pas nombreux, mais ils exercent une influence positive pour le maintien de la langue (Brown 1993), surtout lorsque leur production artistique ne se cantonne pas à l'écrit (la population cadienne en Louisiane étant illettrée en français dans sa quasi-totalité), mais se propage par le biais de l'oralité (par ex. des contes et des poèmes, Ancelet 1980, lus à la radio, des représentations de pièces de théâtre, Gravelles 1979). Encore plus significatif, en ce sens qu'elle est plus populaire et plus spontanée, la chanson cadienne est devenue une véritable force motrice pour le maintien du français louisianais même parmi les jeunes, tout au moins dans un contexte restreint (et parfois bilingue, v. Picone 2002).

Références

ABSHIRE-FONTENOT, Shirley et David BARRY. 1979. *Cajun French*, Lafayette, Louisiana, University of Southwestern Louisiana.

ANCELET, Barry J. 1980. *Cris sur le bayou*, Montréal, Éditions Intermède.

ANCELET, Barry J. 1999. La politique du français louisianais, *L'ACadjin* (Éditions CMA 1999 : 4).

BARRY, David. 1989. « A French literary renaissance in Louisiana : Cultural reflections », *Journal of Popular Culture*, 23 : 47-63.

BRASSEAUX, Carl A. 1990. *The « foreign French » : Nineteenth-century French immigration into Louisiana, vol. 2, 1840-1842*, Lafayette, University of Southwestern Louisiana Center for Louisiana Studies.

BRIGHT, William. 1966. [Compte-rendu de *Louisiana French Grammar I : Phonology, morphology, syntax*, Marilyn CONWELL et Alphonse JUILLAND], *Romance Philology*, 19 : 490-495.

BROWN, Becky. 1988. *Pronominal equivalence in a variable syntax*, thèse de doctorat inédite, University of Texas, Austin.

BROWN, Becky. 1993. « The social consequences of writing Louisiana French », *Language in Society*, 22 : 67-101.

BYERS, Bruce. 1988. *Defining norms for a non-standard language : A study of verb and pronoun variation in Cajun French*, thèse de doctoral inédite, Indiana University, Bloomington.

CANAC-MARQUIS, Steve et Pierre RÉZEAU (éds.). À paraître. *Le Journal d'Étienne-Martin Vaugine de Nuisement (ca 1765)*, Québec, Les Presses de l'Université Laval.

CHAUDENSON, Robert. 1974. *Le lexique du parler créole de la Réunion*, Paris, H. Champion.

CHAUDENSON, Robert. 1992. *Des îles, des hommes, des langues : langues créoles, cultures créoles*, Paris, L'Harmattan.

CONWELL, Marilyn. J. et Alphonse JUILLAND. 1963. *Louisiana French grammar I : Phonology, morphology, syntax*, La Haye, Mouton.

CRAWFORD, James M. 1978. *The Mobilian trade language*, Knoxville, University of Tennessee Press.

DAIGLE, Jules O. 1984. *A dictionary of the Cajun language*, Ann Arbor, Michigan, Edwards Brothers.

DITCHY, Jay K. 1932. *Les Acadiens louisianais et leur parler*. Paris, Droz.

DENUZIÈRE, Maurice. 1990. *Je te nomme Louisiane : découverte, colonisation et vente de la Louisiane*, Paris, Éditions Denoël.

DESDUNES, Rodolphe L. 1911. *Nos hommes et notre histoire*, Montréal, Arbour et Dupont.

DRECHSEL, Emanuel J. 1997. *Mobilian jargon : Linguistic and sociohistorical aspects of a Native American pidgin*, Oxford, Clarendon Press.

ESTAVILLE, Lawrence E., Jr. 1990. « The Louisiana French language in the nineteenth century », *Southern Geographer*, 30 : 107-120.

FAULK, James D. 1977. *Cajun French I*, Crowley, Louisiana, Cajun Press.

GADET, Françoise. 1992. *Le français populaire*, Paris, Presses Universitaires de France.

GELHAY, Patrick. 1985. *Notre langue louisianaise : Our Louisiana language*, Jennings, Louisiana, Éditions Françaises de Louisiane.

GRAVELLES, Marc Untel de (MARCANTEL, David). 1979. *Mille misères – laissant le temps rouler en Louisiane, Document de travail 5*, Québec, Projet Louisiane, Département de Géographie, Université Laval.

GRIOLET, Patrick. 1986. *Mots de Louisiane : étude lexicale d'une francophonie*, Göteborg, Suède, Acta Universitatis Gothoburgensis.

GUILBEAU, John. 1950. *The French spoken in Lafourche Parish, Louisiana*, thèse de doctorat inédite, University of North Carolina, Chapel Hill.

HENRY, Jacques. 1993. « Le CODOFIL dans le mouvement francophone en Louisiane », *Présence Francophone*, 43 : 25-46

JOHANNSON, Christer. 1981. The French language in Louisiana : A summary. *Moderna-Sprak*, 75 : 259-272.

KLINGLER, Thomas A. 2003. « *If I could turn my tongue like that* » : *The creole language of Pointe Coupee Parish, Louisiana*, Baton Rouge, Louisiana State University Press.

KLINGLER, Thomas A., Michael D. PICONE et Albert VALDMAN. 1997. « The lexicon of Louisiana French », dans Albert VALDMAN (dir.), *French and Creole in Louisiana*, New York, Plenum, 145-181.

LANE, George S. 1934. « Notes on Louisiana French », *Language*, 10 : 323-333.

LANUSSE, Armand (éd.). 1845. *Les Cenelles : choix de poésies indigènes*, Nouvelle Orléans, Louisiana, H. Lauve.

LAVAUD-GRASSIN, Marguerite. 1988. *Particularités lexicales du parler cadjin en Louisiane (États-Unis)*, thèse de doctorat inédite, 4 vols., Université de Paris Sorbonne Nouvelle (Paris III).

LEBLANC, Robert G. 1993. « The Acadian migrations », dans Dean R. LOUDER et Eric WADDELL (dirs.), *French America : Mobility, identity, and minority experience across the continent*, Baton Rouge, Louisiana State University Press, 164-190.

MARGRY, Pierre (éd.). 1879-1888. *Découvertes et établissements des Français dans l'ouest et dans le sud de l'Amérique Septentrionale, 1614-1698, Mémoires et documents inédits*, 6 vols., Paris, Maisonneuve.

MASSIGNON, Geneviève. 1962. *Les parlers français d'Acadie*, 2 vol., Paris, Librairie C. Klincksieck.

MERCIER, Alfred. 1880. « Étude sur la langue créole en Louisiane », dans *Comptes rendus de l'Athénée Louisianais*, 378-383.

NEUMANN, Ingrid. 1985. *Le créole de Breaux Bridge, Louisiane*, Hamburg, Helmut Buske.

PAPEN, Robert. 1972. « Louisiana "Cajun" French : A grammatical sketch of the French spoken on Bayou Lafourche », manuscrit inédit.

PAPEN, Robert A. et Kevin J. ROTTET. 1997. « A structural sketch of the Cajun French spoken in Lafourche and Terrebonne Parishes », dans Albert VALDMAN (dir.), *French and Creole in Louisiana*, New York, Plenum Press, 71-108.

PICONE, Michael D. 1994. « Code-intermediate phenomena in Louisiana French », dans Katharine BEALS, Jeannette DENTON, Robert KNIPPEN, Lynette MELNAR, Hisam SUZUKI et Erica ZEINFELD (dirs.), *CLS 30-I : Papers from the Thirtieth Regional Meeting of the Chicago Linguistic Society, Volume 1 : The Main Session*, Chicago, Chicago Linguistic Society, 320-334.

PICONE, Michael D. 1996. « Stratégies lexicogéniques franco-louisianaises », *Plurilinguismes*, 11 : 63-99.

PICONE, Michael D. 1997a. « Enclave dialect contraction : An external overview of Louisiana French », *American Speech*, 72 : 117-153.

PICONE, Michael D. 1997b. « Code-switching and loss of inflection in Louisiana French », dans Cynthia BERNSTEIN, Tom NUNNALLY et Robin SABINO (dirs.), *Language variety in the South revisited*, Tuscaloosa, University of Alabama Press, 152-162.

PICONE, Michael D. 2002. « Artistic codemixing », *University of Pennsylvania working papers in linguistics*, 8 (3) : 191-207.

PICONE, Michael D. 2003. « Anglophone slaves in Francophone Louisiana », *American Speech*, 78 (4) : 404-433.

PICONE, Michael D. et Amanda LAFLEUR. 2000. « La néologie et les anglicismes par tranches d'âge en français louisianais », dans Danièle LATIN et Claude POIRIER (dirs.), *Contacts de langues et identités culturelles : perspectives lexicographiques, Actes des quatrièmes Journées scientifiques du réseau « Étude du français en francophonie »*, Québec, Les Presses de l'Université Laval, 15-27.

READ, William A. 1931. *Louisiana-French*, Baton Rouge, Louisiana State University Press.

ROTTET, Kevin J. 2001. *Language Shift in the Coastal Marshes of Louisiana*, New York : Peter Lang.

SMITH-THIBODEAUX, John. 1977. *Les Francophones de Louisiane*, Paris, Éditions Entente.

TINKER, Edward Larocque. 1932. *Les écrits de la langue française en Louisiane au XIXe siècle : essais biographiques et bibliographiques*, Evreux, France, Imprimerie Hérissey.

TISCH, Joseph LeSage. 1959. *French in Louisiana*, New Orleans, A.F. Laborde and Sons.

TLF : IMBS, Paul (vol. 1-7) et QUEMADA, Bernard (vol. 8-16) (dirs.). 1971-1994. *Trésor de la langue française. Dictionnaire de la langue du XIXe et du XXe siècle*, Paris, Gallimard; CRNS-Editions. [http:// www.atilf.fr/tlfi].

TORNQUIST, Lisa. 2000. *Attitudes linguistiques vis-à-vis du vernaculaire franco-louisianais dans le programme d'immersion en Louisiane*, thèse de doctorat inédite, University of Louisiana, Lafayette.

TRÉPANIER, Cécyle. 1993. « La Louisiane française au seuil du XXIe siècle : la commercialisation de la culture », dans Gérard BOUCHARD et Serge COURVILLE (dirs.), *La construction d'une culture : le Québec et l'Amérique française*, Sainte-Foy, Québec, Les Presses de l'Université Laval, 361-394.

VALDMAN, Albert. 1979. « La diglossie français-créole dans l'univers plantocratique », *Revue de Louisiane/Louisiana Review*, 8 : 43-53.

VALDMAN, Albert. 1988. « Introduction », dans Geneviève VERMES (dir.), *Vingt-cinq communautés linguistiques de la France*, vol. 1, Paris, L'Harmattan, 7-28.

VALDMAN, Albert (dir). 1981. *Haitian Creole - English - French Dictionary*, Bloomington, Indiana, Indiana University Creole Institute.

WARTBURG, Walther von. 1942. « To what extent is an atlas of Louisiana French possible and desirable? », *American Council of Learned Societies*, 34 : 75-81.

Description de la situation sociolinguistique générale et aspects de la structure linguistique :

Isolats et parlers périphériques

Les Franco-Terreneuviens et le franco-terreneuvien

Ruth King et Gary Butler, Université York

1. Introduction

Le franco-terreneuvien est une variété du français acadien mal connue, du fait qu'elle a fait l'objet de peu d'études jusqu'à encore récemment. Il est parlé sur la côte ouest de Terre-Neuve (voir carte 1) par les descendants de deux groupes de colons de langue française, des Acadiens de l'Île-du-Cap-Breton en Nouvelle-Écosse, et des métropolitains de Normandie et de Bretagne. Il s'agit en outre d'un parler relativement jeune, puisque la colonisation de la région n'a commencé que vers la fin du 18e siècle, et qui reste ostensiblement acadien, même si certains traits propres à cette variété ont subi un nivellement dialectal. En même temps, il s'agit d'un parler très conservateur qui a su garder des traits de l'ancienne langue en raison de son isolement géographique (ce n'est que depuis peu qu'il a des contacts avec d'autres variétés du français et avec l'anglais). Ces dernières années, cependant, ont vu un changement identitaire au sein de la population franco-terreneuvienne, changement coïncidant avec la disparition des anciennes générations nées au début du 20e siècle et issues de la colonisation européenne remontant à un passé assez récent, lesquelles étaient très attachées à leurs racines métropolitaines. Les jeunes générations d'aujourd'hui, elles, ont établi des liens avec la francophonie acadienne, renouant ainsi avec un passé plus lointain compte tenu que la colonisation acadienne avait pris fin dès la fin des années 1800. En outre, les contacts plus intenses avec l'anglais ces dernières années, et le bouleversement socio-économique qui a frappé les régions rurales de Terre-Neuve, ont entraîné une baisse importante du nombre de jeunes locuteurs francophones, ce qui fait craindre pour l'avenir de cette variété.

Carte 1
Île de Terre-Neuve

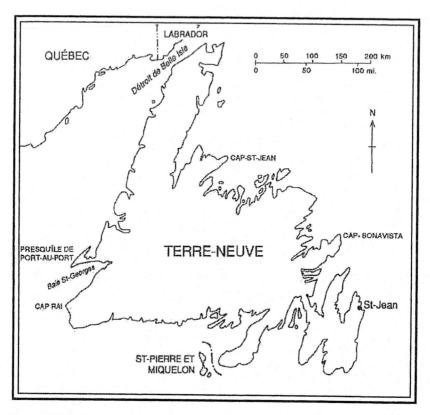

Source : York University Cartographic Services

2. L'Acadie et la France se rencontrent

La langue et la culture de la population française de Terre-Neuve sont le produit d'une série de circonstances historiques complexes qui ont façonné un contexte social menant au développement d'un peuple à la fois typiquement canadien-français et spécifiquement franco-terreneuvien[1]. C'est vers la fin du 18e siècle, pour échapper à la déportation (le « Grand dérangement ») imposée par l'administration anglaise en Nouvelle-Écosse, que les premiers Acadiens commencèrent à venir s'installer dans la baie Saint-Georges, en provenance de l'Île-du-Cap-Breton. Dès 1780, deux familles se sont établies près des villes ac-

---

[1] Le bref exposé qui suit est une version condensée de Butler (1994).

tuelles de Saint-Georges et de Stephenville. En 1821, on dénombrait 18 familles, dont 5 près de Stephenville et 13 à Saint-Georges. Et selon un rapport rédigé en 1830 à l'intention du commandant des îles de Saint-Pierre et Miquelon par un officier de la marine française (de La Morandière 1966 : 1179), « la population [de la baie Saint-Georges] est d'environ 2 000 âmes qui peuvent se diviser en quatre parties, à savoir : 400 Anglais, 1 200 Acadiens, Français et sauvages 400 ». Vers 1850, la population de la baie était composée majoritairement de francophones (Acadiens [68 %] et Français [12 %]). La région de Stephenville fut colonisée presque exclusivement par des Acadiens, surtout en provenance des villages de Margaree et de Chéticamp en Nouvelle-Écosse. La population de la presqu'île de Port-au-Port, d'origine française et acadienne en grande partie, s'élevait à plus de 2 000 âmes vers 1884. Elle était répartie principalement dans les communautés de Cap-St-Georges, West Bay, Clam Bank Cove, Île-Rouge/La Grand'Terre, Maisons-d'Hiver et l'Anse-à-Canards (v. carte 2). Dans les documents de l'époque on retrouve des noms de famille typiquement acadiens, tels que Benoît, Leblanc, Lejeune, Jesseau, Marche, Aucoin et Gallant.

Moins d'un siècle après la première vague de colonisation, des matelots originaires du nord de la France (Bretons et Normands), et faisant partie de l'équipage des bâtiments de pêche français, se sont ajoutés à la population acadienne déjà établie. Parmi ces colons, il y avait des déserteurs de l'industrie française de la pêche à la morue désireux d'échapper à leurs conditions de travail pénibles et au service militaire obligatoire qui les attendait à la fin de leur formation comme matelots. Outre ces colons, il y avait un petit nombre de marchands qui soutenaient la pêche dans la région et qui ont choisi de s'y installer en permanence. Il est évident que la contribution des Français européens à la colonisation de la région fut relativement mineure comparée à celle des Acadiens, qui ont toujours constitué la majorité de la population[2]. Parmi ces colons du nord-ouest de la France figuraient des LeMoine, LeBreton, LeFillatre, Kerfont, Anceruire, Camus, LaCosta et LeBasque. Bon nombre d'entre eux ont pris pour épouses des femmes acadiennes ou anglaises. En 1904, ayant signé une convention avec l'Angleterre, la France renonçait à ses droits de pêche sur la côte ouest de Terre-Neuve

---

2 Certains chercheurs (Thomas 1982) exagèrent l'importance de l'apport européen et à la culture et à la langue. Dans nos propres travaux (Butler 1995), nous avons tenu à souligner l'importance du fait acadien en appelant les francophones de Terre-Neuve des Franco-Acadiens.

Carte 2 : Presqu'Île de Port-au-Port/La Baie Saint Georges

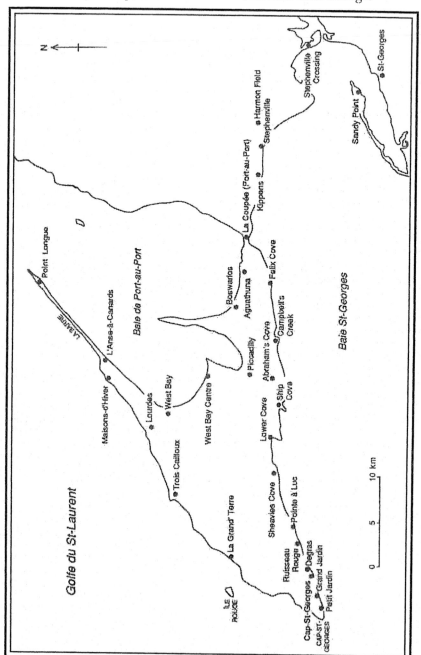

Source : Memorial University of Newfoundland Cartographic Services

et ainsi prenait fin la deuxième vague de peuplement francophone, celle de la colonisation européenne.

3. Le fait franco-acadien au 20ᵉ siècle

Après 1904, avec le contrôle absolu exercé par le gouvernement anglais de Terre-Neuve sur tous les aspects de la vie de la région, l'influence de la culture dominante commença à se faire sentir de plus en plus, et les écoles, les églises et les commerces se trouvèrent envahis progressivement par la langue anglaise. Le seul fait d'être membre de la culture majoritaire conférait aux anglophones un statut social supérieur à celui des francophones qui, ayant été jusque-là le groupe le plus important, se trouvèrent relégués graduellement au second plan dans presque tous les domaines sociaux. Illettrés pour la plupart, les francophones n'avaient profité que d'une seule période d'instruction française au 19ᵉ siècle, alors que le père Bélanger était curé à Saint-Georges. Sur la presqu'île, il n'y avait qu'un seul prêtre français, l'abbé Pierre-Adolphe Pineault, qui arriva à Clam Bank Cove (qu'il renomma Lourdes) en 1912. Pineault fut le premier et le dernier prêtre francophone à officier sur la presqu'île de Port-au-Port. Après son départ en 1928, tous les prêtres et instituteurs qui lui ont succédé furent des anglophones qui exigeaient l'emploi de l'anglais à l'école, à l'exclusion du français. Résultat : les enfants francophones ne fréquentaient l'école que très sporadiquement et la plupart l'abandonnaient définitivement à un très jeune âge. Grâce à leur niveau d'éducation relativement supérieur, les Anglo-Terreneuviens obtenaient des emplois à la fois plus intéressants et mieux rémunérés. Cette spirale d'inégalité est l'un des principaux facteurs à avoir mis en péril la langue et la culture franco-acadiennes à Terre-Neuve.

En 1940, la vie à Stephenville, jusqu'alors dominée par des fermiers d'origine acadienne, changea brusquement avec la construction d'une base aérienne des forces armées américaines. Les Américains avaient acheté les terres des fermiers l'année précédente et, avec la transformation de ces terres en pistes d'atterrissage, l'existence traditionnelle des Acadiens fut subitement exposée à l'influence de la culture américaine. Certes, il y eut des fermiers qui quittèrent l'endroit pour s'installer sur la presqu'île de Port-au-Port, mais la plupart trouvèrent des emplois bien payés pendant la construction et la mise en service de la base. Pour ceux-ci, évidemment, l'anglais était nécessaire s'ils voulaient être admis aux meilleurs postes et, petit à petit, la valeur de l'individu lui-même fut assimilée à son niveau d'anglicisation. Et ce n'étaient pas seulement les anglophones qui dévalorisaient l'héritage français. La population de la région étant maintenant majoritairement anglophone, maintes familles francophones se mirent à renier leur héritage, ne transmettant que l'anglais à leurs enfants et allant même jusqu'à angliciser leur nom de famille (Benoît devint Bennett, Leblanc devint White). Après la fermeture définitive de la base en 1966, les francophones se trouvèrent dans l'obligation de reprendre leurs métiers traditionnels, transformation qui s'effectua non sans difficulté car il existait maintenant toute une génération qui n'avait jamais appris les techniques nécessaires à l'exercice de ces activités. Lors de nos premières recherches sur le terrain pendant les années 1970, il n'y avait à Stephenville/Kippens qu'une douzaine de septuagénaires et octogénaires encore capables de s'exprimer en français. Ce n'était que dans les communautés de Cap-St-Georges (et ses environs), de la Grand'Terre et de L'Anse-à-Canards/Maisons d'Hiver que l'on trouvait encore une concentration de francophones.

Sur la péninsule de Port-au-Port, les effets perturbateurs de la base américaine établie à Stephenville furent beaucoup moins ressentis, car l'isolement géographique protégeait la culture francophone des influences assimilatrices. Bien sûr, il y avait des francophones de la presqu'île qui allaient travailler sur la base aérienne, mais leur nombre était faible et il existait toujours une séparation nette entre leur vie professionnelle et leur vie domestique. Ceci ne veut pas dire que l'anglicisation épargna la presqu'île de Port-au-Port. Au contraire, elle commença même un peu avant, en 1935, avec l'arrivée à Lourdes de 27 familles anglaises de la côte sud de Terre-Neuve, soit une population égale à celle combinée de Maisons-d'Hiver et de L'Anse-à-Canards. D'autres colons suivirent et Lourdes devint une véritable colonie anglophone, brisant la chaîne jusqu'alors ininterrompue de communautés francophones qui commençait à La Grand'Terre, au sud-ouest de la péninsule, et remontait, en passant par Trois Cailloux et Lourdes, jusqu'à Maisons-d'Hiver, L'Anse-à-Canards et La Barre au nord-est. Lourdes divisait maintenant la région en deux parties isolées et entamait du même coup l'intégrité de la francophonie de cet endroit.

Quoique la menace assimilatrice fut grave, ce n'est qu'à partir des années 1970 que l'on commença à prendre des mesures en vue d'une valorisation du patrimoine vivant des francophones de la presqu'île. En 1971, grâce à l'aide et à l'encouragement du Secrétariat d'État du Canada, les habitants de Cap-Saint-Georges fondèrent l'Association des Terre-Neuviens français et, en 1974, l'on se mit à recevoir de Montréal des émissions de télévision de la chaîne française de Radio-Canada. En 1975, la première école bilingue fut fondée au Cap, ce qui offrit aux élèves la possibilité d'être éduqués dans la langue de leurs aïeux. De leur côté, les habitants de L'Anse-à-Canards/Maisons-d'Hiver établirent l'Association des Terre-Neuviens français de L'Anse-à-Canards en 1972. Cette renaissance se poursuivit en 1980 avec l'organisation à Cap Saint-Georges d'un festival de musique, de chanson et de danse folkloriques, « Une Longue Veillée », qui devint par la suite un événement annuel attirant des musiciens et des chansonniers non seulement de la région mais aussi de toute l'Acadie, du Québec et de la Louisiane. Ces développements furent suivis dans les années 1980 par la fondation à La Grand'Terre de l'association « l'Héritage de l'Île-Rouge » et par l'établissement d'une école de langue française à La Grand'Terre en 1989[3]. En organisant chaque année des fêtes musicales comme « Un Plaisir du Vieux Temps » à L'Anse-à-Canards et « Une Journée dans l'Passé » à La Grand'Terre, ces associations cherchent à préserver et à promouvoir leur héritage au moyen d'activités et de projets culturels offerts par leurs centres communautaires. Bien que ces initiatives aient freiné le déclin du français, il reste à voir s'il est encore possible de renverser l'impact négatif de plus de 150 ans de discrimination envers les Franco-Acadiens de la côte ouest de Terre-Neuve.

4. Particularités linguistiques

Le franco-terreneuvien a de nombreux traits en commun avec le français familier, avec les parlers régionaux de France et avec les autres variétés de français que l'on trouve en Amérique du Nord, notamment les parlers acadiens des trois provinces maritimes. Tel que mentionné ci-dessus, le franco-terreneuvien se présente également comme une espèce de miroir sur le passé, ayant conservé mieux que beaucoup d'autres variétés du français des traits archaïques.

En guise d'illustration, voici quelques traits phonologiques du franco-terreneuvien : le relâchement des voyelles hautes en syllabe fermée (par ex. *vite* [vɪt], *jupe* [ʒʏp], *bout* [bʊt]); le maintien de l'opposition [ɑ]/[a] (par ex. *pâte* [pɑt] vs *patte* [pat]); l'ouverture de [e] devant *r* suivi d'une autre consonne (par ex. *auberge* [obarʒ]); l'allongement et la faible diphtongaison des voyelles non hautes (par ex. *tête* [teʲt]); la prononcia-

---

[3] Voir le site web http://collections.ic.gc.ca/red_island/

tion de la séquence graphique -*oi*- comme [we] plutôt que [wa] (mais seulement en syllabe fermée, comme dans *boite* [bweɪt]); et le maintien du *b* dans certains items lexicaux (par ex. *hache* [haʃ]). Par contre, on ne note pas de fermeture extrême de [ẽ], d'antériorisation de [ɑ̃], d'assibilation de *t* et *d*, ni de diphtongaison prononcée comme en québécois, mais on y rencontre la palatalisation de *k* et *g* devant une voyelle haute, si typique de l'acadien traditionnel (par ex. *qui* [tʃi], *guérir* [dʒerir]), et la réalisation de [ʃ] et [ʒ] comme des fricatives vélaires ou glottales (par ex. *argent* [ar-ɣõ]). Dans le français moribond de Stephenville/Kippens (communautés uniquement acadiennes), nous avons observé, au début de nos recherches sur le terrain à la fin des années 1970, la réalisation de [ɔ]/[o] du français standard comme [u] (par ex. *connaître* [kuneɪt]) dans le parler des vieux locuteurs (King 1983), trait linguistique que l'on retrouve dans le centre-ouest de la France et, par voie de conséquence, dans le français acadien. Ce trait est absent dans le franco-terreneuvien péninsulaire, résultat que nous imputons au nivellement dialectal qui a dû se produire pendant les premières années de contact entre les colons acadiens (des provinces maritimes) et européens (de Bretagne et de Normandie). De la même façon, nous avons observé que la variation prosodique dans la prononciation des voyelles orales, si typique du français acadien (par ex. /õ/ réalisé [ã] en syllabe accentuée et ouverte, alors que /ã/ a une réalisation plus centrale en pareil contexte), était présente à Stephenville/Kippens mais absente dans les variétés péninsulaires (King et Ryan 1991).

On peut signaler également certains traits morphosyntaxiques que l'on trouve communément dans les variétés du français d'Amérique du Nord : l'emploi de -*ti* comme marqueur d'interrogation, les formes interrogatives du type *quoi-ce que* (au lieu de *qu'est-ce que*) et l'emploi de la forme invariable *tout* [tʊt]. Tous les verbes se conjuguent avec *avoir*, y compris les verbes pronominaux et réfléchis (par ex. *il s'a levé*). Tandis que les autres variétés du franco-canadien admettent passablement de variation dans le choix de l'auxiliaire (Sankoff et Thibault 1977), les variétés acadiennes font un usage quasi exclusif d'*avoir*, et le franco-terreneuvien ne fait pas exception à la règle (King et Nadasdi 2001).

C'est par sa morphologie verbale que le franco-terreneuvien se démarque comme typiquement acadien. La morphologie verbale présente les régularisations suivantes : *je parle, tu parles, i/ a parle, je parlons, vous parlez, ils parlont*. Les formes de la 1re et de la 3e personnes du pluriel *je ...-ons* et *ils ...-ont* sont des variantes acadiennes traditionnelles. Selon Brunot (1967 vol. 2 : 335), la forme *je ...-ons* s'est vue graduellement remplacée à compter du 16ᵉ siècle. Bien qu'elle n'ait jamais été attestée en français québécois (à notre connaissance), la forme *je …-ons* a joui d'une large répartition géographique en France jusqu'à la fin du 19ᵉ siècle. Flikeid et Péronnet (1989), se reportant à l'*Atlas linguistique de la France* (1902-1910), signalent que la plupart des parlers régionaux du nord avaient encore la forme *je …-ons* au tournant du 20ᵉ siècle. Dans les provinces maritimes, des études récentes montrent que *je …-ons,* que l'on considère comme l'un des traits les plus saillants du français acadien, demeure la variante la plus fréquente uniquement dans les communautés acadiennes peu exposées à la pression normative des variétés exogènes, notamment les communautés francophones des provinces de la Nouvelle-Écosse et de Terre-Neuve (Flikeid et Péronnet 1989, King et Nadasdi 1999). Ailleurs, cette forme perd du terrain au profit de la variante générale et familière *on.* En effet, dans certaines régions des provinces maritimes telles que le nord-est du Nouveau-Brunswick, *je … -ons* a complètement disparu (Beaulieu et Cichocki 2003). Tel n'est pas le cas en franco-terreneuvien, où *je …-ons* est maintenu à un niveau très élevé.

Comme *je …-ons,* la forme de la 3ᵉ personne du pluriel *ils …-ont* est un autre exemple de survivance d'un usage archaïque en franco-terreneuvien. Cette forme est apparue en France dès le 13ᵉ siècle. Selon Nyrop (vol. 2, n°61), *ils …-ont* était répandu dans le centre-ouest de la France à l'époque de l'émigration acadienne. Sa répartition géographique était plus limitée que celle de la forme *je …-ons* de la 1ʳᵉ personne du pluriel, mais l'*Atlas linguistique de la France* montre qu'elle s'étendait jusqu'en Bretagne. Dans King (1994), nous avons montré que l'emploi de la variante *ils …-ont* pour marquer la 3ᵉ personne du pluriel est presque catégorique en franco-terreneuvien, sauf dans un contexte linguistique bien précis, à savoir les propositions relatives sujets, où l'accord se fait presque toujours au singulier (par ex. *les filles allont à l'école* vs *les filles qui va à l'école*). Cette tendance à substituer le singulier au pluriel, si elle s'observe dans d'autres variétés de français parlé (Flikeid et Péronnet 1989, Frei 1971 [1929], Bauche 1946 [1929], Mougeon et Beniak 1994), constitue la norme en franco-terreneuvien.

Comme nous l'avons déjà dit, le franco-terreneuvien ouvre une fenêtre sur le passé de la langue. Par exemple, on admet généralement que, en français contemporain, les pronoms sujets sont des affixes du verbe plutôt que des sujets pronominaux à part entière (Auger 1994). Cependant, ceci n'est pas le cas en franco-terreneuvien, où ils demeurent de véritables sujets syntaxiques. Si l'on applique les diagnostics habituels (par ex. le franco-terreneuvien ne connaît pas le redoublement du sujet, permet la chute du pronom sujet dans une deuxième proposition coordonnée, n'a pas de pronom de reprise dans les propositions relatives sujets etc.), le franco-terreneuvien se distingue du français québécois et du français ontarien (Nadasdi 2001) et de certaines variétés acadiennes aussi, telles que le français du nord-est du Nouveau-Brunswick (Beaulieu et Balcom 1998) : il n'y a donc aucune preuve à l'appui du statut affixal des pronoms clitiques sujets en franco-terreneuvien. King et Nadasdi (1997) soutiennent que cette situation n'est pas sans rapport avec le maintien d'un riche système de morphologie verbale comme nous l'avons vu plus haut, qui, selon nous, a milité contre les changements subis par les autres variétés.

Un dernier exemple de la nature conservatrice du franco-terreneuvien est le fait qu'il a conservé la forme fléchie du futur (le futur simple). Qu'il s'agisse de l'étude de Bauche (1946 [1929]) sur *Le français populaire* ou d'études plus récentes sur le français européen ou québécois, toutes ont trouvé bien plus d'occurrences du futur périphrastique (*aller +* infinitif) que du futur simple, ce qui a amené des chercheurs comme Poplack et Turpin (1999) à conclure que le futur simple est en voie de connaître le même sort que le passé simple, à savoir l'obsolescence. Comparée à l'étude de Poplack et Turpin, cependant, qui ont trouvé 73 % de futurs périphrastiques, seulement 20 % de futurs simples et 7 % de présents de l'indicatif (présents tenant lieu de futur) dans le français d'Ottawa-Hull, en franco-terreneuvien la proportion de futurs simples grimpe jusqu'à 40 % (King et Nadasdi à paraître). Un certain nombre de facteurs contextuels signalés par les grammaires traditionnelles comme pouvant avoir une incidence sur le futur, par exemple la proximité de la référence temporelle (les verbes qui expriment une action proche ou imminente sont le plus souvent construits de manière périphrastique, tandis que les verbes qui expriment une action dans un avenir plus lointain se présentent le plus souvent sous la forme simple), se sont révélés inopérants en français québécois. Cependant, tout porte à croire que ces facteurs demeurent pertinents en français acadien, y compris dans la variété terre-neuvienne, preuve supplémentaire de son conservatisme.

À l'instar des autres variétés nord-américaines, le franco-terreneuvien a subi l'influence de l'anglais avec lequel il est entré en contact. Le franco-terreneuvien a emprunté des items lexicaux, notamment des noms (*windshield*), des verbes (*shiner*), des adjectifs (*nice*) et des marqueurs du discours (*anyway*). Étant donné que la grande majorité des Franco-Terreneuviens de moins de 40 ans n'ont pas été instruits en français, certains emprunts revêtent un caractère nécessaire, mais d'autres non, comme cela se produit souvent en situation de contact. Lorsqu'on compare les résultats du contact avec l'anglais en franco-terreneuvien avec ceux des variétés acadiennes où le contact dure depuis beaucoup plus longtemps, notamment à l'Île-du-Prince-Édouard, on s'aperçoit que l'influence de l'anglais a été moins intense à Terre-Neuve. Par exemple, plusieurs variétés acadiennes parlées dans les trois provinces maritimes ont emprunté des prépositions, souvent de pair avec des verbes : *giver up, layer off*, etc. (Roy 1979, Flikeid 1989, King 2000). King (2000) affirme qu'une des conséquences de ces emprunts est l'émergence de structures qui superficiellement ressemblent à l'anglais, telles que *Quoi-ce qu'ils parlont about?* et même *Qui-ce que tu as voté pour?* Le franco-terreneuvien, cependant, n'a pas emprunté de prépositions. Nous avons noté dans nos corpus des exemples révélateurs tels que *j'ai fait « give up »*, où le verbe et la préposition ne sont pas intégrés à la morphologie, mais constituent une alternance de code. De la même façon, *Quoi-ce qu'ils parlont about?* (tiré de notre corpus de français de l'Île-du-Prince-Édouard) se dirait *Quoi-ce qu'ils disont?* en franco-terreneuvien. Nous voyons donc que la nature conservatrice du franco-terreneuvien que nous avons soulignée plus haut (maintien de traits archaïques de la langue) se manifeste aussi par une résistance à l'incorporation d'éléments lexicaux étrangers (et à ses éventuelles conséquences grammaticales).

Dans un même ordre d'idées, bien que les alternances de codes soient nombreuses dans le discours spontané des Franco-Terreneuviens, le phénomène n'est pas aussi avancé que dans les autres variétés que nous avons étudiées. Par exemple, King et Nadasdi (1999) ont découvert, dans leur étude des alternances de codes impliquant des verbes d'opinion (par ex. *guess, think, imagine, believe*) dans trois communautés acadiennes, deux à l'Île-du-Prince-Édouard et une à Terre-Neuve, que le franco-terreneuvien était plus conservateur[4]. Les alternances de codes qui s'y trouvent sont aux « extrémités » des énoncés, soit à la fin comme dans *Ils avont pas mal de la misère, I guess,* soit au début comme dans *I guess qu'on est pas mal tout pareil* (proposition principale anglaise suivie d'une complétive française en *que*). Cependant, de telles alternances de codes

---

4 D'après notre expérience, cette alternance de code sert à souligner une prise de position du locuteur par rapport à la véracité de la proposition et, dans certains cas, à indiquer un degré de certitude (ou d'incertitude) que ne pourraient rendre les formes correspondantes françaises.

sont limitées à un seul verbe d'origine anglaise, *guess* : il n'y a aucune alternance de code telle que *I imagine, I think, I bet* et *I'm sure* avec des complétives introduites par *que* en franco-terreneuvien, contrairement à ce qui prévaut à l'Île-du-Prince-Édouard (par ex. *I imagine qu'il y en a qui l'avont encore*). Les verbes anglais les plus utilisés dans les alternances de codes dans le français de l'Île-du-Prince-Édouard sont (par ordre décroissant de fréquence) : *guess, think, don't know, don't think, imagine, believe, suppose, be sure, bet* et *can't see*. Seul *guess* est attesté en franco-terreneuvien, indication, selon nous, que le processus est moins avancé dans cette variété.

Forts de nos vingt-cinq années de recherches sur le franco-terreneuvien en tant que variété à part, et de la quinzaine d'années d'études comparatives sur les autres variétés acadiennes, nous en arrivons à la conclusion que le franco-terreneuvien est un parler très conservateur d'une part (comme en témoignent le comportement des pronoms sujets, l'emploi fréquent des deux formes *je ...-ons* et *ils ...-ont*, le maintien du futur simple), mais également innovateur d'autre part (comme en témoigne, par exemple, l'aboutissement du changement d'accord en nombre dans les propositions relatives sujets). Et bien que certains traits phonologiques typiques de l'acadien aient disparu à cause du nivellement dialectal, la langue demeure indéniablement franco-acadienne.

5. Situation actuelle

Au cours des années 1970, nous avons observé une prise de conscience chez de nombreux Franco-Acadiens de Terre-Neuve, laquelle les a amenés à fonder des associations communautaires visant l'obtention de services en français dans la région de Port-au-Port. Ces activités, ajoutées à celles de membres influents, notamment des musiciens et des conteurs tenus en grande estime, dont certains sont reconnus d'ailleurs bien au-delà de leurs communautés d'origine, ont entraîné un regain de fierté dans l'identité francophone. Au cours des 15 dernières années, plusieurs initiatives sont venues s'ajouter à ces premiers efforts. Comme nous l'avons mentionné ci-dessus, une école de langue française ouvrit ses portes en 1989 à La Grand'Terre, suivie d'un centre communautaire. D'importance encore plus grande peut-être, la construction d'une route dans les années 1990 entre Cap-St-Georges et La Grand'Terre a permis de resserrer les liens entre ces deux communautés (auparavant, seule une route indirecte et sinueuse les reliait), puisqu'elle a facilité l'accès aux écoles de langue française et aux activités communautaires pour les résidents des trois autres communautés francophones, soit L'Anse-à-Canards/Maisons d'Hiver, La Grand'Terre et Cap-St-Georges. Bon nombre des enseignants qui travaillent dans les écoles de Cap-St-Georges et de La Grand'Terre ont été recrutés sur place. On est loin des anciennes écoles unilingues anglaises.

Relatant une visite à La Grand'Terre en 1999, Labelle (2002 : 167) a observé un changement d'identité par rapport à la situation qui prévalait dans les années 1970 :

> on ne sentait plus le lien historique avec l'époque de la côte française ou French shore, soit la période où les pêcheurs français exploitaient en exclusivité les ressources maritimes de la côte ouest de Terre-Neuve. La génération des Franco-Terreneuviens nés vers le début du 20ᵉ siècle avait hérité de la culture de leurs aïeux et connaissait bien leur histoire particulière [...] Avec la disparition des membres de cette génération, le souvenir de la période de l'établissement du village s'était dissipé.

Par contre, de nouveaux liens s'établissent entre cette région et l'Acadie des provinces maritimes. C'est qu'une première génération de jeunes Franco-Acadiens de Terre-Neuve sont allés poursuivre leurs études dans des établissements postsecondaires situés dans les provinces maritimes. À cela s'ajoutent la participation de délégations de Franco-Terreneuviens de la côte ouest aux Jeux de la francophonie canadienne et de nombreuses visites effectuées dans la région par des musiciens acadiens traditionnels.

En dépit de ces changements positifs, l'avenir de la communauté franco-terreneuvienne n'est pas assuré. Le temps est venu de jeter un coup d'œil aux données démographiques concernant la deuxième moitié du 20ᵉ siècle. Précisons d'entrée de jeu que le nombre de locuteurs franco-terreneuviens n'a jamais fait l'unanimité. Les recensements dont nous disposons pour le 20ᵉ siècle jusqu'aux années 1970 ne sont pas fiables : on raconte que des recenseurs refusaient de considérer un-e répondant-e comme franco-terreneuvien-ne à moins qu'il/elle ne sût lire et écrire, d'où une sous-estimation de la population réelle de langue française. Les attitudes des recenseurs, auxquelles il convient d'ajouter le sentiment d'infériorité qui prévalait jusque dans les années 1970, ont sans doute incité plusieurs à ne pas s'identifier comme francophones. Par contre, il existe aussi une tendance à surestimer l'importance de la population francophone. Par exemple, Thomas (1982) évalue qu'il y a 5 000 francophones à Terre-Neuve. Cependant, selon nos propres enquêtes menées de porte en porte à la fin des années 1970 dans l'ensemble des cinq communautés (en plus des trois communautés francophones de la péninsule, nous avons enquêté à Stephenville/Kippens et dans la communauté de Saint-Georges, lieu de la première colonisation) où il y avait encore des locuteurs francophones, le nombre se situerait plus près de 600, et en aucun cas ne s'approcherait de 1 000 (King 1983). Les données provenant du dernier recensement de Statistique Canada (2001)[5] arrivent à un nombre encore inférieur au nôtre d'il y a une génération : 235 habitants ayant soit le français soit le français et l'anglais comme langue(s) maternelle(s) à Cap-St-Georges (sur une population totale de 925 résidents) et 245 pour toute la région comprenant L'Anse-à-Canards, La Grand'Terre et quelques villages anglophones des environs[6].

Le nombre de locuteurs parlant couramment le français est menacé par les effets de l'exode rural, qui est imputable en grande partie à l'effondrement de la pêche traditionnelle, et dont on ne peut sous-estimer les répercussions sur la survie du fait français dans cette région. Par exemple, Cap-St-Georges a perdu 15 % de sa population entre les recensements de 1996 et de 2001. Par ailleurs, dans leur étude de la vitalité ethnolinguistique des étudiants francophones de la péninsule, Magord et al. (2002) ont constaté un déclin entre 1991 et 1998. Les étudiants interrogés en 1998 étaient moins nombreux à utiliser le français dans divers domaines, et même s'ils disaient avoir une meilleure compétence en français et croyaient davantage en la vitalité du français, leur volonté d'intégration dans la communauté francophone était en fait moindre. Les auteurs en viennent à la conclusion que :

> L'évolution générale semble [...] aller vers une progression de la vitalité anglophone dans une situation devenue anglodominante. Si le facteur institutionnel permet du progrès dans le cadre da la fran-

---

[5] http://www.statcan.ca
[6] Le recensement de 2001 donne une population francophone de 240 âmes pour Stephenville, ce qui a de quoi surprendre. Il se peut que ce nombre soit attribuable à une arrivée de francophones non seulement de la péninsule, mais aussi et surtout d'autres communautés francophones du Canada. Il est à noter, par exemple, que le seul journal de langue française de la province, le bimensuel *Le Gaboteur*, est publié à Stephenville.

cité institutionnelle, il ne suffit pas à générer une dynamique communautaire franco-dominante. (224)

Ils soutiennent que, en pareille situation, les jeunes Franco-Terreneuviens doivent avoir des raisons concrètes de conserver leur langue :

> Il serait [...] primordial que ces jeunes aient une motivation précise pour utiliser les médias, les systèmes informatiques et les réseaux en français. Dans ce cadre, il devient indispensable et urgent que la raison première de vivre ensemble en un lieu, par exemple une activité économique viable, soit développée et qu'elle représente les raisons d'une vitalité ethnolinguistique francophone. (224)

Comme la plupart des populations régionales françaises en Amérique du Nord, les Franco-Acadiens de Terre-Neuve ont essayé, en dépit des forces assimilatrices qui les ont souvent menacés, de tenir bon et de rester fidèles aux traditions et à la langue de leurs aïeux. Par le passé, ces forces assimilatrices ont servi à limiter les ressources disponibles pour la conservation et la promotion de cette minorité francophone. À la lumière des faits passés en revue dans le présent article, il est clair que l'avenir du français sur la côte ouest de Terre-Neuve est sérieusement menacé, et que le parler traditionnel des aïeux l'est encore davantage.

Références

AUGER, Julie. 1994. *Pronominal Clitics in Quebec Colloquial French: A morphological analysis*, thèse de doctorat inédite, University of Pennsylvania, Philadelphia.

BAUCHE, Henri. 1946. *Le langage populaire*, 4e éd., Paris, Payot. (Édition originale 1929)

BEAULIEU, Louise et Patricia BALCOM. 1998. « Le statut des pronoms personnels sujets en français acadien du nord-est du Nouveau-Brunswick », *Linguistica Atlantica*, 20 : 1-27.

BEAULIEU, Louise et Wladyslav CICHOCKI. 2003. « Grammaticalisation et perte des marques d'accord sujet-verbe en français acadien du Nord-Est du Nouveau-Brunswick », dans Sandra CLARKE (dir.), *Papers from the 26th Annual Meeting of the Atlantic Provinces Linguistic Association*, Saint-Jean, Terre-Neuve, Université Memorial de Terre-Neuve, 121-143.

BRUNOT, Ferdinand. 1967. *Histoire de la langue française : des origines à nos jours*, 13 vol., Paris, Librairie Armand Colin.

BUTLER, Gary. 1994. « L'Acadie et la France se rencontrent : le peuplement franco-acadien de la Baie St-Georges, Terre-Neuve », *Newfoundland Studies*, 10 (2) : 180-207.

BUTLER, Gary. 1995. *Histoire et traditions orales des Franco-Acadiens de Terre-Neuve*, Québec, Septentrion.

DE LA MORANDIÈRE, Charles. 1966. *Histoire de la pêche française de la morue dans l'Amérique septentrionale*, t. 3, Paris, Maisonneuve et Larose.

FLIKEID, Karin. 1989. « "Moitié français, moitié anglais" ? Emprunts et alternances de langue dans les communautés acadiennes de la Nouvelle-Écosse », *Revue québécoise de la linguistique théorique et appliquée*, 8 (2) : 177-228.

FLIKEID, Karin et Louise PÉRONNET. 1989. « "N'est-ce pas vrai qu'il faut dire *j'avons été?* " : divergences régionales en acadien », *Le français moderne*, 57 : 219-242.

FREI, Henri. 1971. *La grammaire des fautes*, Genève, Slatkine Reprints. (Édition originale 1929)

KING, Ruth. 1983. *Variation and change in Newfoundland French: A sociolinguistic study of clitic pronouns*, thèse de doctorat inédite, Université Memorial de Terre-Neuve, Saint-Jean.

KING, Ruth. 1989. « Le français terre-neuvien : aperçu général », dans Raymond MOUGEON et Édouard BENIAK (dirs.), *Le français canadien parlé hors Québec*, Québec, Presses de l'Université Laval, 227-244.

KING, Ruth. 1994. « Subject-verb agreement in Newfoundland French », *Language Variation and Change*, 6 : 239-253.

KING, Ruth. 2000. *The lexical basis of grammatical borrowing : A Prince Edward Island French case study*, Amsterdam, John Benjamins.

KING, Ruth et Terry NADASDI. 1997. « Left dislocation, number marking and (non)standard French », *Probus*, 9 : 267-284.

KING, Ruth et Terry NADASDI. 1999. « The expression of evidentiality in French-English bilingual discourse », *Language in Society*, 28 (3) : 355-66.

KING, Ruth et Terry NADASDI. 2001. « How auxiliaries be/have in Acadian French », dans Gisèle CHEVALIER (dir.), *Actes de la Réunion Annuelle de l'Association Linguistique des Provinces Atlantiques*, Moncton, Université de Moncton, 61-72.

KING, Ruth et Terry NADASDI. À paraître. « Back to the future in Acadian French », *Journal of French Language Studies*.

KING, Ruth et Robert RYAN. 1991. « Dialect contact vs. dialect isolation : Nasal vowels in Atlantic Canada Acadian French », *Proceedings of the XIVth International Congress of Linguists (1987)*, Berlin, Akademie-Verlag Berlin, 1512-1515.

LABELLE, Ronald. 2002. « "La terre tourne et je tourne avec" : regard sur le témoignage oral d'une Franco-Terreneuvienne », dans André MAGORD (dir.), *Les Franco-Terreneuviens de la péninsule de Port-au-Port : évolution d'une identité franco-canadienne*, Moncton, Université de Moncton, 165-183.

MAGORD, André, Rodrigue LANDRY et Réal ALLARD. 2002. « La vitalité ethnolinguistique de la communauté franco-terreneuvienne de la péninsule de Port-au-Port : une étude comparative », dans André MAGORD (dir.), *Les*

Franco-Terreneuviens de la péninsule de Port-au-Port : évolution d'une identité franco-canadienne, Moncton, Université de Moncton, 197-227.

MOUGEON, Raymond et Édouard BENIAK. 1994. « Le non-accord en nombre entre sujet et verbe en français ontarien : un cas de simplification? », *Présence Francophone*, 46 : 53-63.

NADASDI, Terry. 2001. *Variation grammaticale et langue minoritaire : le cas des pronoms clitiques en français ontarien*, Munich, LINCOM Europa.

NYROP, Kristoffer. 1889-1936. *Grammaire historique de la langue française*, 6 vol., Paris, Picard.

POPLACK, Shana et Danielle TURPIN. 1999. « Does the *FUTUR* have a future in (Canadian) French? », *Probus*, 11 : 133-164.

ROY, Marie-Marthe. 1979. *Les conjonctions anglaises « but » et « so » dans le français de Moncton. Une étude sociolinguistique de changements linguistiques provoqués par une situation de contact*, mémoire de maîtrise inédit, Université du Québec, Montréal.

SANKOFF, Gillian et Pierrette THIBAULT. 1977. « L'alternance entre les auxiliaires *avoir* et *être* dans le français parlé à Montréal », *Langue française*, 34 : 81-108.

THOMAS, Gerald. 1982. *Les deux traditions*, Québec, Les Éditions Bellarmin.

Le français dans l'Ouest canadien[1]

Douglas C. Walker, Université de Calgary

1. Introduction

1.1. *Arrivée au Canada*

La langue française s'implante au Canada au cours du 17ᵉ siècle, d'abord à Port-Royal en Acadie (aujourd'hui La Nouvelle-Écosse) à partir de 1605, ensuite le long du Saint-Laurent (à Québec, en 1608; à Trois-Rivières, en 1634; à Montréal, en 1642). De ces origines modestes et difficiles, la Nouvelle France évolue en colonie fleurissante et économiquement stable (économie basée dès le début sur la traite des fourrures; ensuite sur l'industrie forestière et l'agriculture) jusqu'à la conquête anglaise de 1759. La traite des fourrures implique, en particulier, de longs voyages, une quête constante de nouvelles sources et un contact avec les peuples indigènes qui connaissent mieux que quiconque le vaste territoire. Il y a donc en Nouvelle France, depuis le tout début, une présence des Français bien éloignée de la zone des premiers établissements que constitue le bassin du Saint-Laurent. Cette présence, établie d'abord par les explorateurs, voyageurs et coureurs des bois, se constate en Louisiane, sur les plaines, et surtout pour nos fins, à travers les Grands Lacs vers l'ouest de l'actuel Ontario et vers la prairie canadienne.

1.2. *Implantation du français dans l'Ouest*

Introduite par les explorateurs et renforcée par tous ceux qui travaillaient dans l'exploitation des fourrures, la langue française est la première langue européenne qui s'entend dans la forêt, sur les lacs et sur la plaine de l'Ouest canadien. Les premières communautés importantes,

---

[1] Je tiens à remercier Doris LaChance, Mélanie Goudreau et Marni Penner de leur aide dans la préparation des données et Odile Rollin et Julie Auger de leurs commentaires sur une première version de ce texte.

composées surtout de Métis[2], s'établissent pendant la première moitié du 19c siècle dans ce qui deviendra le Manitoba dans la région de la Rivière Rouge. Ces familles, initialement itinérantes et fort dépendantes des troupeaux de bisons, voient leur mode de vie profondément modifié avec la disparition de ceux-ci vers 1880. Les Métis adoptent par la suite une vie d'agriculteur ou de transporteur. À la même période, d'autres communautés métisses centrées autour des missions des Pères catholiques se développent plus à l'ouest – au sud, au centre et au nord des futures provinces de la Saskatchewan et de l'Alberta[3].

Ces premières communautés francophones sont renforcées par deux autres groupes. Un nombre important d'immigrants européens de langue française établissent, entre 1890 et la Grande Guerre, un ensemble de villages au Manitoba et en Saskatchewan où une variété distincte du français peut toujours se faire entendre (Jackson 1974, Thogmartin 1974). Le deuxième groupe, de loin le plus important, est composé d'immigrants provenant du Québec (parfois via la Nouvelle-Angleterre ou l'Ontario) qui, au début, répondaient à l'appel des prêtres francophones qui voyaient leurs paroissiens submergés par des vagues d'immigrants anglophones et allophones. Ceux-ci venaient peupler l'Ouest canadien suite à des politiques gouvernementales qui encourageaient fortement, dans les premières décennies du 20c siècle, le développement de ces vastes territoires riches mais sous-peuplés.

1.3. *La situation actuelle*

C'est toujours autour de ces premières missions et premiers villages qu'on trouve actuellement les plus grandes concentrations de francophones. Au Manitoba, c'est Saint-Boniface qu'on peut considérer comme le berceau de la francophonie (et, de plus, le premier centre de

---

[2] Pour cette discussion, « Métis » désignera une personne ou une famille de sang mixte français-indien (ou écossais-indien), de langue française et de religion catholique. Au milieu du 19c siècle, les Métis étaient suffisamment nombreux pour former une société distincte dans les prairies et on reconnaît toujours leur dialecte distinct. Voir Papen (1984, 1993 et ce volume) pour une excellente discussion de cette population.

[3] À toutes fins pratiques, l'établissement de communautés francophones en Colombie-Britannique pendant cette période est minime, la seule exception d'une certaine taille étant Maillardville dans la banlieue de Vancouver, établie en 1909 par un ensemble de familles francophones venues travailler dans les scieries de la région. La mobilité générale de la population a vu de nombreux francophones arriver dans l'Ouest plus récemment, mais ces personnes sont plus dispersées et les variantes du français sont plus hétérogènes.

rayonnement pour l'ensemble du territoire). Il y a quand même d'autres villages, surtout au sud et au sud-ouest de Winnipeg où le français, sinon majoritaire, est fortement représenté : Saint-Claude, Notre-Dame-de-Lourdes, Saint-Pierre-Jolys, Sainte-Anne, etc. L'influence de l'Église est manifeste dans ces toponymes, au Manitoba aussi bien qu'en Saskatchewan et en Alberta.

En Saskatchewan, les communautés francophones se trouvent surtout dans le nord entre Saskatoon et Prince Albert : Saint-Brieux, Saint-Louis, Hoé, Debden et Zenon Parc, auxquelles on peut ajouter des villages du sud, à l'ouest de Regina : Willow Bunch, Gravelbourg et Ponteix. Le peuplement de la zone nord remonte surtout à l'arrivée des Métis, une arrivée motivée par la disparition des bisons et l'adaptation à une vie de fermier ou d'entrepreneur et transporteur centrée autour des missions catholiques.

En Alberta, la situation est comparable : trois îlots de peuplement francophone, le premier autour de la capitale, Edmonton, au centre de la province (villages de Legal, Morinville, Beaumont, Saint-Albert), un deuxième au centre-est (Plamondon, Lac-la-Biche, Saint-Paul, Bonnyville, Grand Centre) et le troisième, de nos jours le plus important, au nord-ouest dans la région de Rivière-la-Paix (Donnelly, McLennan, Falher, Guy, Saint-Isidore, Girouxville). Les deux derniers ensembles se sont établis entre 1912 et 1940 surtout grâce aux efforts de prêtres catholiques qui continuaient à encourager la fondation de communautés francophones.

Dès le début, donc, l'ouverture et le développement économique de l'ouest canadien sont attribuables en grande partie à l'initiative des francophones : la création de la province du Manitoba reflète l'influence fondamentale de la communauté métisse; l'histoire de la Saskatchewan est fortement colorée par les noms de Louis Riel et Batoche; l'Alberta était majoritairement francophone jusqu'à la fin du 19ᵉ siècle. Le 20ᵉ siècle, par contre, particulièrement depuis les années 1950, a été moins favorable à la langue française[4]. Les Français, devenus fortement

---

[4] Considérons les chiffres suivants, tirés des recensements canadiens de 1971, 1981 et 2001 : en 2001, approximativement 50 % de la population de la région de Rivière-la-Paix, le centre de notre enquête, s'identifie comme francophone, une réduction de 10 % par rapport au 60 % enregistré en 1971. Mais les chiffres qui portent sur la langue parlée dans les foyers sont plus inquiétants. En 1981, la première année où la question a été posée, 44 % des foyers indiquent que le français est la seule langue d'usage. En 2001, en revanche, le chiffre correspondant est de 11 %, bien que 37 % des foyers déclarent l'emploi des deux langues. Les implications sont évidentes.

minoritaires, vivaient et travaillaient dans des contextes où il fallait lutter pour la reconnaissance de leurs droits, malgré l'adoption des politiques de bilinguisme au niveau fédéral et un certain nombre de victoires légales[5] dans les provinces de l'Ouest.

Dans ce contexte, la situation du français dans l'Ouest rappelle beaucoup plus celle de l'Ontario que celle du Québec où la domination du français semble acquise. En fait, on pourrait voir dans l'Ouest une projection de ce qui attend de nombreuses communautés franco-ontariennes : une restriction progressive des contextes d'emploi de la langue et un effritement de plus en plus rapide du nombre de francophones en commençant par les jeunes générations. Ceci dit, il existe bel et bien des zones dans les prairies où le français, même s'il n'est pas fleurissant, est toujours bien présent. Nous allons maintenant en examiner une : l'Alberta.

2. Étude de cas : le français en Alberta

Tel que discuté précédemment, il y a trois concentrations d'îlots francophones en Alberta : autour du grand centre urbain d'Edmonton dans la zone centrale et dans deux régions à l'est et au nord (autour de Bonnyville et Saint-Paul pour la première; Grande Prairie et Peace River [Rivière-la-Paix] pour la seconde)[6]. Dans ces îlots ruraux, la proportion de francophones est plus élevée, la plus grande concentration se situant dans la zone nord. L'histoire et l'évolution de ces communautés francophones du nord de Alberta rappellent celles d'autres communautés de l'Ouest canadien. On en voit les racines dans l'arrivée des Métis, puis dans l'immigration plus ou moins continue, jusqu'à nos jours, de francophones du Québec (parfois via l'Ontario ou la Nouvelle-Angleterre), supplémentés par un afflux d'immigrants européens arrivés entre la fin du 19e siècle et la Deuxième Guerre mondiale[7].

Par conséquent, l'origine de la grande majorité des francophones albertains peut être reliée à des sources québécoises, avec des consé-

---

[5] Par exemple, l'obligation au Manitoba de publier les lois dans les deux langues officielles du Canada (1985) ou le droit des francophones en Alberta de gérer des conseils scolaires de langue française (1990). Bourhis (1994) offre d'autres exemples.

[6] On pourrait ajouter la communauté francophone de Calgary, au nombre approximatif de 15 000, mais elle comprend surtout des personnes arrivées plus récemment et d'origines géographiques plus diverses.

[7] Pour plus de détails, voir Papen (1998 : 161-162).

quences linguistiques évidentes : le français en Alberta ressemble fortement au français familier et populaire de la province de Québec, surtout
en ce qui concerne la diversité des sources initiales et la fluctuation qui
caractérisent cette variété de l'Ouest. Cette situation est confirmée par
nos propres observations[8] et par le petit nombre d'études disponibles
(surtout celles de Rochet 1993 et 1994). Passons donc à l'examen d'une
variété représentative : le français de la région Rivière-la-Paix en Alberta.

2.1. *La phonologie*

La structure phonologique du français albertain est très conservatrice par rapport au français de référence: les distinctions /a - ɑ/, /ɛ̃ - œ̃/,
et /ɛ - ɛː/ par exemple, manifestent une stabilité remarquable. Le /a/
est présent dans *cap, lac, lame, canne, tache, malle* tandis que *râpe, Jacques,
âme, âne, tâche, mâle* contiennent un /ɑ/. On note la présence du /œ̃/
plutôt que du /ɛ̃/ dans *un, brun, chacun, aucun, défunt,* etc. et la préservation de /ɛː/ dans *arrête, bête, épaisse, évêque, fête, fève, honnête, Lefebvre, maître,
même, problème, rêve, tête* et de nombreux autres mots. Les oppositions entre les paires de voyelles moyennes, absentes du français du Midi et menacées dans certains cas dans le nord de la France, demeurent stables
aussi.

Si les oppositions phonologiques « traditionnelles » sont stables,
la variation phonétique est remarquable[9]. On voit, entre autres variantes,
un relâchement fréquent des voyelles fermées, une désonorisation de ces
mêmes voyelles dans certains contextes qui peut aller jusqu'à une syncope vocalique dans de nombreux cas. En syllabe finale ouverte, les
voyelles nasales /ɛ̃/ et /ɑ̃/ s'antériorisent tandis que le /ɛ/ et le /a/
s'ouvrent et se postériorisent. La diphtongaison des voyelles longues
(qui se trouvent aussi en syllabe non finale) est frappante, tout comme
les diverses réalisations du <oi>, longtemps connu comme marqueur
canadien. Dans le domaine consonantique, moins diversifié, l'assibilation
de /t/ et /d/ en [ts] et [dz], la prononciation de /t/ final et la simplifica-

---

8 Enquête réalisée dans les villages de Falher (1 100 habitants), Guy (petit village nommé en l'honneur du Père Joseph Guy, o.m.i., né en 1883; 2 300 habitants dans le comté), McLennan (800 habitants); 14 locuteurs de 14 à 82 ans; analyses établies selon le
   protocole du projet PFC (La phonologie du français contemporain : usages, variétés,
   structures). Voir Durand et Lyche (2003) ou le site web http://infolang.u-
   paris10.fr/pfc/.
9 Seul un bref résumé peut être présenté ici. Pour les détails, voir Dumas (1987), Ostiguy et Toussaint (1993) ou Walker (1984).

tion des groupes consonantiques sont les plus caractéristiques. Voici des exemples de chaque phénomène, tirés de nos enquêtes dans la région de Rivière-la-Paix[10] :

(1) Relâchement des voyelles fermées [i y u] → [ɪ ʏ ʊ] :

    pipe [pɪp]   *juste* [ʒʏs]   *soude* [sʊd]

    vite [vɪt]   *ruche* [ʀʏʃ]   *pousse* [pʊs]

    filtrer [fɪltʀe]   *vulgaire* [vʏlgajʀ]   *boulevard* [bʊlvɑwʀ]

    bicycle [bɪsɪk]   *pupitre* [pʏpɪt]   *cousine* [kʊzɪn]

(2) Assourdissement vocalique :

    équiper [ekʏ̥pe]   *député* [depy̥te]   *découper* [deku̥pe]

    critiquer [kritsi̥ke]   *occupé* [ɔky̥pe]   *écouter* [eku̥te]

(3) Syncope :

    professeur [pʀɔfsœʏ̯ʀ], *de la chicane* [dlaʃkæn], *politique* [pɔltsɪk], *bizarre* [bzawʀ], *piscine* [psɪn]

(4) Antériorisation des voyelles nasales :

    /ɛ̃/ → [ẽ]   *bain* [bẽ], *faim* [fẽ], *main* [mẽ], *vingt* [vẽ]

    /ɑ̃/ → [æ̃]   *absent* [apsæ̃], *banc* [bæ̃], *content* [kɔ̃tæ̃], *gant* [gæ̃]

(5) Postériorisation des voyelles /ɛ/ → [æ] et /a/ → [ɑ] :

    frais [fʀæ] (*fraîche* [fʀɛʃ])   *éclat* [eklɑ] (*éclater* [eklate])

    parfait [paʀfæ] (*parfaite* [paʀfɛt])   *chat* [ʃɑ] (*chatte* [ʃat])

    fais [fæ], *ça fait que[...]*[fæk] (*faire* [fajʀ])   *Canada* [kanadɑ]

    jamais [ʒamæ]

(6) Diphtongaison :

    /ɛ̃/ → [ẽj]   /œ̃/ → [œ̃ɥ]   /ɔ̃/ → [ɔ̃w]

    crainte [kʀẽjt]   *défunte* [defœ̃ɥt]   *honte* [ɔ̃wt]

    teinte [tẽjt]   *emprunte* [ɑ̃pʀœ̃ɥt]   *ombre* [ɔ̃wb]

                  /ɑ̃/ → [ɑ̃w]

                  lente [lɑ̃wt]

                  trempe [tʀɑ̃wp]

---

[10] On emploie le symbole /r/ pour représenter les différents *r* du corpus, mais la variété est frappante: on entend [r], [ɾ], [ʀ], [ʁ] et [ɹ], entre autres.

/i/ → [ij]
vire [vijɾ]
arrive [aɾijv]

/ü/→ /yɥ/
pur [pyɥɾ]
juge [ʒyɥʒ]

/u/ → [uw]
tour [tuwɾ]
rouge [ɾuwʒ]

/e/ → [ej]
neige [nejʒ]
steak [stejk]

/ø/ → [øɥ]
neutre [nøɥt]
jeûne [ʒøɥn]

/o/ → [ow]
chaude [ʃowd]
côte [kowt]

/ɛ/ → [ɛj]/[aj]
père [pɛjɾ/pajɾ]
fève [fɛjv/fajv]

/œ/ → [œɥ]
beurre [bœɥɾ]
peur [pœɥɾ]

/ɔ/ → [ɔw]
port [pɔwɾ]
fort [fɔwɾ]

/ɑ/ → [ɑw]
pâte [pɑwt]
part [pɑwɾ]

(7) Variantes de <oi> :
   a. /we/: *moi, toi, quoi, vois-tu, choisi*
   b. /wɔ/: *trois, bois, loi, Boisvert*
   c. /wɛ/: *poil, moine, doivent, voyons, moineau*
   d. /wɛ:/: *boîte, noir, avoir, coiffé, soirée*
   e. /wæ/: *toit, émoi, doigt, aux abois*
   f. /waj/: *noir, soir, voir, avoir, boîte, poireau*
   g. /wej/: *boire, noir, patinoire, poivré*
   h. /ɛ/: *droit, adroit, froid*
   i. /e/: *accroire, crois, froidir, noyer, croyable*
   j. /ɔ/: *pogner [« poigner »], voyons, loyer, poitrine, mademoiselle*

(8) Assibilation de /t/ et /d/ devant /i y j ɥ/[11] :

[ts]	[dz]
petit [pətsi]	*dire* [dzijr]
tube [tsʏb]	*dupe* [dzʏp]
tiens [tsjẽ]	*indien* [ẽdzjẽ]
tuile [tsɥɪl]	*conduire* [kɔ̃dzɥijɾ]

(9) /t/ final :
   fait [fɛt], *icitte* [isɪt], *pantout* (= *pas du tout*) [pɑ̃tʊt], *tout* [tʊt], *froid* (« *frette* ») [fɾɛt], *droit* [dɾɛt]

---

11 Il faut noter que l'assibilation dans l'Ouest est plus variable et moins prononcée que le phénomène correspondant au Québec, reflétant le comportement québécois du 19e ou du début du 20e siècle.

(10) Simplification des groupes finals :

   a. -CL# → C#

aveugle [avœg]	*perdre* [pɛrd]
convaincre [kõvãjk]	*peuple* [pœp]
faisable [fəzab]	*tabernacle* [tabaʀnak]

   b. -sCL# → s#

   ministre [mɪnɪs]
   piastre [pjas]

   c. -C₁C₂# → C₁#

acte [ak]	*juste* [ʒʏs]
à l'est [alɛs]	*mixte* [mɪks]
architecte [aʀʃitɛk]	*péquiste* [pekɪs]

2.2. *La morphosyntaxe*

Dans le domaine de la morphosyntaxe, on observe une gamme de traits qui sont présents dans le français canadien populaire en général (et qui ont une distribution encore plus large, se retrouvant aussi dans de nombreuses variétés continentales). Ces traits se manifestent parfois dans des mots individuels, parfois dans des syntagmes, parfois au niveau de la phrase. Sans pouvoir les analyser en détail, considérons quelques exemples représentatifs[12].

(1) Mots en *qu-* (conjonctions et mots interrogatifs) + *que* :
   Quand qu'ils veulent pas manger [...]
   Quel âge qu'il avait quand[...]
   Savez-vous où que René Bourgeois il reste?
   Comment qu'on dirait ben ça?
   Je me souviens plus qui que c'était.
   Je me demandais pourquoi qu'il s'était sauvé.

(2) Absence de pronoms sujets :
   Mais sont jamais venus par ici je pense hein?
   Fallait qu'ils allent dans un petit village.
   Chauffaient ça pis emmenaient les enfants à l'école.
   M'en rappelle pas.

---

[12] Ne sont pas inclues les formes analogiques dans le système verbal (e.g. *alle(nt)* pour *aille(nt)*, *joindent* pour *joignent*, *sontaient* pour *étaient*, etc.), la chute du /l/ dans les pronoms et articles (*je les ai pris* [ʒezepri]) ou la variabilité dans l'emploi du subjonctif, toutes bien connues et amplement documentées dans d'autres travaux. Pour une analyse plus détaillée des phénomènes illustrés ci-dessous, on peut consulter Léard (1995) ou les nombreux numéros de la *Revue québécoise de linguistique*.

(3) Prépositions orphelines :
Elle voulait s'en aller avec.
Papa il disputait après.
L'auto c'est-tu celle-là que tu es rentré en accident avec?
C'était quoi [...], comme que tu veux jamais t'en souvenir de?

(4) *avoir* auxiliaire à la place de *être* :
Ils ont monté après le truck.
Quand j'ai arrivé au grand chemin.
Moi je m'ai fait mal un peu à mon cou mais c'était rien.
Ah il doit s'avoir fait chicaner hein?

(5) *tu* interrogatif :
Tu les vois-tu souvent?
Pis ton père il travaille-tu dans les champs?
C'était-tu ta mère qui était la plus vieille?
Vos entraîneurs ils étaient-tu bons?

(6) *ça* « personnel » :
Alors ça venait pas en campagne enseigner.
Florence Lamarche tu connais ça.
Ça en était une Fortier elle.

(7) *mais que* [mak] = *jusque, quand* :
Ça a pris trois ans mais qu'ils soient payés.
Tu demanderas mais que tu la voies.

(8) *ça fait que* [fak] (très fréquent) :
Fait que ça ils viennent tous nous visiter dans le jardin.
Fait que c'est correct.
Fait que l'hibou aurait couru plus vite que nous-autres.

(9) *(je) m'en vas* [ma] = *je vais* :
M'as me mettre à crier.
M'as aller voir ma blonde.

(10) *aprés* + infinitif = *être sur le point de* :
Le chat était après manger le petit lièvre.
Ils étaient après peinturer la grainerie.

(11) Différences de genre :
Une école de ce grosseur-là.[13]

---

[13] Il est à noter que les locuteurs disent « ce », pas « cte » [stɔ] et que la distinction « ce » ~ « cette » reste bien préservée dans le corpus, ce qui constituerait un trait distinctif du français albertain par rapport au français québécois populaire.

Il y a ce place-là.
Dans les derniers quelques années.
On est allé au Belgique.

(12) *si* + conditionnel :
   Si la mère nous aurait poigné[…]
   Qu'est-ce qui aurait arrivé si quelqu'un se serait fait mal?
   Si tu mettrais le plat sur la table[…]
   S'il y aurait plus français[…]

2.3. *Le lexique*

Tout comme la phonétique, le lexique du français canadien a fait l'objet de multiples études[14]. Nos données albertaines n'ajoutent guère au lexique canadien général, mais constituent quand même une confirmation des tendances déjà repérées. En voici des exemples typiques, qui sont à compléter par de nombreux mots d'emprunt portant sur le domaine agricole.

- Productivité du suffixe *-age*: *campage* « faire du camping », *cannage* « mettre en conserve », *chantage* « action de chanter », *entraînage* « entraînement », *équitage* « équitation », *voyageage* « faire la navette »
- Chiffres: *soixante-et-dix, soixante-et-quatorze, soixante-et-seize […]*
- Termes pour la parenté: *matante, Mom, mon Dad, mononcle, Mum, mon marié* (« mon mari »), *Elle était parent avec les Carons.*
- Vocabulaire d'emprunt relié à l'agriculture: *acreage, acres, aphids, bodyshop, buggy, bulk station, canola, canner, combine, combiner, combining, crate, ditch, farming, grainerie, hitch, land, landmark, lawn, pony, pork, rhubarb, ridge, runner, saskatoons, seeder, shack, shaft, shed, shop, sleigh, struts, swather, tank, truck*

2.4. *L'omniprésence de l'anglais*

Comme beaucoup de langues en situation fortement minoritaire, le français de l'Ouest canadien a subi des pressions importantes apportées par un contact direct et prolongé avec l'anglais. On aurait pu situer certaines de ces données dans la section précédente sur le lexique mais ces pressions dépassent de loin le simple domaine du lexique et méritent un traitement séparé. Les influences anglaises se voient dans plusieurs domaines.

---

[14] Meney (1999) constitue une source récente d'une richesse particulière.

2.4.1. Emprunts assimilés

Les emprunts assimilés présentent un phonétisme français plutôt qu'anglais, une morphologie française et un emploi généralisé en Alberta ou, parfois, au Canada (tel que démontré par leur apparition dans Meney [1999] ou Forest et Boudreau [1999]). On constate, dans les exemples suivants, l'absence de la diphtongaison ([sle], pas [slej] pour « sleigh »), ou la présence de l'assibilation ([ãtsɪk] pour « antiques ») ; il faut noter, cependant, l'absence du relâchement dans « caboose » ([kabus], pas [kabʊs]) ou « speed » ([spid], pas [spɪd]), la présence, normale dans le français canadien populaire, des affriquées [tʃ] et [dʒ] (« chum » et « job » respectivement), ou la diphtongue peu familière [ɔj] dans « boyfriends ». De tels détails compliquent la question de l'assimilation. Un critère important est fourni par la présence d'un accent final (si la source ne l'a pas) qu'on voit dans « High Prairie » [haj.pre.'ri], pas [haj.'pʰɹɛɹ.ij] où l'accent tombe sur la pénultième. À noter aussi l'absence de l'aspiration du [pʰ], de la diphtongue [ij] et de l'approximante alvéolaire [ɹ], ainsi que [ɛ] à la place de [e]. (Le son [h] au début des mots est fréquent en français albertain populaire). Dans le domaine morphologique, on voit l'absence complète à l'oral du suffixe -*s* du pluriel (« boyfriends » [bɔjfrɛn], « sleighs » [sle], etc.), la conjugaison des verbes *checker, collecter, combiner, mover, parker, runner* ([ʀone]), *swather* (en anglais « to check », « to collect », « to combine », « to move », « to park », « to run/work », « to swath ») ainsi que le genre des noms suivants : *chum, cook, job, shop, tank* (tous féminins) et *highway, speed, team, truck* (masculins).

(1) Assimilation phonologique complète
- des *antiques* [ãtsɪk] (« antiquités »)
- j'avais pris du *speed* [spid] (« vitesse ») pas mal
- sa *chum* [tʃʌm] (« copine »)
- l'arrondissement de *High Prairie* [haj.pre.'ri]
- des *boyfriends* [bɔjfrɛn] (« petit ami »)
- c'est ben le *fun* [fɔn] (« amusement »)
- en arrière du *truck* [trɔk] (« camion »)
- j'aime ça travailler dans la *shop* [ʃɔp] (« atelier »)
- parce que c'est un *team* [tsɪm] (« équipe ») français
- pour les *combines* [kõbɪn] (« moissonneuses-batteuses »)

(2) Adaptation morphologique (+ assimilation phonologique)

- comment tu peux *mover* [muve] (« déménager ») l'Alberta dans le B.C. toi
- il était après peinturer la *grainerie* [grɛnri] (« entrepôt, grenier à céréales » – ang. « granary »)
- j'aurais dû arrêter d'avoir *checké* [tʃeke] (« vérifier »)
- l'orge qu'ils ont *swathé* [swate] (« couper en andains ») là
- ça doit être bon à *combiner* [kɔ̃bine] (« récolter avec une moissonneuse-batteuse ») ça
- je suis *fortuné* [fɔrtsyne] (« avoir de la chance » – ang. « fortunate ») pour avoir deux langues

2.4.2. Emprunts non-assimilés

Les emprunts non-assimilés, en revanche, malgré l'emploi d'un déterminant français, ont une prononciation à dominance anglaise ou manifestent des traits morphologiques anglais. Beaucoup de ces importations sont des noms propres, y compris des syntagmes tel que « Hertz-Rent-a-Car ». Il sera parfois difficile, comme on le verra, de distinguer de telles séquences des alternances codiques. Ces emprunts non-assimilés sont souvent ce qu'on appelle en anglais des *nonce forms* – des créations idiosyncratiques et passagères créées de façon sporadique par des individus. Cependant, compte tenu de la compétence bilingue de l'ensemble des locuteurs, ce type de comportement ne semble pas subir de contraintes. Finalement, on inclura dans cette catégorie un bon nombre d'emprunts partiellement assimilés ; on trouve en effet soit des sons anglais soit une prosodie anglaise dans une partie du mot bien que la base soit française. La catégorie des non-assimilés comprend donc également des formes partiellement assimilées; on réservera la désignation « assimilé » aux mots complètement assimilés[15].

- Arthur est venu au monde à *Wainwright* ['wejn.ɹʌjt][16]
- il travaille à *Hertz Rent-a-Car* ['hɔɹtz'ɹɛnthəkhaɹ]

---

[15] L'identification d'une forme comme partiellement ou entièrement assimilée dépend de nos connaissances du système auquel les formes s'intègrent, ce qui n'est pas toujours facile quand il y a beaucoup de variations dans le système du français canadien et quand tous les locuteurs parlent les deux langues couramment. Dans un certain nombre de cas, on aura recours aux « intuitions », surtout quand on perçoit quelques vestiges d'une prononciation anglaise.

[16] Noter l'accent initial, la présence de [ej] dans une syllabe fermée, l'approximante [ɹ] et la diphtongue [ʌj] centralisée (« Canadian raising »).

- hockey, comme, *Old Timers* [ɔʟ'tʰajmɔ.ɪz]
- travaille au *Bird Walk* ['bɔ.ɪdwɔk]
- jouer pour les *She Devils*, les *Donnelly She Devils* ['dɔnəlij'ʃijdɛvəʟz]
- je sais pas s'ils sont encore dans l'*NHL* ['lɛnetʃɛʟ]
- as-tu un jupon de *spare* [spɛ.ɪ]
- il était dans l'*intensive care* [ɪn'tʰɛnsəv'kʰɛ.ɪ]
- Dans le voy/dans le *diner* ['daj.nɔ.ɪ] qu'ils appellent en bon français <rires>.
- il prend un cours de *automotive marketing [...] business administration* ['ɔɾə'morəv'ma.ɪkədɪŋ 'bɪznəsəd'mɪnəstɹejʃən][17]
- ma mère est une *nurse* [nɔ.ɪs]
- faire du *white water rafting* ['hwʌjtwɔɾə.ɪ'ɹæfdɪŋ]
- il est *cute* [kʰjuwt] pis *adorable* [ə'dɔɹəbəʟ]
- on a un gros *front lawn* ['fɹʌnt'lɔn]
- au *theme park* ['θijmpa.ɪk] pis tout ça

2.4.3. Connecteurs et particules énonciatives

Tous les locuteurs du corpus emploient un ensemble de formes intéressantes qui fonctionnent comme connecteur ou comme ponctuant ou marqueur conversationnel (un sous-ensemble des mots d'emprunt en fait). Le même phénomène est présent en français acadien (v. Perrot, ce volume), ce qui invite une future comparaison plus poussée des deux variétés. On trouvera ci-dessous quelques exemples représentatifs.

- *and* (« et ») :
  je travaille avec mon Dad *and* on va camping
  c'était pendant l'hiver, *and*, pis [...]
- *but* (« mais ») :
  à moins que quelqu'un il/il me voit là *but* je pense pas que je suis assez bonne
  c'était probablement le plus triste *but* c'était intéressant
- *so* (« alors », « donc ») :
  so, j'avais un auto assez jeune
  mais j'ai son numéro de téléphone *so* [...]
  so ça serait plus le fun [...]
- *then* (« puis », « ensuite ») :
  pis *then* il y a Taylor [...]
  pis *then* Cole lui je trouve le plus cute

---

[17] Dans les citations en orthographe normale, « [...] » indique une pause.

- *usually* (« généralement ») :
  Comme *usually* comme sci-fi. J'aime ça.
- *anyway* (« en tout cas ») :
  anyway j'avais arrêté à l'école [...]
  pis mois je les voyais pas *anyway*
  il fallait que ça avance pis *anyway* on a été plus vite [...]
- *well* (« alors », « enfin ») :
  C'est différent. *Well* c'est plus intéressant que travailler [...]
  well, j/je vais peut-être [...]
  well, pas vraiment
- *like* (« comme ») :
  C'était c'était triste de voir comme des femmes là dans les fe-
  nêtres pis, tu sais des hommes qui *like*, qui sont après eux-
  autres là pis, mais, je sais pas.
- *oh* [ow] (« ben »)[18] :
  oh je pense c'est, c'est, c'est définitivement mieux la centralisa-
  tion
  on est allé, *oh* plusieurs fois dans l'est
  oh cet été je travaille au musée
- *yeah* (« oui ») :
  yeah il fait du mécanique lui hein
  yeah que c'est que j'étais pour dire
  c'était un Caron, *yeah*

2.4.4. Alternance codique

L'alternance codique se produit quand un locuteur bilingue
change de langue au sein d'une seule et même conversation. Comme le
dit Poplack (1993 : 255), cette alternance implique « the *juxtaposition* of
sentences or sentence fragments, each of which is internally consistent
with the morphological and syntactic (and optionally, phonological)
rules of the language of its provenance ». C'est un phénomène fréquent
chez les jeunes locuteurs de notre corpus, beaucoup moins fréquent
chez les plus vieux même si ceux-ci sont aussi bilingues. Souvent
l'existence d'une alternance est évidente; dans d'autres cas elle l'est beaucoup moins parce que la distinction entre les alternances et les emprunts

---

[18] L'interjection *oh* se trouve aussi en français standard où il indique normalement la
surprise ou l'emphase. En Alberta, par contre, sa forme diphtonguée et son emploi
plutôt adverbial le placent dans le domaine des connecteurs.

(non-assimilés) est difficile à établir et demeure controversée. Ici on adoptera une approche pragmatique, favorisant les emprunts plutôt que les alternances dans la mesure du possible. Les mots en isolation, par exemple, sont toujours considérés comme des emprunts en l'absence de preuves non équivoques telle que de longues pauses précédant le mot en question, la présence d'une marque d'hésitation (« euh […] »), surtout devant une forme non-assimilée phonétiquement, ou un commentaire spécifique (« Comme on dit en anglais […] »). Il est même possible que certaines séquences de mots soient des emprunts et non des alternances, comme on le verra. Mais typiquement les alternances manifestent une complexité syntaxique, sont constituées de phrases intégrales, ou présentent une indication distincte de l'échange (telle que la présence d'une forme grammaticale anglaise au début de la séquence). En voici des exemples.

- Elle a quarante euh cinquante-quatre elle a quarante-sept. <Enquêteuse: Maintenant quarante-sept? Ah. C'était ma tante Mariotte. Ma tante Françoise.> Françoise *I think.*
- J'ai fait des, les re/les, repas, repas, sur roues là qu'ils appellent. *Meals on Wheels.* Et puis, quand je voyais qu'il y avait assez de gens […]
- Elle est en charge du euh […] *training programme for Telus Edmonton.*
- Une différence que de notre temps *they like to be entertained* à la place de *entertain themselves.*
- Je trouve les jeunes ils disent *oh it's boring.*
- Vraiment, *I guess,* il y avait des complications.
- Ok. Ben. Une fois à l'école j'ai assis sur une chaise pis ça a brisé. *And everybody laughed so I was totally embarrassed.* Eh. Umm. Oui.
- <Enquêteuse: A Donnelly? Pendant combien d'années?> *Can I ask my Mum?* […] J'ai pris à peu près deux ans et demi de piano.
- <Enquêteuse: Est-ce que tu aimerais ça si ça serait plus proche?> *Yeah. Its good.* <Enquêteuse: It's good? Est-ce que tu as/tu connais Edmonton?>

L'exemple « faire du white water rafting », s'interprétera comme un emprunt plutôt qu'une alternance codique (malgré sa durée) parce que « white water rafting » a le statut d'un mot composé et parce que la séquence est phonétiquement et morphologiquement intégrée sans pause dans la phrase. Il en va de même pour « il y a comme […]le theme park » par contraste avec « un free pa[ss]/oh an all day pass ». Si le locuteur s'était arrêté à « un free pass » on aurait à faire à un emprunt, mais la continuation, qui comprend l'article indéfini « an », indique qu'on est en présence d'une alternance. Inversement, si on voyait que « I guess » apparaissait fréquemment comme particule énonciative, on pourrait le considérer comme un emprunt. Mais on ne le trouve qu'une seule fois dans le corpus et sa structure syntaxique de proposition permet de le classer comme alternance. Ces exemples polymorphémiques illustrent bien les difficultés que l'on éprouve à essayer de distinguer les emprunts des alternances.

2.4.5. Les calques

Dans les calques (*loan translations* en anglais) on voit la traduction directe, mot par mot ou morphème par morphème, d'une expression de la langue source (l'anglais) dans la langue récipiendaire (le français). Le mot composé « gratte-ciel » pour l'anglais *sky-scraper* en est un exemple classique. Les calques se rencontrent fréquemment dans le corpus franco-albertain, surtout chez les plus jeunes. On verra dans (1) ci-dessous des calques sémantiques (où le sens d'un mot français est modifié selon le modèle anglais) et dans (2) et (3) des calques syntaxiques (où il s'agit de la transposition d'une structure syntaxique anglaise) [19].

(1) Calques sémantiques
- J'ai *gradué* (ang. « I graduated [...] »; « j'ai obtenu mon diplôme ») là, à Falher.
- Je suis *retirée*. (ang. « I'm retired »; « je suis à la retraite »)
- deux *piles* de grain (ang. « two piles of grain »; sens anglais plutôt que français [ce n'est pas un tas plus haut que large mais l'inverse])
- *une couple de* [...] (ang. « a couple of [...] »; vieux ou régional en français selon *Le Robert*)

(2) Traductions directes
- sans commencer à la *haute école* (ang. « high school »; « au collège ou lycée »)
- *grade un* à *grade neuf* (ang. « grade one to grade nine »; « de la première à la neuvième année de scolarité »)

---

[19] Il y a souvent un chevauchement entre les diverses catégories, surtout les traductions directes et les transpositions syntaxiques, ce qui rend toute classification difficile. Il arrive aussi qu'une signification rare ou périphérique en français standard devienne plus fréquente ou même dominante en français albertain.

- C'est elle qui *fait les livres*. (ang. « she does the books »; « elle tient les comptes »)
- Elle est *comme* indépendante pis... (ang. « she's, like, independent... »; « ben elle est, tu sais, indépendante »)

(3) Transpositions syntaxiques

- *J'ai marié* Irène LeBlanc. (ang. « I married [...] »; « j'ai épousé [...] », « je me suis marié avec [...] »)
- J'ai *perdu contrôle*. (ang. « I lost control »; « j'ai perdu le contrôle »)
- J'aimerais *vivre dans* Edmonton. (ang. « live in Edmonton »; « vivre à Edmonton »)
- pour *prendre un cours* sur ça (ang. « take a course on that »; « suivre un cours »)
- Ça *sonne comme* une machine à coudre. (ang. « that sounds like »; « on dirait le son de [...] »)
- Il est *bon sur le gaz*. (ang. « it's good on gas »; « c'est une voiture économique »)
- Il *regardait vraiment comme* Michael J. Fox. (ang. « he really looked like... »; « il ressemblait à [...] », « il avait l'air de [...] »)
- je *joue le piano*. (ang. « I play the piano »; « je joue du piano »)
- il *est un* fermier, ma mère *est une* nurse, *est une* LPN, personne ne veut *être un* fermier (ang. « be a [...] »; « est fermier », « est infirmière », etc.)

3. Conclusion

La langue française dans l'Ouest du Canada, dont nos données albertaines sont typiques, se trouve dans une situation fortement minoritaire: les francophones constituent 4 % de la population au Manitoba, 2 % en Saskatchewan et légèrement moins de 2 % en Alberta. Quand on considère le nombre de foyers qui déclarent le français comme langue d'usage, les chiffres sont encore plus décourageants. Cette situation est très connue des spécialistes et reflète une assimilation linguistique progressive qui a commencé il y a plusieurs décennies. On y voit facilement la situation décrite par Beniak, Carey et Mougeon (1984) ou Mougeon et Beniak (1991) et illustrée ci-dessus : la forte présence de traits vernaculaires et la réduction concomitante de la flexibilité stylistique, accompagnée par des mots d'emprunt, des calques et des alternances codiques, surtout chez les jeunes. Pourtant, tout n'est pas perdu. Les francophones de notre enquête s'identifient fortement avec la langue et la culture françaises et bénéficient d'un ensemble important d'appuis : médias français, enseignement local en français, soutien financier des gouvernements fédéral et provincial et une attitude de la majorité qui semble plus ouverte aux bénéfices du bilinguisme et du multiculturalisme. On trouve dans les trois provinces des prairies, par exemple, la possibilité d'une scolarité en français qui va de la maternelle aux études post-secondaires, des émissions de radio et de télévision et des journaux en français, des maisons d'édition francophones, des troupes de théâtre, des sociétés historiques et de nombreuses activités sociales qui contribuent tous à la vie francophone. La quasi totalité de ces activités se déroule dans un français qu'on dirait « de référence » et fournit un modèle standardisant aux locuteurs de l'Ouest. Mais ceux-ci, dans la vie quotidienne qui les éloigne souvent de la norme, manipulent un vernaculaire qui sert aux besoins communicatifs plus locaux et qui subit toutes les pressions assimilatrices qui touchent aux langues minoritaires même dans un milieu qui reconnaît, de plus en plus, l'importance du bilinguisme. Il reste quand même à voir si ce contexte permet le maintien ou, ose-t-on l'espérer, l'essor du français au moins dans les communautés historiquement francophones. Quoi qu'il en soit, la situation de la langue française dans l'Ouest canadien fournit un laboratoire sociolinguistique de tout premier ordre.

Références

BENIAK, Édouard, Steven CAREY et Raymond MOUGEON. 1984. « A sociolinguistic and ethnographic approach to Albertan French and its implications for French-as-a-first-language pedagogy », *La revue canadienne des langues vivantes*, 41 (2) : 308-314.

BOURHIS, Richard. 1994. « Introduction and overview of language events in Canada », *International Journal of the Sociology of Language*, 105/106 : 5-36.

DUMAS, Denis. 1987. *Nos façons de parler. Les prononciations en français québécois*, Sainte-Foy, Les Presses de l'Université Laval.

DURAND, Jacques et Chantal LYCHE. 2003. « Le projet "Phonologie du français contemporain" (PFC) et sa méthodologie », dans Élisabeth DELAIS-ROUSSARIE et Jacques DURAND (dirs.), *Corpus et variation en phonologie du français. Méthodes et analyses*, Toulouse, Presses Universitaires du Mirail, 213-276.

FOREST, Constance et Denise BOUDREAU. 1999. *Dictionnaire des anglicismes : le Colpron*, Laval, Québec, Beauchemin.

JACKSON, Michael. 1974. « Aperçu des tendances phonétiques du parler français en Saskatchewan », *Revue canadienne de linguistique*, 19 (2) : 121-133.

LÉARD, Jean-Marcel. 1995. *Grammaire québécoise d'aujourd'hui. Comprendre les québécismes*, Montréal, Guérin.

MENEY, Lionel. 1999. *Dictionnaire québécois-français. Mieux se comprendre entre francophones*, Montréal, Guérin.

MOUGEON, Raymond et Édouard BENIAK. 1991. *Linguistic consequences of language contact and restriction*, Oxford, Oxford University Press.

OSTIGUY, Luc et Claude TOUSIGNANT. 1993. *Le français québécois. Normes et usages*, Montréal, Guérin.

PAPEN, Robert. 1984. « Quelques remarques sur un parler français méconnu de l'Ouest canadien : le métis », *Revue québécoise de linguistique*, 14 (1) : 113-139.

PAPEN, Robert. 1993. « La variation dialectale dans le parler français des Métis de l'Ouest canadien », *Francophonies d'Amérique*, 3 : 25-38.

PAPEN, Robert. 1998. « French : Canadian varieties », dans John EDWARDS (dir.), *Language in Canada*, Cambridge, Cambridge University Press, 160-176.

POPLACK, Shana. 1993. « Variation theory and language contact », dans Dennis PRESTON (dir.), *American dialect research : An anthology celebrating the 100th anniversary of the American Dialect Society*, Amsterdam, Benjamins, 251-286.

ROCHET, Bernard. 1993. « Le français parlé en Alberta », *Francophonies d'Amérique*, 3 : 5-24.

ROCHET, Bernard. 1994. « Le français à l'ouest de l'Ontario. Tendances phonétiques du français parlé an Alberta », dans Claude POIRIER (dir.), *Langue, espace, société. Les variétés du français en Amérique du Nord*, Sainte-Foy, Les Presses de l'Université Laval, 433-455.

THOGMARTIN, Clyde. 1974. « The phonology of three varieties of French in Manitoba », *Orbis*, 23 (2) : 335-349.

WALKER, Douglas. 1984. *The pronunciation of Canadian French*, Ottawa, University of Ottawa Press.

Le français vernaculaire des isolats américains[1]

Albert Valdman, Indiana University

1. Introduction

De Butte à l'ouest à Terre Haute à l'est, d'Eau Claire au nord à Baton Rouge au sud (v. la carte à la page 4) les toponymes constituent un témoignage éloquent de la présence de la langue française sur le territoire occupé aujourd'hui par les États-Unis. Mais si les Français ont parcouru tout ce territoire à partir du 17ᵉ siècle, à part ces toponymes, ils ont laissé peu de traces linguistiques. Particulièrement éphémères se sont révélées les nombreuses tentatives de colonisation lancées directement de France vers la fin du 18ᵉ siècle et au 19ᵉ siècle, la plupart d'inspiration socialiste[2]. Pour ces colons ce jeune pays installé sur un territoire relativement vierge offrait un terreau propice à des modes innovateurs d'organisation politique et sociale.

Quelles sont donc les traces linguistiques réelles laissées par les aventureux coureurs de bois partis de la Nouvelle France aux 17ᵉ et 18ᵉ siècles et de leurs idéalistes cousins venus directement de France au 19ᵉ

---

[1] Je tiens à exprimer mes remerciements à Robert Vézina et Robert Papen qui ont bien voulu relire mon texte et qui m'ont fait part d'importantes remarques critiques. J'ai aussi une dette de reconnaissance envers Dorin Uritescu et Françoise Mougeon, qui ont partagé avec moi leurs données sur le français vernaculaire de Frenchville, ainsi qu'envers Barbara Bullock et Chip Gerfen, qui m'ont donné accès à plusieurs articles inédits portant sur ce même parler.

[2] L'une de ces colonies, Gallipolis, fut fondée en 1790 par un groupe de 500 personnes, la plupart des aristocrates émigrés et des petits artisans, sur les bords de l'Ohio entre les villes actuelles de Cincinnati et de Marietta. Comme la plupart de ces communautés établies sans connaissance préalable des lieux ou du nouveau pays, Gallipolis périclita rapidement et, à partir de 1811, elle fut rapidement submergée par l'afflux d'Américains mieux adaptés aux conditions de vie des pionniers. Pour une description de ces colonies, voir Creagh (1988). Ironie du sort, le village de Cheshire construit sur le site de la colonie ruinée a été récemment vidé de ses habitants pour résoudre le problème de la pollution par une centrale électrique.

siècle ? Si l'on veut dire par traces réelles la parole vernaculaire vivante, la francophonie aux États-Unis persiste seulement dans deux bastions, la Louisiane et la Nouvelle-Angleterre et divers isolats, dont les seuls qui aient fait l'objet d'études publiées sont la Vieille Mine dans le Missouri, Frenchville en Pennsylvanie et Red Lake Falls dans le Minnesota. L'on pourrait aussi y ajouter deux isolats : la communauté vaudoise de Valdese en Caroline du Nord (Pons 1990), isolat gallo-roman fort négligé par les linguistes, et celui du Carénage aux Îles Vierges américaines. Pour ce dernier isolat, le traitement de la communauté mère à Saint-Barth par Chaudenson dans ce volume me permet d'en faire l'économie. Je me limiterai ici aux isolats situés sur le continent.

Quelle est l'importance des isolats américains pour l'étude du fait français en Amérique du Nord ? Pour ces communautés, la langue ancestrale n'est plus véritablement vivante et n'a qu'une fonction identitaire marginale. Son étude interpelle donc deux problématiques : les phénomènes qui accompagnent le contact linguistique et l'étiolement linguistique. Mais du fait de leur isolement, ces communautés constituent des réservoirs linguistiques par excellence puisque y subsistent des formes qui ont disparu non seulement des variétés métropolitaines de la langue mais aussi des variétés américaines vivaces évoluant dans un contexte écolinguistique différent marqué par un certain contact avec le français standard véhiculé, entre autres, par l'école et les médias. Enfin, leur éloignement quasi total des formes normées du français aurait laissé libre cours à des tendances évolutives internes de la parole vernaculaire, tendances que l'on retrouve aussi dans les créoles à base lexicale française (v. l'article de Chaudenson dans ce volume).

Comme on le verra par la suite, seules les communautés de Frenchville et de Valdese constituent des isolats véritables puisque les deux autres, fondées originellement par des Canadiens, ont maintenu jusqu'au milieu du 19e siècle des contacts avec l'un ou l'autre des deux foyers francophones de l'époque, le Québec et la Louisiane. Cependant, ces contacts ont été presque totalement rompus au cours du siècle dernier et, depuis, ces communautés ont évolué en autarcie linguistique.

Mon survol de ces quatre isolats comprendra tout d'abord une description générale, comportant une indication des sources bibliographiques. Suivront ensuite des discussions portant sur (1) des phénomènes de contact linguistique, (2) des aspects de l'étiolement linguistique et (3) des archaïsmes dont certains témoignent de l'origine dialectale des parlers des isolats et d'autres témoignent d'une évolution diachronique propre aux variétés nord-américaines. Je terminerai par des implications de l'étude de ces parlers pour l'étude du français vernaculaire en général.

2. Description générale des isolats

2.1. *La Vieille Mine*

L'excellente description de la colonisation française au pays des Illinois qu'offre l'article de Vézina (ce volume) me permet de faire un survol sociolinguistique de la communauté de la Vieille Mine. En effet, dans cette région et dans la ville avoisinante de Sainte Geneviève s'étaient repliés les habitants des villages du pays des Illinois (Cahokia, Kaskakia, Nouvelle Chartres, Saint Philippe et Prairie du Rocher) lorsque le territoire fut cédé aux Anglais en 1763 et, plus tard, investi par les frustes mais agressifs Américains. Le parler de la Vieille Mine demeure le mieux documenté du français des isolats américains grâce aux travaux des pionniers que furent Miller (s.d.), Dorrance (1935), Carrière (1937), McDermott (1941) et de ceux, plus rapprochés, de Thogmartin (1970, 1979) et Thomas (1981).

La découverte de gisements de plomb, dès 1700, dans ce qui est aujourd'hui le comté de Washington, au sud de Saint-Louis et la prospérité économique qui s'ensuivit y dirigea une population fort hétérogène linguistiquement : outre les Canadiens et les colons venant directement de France, des Blancs de la Louisiane, des esclaves africains provenant de cette dernière région ainsi que de Saint-Domingue et des alloglottes[3]. La diversité des contacts linguistiques était renforcée par la situation stratégique du territoire des Illinois (ou Haute Louisiane) au bord du Mississippi, l'axe fluvial sud-nord[4]. Ainsi est-il malaisé de démêler dans le corpus disponible, principalement les 73 contes recueillis et transcrits par Carrière (1937), ces fils linguistiques enchevêtrés. Mais comme le note fort bien Vézina la contribution canadienne est prépondérante.

Il est vrai que s'agissant de communautés linguistiques en voie de disparition il ne faut jamais vendre la peau de l'ours. Toutefois lors de

---

[3] Par exemple, l'un des deux conteurs de Carrière se nommait Coleman, anglicisation de Kuhlmann, le nom porté par des Allemands installés en Louisiane originaires de Bade. En 1799, un certain Moses Austin, probablement anglophone, s'installa à la Mine à Breton et y établit une scierie et une fonderie.

[4] Pour la description d'un voyage de la Louisiane par un témoin de l'époque, voir Canac-Marquis et Rézeau (à paraître).

ma visite à la Vieille Mine vers 1980, parmi les sexagénaires et septuagénaires que j'ai rencontrés peu d'entre eux pouvaient être qualifiés de locuteurs encore pleinement compétents (*fluent speakers*). Carrière commen-
tait: « Le dialecte français des créoles âgés de vingt à vingt-cinq ans ne
pourrait être guère appauvri sans cesser d'exister » (1937 : 11), et plus de
trente ans plus tard Thogmartin constatait l'absence de transmission intergénérationnelle. Selon lui, les francophones usaient plus de l'anglais
que de leur langue maternelle et leurs enfants et petits-enfants n'avaient
même plus une compréhension passive de la langue (1979 : 111).

2.2. *Red Lake Falls*

La présence de la langue française au Minnesota remonte à la
période des premières explorations en 1678 par le frère Recollet belge
Louis Hennepin et surtout Daniel Greysolon, sieur du Luth, en
l'honneur duquel fut nommée la ville de Duluth (Creagh 1988 : 62). Par
la suite le « pays d'en haut » attira un courant migratoire canadien continu. La fondation de la Compagnie du Nord-Ouest en 1784 entraîna
l'installation de nombreux postes de traite et le développement de la nation des Métis de la rivière Rouge (Papen à paraître; v. aussi son article
dans ce volume). Établis d'abord dans la partie orientale du Dakota du
Nord actuel, les Canadiens fondèrent plus à l'est et au sud un village,
Saint-Paul, qui devint la capitale du nouvel état du Minnesota (1858)
dont la devise française, « L'étoile du Nord », témoigne de l'importance
du peuplement canadien au cours du 19e siècle. Selon McQuillan (1983,
cité par Papen, à paraître), en 1891, la population canado-française de la
conurbation Saint-Paul-Minneapolis s'élevait à 18 000 personnes, et encore aujourd'hui il existe une Société canadienne-française dont le bulletin de liaison en français *Chez nous* apparaît quatre fois par an.

À la suite d'un traité de paix avec les Ojibwas de la région de
Red Lake en 1876 un trappeur et négociant métis originaire du Fort Gary dans le Manitoba actuel, Pierre Bottineau, fonda au confluent des rivières Clearwater et Red Lake le village de Red Lake Falls. Rapidement
essaimèrent le long des deux rivières une douzaine de villages portant
des noms français (Gentilly, Riouxville, Rivière Voleuse, Terrebonne,
etc.) où s'établirent des colons canadiens en provenance de Saint-Paul
mais aussi du Québec et de la Nouvelle Angleterre. Benoit (1975) rapporte qu'au centre de la vie communautaire de cette colonie canadienne,
la paroisse Saint-Pierre à Gentilly, les services religieux ont été célébrés
en français jusqu'aux années 1970 et qu'y fonctionnaient une école et
une académie pour filles tenues par des religieux.

Cependant, la seule description linguistique de cet îlot franco-phone du Minnesota consiste en un bref article (Papen à paraître) basé sur un enregistrement de trois heures effectué auprès de deux locuteurs de Red Lakes Fall nés au début du 20ᵉ siècle. En général, la variété de type laurentien reflète le parler de l'Ouest canadien.

2.3. *Frenchville*

Le village de Frenchville se trouve dans le comté de Clearfield, au centre de l'état de Pennsylvanie, sur un plateau quasi inhabité. La fondation de la communauté remonte à 1831, date à laquelle des bûche-rons et des fermiers originaires de l'est de la France (départements de la Haute-Saône, de la Haute-Marne et du Haut-Rhin) furent recrutés par un certain John Keating, riche propriétaire désireux de vendre des ter-rains. Le peuplement du village se poursuivit au cours de trois ou quatre décennies et vers 1970 la communauté comptait quelques 300 âmes (Caujolle 1972 : 27). Même si certains membres de la communauté indi-quaient que leurs ancêtres étaient originaires de Normandie et de Picar-die, seuls ces trois départements sont notés sur les plus anciennes pierres tombales du cimetière.

La survivance du français à Frenchville pendant environ un siè-cle et demi s'explique par trois facteurs : premièrement, l'isolement géo-graphique de la partie centrale de l'état qui ne fut désenclavée qu'en 1970 (Caujolle 1972 : 32) ; deuxièmement, la différence de religion entre ces catholiques et le milieu protestant ambiant ; troisièmement, le réseau social étroit qui unissait des immigrés à fortes attaches familiales parta-geant le même style de vie rural et fortement endogames. Jusqu'en 1960, il existait une école locale employant l'anglais comme véhicule pédagogi-que mais dont l'institutrice était bilingue (Bullock et Gerfen à paraître). Cette école avait été précédée d'une petite école paroissiale créée par les premiers prêtres qui instruisaient en français. Lors d'entretiens menés en compagnie de J. Caujolle en 1970, je constatais que seules des personnes ayant passé la cinquantaine étaient capables de mener une conversation suivie avec des locuteurs de français de référence (FR). Leurs enfants, dont la plupart avaient des conjoints anglophones et avaient quitté le village pour s'assurer d'une promotion sociale et économique, n'avaient de la langue ancestrale qu'une compétence passive. Qui plus est, ils refu-saient de la parler, affirmant qu'elle constituait un stigmate social au sein du monde extérieur. Force est de conclure avec Caujolle (1972 : 32) que le parler de Frenchville est bien moribond.

Malheureusement nous ne disposons d'aucuns corpus substantiels pour cette intéressante variété américaine de français qui n'a donné lieu qu'à deux études récentes : Bullock et Gerfen (à paraître) et Uritescu et Mougeon (2003). La première est basée sur un enregistrement d'une heure auprès de deux frères âgés de 69 et 72 ans respectivement, mariés à des épouses qui ne parlent pas la langue, tous les deux illettrés. La seconde porte sur deux entrevues avec deux octogénaires. L'absence de données robustes du parler de Frenchville est regrettable car il constitue la seule variété de français répertoriée qui, au contraire des deux autres isolats, n'a aucuns liens avec les variétés endogènes de français en Amérique du Nord et les régions de l'Hexagone qui ont alimenté la migration française vers le Nouveau Monde.

2.4. *Valdese*

La communauté de Valdese, située dans la partie occidentale de la Caroline du Nord, à l'est d'Asheville, fut fondée en 1893 par une vingtaine d'immigrants originaires des vallées vaudoises du Piémont (Watts 1941 et 1965, Pons 1990). Ces agriculteurs étaient les descendants de sectes protestantes dont les racines remontent à divers groupes d'hérétiques provenant sans doute de plusieurs parties de l'Occitanie qui trouvèrent refuge dans les vallées alpines à l'ouest du Piémont. Victimes de nombreuses persécutions aux cours des siècles, les Vaudois ou Waldeses, quittèrent leurs vallées pour la Suisse lors des dragonnades qui suivirent la révocation de l'édit de Nantes en 1685 mais y revinrent quelques années plus tard. Ce n'est qu'en 1848 que le duc de Savoie leur accorda le droit de pratiquer leur religion en paix. Vers la fin du 19ᵉ siècle des conditions économiques difficiles forcèrent des Vaudois à chercher une vie meilleure au Nouveau Monde, notamment en Argentine et aux États-Unis. La communauté de Valdese représente la plus importante des communautés vaudoises dans ce dernier pays.

Dans les vallées italiennes s'établit une diglossie où le dialecte occitan local était coiffé par le FR, langue de l'Église et des affaires administratives locales et l'italien, langue du pouvoir externe. Vu l'influence prépondérante de l'église réformée dans la vie sociale et l'organisation des premières années de leur installation, les colons de Valdese transportèrent cette diglossie dans leur nouvel habitat. Le français continua à être utilisé pour les services religieux jusque vers les années 1920 et céda la place progressivement à l'anglais, bien qu'il y occupât un rôle symbolique jusqu'en 1966. Lorsque Pons mena son enquête, Valdese comptait 250 familles d'origine vaudoise pour une population d'environ 3 000 âmes, mais l'installation de diverses industries, dont des filatures, attira les anglophones avoisinant. Cette évolution démographique et l'exogamie accélérèrent l'américanisation de la communauté. Le dialecte vaudois, dénommé *lu patua* ou *patois,* conserve sa fonction vernaculaire et identitaire. En effet, selon un questionnaire sondant les attitudes de 72 personnes, presque toutes âgées de plus de 60 ans, démontrant encore une connaissance de la langue, 76 % pensaient qu'il valait la peine de la conserver. En revanche, les statistiques ci-dessous démontrent bien sa dévalorisation face au FR et à l'anglais (Pons 1990 : 87) ainsi que le statut marginal du FR :

	anglais	FR	patois	italien
langue plus belle	27,3	48,5	10,6	13,6
langue plus utile	97,1	1,4	1,4	0
langue plus prestigieuse	75,8	22,7	1,5	0
langue liée à l'identité personnelle	77,8	4,2	6,9	11,1

Le parler occitan de Valdese a fait l'objet d'une seule étude récente (Pons 1990). C'est en fait la seule description des isolats américains qui contient une composante sociolinguistique, comme l'indiquent les données ci-dessus. Par ailleurs, l'existence d'une description linguistique antérieure, bien que sommaire (Ghigo 1980), et une autre plus ample portant sur le parler d'une des vallées piémontaises (Pons 1973) permet à l'auteure d'illustrer certains aspects de l'étiolement linguistique, par exemple la réduction des distinctions de cas et de nombre dans le système pronominal et le remplacement des désinences verbales par des processus analytiques, emploi obligatoire de pronoms sujets et utilisation de verbes auxiliaires : *parlà-lî* au lieu de *parlà-lur* « parle-leur » (*lî* est le complément d'objet direct et *lur* le complément d'objet indirect) ; *parlu* « je parle » vs *parlo* « il/elle parle » devient *parlu* vs *â/î parlu.*

3. Phénomènes de contact linguistique

Haugen (1956) considère le français comme l'une des langues « coloniales » des États-Unis, puisque tout comme l'anglais et l'espagnol, il s'est maintenu de façon ininterrompue depuis l'arrivée des premiers colons européens. L'on en conclurait que son évolution se distinguerait de celle des langues parlées par les diverses couches d'immigrants qui affluèrent de l'Europe lors de la Révolution industrielle. En effet, les premiers colons français se regroupèrent dans des communautés relativement homogènes linguistiquement tandis que les immigrants se retrouvèrent en plus grand contact direct avec leurs hôtes anglophones. Dans le cas des locuteurs des isolats francophones l'on pourrait croire que leur parler a moins subi la pression glottophagique de l'anglais. Il n'en est rien car, dès que leur isolement fut rompu, l'ouverture sur le monde moderne eut des conséquences indéniables sur le sort et la forme de leur variété vernaculaire.

Aussi, tout comme la plupart des immigrés de la fin du 19e siècle, ces francophones manquaient d'instruction et, par conséquent, ne maîtrisaient pas la forme normée de leur langue dont leur isolement les avait coupés. Ils acceptaient donc les jugements dépréciatifs portés sur leur vernaculaire, non seulement pas les membres de la communauté d'accueil, mais aussi par leurs propres élites. Même s'ils se sentaient les dépositaires des valeurs culturelles véhiculées par leur vernaculaire, ils étaient conduits à accepter les jugements dépréciatifs portés sur lui et ne se mobilisèrent guère pour défendre son maintien. L'idiome du foyer symbolise pour les membres des générations qui s'ouvrent vers le monde extérieur un mode de vie rural et un statut social infériorisé dont ils ont hâte de se défaire pour accéder pleinement à la promotion sociale et économique au sein de la société américaine. Dans les situations de déperdition linguistique ce sont en général les membres de la communauté qui maîtrisent la forme normée du vernaculaire et de la langue dominante qui œuvrent pour son maintien et militent pour sa revitalisation.

Le contact avec le monde extérieur se traduit d'abord par un bilinguisme qui ouvre la voie aux phénomènes de métissage linguistique : emprunts, calques et alternance codique. Ensuite, le vernaculaire délaissé se désagrège et s'étiole. Les emprunts liés aux thèmes et aux domaines discursifs où l'anglais domine sont parfaitement prévisibles, surtout lorsqu'ils dénomment des notions absentes de la culture traditionnelle. Ils ne se distinguent guère de ceux qui apparaissent dans des variétés stables soumises à une certaine influence externe, tel même le FR. Par exemple, à Frenchville, fondée au cours de années 1830, les termes se référant aux objets et aux techniques introduits dans le FR après la migration ne font pas partie du lexique des locuteurs : *stylo, automobile, téléphone, usine*, etc. sont remplacés par leur terme correspondant anglais. Dans de rares cas, certains de ces termes ont été importés de France par des contacts ultérieurs, par exemple par le biais du service militaire en France pendant la Deuxième Grande Guerre. Caujolle (1972 : 32) rapporte qu'une de ses interlocutrices exultait de joie en expliquant qu'elle avait ainsi enrichi son lexique avec *ampoule électrique* au lieu de *light bulb*. De même, à Red Lake Falls, en domaine rural, l'on retrouve *combine self propel* « moissonneuse-batteuse auto propulsée », *cabine air-condition* et *tire* « pneu » (Papen à paraître). Ce type d'emprunt caractérise la parole des bilingues équilibrés. Au fur et à mesure que l'anglais devient la langue dominante du point de vue psycholinguistique l'emprunt s'étend aux mots usuels : *tar* « asphalte », *le west*, *jar* « bocal », *stock* « bétail », *store* « magasin ».

Dans le cas du FM (parler de la Viellle Mine) et du FRL (parler de Red Lake Falls)[5] plus particulièrement, vu que ces parlers ont de profondes racines canadiennes, il est important de distinguer différentes strates d'emprunts à l'anglais. Certains emprunts proviennent de contacts directs récents, d'autres plus anciens auraient pu être déjà intégrés aux variétés importées par les nouveaux arrivants. C'est le cas sans doute de *gaimbler* (« to gamble ») « jouer pour de l'argent » (Carrière 1937 : 316) que l'on retrouve en Louisiane avec la graphie *guimbler* et de *bâdrer* (« to bother ») « embêter, ennuyer » (Papen à paraître).

L'approche traditionnelle dans les études sur le contact linguistique laisse entendre qu'un déterminisme inexorable fait peser sur les locuteurs de variétés socialement inférieurisées des pressions qui les poussent à adopter des traits exogènes. Moreau (2000) fait remarquer, qu'au contraire, en situation plurilingue les divers types de phénomènes de mixité peuvent témoigner d'un choix conscient des locuteurs entre diverses variantes, comme c'est le cas dans toute situation d'énonciation. Ainsi, pour le locuteur louisianais qui produit *elle est **gone** à la **grocery*** au lieu de *elle est allée à l'épicerie*, il s'agit d'un choix qui a valeur sociolinguistique ou socio-psychologique. La période de temps durant laquelle ces divergences par rapport au FR peuvent être effectivement considérées comme des traits exogènes peut s'avérer être très courte. En témoigne l'intégration morphologique des emprunts. Par exemple, en FRL la désinence {Z} du pluriel des substantifs et la désinence {D} du participe passé ne sont pas réalisées à l'oral : *les farms* /farm/ et non pas /farmz/, *self propel* et non pas *self propelled*, respectivement. Carrière (1937 : 241-243) souligne les formes *déserve* de (« to deserve ») « mériter » et *brandži* (« brandy ») « eau de vie » mais non pas *trav'lé* (« to travel ») « voyager », bien que toutes les trois exhibent des accommodements à la phonologie du FM. Plutôt que de relier tout trait métissé à l'un ou l'autre des systèmes en contact, Picone (1996) les interprète comme appartenant à un intercode. Dans la phrase cadienne *Ils voulaient **check** sur la situation* « Ils voulaient s'informer de la situation », le verbe « to check » conserve sa

---

5 J'emploie les abréviations suivantes pour désigner le vernaculaire des isolats : FM pour la Vieille Mine, FRL pour Red Lake Falls, FFV pour Frenchville.

prononciation d'origine et n'apparaît ni sous sa forme assimilée *checker* ni sous sa forme pleine anglaise *to check*. Ce recours à l'intercode constituerait une stratégie lexicogénétique qui permet aux semi-locuteurs de pallier les carences lexicales en puisant dans le lexique de la langue dominante, toujours disponible, sans avoir recours à l'emprunt assimilé ou effectuer une alternance de code caractérisée.

« L'anglicisme, voilà l'ennemi ! » proclamait Jules-Paul Tardivel (1880), l'un des premiers défenseurs de la langue française au Québec. En fait, il visait moins les emprunts que l'influence insidieuse des calques. Pour le FFV, j'avais noté chez les sujets interviewés par Caujolle et moi-même : *j'étais chauffeur devant que je viens ingénieur* (« engineer ») « conducteur de locomotive » et *devant* (« before ») « avant » ; *ça goûte le whiskey* (« it tastes like whiskey ») « ça a un goût de whiskey ». Pour le FM, le conteur de Carrière produit : *i'a vu queuque chose qui éclairait dans tas d'pierre là*, dans lequel *éclairait* calque *was shining* « brillait » (1937 : 243) et Thogmartin (1979 : 116) note l'utilisation de *courir* modelé sur le verbe polysémique *to run* « opérer [une machine] », « tenir [un magasin] » et la locution *to run out of* « manquer de » *: Il[s] ont couru ennehors de sel* (« they ran out of salt ») « ils ont manqué de sel », *I'courait une groc'rie* « il tenait une épicerie ». Pour le FRL, Papen (à paraître) a capté le savoureux *faire de la lune* (« to make moonshine ») « whiskey de contrebande »[6].

---

[6] Cependant R. Vézina (communication personnelle, février 2004) estime que dans certains cas il pourrait s'agir de la conservation d'un trait dialectal présent en France. Voici ce qu'il me signale : **elle est maîtresse de poste** (« postmistress ») « postière » « Je crois qu'il pourrait bien s'agir d'un archaïsme plutôt que d'un calque de l'anglais. On trouve *maître de poste* en français du 18e siècle (v. Trévoux 1752) et également au 19e siècle. On trouve même *maîtresse de poste* en France au 19e siècle : *Madame Gélinotte [...] autrefois maîtresse de poste à Châtellerault* (LABICHE, *Deux papas*, 1845, XIV, 1, p. 626), v. TLF (Trésor de la Langue Française) s.v. *maître, maîtresse* ; **devant** (« before ») « avant » Ici encore, je crois qu'on peut expliquer cet emploi par une influence dialectale ou par simple conservatisme. Cet emploi de *devant* est encore attesté en français du 19e siècle (cf. TLF) et il est toujours en usage dans plusieurs parlers régionaux, par exemple dans le parler sarthois : *je viendrai devant* (« avant ») *9 heures*; **ça goûte le whiskey** (« it tastes like whiskey ») « ça a un goût de whiskey » Cet emploi a également une origine française, il est d'ailleurs en usage partout au Québec et en Belgique; en français régional, il a des emplois apparentés (v. le DRF de Rézeau 2001) ; **i'a vu queuque chose qui éclairait dans tas d'pierre là,** les verbes *éclairer* et *briller* appartiennent à des réseaux sémantiques très proches, cet emploi du FM pourrait aussi être interprété comme une extension de sens. De plus, en France, dans différentes régions on relève *claireyer* « briller, étinceler », *claironner* « reluire, étinceler » et en Suisse, à Neuchâtel, on trouve *clairer* « luire »; comme quoi les mots appartenant à la famille du mot *clair* peuvent rendre l'idée de « brillance ». Bref, l'influence du verbe anglais *to shine* n'apparaît pas si sûre. Il n'est nullement exclu bien sûr qu'il s'agisse

L'alternance codique demeure un aspect relativement négligé du métissage linguistique. Uritescu et Mougeon (2003) suivent certains auteurs qui distinguent l'alternance codique inter-phrastique de l'alternance codique intra-phrastique. Mais, comme le suggèrent ces auteurs, il est malaisé de distinguer ce dernier type d'alternance codique de l'emprunt massif comme le démontre le cas de *une RUN un STORE à Beachcreek* (« l'une tient un magasin à Beachcreek ») qui me semble démontrer simplement l'emprunt. En revanche, l'exemple fourni par Papen (à paraître), *Not' pays aurait été over and out [...] busted* (« Notre pays aurait été complètement détruit ») constitue, lui, un cas moins litigieux d'alternance intraphrastique. Pour cet auteur, qui relève peu de cas d'alternances codiques dans ses trois heures d'enregistrement, elles sont limitées à des exclamations ou des expressions idiomatiques. Par contre, Uritescu et Mougeon (2003) notent un taux très élevé d'alternances inter-phrastiques, (par ex.: *OH, IT'S BETTER FOR YOU, WELL, I COME UP ON SIXTY-THREE, il y a vingt-cinq ans*), de 14,8 % et 34,8 %, respectivement, chez l'homme et la femme interviewés. Ils voient dans la fréquence de ce type de métissage linguistique un symptôme d'un étiolement avancé du vernaculaire car, au contraire de ce qui se passe chez les bilingues équilibrés, ici l'alternance codique ne joue aucun rôle stylistique.

4. L'étiolement linguistique

L'étiolement linguistique comprend certains phénomènes que partagent les variétés linguistiques en voie d'abandon par leur communauté, notamment la restriction stylistique et des restructurations dont la causalité est multiple (convergence avec la langue dominante, facteurs internes, etc.). Comme le démontre éloquemment *a contrario* l'article de Rottet dans ce volume, l'étude de ce phénomène dans les parlers vernaculaires des isolats s'avère malaisée vu l'absence de données robustes qui permettent la comparaison directe de l'utilisation de langue entre les locuteurs se situant sur des points différents du continuum d'étiolement, les semi-locuteurs et ceux qui maîtrisent encore les normes locales. Au contraire de la situation en Louisiane, l'on ne dispose pour le FM, le FRL et le FFV que de maigres données, quelques heures de conversations dirigées menées auprès de vieilles personnes, toutes des semi-locuteurs. Ainsi est-il impossible d'observer comme peuvent le faire Rottet et S. Dubois (articles dans ce volume) les variations in-

---

d'une convergence entre un conservatisme et l'influence de la forme ou la tournure de l'anglais. »

tergénérationnelle et stylistique. Pour le FM, le parler des isolats le mieux documenté, malgré la richesse du corpus ethnographique collecté par Carrière (1937) et Dorrance (1935), ceux-ci ne disposaient pas des moyens techniques adéquats et, opérant avec le modèle de description linguistique réductionniste de l'époque, ils ne pouvaient guère recueillir la parole ordinaire. Pour tous ces isolats l'étiolement linguistique est bien trop avancé à l'heure actuelle pour permettre la collecte de données adéquates pour une étude rigoureuse de l'étiolement linguistique.

L'éloignement des isolats par rapport au FR a sans doute favorisé le déclenchement de processus auto-régulateurs internes qui constituent le moteur principal du changement linguistique ordinaire. Mais comme le souligne Rottet (ce volume), il est malaisé dans les situations d'étiolement linguistique de faire la part de ces processus internes et de la pression externe qu'exerce la langue dominante. Les observations sur la structure du vernaculaire des isolats ont porté surtout sur la morphosyntaxe. Sur ce plan les chercheurs s'accordent pour noter les restructurations suivantes dont certaines se retrouvent dans les créoles à base lexicale française (CBLF) (Valdman 1979) :

- L'estompement de la distinction de genre
- La réduction du système pronominal par l'élimination de certaines distinctions casuelles et de la distinction entre formes clitiques et formes pleines
- La réduction de la distinction de nombre
- Le remplacement de la flexion verbale par des tours périphrastiques et la régularisation du thème verbal
- La parataxe au lieu de pronoms relatifs différenciés

Tous ces traits se retrouvent ailleurs en Amérique du Nord et, ce qui est plus probant, dans ce qu'on appelle le français populaire (FP) de la Métropole, mais qui est en fait le français ordinaire (Gadet 1992). Je traiterais brièvement des trois derniers traits et de deux autres :

- La dépronominalisation des verbes pronominaux
- L'effacement de l'article défini à valeur de spécifique et son remplacement par le déictique postposé *-là*, un trait marquant des CBLF

4.1. *Système verbal* [7]

La structure « *être après* + infinitif » pour exprimer le procès en cours, *je suis après manger* « je suis en train de manger », attesté dans le FM et le FRL, n'est pas un phénomène particulier à ces isolats puisqu'il se retrouve dans les autres variétés nord-américaines. Cela est aussi le cas de l'emploi d'*avoir* comme auxiliaire dans la formation du passé composé :

(1) euse ont retourné [FFV]

(2) s'a ach'té « s'est acheté » [FM (C 241)]

Toutefois ce trait est variable :

(3) I'se sont chamaillé une escousse là (« quelque temps ») vs J'ai venu au monde [FRL]

(4) quand c'te missionnaire là est venu/on a venu
que sont mariées/elle s'a remariée/quand j/mai mariée
[FFV (Uritescu et Mougeon 2003)]

Dans le cas du FFV le remplacement est catégorique chez le frère mais variable chez la sœur du couple frère/sœur interviewé, ce qui conforte l'observation que les femmes tendent à se rapprocher de la norme. On relève aussi dans le FFV le remplacement sporadique des formes du présent du subjonctif par les formes correspondantes de l'indicatif :

(5) J'i dirai qu'elle vient. [FFV]

4.2. *La parataxe et le complémenteur* que *au lieu de pronoms relatifs différenciés*

Le FP connaît l'effacement du complémenteur *que* dans l'enchâssement d'une complétive et son utilisation comme pronom relatif généralisé (Bauche 1946 : 93) :

(6) Tu veux Ø [que] je viens ?

(7) C'est moi **que** [qui] pars.

(8) L'homme **que** [dont, duquel] je vous ai causé.

(9) La personne **que** [à qui, à laquelle] je **lui** ai donné votre lettre.

---

[7] Les exemples cités proviennent des sources suivantes : pour FRL, Papen (à paraître) ; FM, C (Carrère 1937), T (Thogmartin 1970, 1979) ; FFV, excepté l'exemple attribué à Uritescu et Mougeon (2002), de mes propres observations et de Caujolle (1972).

Ces traits se retrouvent aussi dans les isolats :

FM : (10) L'plus vieux 'l a vu Ø [que] i' pouvait pas avouère la couronne d'autre magnière.

L'fallait Ø [qu'] i'sarrête, l'vieux (C241)

(11) M'a prend' l'argent Ø [dont] j'ai d'besoin (T64)

FRL : (12) Les liv' **que** [avec lesquels] vous aviez coutume de suiv' la messe.

FFV : (13) Les premier qu' [qui] ont venu.

Thogmartin (1970 : 64) note la substitution du pronom démonstratif *ça* pour le pronom relatif :

(14) Ç'a été tout l'argent **ça** ils ontvaient [avaient].

4.3. *La dépronominalisation des verbes pronominaux*

Uritescu et Mougeon (2003) observent chez leurs sujets de Frenchville la dépronominalisation dans les verbes pronominaux :

[...] que [qui se] sont mariées
[...] je [me] suis marié

Le fait que Rottet (ce volume) relève une différence considérable dans l'absence du pronom réfléchi (55 % vs 6 %) entre les jeunes locuteurs du cadien de Lafourche et les plus âgés de leurs aînés suggère que ce trait pourrait fort bien s'expliquer comme il le pense par une interférence de l'anglais.

4.4. *Le déictique -là à valeur de déterminant défini*

La postposition des déterminants, qui voit son développement maximal en créole haïtien, constitue l'un des traits marquants des CBLF, si bien que de nombreux créolistes y voient un transfert des langues kwa de l'Afrique occidentale qui connaissent aussi cette structure (Lefebvre 1998). Sa présence dans le FM donne raison à Chaudenson (1992) et moi-même (Valdman 1978) qui l'expliquons par une convergence entre un trait de la variété de français en usage dans les colonies plantocratiques et les langues des esclaves. Ce trait se retrouve abondamment dans les contes collectés par Carrière (1937) mais en alternance avec le déterminant défini préposé :

dans tas d'pierre-là
p'tsit douè-là
p'tsit berger-là
m'as casser ta tête avec baton-là (C240-243)

Comparé à :

l'p'tsit sifflet

Du point de vue sémantique, cette structure porte une valeur intermédiaire entre celle du déterminant défini et du déterminant démonstratif du FR, tout comme son homologue des CBLF.

4.5. *Réduction lexicale*

Il n'existe aucune étude détaillée de l'effet de l'étiolement linguistique au plan lexical, du moins pour les parlers français américains. Mais Pons (1990) note plusieurs types de restructurations lexicales : (1) l'extension de sens, l'hyperonyme s'appliquant aux termes qu'il coiffe, par exemple *truito* « truite » dénommant tout poisson; (2) la convergence sémantique au sein d'une même classe, par exemple le terme *ghèepo* « guêpe » assumant aussi le sens *d'abélho* « abeille »; (3) le remplacement de simplex par des tournures périphrastiques construites avec des formes non marquées, par exemple *far d'iiu* « faire des œufs » pour *ouvar* « pondre », *maire dë mun om/dë ma fenno* « mère de mon mari/de ma femme » pour *madonna* « belle-mère ».

4.6. *Étiolement et transfert linguistique*

Bullock et Gerfen (à paraître) ont noté en FFV une convergence intéressante sur le plan phonologique chez deux frères interviewés au cours de deux sessions d'une heure chacune. Comme la tendance dans ce parler est de fermer les voyelles moyennes en syllabe fermée, au contraire de la tendance métropolitaine vers l'ouverture selon la Loi de Position[8], l'on s'attendrait à ce que les locuteurs réalisent *fleur* par [flør] au lieu de [flœr]. Il s'avère qu'ils remplacent [ø] et [œ] par une voyelle antérieure arrondie avec rétroflexion, par exemple *deux* [də], *fleur* [flə]. Mais, ce qui est surprenant à premier abord, le /r/ final réalisé selon la

---

[8] La Loi de Position décrit une tendance du système des voyelles à aperture moyenne du FR, réalisée maximalement dans sa variété méridionale, selon laquelle le membre ouvert de chaque paire apparaît en syllabe fermée et le membre fermé en syllabe ouverte : *le prêt, le pré* [pre] vs *la paire* [pɛr] ; *le pot* [o] vs *la paume, la pomme* [pɔm].

norme locale par une apicale roulée ne subit guère la rétroflexion carac-téristique du /r/ américain. De cette manière, le contraste entre des pai-res minimales telles que *ceux* et *sœur* est maintenu : [sə] et [sər], respecti-vement. Les auteurs concluent cependant que la prononciation du /r/ selon la norme locale s'explique plutôt par des considérations d'ordre sociolinguistique que d'ordre fonctionnel : la saillance acoustique du /r/ local sert de marqueur distinguant les membres survivants de la commu-nauté de leur voisins anglophones.

5. Les isolats comme réservoirs linguistiques

Plus les liens entre un isolat et le FR sont restreints, plus l'on peut s'attendre à y découvrir des traits linguistiques ayant disparu des variétés populaires et régionales du français de la métropole et même des variétés louisianaises, acadiennes et laurentiennes qui, elles, ont plus été touchées par le FR et qui, par ailleurs, ont suivi leur propre évolution diachronique. D'autre part, s'agissant du FM et du FRL certains traits remontant à la période coloniale pourraient avoir été évincés par des néologismes ou par des transferts ou calques des langues externes.

Ces traits conservateurs abondent dans le FFV. Sur le plan pho-nologique, ce parler a maintenu la fermeture des voyelles moyennes en syllabes fermées : *(la) mer* [mer], *(ils) peuvent* [pøv] *l'école* [lekol], ce qui l'oppose au FR où, d'une part, seule la voyelle ouverte [ɔ] se retrouve dans ce contexte et où, pour les paires de voyelles arrondies, les voyelles mi-ouvertes et mi-fermées s'opposent.[9] L'opposition entre les deux A, qui est absente chez de nombreux locuteurs métropolitains, est mainte-nue : la tache [taʃ] vs la tâche [tɑʃ], comme l'est le contraste entre les deux voyelles nasales antérieures : *brin* [brɛ̃] vs *brun* [brœ̃]. Par ailleurs le timbre de la première voyelle et celle du FR /ɑ̃/ se démarque de celui du FR : *brin* [brɛ̃] et au lieu de [brɛ̃] et *blanc* [blɔ̃] au lieu de [blɑ̃]. Comme nous l'avons vu, ci-dessus, le /r/ est une apicale roulée.

Sur le plan lexical, l'on retrouve à Frenchville des particularités des patois et du français régional de l'est de la France : *septante* « 70 » et *nonante* « 90 », *ouvrage* « travail », *chaudière* « marmite », *fermer* « tenir une ferme », *galendure* « mur ». Pour le FM, dans un échantillon de 534 termes relevés par Dorrance (1935 : 55-82), lettre A à lettre J, la majorité d'entre eux est attestée au Canada ou en Louisiane mais Vézina (ce vo-

---

[9] Voir la note 8.

lume) relève une douzaine de termes inconnus dans ces régions mais attestés en France, tels *caler* « éplucher, écosser », défini dans le dictionnaire de Furetière (1690) par « ôter la première peau des noix vertes ». Un autre conservatisme serait *bimboche* « ivrogne » qui est à rapprocher de *bamboche* que Vézina localise au nord de la France mais qui se retrouve aussi en créole haïtien sous la forme *banbòch* avec une large gamme de sens, dont « fête, désordre ».

6. Conclusion

En terminant cette contribution, je voudrais élargir la question initiale (Quelle est l'importance des isolats américains pour l'étude du fait français en Amérique du Nord ?) en y ajoutant : pour l'étude de l'évolution du français ordinaire. Nous avons vu dans la section 3 que les chercheurs sont venus un peu trop tard pour que ces parlers nous permettent de mieux comprendre la nature de l'étiolement linguistique puisqu'on n'y retrouve plus un nombre suffisant de locuteurs à différents stades d'attrition de la langue comme cela est encore le cas pour les autres communautés américaines où le parler vernaculaire s'est mieux conservé. En revanche, les variétés de français des isolats, en particulier celles de la Vieille Mine et de Saint-Barth, nous offrent un regard sur la langue en usage lors de la période coloniale. Aussi, dans toutes, puisqu'elles ont été moins soumises à l'influence du FR, on peut mieux saisir les tendances évolutives de la langue.

Cela est le cas, par exemple, de la restructuration analogique à la source de formes déviantes de l'imparfait, notamment *sontaient* et *ontvaient*. Le fait que ces formes se retrouvent également au Québec, en Ontario, en Louisiane ainsi que dans le parler des résidents du quartier du Carénage (Saint-Thomas, Îles Vierges américaines) originaires de Saint-Barth (Golembeski et Rottet 2004) et le français des Métis de l'Ouest canadien s'expliquerait par la survivance d'un trait dialectal ou populaire du français métropolitain. Mais la plus haute fréquence de ces formes chez des jeunes locuteurs québécois que chez des adultes et son occurrence chez des enfants en France (François et al. 1977 : 119, cité par Golembeski et Rottet) rend cette hypothèse peu probable et donnerait raison à ces deux auteurs ainsi qu'à Beniak et Mougeon (1989 : 86) et Vézina (ce volume) qui invoquent des restructurations enfantines indépendantes sur un point faible de la structure grammaticale du français. La survivance de ces formes chez les locuteurs adultes des vernaculaires américains opposée à leur absence chez les homologues métropolitains est fonction de l'évolution de ces vernaculaires hors de l'influence des pressions normatives plus présentes en France.

Dans la recherche des tendances évolutives du français on ne peut faire l'économie d'études comparatives minutieuses, telles que celles qu'illustre pour le lexique Rézeau (ce volume). Dans le système verbal les apparentes simplifications structurales des isolats américains rappellent des traits correspondants attestés dans les variétés vernaculaires de l'Hexagone et les CBLF, notamment l'élimination de la flexion verbale par la chute des désinences et la régularisation des alternances morphologiques du thème. Par exemple, en créole haïtien les verbes ont généralement un thème unique et les distinctions aspecto-temporelles sont exprimées par des marqueurs verbaux préposés, par exemple *yo chante* « ils ont chanté », *y ap chante* « ils sont en train de chanter », *yo va chante* « ils chanteront ». Une apparente simplification apparaît en acadien et en cadien où la différenciation des formes singulier et pluriel de la 1re personne du présent de l'indicatif s'effectue plus économiquement qu'en FR où la distinction est marquée de manière redondante par un pronom sujet distinct et par l'adjonction du suffixe -/õ/, par exemple, *nous parlons* opposé au choix de pronoms préfixés à un thème invariable, *je parle*, *elles parlent*, etc. En acadien, comme /ʒə/ est la forme pronominale commune de la 1re personne, seul le suffixe sert de marque de pluriel. Ce suffixe correspond à celui de la 3e personne du pluriel et tend donc à devenir la marque iconique invariante du pluriel des formes verbales.

Mais invoquer une interprétation fonctionnaliste, la notion d'économie linguistique, comme le fait Ryan (1989 : 202), suppose que le FR est le *terminus a quo* de l'acadien. Or ce trait est attesté, non seulement en Saintonge et au Poitou – ce qui n'est pas surprenant eu égard à l'origine poitevine des colons de l'Acadie – mais aussi dans le parler lorrain de Raurupt (Aub-Buscher 1962). Les parlers oïl exhibent deux schémas structuraux pour le présent de l'indicatif. L'un, apparaissant en FR mais réalisé sous sa forme optimale dans le parler des isolats américains, marque les diverses personnes par le choix de pronom, le thème verbal demeurant invariable. Ce serait, comme le suggère Bauche (1946 : 101-102), la tendance évolutive du système verbal français :

> En somme, dans bien des cas, la flexion ayant disparu du langage parlé, le pronom seul indique, à l'ouïe, la personne. Il est possible qu'un jour, dans le français parlé, si on le laisse évoluer librement et s'écarter du français traditionnel écrit, la flexion terminale soit plus ou moins complètement remplacée par un préfixe ou une préfixa-

tion qui ne serait que le pronom, plus ou moins élidé et faisant corps avec le verbe.

L'autre système, représenté par l'acadien, tend à marquer le pluriel de manière plus iconique par le suffixe invariable -/õ/.

Il y aurait donc deux trajectoires évolutives optimales du système verbal français. Des processus auto-régulateurs et le nivellement dialectal, opérant indépendamment dans chaque aire dialectale d'Amérique du Nord, ont agi sur un *terminus a quo*, par surcroît variable, qui n'était pas nécessairement identique dans les diverses régions. Les formes attestées aujourd'hui résultent donc de l'action de ces processus sur diverses formes qui au départ différaient de celles du FR.

Références

AUB-BUSCHER, Gertrud. 1962. *Le parler rural de Ranrupt (Bas-Rhin), Essai de dialectologie vosgienne*, Paris, Klincksieck.

BAUCHE, Henri. 1946. *Le langage populaire*, Paris, Payot.

BENIAK, Édouard et Raymond MOUGEON. 1989. « Recherches sociolinguistiques sur la variabilité en français ontarien », dans Raymond MOUGEON et Édouard BENIAK (dirs.), *Le français canadien parlé hors Québec : un aperçu sociolinguistique*, Québec, Les Presses de l'Université Laval, 69-104.

BENOIT, Virgil. 1975. « Gentilly : A French-Canadian community in the Minnesota Red River Valley », *Minnesota History*, 44 (8) : 278-289.

BULLOCK, Barbara et Chip GERFEN. À paraître. « Frenchville French : A case study in phonological attrition », *International Journal of Bilingualism*.

CANAC-MARQUIS, Steve et Pierre RÉZEAU (éds). À paraître. *Le journal d'Étienne-Martin Vaugine de Nuisement (ca 1765)*, Québec, Presses de l'Université Laval.

CARRIÈRE, Joseph-Médard. 1937. *Tales from the French folk-lore of Missouri*, Evanston, Illinois, Northwestern University.

CAUJOLLE, Josette. 1972. « Esquisse d'une description du parler français de Frenchville », *The French Language in the Americas* (Newsletter of the French VIII Section of the Modern Language Association), 16 : 26-32.

CHAUDENSON, Robert. 1992. *Des îles, des hommes, des langue : essai sur la créolisation linguistique et culturelle*, Paris, L'Harmattan.

CREAGH, Ronald. 1988. *Nos cousins d'Amérique*, Paris, Payot.

DORRANCE, Ward Allison. 1935. *The survival of French in the Old District of Sainte-Geneviève*, Columbia, The University of Missouri.

FRANÇOIS, Frédéric, Denise FRANÇOIS, Émilie SABEAU-JOUANNET et Marc SOURDOT. 1977. *Syntaxe de l'enfant avant 5 ans*, Paris, Librairie Larousse.

FURETIÈRE, Antoine. 1690. *Dictionnaire universel*, 3 vol., La Haye – Rotterdam, Arnout & Reinier Leers. [réimpr.: Genève, Slatkine Reprints, 1970].

GADET, Françoise. 1992. *Le français populaire*, Paris, Presses Universitaires de France.

GHIGO, Francis. 1980. *The Provençal speech of the Waldensian colonists of Valdese, North Carolina*, Valdese, North Carolina, Historic Valdese Foundation.

GOLEMBESKI, Dan et Kevin ROTTET. 2004. « Régularisations de l'imparfait dans certaines variétés de français parlées aux Amériques », dans Aidan COVENEY, Marie-Anne HINTZE et Carol SANDERS (dirs.), *Variation et Francophonie*, Paris, L'Harmattan, 131-154.

HAUGEN, Einar. 1956. *Bilingualism in the Americas : A bibliography and research guide*, Tuscaloosa, University of Alabama, American Dialect Society.

LEFEBVRE, Claire. 1998. *Creole genesis and the acquisition of grammar : The case of Haitian Creole*, Cambridge, Cambridge University Press.

McDERMOTT, John Francis. 1941. *A Glossary of Mississippi Valley French 1673–1850*, Washington University Studies, Saint Louis, Missouri.

McQUILLAN, Aidan. 1983. « Les communautés canadiennes-françaises du Midwest américain au dix-neuvième siècle », dans Dean LOUDER et Eric WADDELL (dirs.), *Du continent perdu à l'archipel retrouvé : le Québec et l'Amérique française*, Québec, Les Presses de l'Université Laval, 97-116.

MILLER, Ray (s.d.). « Lieux d'origine des familles canadiennes de langue française pour les paroisses de Gentilly et de Red Lake Falls, Minnesota », manuscrit inédit, Mora, Minnesota.

MOREAU, Marie-Louise. 2000. « Pluralité des normes dans la francophonie », dans Pierre DUMONT et Christine SANTODOMINGO (dirs.), *La coexistence des langues dans l'espace francophone, Approche macrosociolinguistique*, Paris, AUPELF-UREF, 137-151.

PAPEN, Robert. À paraître. « La survivance du français dans le Midwest américain : le franco-minnesotain », dans *L'Ouest : directions, dimensions et destinations : Actes du Colloque du Centre d'Études françaises-canadiennes de l'Ouest*, Winnipeg, Presses universitaires de Saint-Boniface.

PICONE, Michael D. 1996. « Stratégies lexicogénétiques franco-louisianaises », *Plurilinguismes*, 11: 63-99.

PONS, Teofilo G. 1973. *Dizionario del dialetto valdese della valle Germanesca (Torino), Note fonetiche e morphologiche di A Genre*, Torre Pellice, Collana della Società di Studi Valese.

PONS, Cathy R. 1990. *Language death among Waldensians of Valdese, North Carolina*, thèse de doctorat inédite, Indiana University, Bloomington.

RÉZEAU, Pierre. 2001. *Dictionnaire des régionalismes de France : géographie et histoire d'un patrimoine linguistique*, Bruxelles, De Boeck/Duculot.

RYAN, Robert. 1989 « Economie, régularité et différentiation formelle : cas des pronoms personnels sujets acadiens », dans Raymond MOUGEON et Édouard BENIAK (dirs.), *Le français parlé hors Québec. Aperçu sociolinguistique*. Québec : Presses de l'Université Laval, 201-212.

TARDIVEL, Jules-Paul. 1880. *L'Anglicisme, voilà l'ennemi*, Québec, Imprimerie du Canadien.

THOGMARTIN, Clyde. 1970. *The French dialect of Old Mines, Missouri*, thèse de doctorat inédite, The University of Michigan, Ann Arbor.

THOGMARTIN, Clyde. 1979. « Old Mines, Missouri et la survivance du français dans la haute vallée du Mississippi », dans Albert VALDMAN (dir.), *Le français hors de France*, Paris, Éditions Honoré Champion, 111-118.

THOMAS, Rosemary Hyde. 1981. *It's Good to Tell You. French Folktales from Missouri.* Columbia, University of Missouri Press.

URITESCU, Dorin et Françoise MOUGEON. 2003. « Les derniers Français de Frenchville », communication présentée au colloque *Le français aux États-Unis*, Bloomington, Indiana University, avril.

VALDMAN, Albert. 1978. *Le créole : structure, statut et origine*, Paris, Klincksieck.

VALDMAN, Albert. 1979. « Créolisation, français populaire et le parler des isolats francophones d'Amérique du Nord », dans Albert VALDMAN (dir.), *Le français hors de France*, Paris, Éditions Honoré Champion, p. 191-197.

WATTS, George B. 1941. *The Waldenses in the New World*, Durham, North Carolina, The Duke University Press.

WATTS, George B. 1965. *The Waldenses of Valdese*, Charlotte, North Carolina, George B. Watts.

Le français de Saint-Barthélemy

Robert Chaudenson, Université de Provence

1. Introduction

Précisons-le d'emblée, il s'agit ici de la variété endogène de français parlé, dans une zone de cette île, par des locuteurs natifs (soit environ un millier de locuteurs) et non du français dont peuvent user les non-natifs ou même les créolophones de Saint-Barthélemy.

Ce français apparaît d'emblée comme pourvu de caractères qui le distinguent de trois parlers avec lesquels on doit se garder de le confondre :

– le premier est le français oral, plus ou moins standard, dont peuvent user des francophones non-natifs de Saint-Barth (abréviation communément employée pour désigner à la fois cette île et ses habitants), en particulier les Français venus des autres Antilles où de Métropole, attirés par les charmes touristiques et fiscaux du lieu;

– le deuxième est le créole local parlé dans la partie au Vent de l'île et qui se distingue tout à fait des créoles des Petites Antilles dont il est pourtant issu;

– le troisième, ou plutôt les troisièmes, sont les français d'Amérique du Nord, qualifiés dans cet ouvrage, de parlers des « isolats » ou de la périphérie : français de Frenchville (Pennsylvanie), La Vieille Mine (Missouri), Saint-Thomas (Îles Vierges américaines), Saint-Barth, Red Lake Falls (Minnesota), Ouest canadien. Si on laisse de côté les deux derniers cas qui n'ont pas de pertinence ici, le français de Saint-Barth se distingue tout à fait de celui de Frenchville (transporté en Amérique à une époque bien plus récente) comme de celui de La Vieille Mine (plus souvent Old Mines), lui-même en fait d'origine « américaine ». Quant à Saint-Thomas (Îles Vierges), son français ne constitue qu'un cas particulier de celui de

Saint-Barth puisque ce parler a été amené dans l'archipel par des Saint-Barths immigrés.

2. Généralités

2.1. *La géographie physique et humaine*

Ce point n'est pas sans importance car, à considérer, l'étendue de l'île (25 km²) et le chiffre de sa population (5 000 habitants), on a peine à croire que puissent y être en usage, outre le français standard, deux idiomes nettement différenciés, le français de Saint-Barth, localement nommé « patois » (zone Sous le Vent) et le créole (zone Au Vent). Le relief montagneux et le climat très sec de l'île ont été des facteurs décisifs dans la formation d'une telle situation dans la mesure où, en dépit de quelques tentatives, on n'a jamais pu mettre en place à Saint-Barth une société de plantation vouée aux agro-industries coloniales. Les seules expériences qu'on a tentées dans ce sens ont eu lieu dans la zone Au Vent, moins escarpée et plus arrosée. Il est résulté, du jeu combiné de facteurs géographiques, climatiques et sociaux, une rupture sociétale et linguistique entre la région Sous le Vent, vouée à la pêche et aux cultures vivrières (selon le modèle de la « société d'habitation » initiale; cf. Chaudenson 1992, Chaudenson et Mufwene 2001) où s'est maintenu le « patois français » et la zone Au Vent, où ont eu lieu des tentatives d'activités agro-industrielles, qui ont elles-mêmes suscité des introductions de main-d'oeuvre servile plus abondante, qui ont ainsi conduit à l'usage d'une forme locale de créole. Ces deux parties de l'île ont gardé, en dépit de l'exiguïté du territoire, une forte endogamie que n'ont pas manqué de souligner toutes les études de sciences sociales.

2.2. *Bref historique*

Ce sont donc la géographie (on vient de le voir) et l'histoire qui donnent les clés de ce que nous avons nommé « l'énigme de Saint-Barthélemy » (cf. Calvet et Chaudenson 1998). L'énigme de Saint-Barthélemy soulève, en fait, de multiples questions :

1) Comment un territoire aussi réduit (25 km²) peut-il avoir conservé, après des siècles, deux langues (un créole et une variété de français archaïque) ?

2) Qu'est donc ce « patois » dont on entend dire qu'il résulte de formes anciennes de normand?

3) Quels rapports existe-il entre ces deux idiomes?

4) Comment peut-il y avoir un créole sur une île qui n'a pas connu la société de plantation (ce n'est une énigme que pour la théorie que je soutiens!).

5). Qu'est ce créole de Saint-Barth dont use une communauté qui est presque totalement blanche?

6) Comment ce créole s'est-il formé? Est-il né sur place ou a-t-il été introduit et, dans ce cas, d'où?

Dans le présent propos, seules les trois premières questions importent et ce sont ces seuls aspects de l'énigme que je m'attacherai ici à résoudre.

Le peuplement français de Saint-Barth est ancien puisque les premiers colons français y arrivent en 1659. L'histoire de cette communauté est très complexe et, pour le détail, je ne puis que renvoyer à l'ouvrage cité ci-dessus. Je me bornerai à dire que l'île connaît, au cours de son histoire, des fortunes diverses; les guerres coloniales font que la population est, à plusieurs reprises, en partie ou dans sa quasi-totalité, contrainte de quitter le territoire. L'essentiel est que les Saint-Barths reviennent avec obstination dans leur pays et finissent par pouvoir y demeurer de façon définitive. On peut donc admettre qu'il y a continuité dans la transmission du français du 17e siècle à nos jours.

2.3. *L'évolution linguistique de l'île*

L'intérêt scientifique de Saint-Barthélemy n'a guère de rapport avec sa taille! Néanmoins, les informations dont on disposait jusqu'à présent sur la situation linguistique de Saint-Barth étaient peu abondantes : Lefebvre (1976), Maher (1988 et 1990), un témoignage indirect avec l'étude de Highfield (1979) sur le parler des Saint-Barths émigrés à Saint-Thomas (Îles Vierges). Lefebvre avait recueilli, autrefois, une abondante documentation et réuni les éléments d'un gros glossaire, mais ce travail est demeuré inédit. En fait, la plupart des travaux sur l'île émanent d'anthropologues et de démographes et, s'ils fournissent des éléments précieux, ils ne peuvent se substituer à des travaux proprement linguistiques.

Un des premiers points à marquer est que, par rapport à des descriptions des années 1960 ou 1970 comme celle de Lefebvre (1976), la situation linguistique paraît s'être simplifiée. En lieu et place des cinq variétés linguistiques qu'il mentionnait, on n'en trouve guère plus que deux, clairement localisées et différenciées, parlées par un nombre significatif de locuteurs : le créole dans la partie orientale (Au Vent) de l'île et le « patois » dans la partie occidentale (Sous le Vent).

3. Pourquoi et comment le « patois » français de Saint-Barthélemy a-t-il survécu ?

La réponse à cette première des trois questions de l'énigme se laisse déjà deviner à travers les rapides considérations sur la géographie, l'histoire et la sociologie de l'île. Saint-Barthélemy, île minuscule, au relief très escarpé et surtout très sèche, n'offrait pas des conditions très favorables au développement des agro-industries coloniales. À cet égard, la zone Au Vent a une situation un peu moins défavorable au plan géographique et climatique. C'est donc là que furent tentées les expériences agricoles (culture de l'indigo en particulier). Cette région abrita les quelques plantations qu'on tenta d'y établir et donc, de ce fait, l'essentiel des esclaves amenés dans l'île. En revanche, la zone Sous le Vent, vouée à la pêche et aux cultures vivrières, conserva, depuis le 17ᵉ siècle, des « habitations » à effectifs d'esclaves très limités. On pourrait donc dire que Saint-Barth a eu, durant près d'un siècle, une structure économique et sociale spécifique qui faisait coexister, dans le même espace insulaire minuscule, deux types de sociétés coloniales qui, en général, ailleurs, se succèdent : une société d'habitation (Sous le Vent), qui perpétue la structure antérieure, et une société de plantation (Au Vent) avec des unités de production à effectifs d'esclaves relativement nombreux (à l'échelle de Saint-Barth.). Le créole est, de ce fait, devenu l'idiome régional de cette seconde zone, sans doute par la commodité de son usage dans les rapports entre maîtres et esclaves (tous les esclaves le parlaient), mais aussi par le système colonial d'« éducation », les enfants, blancs et/ou noirs, étant confiés, dès le sevrage, à la garde de vieilles « négresses », évidemment créolophones. L'émigration de la plupart des Noirs, après l'abolition de l'esclavage, ne changea rien à la situation linguistique, Blancs et Noirs de la partie Au Vent usant déjà du même parler. Les Blancs ou Mulâtres qui demeuraient dans cette zone conservèrent donc le créole régional après le départ des Noirs.

La différenciation des deux idiomes s'explique donc, non pas par des degrés différents de créolisation, mais par la structure sociale; le mode de vie local fait que chaque zone vit en totale autarcie, ce que confirment la très forte endogamie et la constante localisation des lignées familiales dans l'une ou l'autre partie de l'île. Cet aspect a été étudié dans son détail par les anthropologues comme par les démographes.

Il n'empêche qu'au plan linguistique, « patois » et « créole » ne sont pas sans rapports. Le bref historique précédent fait apparaître deux faits essentiels. Le premier est que le créole n'a eu aucune influence sur le patois de la région occidentale. En effet, les esclaves amenés des Antilles, très minoritaires et fortement intégrés aux maisonnées blanches, y ont rapidement appris le « patois », c'est-à-dire le français local. En revanche, et c'est le second fait important, dans la zone Au Vent, la généralisation du créole au détriment du patois a été progressive et, de ce fait, le patois a provoqué une évolution du créole qu'on pourrait qualifier de « décréolisation ». Elle est particulièrement nette au plan phonétique, puisque le système créole est identique à celui du patois et que la plupart des traits caractéristiques des créoles des Petites Antilles ne s'y retrouvent pas (on pourrait dire, de façon plus précise, « ne s'y trouvent plus »). Le lexique est commun au patois et au créole dans une forte proportion, quoique l'on repère assez facilement des termes spécifiques de l'un ou de l'autre parler. C'est, en revanche, au plan morphosyntaxique qu'apparaissent les différenciations les plus nettes et que s'opère la discrimination entre les deux idiomes.

4. Quelle est l'origine précise de ce « patois » français de Saint-Barth ?

L'image traditionnelle de Saint-Barth est celle d'une communauté blanche, d'origine essentiellement normande, qui se serait installée sur l'île au milieu du 17ᵉ siècle pour y croître et multiplier jusqu'à nos jours. La description qu'on peut faire de l'histoire de la population de ce territoire est sensiblement différente (cf. Calvet et Chaudenson 1998). À quatre reprises en effet, (1656, 1666, 1700, 1756), l'île a vu sa population se réduire considérablement et même peut-être disparaître provisoirement dans deux ou trois de ces cas. Certes, ces départs ont été, pour une bonne part, des exils temporaires; les habitants sont revenus avec obstination dans leur île, mais l'image d'une population Saint-Barth isolée du reste du monde des origines à nos jours est à revoir très sérieusement.

Autre idée reçue à revoir : Normands et Bretons passent souvent pour avoir fourni le plus grand nombre de colons aux établissements coloniaux créés par la France aux 17e et 18e siècles. Leur présence est forte et incontestable, mais elle a souvent été exagérée dans la mesure où ce sont, de façon plus large, des Français du Nord-Ouest et de l'Ouest qui ont tenté l'aventure des Isles et où tous se sont embarqués dans les ports de l'Ouest. On peut tout à fait, comme l'a fait Deveau (1972), essayer d'établir, par les patronymes, l'origine des familles fondatrices de la colonie. J'ai repris, vingt-cinq ans après, cet examen pour arriver à des conclusions très voisines. Je souscris donc, à quelques nuances près, à sa conclusion sur l'origine des colons :

> La preuve apparaît donc clairement que le peuplement de Saint-Barthélemy s'est constitué comme un harmonieux amalgame des provinces françaises, « véritable microcosme de la patrie » [...] Il n'est pas insensé d'admettre que les Normands aient, en majorité, participé au premier établissement. On peut estimer qu'ils représentaient encore une appréciable fraction des « habitants » de 1681, mais tout concorde à démontrer que leur présence fut en définitive éphémère. (Deveau 1972 : 69).

En fait, les origines géographiques des colons français de Saint-Barth sont les mêmes que celles des immigrants français qui, au 17e siècle, partent pour la Nouvelle France ou l'Océan Indien. Tous sont originaires, pour la plupart, des régions d'oïl, à l'Ouest d'une ligne Bordeaux-Paris-Lille. Il y a bien entendu des Normands parmi eux, mais ils ne sont pas majoritaires. On ne voit donc pas pourquoi le patois Saint-Barth serait, comme on l'a souvent prétendu, une forme archaïque de normand.

Ce point de vue, fondé sur l'histoire démographique, est confirmé, au plan lexical, par Brasseur (1996). Il est plus probable, bien des détails le montrent et mes enquêtes menées à Saint-Barth en 1996 le confirment, qu'on est en présence d'une koinè archaïque de français populaires et dialectalisés d'oïl, qui n'est pas sans rapport avec les variétés anciennes de français d'Amérique. C'est ce type de français qui partout a servi de *terminus a quo* à la créolisation.

Le « patois » français de Saint-Barth est sans doute l'état de langue actuel le plus proche de ce que pouvait être le français des colons des 17e et 18e siècles. On doit naturellement se garder d'y voir un fossile linguistique et de considérer la zone Sous le Vent de l'île comme le Jurassic Park de la langue française. Autant l'influence du patois sur le créole paraît nette (cf. Calvet et Chaudenson 1998), autant il semble n'y avoir eu aucune influence dans l'autre sens, du « créole » vers le « patois » (comme par ex. en Louisiane). La zone Sous le Vent a été largement isolée du contact avec l'aire créolophone par la structure géographique, économique et sociale de l'île; les activités de production agro-industrielles ou artisanale (indigo, coton, ananas pour les premières; sel pour la seconde) ne se sont jamais implantées dans la région occidentale qui a toujours été économiquement autonome (pêche et cultures vivrières) et très endogame (l'autre moitié de l'île l'étant aussi par simple voie de conséquence). Dans la période où les Noirs étaient encore relativement nombreux dans la zone Au Vent (avant l'abolition de l'esclavage qui entraîne leur départ massif), cette composante ethnique différente a contribué à maintenir et peut-être même à accroître la séparation nette entre les zones, écartant ainsi du patois toute influence créole.

J'ai eu la chance de pouvoir travailler sur la riche documentation lexicographique recueillie (essentiellement dans la zone patoisante) par Gilles Lefebvre. Ce travail, malheureusement inédit, est monumental; il reflète sans doute un état de langue du milieu de notre siècle, ce qui est à la fois un inconvénient et un avantage. J'aurais souhaité publier ce texte en collaboration avec Gilles Lefebvre, en le complétant, le cas échéant, par des données lexicales que j'avais pu recueillir et qui n'ont pu trouver place dans l'ouvrage déjà cité (Calvet et Chaudenson 1998). Cela n'a pas été possible, mais je garde espoir de parvenir à le faire un jour, « si Bondié vlé! ». Les documents que je viens d'évoquer confirment le point de vue que je soutiens ici.

5. Quels sont les caractères du « patois » français de Saint-Barth ?

Quoique j'aie mis vingt ans à accomplir mon souhait d'aller enquêter à Saint-Barth, cette île a occupé pendant cette période mes rêveries linguistiques, dans la mesure où, à partir des travaux de Gilles Lefebvre (1976 : 143) et, un peu plus tard, de Highfield (1979), j'avais le sentiment que cette minuscule terre des Petites Antilles pouvait être un élément décisif dans l'éclaircissement de certains problèmes posés à la créolistique en général et à mes théories en particulier.

Le point de départ de mon hypothèse a été la construction durative « *être qui* + verbe » (« *j'étais qui lui disais* » : Lefebvre 1976) que

Highfield (1979) signale également à Saint-Thomas (Îles Vierges) dans la langue des Saint-Barths immigrés. Ce point a tout de suite retenu mon attention, car cette construction existe aussi dans le créole réunionnais. Elle constitue même un des premiers traits locaux attestés à Bourbon (« *Moin la parti marron parce qu'Alexis l'homme de jardin l'était qui fait à moin trop l'amour* », vers 1720, cf. Chaudenson 1974 : 1147). Ce tour ancien est aujourd'hui basilectal : créole basilectal *moin té ki dans* (« je dansais ») vs créole acrolectal *mi dansé* (même sens). J'ai essayé au début d'expliquer cette évolution par une « érosion basilectale » puisque, au 19e siècle, chez Héry (v. Chaudenson 1981), trois tours sont en concurrence : « *tait* ou *l'était* + thème verbal »; « *l'était qui* + thème verbal »; « *li causait* ». Le deuxième tour étant, dans ce corpus, le moins fréquent. Le paradoxe est donc que ce tour, présumé ancien et d'origine française, appartient désormais au basilecte réunionnais qui se définit, dans la linguistique populaire locale, comme le parler des Noirs ou des Indiens. La présence de ce tour (*être qui* + verbe) à Saint Barth et à la Réunion détourne de chercher une explication dans deux évolutions identiques fortuites, indépendantes l'une de l'autre, quoique rien n'atteste la présence d'une telle construction en français de France. Un deuxième élément important est que ce tour est attesté à Bourbon dès le début du 18e siècle (donc avant même la créolisation proprement dite) et, qu'à Saint-Barthélemy, il est caractéristique du **patois** [français archaïque de la zone sous le Vent] **et non du créole** (où l'équivalent est une construction en « *ka* » identique à celles des créoles de Guadeloupe et de Martinique).

Le caractère phonétique majeur du « patois », comme du créole de Saint-Barth (et, notons-le au passage, du créole guyanais), est l'absence du trait le plus caractéristique des créoles des Petites Antilles et de l'haïtien, c'est-à-dire la réalisation de *r* comme une spirante vélaire.

On ne peut ici songer à entreprendre, fût-ce brièvement, une description du français de Saint-Barth; je me limiterai donc à quelques exemples significatifs de points de morphosyntaxe essentiellement, puisque aux plans phonétique et lexical, le français local et le créole partagent la plupart des traits.

On trouvera ci-dessous quelques énoncés avec leurs équivalents en créole guadeloupéen (CG); ces exemples ayant été choisis initialement dans *Le créole sans peine (guadeloupéen)* de Poullet et Telchid (1990) pour faciliter la comparaison. Pour le « patois » de Saint Barth (PSB), j'ai travaillé sur ce questionnaire, en particulier, avec deux témoins de la zone

Sous le Vent EM et RG; la mention CSB signale les énoncés traduits en créole de Saint-Barth :

1) *La marchande vend des bananes.*
   CG :   Machann-la ka vann bannann.
   PSB-RG : La marchande é ki van dé fig.
   PSB-EM : La marchande é ki van dé banane.
   CSB :   Marchan la ka vann fig.

On a ici le trait qui est le plus souvent mentionné comme distinguant le PSB du CSB, le marquage de la valeur durative : « être qui » en PSB ; « ka » en CSB, comme en CG.

2) *La femme n'entend pas.*
   CG :   Madanm-la pa ka tann.
   PSB-RG : La fam antan pa.
   PSB-EM : La fanm n antan pa.
   CSB :   Fam la pa ka tann (remarque identique).

3) *Tonton Alexandre ne boit pas d'eau; il ne boit que du rhum*
   CG: Tonton Alesann pa ka bwè dlo; i ka bwè anni wonm.
   PSB-RG : Tonton Alexandre bwé pa do; i bwé k d rom.
   PSB-EM : Tonton Alexandre bwé pa do; i bwa k du rom.
   CSB :   Tonton ka bwa solman rom.
   (On notera la différence entre « *wom* » CG et « *rom* » CSB.)

4) *Bonjour, comment vas-tu? D'où viens-tu? Qu'est-ce que tu as pris (à la pêche)?*
   CG :   Bonjou, ka ou fé ? (« quoi tu fais? ») Ola ou soti ? Ka ou kyenn ?
   PSB-RG : Bonjour komank t é? Dola/Doti k tu sor ? Sa k t a pri ?
   PSB-EM : Bonjour komank sa rès? Doti k tu vien ? Sa k ta pri a la pèch?
   CSB :   Koman ou yé ? Koman sa kalé? (*ka ou fé* – guadeloupéen) Kot ou sorti ? Sa ou pran jordi ? (« *ka ou tyembé* » refusé comme guadeloupéen) Ki kantité ou té pran la?

5) *Il fait chaud ; où allez vous (pl 2) comme ça ? Nous, allons-nous baigner.*
   CG :   Ka fé cho ; ola zot kay konsa ? Annou bengné.
   PSB-RG : I fé cho ; oti k vouzot é ki va? On é ki va bényé.
   PSB-EM : I fé cho ; ola zot é ki va ? Alon nou bényé.
   CSB :   Ka fé cho jordi ! pa ti chalèr (« petite »). Koté zot kalé jordi? Annou alé bényé.

6) *Il est en train de courir (inaccompli) ; il travaille la terre (habituel).*
   CG :   I ka kouri ; i ka travay té.
   PSB-RG : I é ki kour ; i travay la tèr/jardin.
   PSB-EM : I lé ki kour ; i travay la tèr.
   CSB :   I ka kouri ; i ka fèr jardin.

7) *Ne vous-en faites pas, nous irons boire.*
   CG :   Pa okipé-zot, nou ké ay bwé,
   PSB-RG : Pa awèr pèr on va alé bwèr.
   PSB-EM : Pa tan fèr on va alé bwèr,
   CSB :   Pa kasé tèt ou ka alé bwè en kou d rom.

8) *Ce qui est à moi est à moi ; ce qui n'est pas à toi n'est pas à toi.*
   CG :   Sa ki tan-mwen sé tan-mwen, sa ki pa ta-w pa ta-w.
   PSB-RG : Sa ki ta mwen sé ta mwen ; sa ki pa ta twé sé pa ta twé.
   PSB-EM : Sa ki né a mwa mapartyen ; sa ki pa a twé é pa a twé. (le
            mien = le myen, le tyen).
   CSB :   Sa ki ta mwen sé ta mwen ; sa ki pa ta-w sé pa ta-w.

9) *Tu ne sais pas ce que tu perds.*
   CG :   Ou pa sav sa ou ka pèd.
   PSB-RG : Tu koné pa sa k tu pèr.
   PSB-EM : Tu koné pa sa k tu pèr.
   CSB :   Ou pa konèt sa ou ka perd.

10) *Quand tu viendras je serai en train de manger.*
    CG :   Lè ou ké rivé an ké ka manjé.
    PSB-RG : Amik tu va arivé nou entren d èt ki manj.
    PSB-EM : Amik tariv j srè peutèt ki manj.
    CSB :   Kan ou ké rivé mwen ké (déja) ka manjé.

11) *Je travaillerais si je n'étais pas malade.*
    CG :   An té'é ka travay si an pa té malad.
    PSB-RG : Je travailleré si j sré pa malad.
    PSB-EM : Je travyeré si jété pa malad.
    CSB :   Mwen té ké travay si mwen pa té malad.

12) *Vous demandez des choses qui ne sont pas faciles à trouver.*
    CG :   Zo ka mandé anni biten (k)i pa fasil pu truvé.
    PSB-RG : Vouzot demand dé choz ki pa fasil a trouvé.
    PSB-EM : Vouzot demandé de choz ki pa fasil a trouvé.
    CSB :   Zot (pl)/ou (sg) ka mandé choz/buten ki pa fasil a trouvé.

13) *Il vient juste de dire ça ; il venait d'arriver ; elle venait d'arriver.*
   CG :   I soti (fin) ka di sa ; i té soti rivé.
   PSB-RG : I vyen just de dir sa ; i vyen/sort d arivé. (féminin : a
            sor/vyen [...])
   PSB-EM : I vyen jus de dir sa.
   CSB :   I sorti di(r) sa ; i té sorti rivé.

6. Conclusion

Ces quelques exemples mettent nettement en évidence les diffé-rences sensibles entre le « patois », qui est sans conteste, un français « marginal », proche à bien des égards des français d'Amérique, et le « créole » de Saint-Barth qui est, tout aussi incontestablement un créole, même si son histoire et quelques-uns de ses caractères, conduisent à lui faire une place à part dans les parlers des Petites Antilles. La situation est nettement différente de celle de la Louisiane où les échanges entre « ca-jun » et « créole » sont nombreux et constants.

Le trait duratif *être qui* qu'on retrouve à la fois à Saint-Barth et à la Réunion symbolise en quelque sorte la référence à ce français koinèisé des colons du 17e et du 18e siècles qui devrait tenir une place plus impor-tante tant dans l'histoire de la langue française que dans les réflexions sur la genèse des créoles.

Références

BRASSEUR, Patrice. 1996. « Notes dialectologiques sur le lexique de Saint-Barthélemy », *Études créoles*, 19 (2) : 47-61.

CALVET, Louis-Jean et Robert CHAUDENSON. 1998. *Saint-Barthélemy. Une énigme linguistique*, Paris, Didier Erudition.

CHAUDENSON, Robert. 1974. *Le lexique du parler créole de la Réunion*, 2 vol., Paris, Champion.

CHAUDENSON, Robert. 1992. *Des îles, des hommes, des langues*, Paris, L'Harmattan.

CHAUDENSON, Robert. 1981. *Textes créoles anciens : la Réunion et Île Maurice : com-paraison et essai d'analyse*, Hamburg, H. Buske.

CHAUDENSON, Robert. 2003. *Créolisation : théorie, applications, implications*, Paris, l'Harmattan.

CHAUDENSON, Robert et Salikoko MUFWENE. 2001. *Creolization of language and culture*, Londres et New York, Routledge.

DEVEAU, Jean. 1972. « Le peuplement de Saint-Barthélemy », *Bulletin de la Société d'Histoire de la Guadeloupe*, n° 17-18.

HIGHFIELD, Arnold. 1979. *The French dialect of Saint-Thomas, U.S. Virgin Islands : A descriptive grammar with texts and glossary*, Ann Arbor, Michigan, Karoma Publishers.

LEFEBVRE, Gilles. 1976. « Français régional et créole à Saint-Barthélemy », dans Émile SNYDER et Albert VALDMAN (dirs.), *Identité culturelle et francophonie dans les Amériques*, Québec, Presses de l'Université Laval, 122-146.

MAHER, Julianne. 1988. « The Creole of Saint-Barthélemy. A preliminary sketch », *Espace créole*, 6 : 79-99.

MAHER, Julianne. 1990. « Créole et patois à Saint-Barthélemy », *Études créoles*, 13 (1) : 45-56.

POULLET, Hector et Sylviane TELCHID. 1990. *Le créole sans peine (guadeloupéen)*, Chennevières-sur-Marne, Assimil.

Phénomènes de contact linguistique et étiolement

Variation et étiolement en français cadien : perspectives comparées[1]

Kevin J. Rottet, Indiana University

1. Introduction

L'Amérique du Nord offre de nombreux laboratoires pour l'étude du contact linguistique intense entre le français langue minoritaire et l'anglais langue dominante : entre autres, citons Terre Neuve, la Nouvelle Angleterre, l'Ontario, le Nouveau Brunswick et la Louisiane. Dans certaines régions, il s'agit du remplacement graduel du français par l'anglais, procédé connu sous le nom d'«étiolement linguistique», alors que dans d'autres régions il est plutôt question de maintien du français, du moins dans un avenir prévisible.

L'une des particularités de l'étiolement linguistique serait le développement d'un continuum le long duquel tous les locuteurs trouvent leur place selon le degré de maîtrise de la langue en récession. À un pôle du continuum se trouvent ceux, généralement les plus âgés, qui parlent la langue couramment et selon ses normes traditionnelles. À l'autre pôle se trouvent les locuteurs les plus faibles appelés *semi-locuteurs* (traduction de l'anglais *semi-speakers*) ou *sous-usagers* (Hagège 2000), dont l'acquisition et la maîtrise des normes traditionnelles sont imparfaites et qui ont, par conséquent, une compétence sensiblement inférieure à celle de leurs aînés. Les semi-locuteurs représentent souvent la dernière génération à acquérir la langue en récession.

Les faits socio-démographiques laissent peu de doutes sur le fait que le français louisianais (FL), appelé aussi le cadien, est une variété linguistique menacée qui va probablement disparaître dans un proche

---

[1] Je tiens à remercier Corinne Etienne, aussi bien que les éditeurs du présent ouvrage, pour leur lecture très attentive de mon manuscrit et pour leurs commentaires sur son contenu.

avenir sur la plupart de son territoire traditionnel. S'il peut être facile de trouver des locuteurs chez les personnes âgées de soixante ans ou plus, il n'y a presque plus d'enfants en Louisiane qui acquièrent le français au foyer. Une fois cette dernière étape définitivement franchie, le nombre de locuteurs d'une langue va en décroissant jusqu'à ce qu'il arrive à zéro. Cependant, il faut reconnaître l'existence de tentatives de maintien, voire de renouveau du français en Louisiane (en particulier les écoles d'immersion française). Personne ne saurait dire quel impact ces tentatives auront à long terme.

Les changements structuraux qui caractérisent les productions linguistiques des dernières générations à parler une langue en récession font l'objet d'études linguistiques sérieuses depuis une vingtaine d'années. Il serait impossible, dans les limites de cet article, de cataloguer tous les phénomènes linguistiques observables en Louisiane ou ailleurs. Mon objectif sera donc plus modeste; je me propose d'illustrer trois difficultés d'analyse concernant les changements en contexte d'attrition (sans pour autant prétendre répondre définitivement à ces questions) :

La réduction de la variation stylistique. Peu d'études sur l'étiolement linguistique ont pris en compte la variation stylistique. Un des premiers chercheurs dans le domaine, Wolfgang Dressler (1982 : 326), a fait la déclaration suivante:

> La restriction sociolinguistique, ou le fait que la langue en déclin est utilisée dans de moins en moins de situations discursives, donne lieu au rétrécissement de l'éventail stylistique et finalement au monostylisme (c'est-à-dire, que la langue n'est plus utilisée que dans un registre très familier, avec des interlocuteurs connus, pour parler d'un nombre restreint de sujets dans des situations sociales habituelles). [...] Quand une langue en décadence se restreint à un emploi monostylistique, elle est sérieusement dysfonctionnelle[2].

Dorian (1994) remet en cause cette déclaration de Dressler, affirmant que pour le gaélique écossais de East Sutherland (ESG), même les locuteurs de la génération terminale se montrent capables de varier leur registre selon le niveau de formalité de la situation discursive. Dorian en fait la démonstration quoiqu'elle n'ait jamais tâché d'éliciter des registres différents à dessein. En ce qui concerne le FL, mes données concernant

---

[2] C'est moi qui traduis.

le pronom de la 1ʳᵉ personne du singulier permettront certaines observations comparant deux styles.

La problématique de la causalité des changements recouvre d'autres difficultés d'analyse que j'évoquerai plus loin (Campbell et Muntzel 1989, Sasse 1992). Or, des questions concernant la causalité des changements ne sont pas l'apanage du contexte d'étiolement linguistique – loin de là – mais elles y ont peut-être une plus grande importance, vu le désir des linguistes de caractériser l'étiolement linguistique en termes évolutifs et structurels, pour le distinguer du changement linguistique en général.

En illustration des difficultés que pose la causalité, considérons l'exemple suivant. L'analogie joue un rôle continuel dans l'évolution des langues naturelles. Il se peut que certains développements se produisant dans une langue menacée puissent être attribués aux seuls effets du principe analogique, sans que la vitalité relative de la langue joue un rôle[3]. Ainsi, le pronom possessif de la 3ᵉ personne du pluriel s'exprime en FL traditionnel par une forme prononcée /lœr/, comme en français de référence (FR). Néanmoins, une dizaine de locuteurs de mon corpus utilisent une autre forme : /lɔt/. Or, il s'avère que la forme de la 3ᵉ personne du pluriel /lut/ est attestée en patois poitevin (Svenson 1959 : 60); ce /lɔt/ louisianais pourrait donc être une survivance dialectale (d'autant plus que le Poitou et la Saintonge ont fourni des contingents importants d'immigrants en Acadie). Cependant, /lɔt/ pourrait aussi être une simple modification analogique de /lœr/, reformulée sur le modèle de /nɔt/ et /vɔt/, les possessifs de la 1ʳᵉ et de la 2ᵉ personne du pluriel. Cette dernière explication est peut-être préférable, parce que /lɔt/ serait de toute évidence un développement récent en Louisiane ; dans mon corpus, l'âge moyen des utilisateurs de cette forme est de trente et un ans, et son utilisateur le plus âgé n'a que 45 ans. En plus, elle n'est attestée dans aucun ouvrage descriptif sur le FL. Mais ces indications ne sont pas définitives, car la documentation existante sur le FL présente de nombreuses lacunes. Cet exemple démontre donc la difficulté de trancher lorsque deux explications indépendantes sont possibles.

Ma discussion de la causalité en présence d'explications multiples se concentrera sur les deux aspects suivants :

---

3 Autrement dit, il n'a pas été démontré que le fait qu'une langue est en train de mourir signifie que les processus de changement naturels cessent d'opérer.

Décadence linguistique vs développements naturels (causation interne) : la difficulté de savoir si certains changements sont à attribuer au seul contexte d'attrition ou bien s'ils peuvent représenter des développements naturels, motivés par des tendances évolutives internes de la langue. Ma discussion portera sur la tendance à l'invariabilité de certaines marques du genre grammatical.

Décadence linguistique vs contact avec la langue dominante (causation externe). Comme l'indique Sasse (1992), il n'est pas toujours facile de décider si tel ou tel changement linguistique est à attribuer au contact de la langue dominante, ou bien à la décadence grammaticale produite par l'attrition en cours : certains développements peuvent s'expliquer en même temps comme une convergence avec la langue dominante et comme une réduction des ressources traditionnelles de la langue, telle qu'on la trouve chez des semi-locuteurs ayant une acquisition incomplète des normes traditionnelles de la langue.

Notons aussi la possibilité de « causes multiples » (Campbell et Muntzel 1989) : dans certains cas où des explications différentes donneraient des résultats convergents, est-il toujours nécessaire de choisir une seule explication et de rejeter complètement les autres ? Plusieurs facteurs peuvent avoir opéré de concert pour donner les résultats observés. Je présenterai deux phénomènes pertinents : un cas évident d'influence anglaise (l'emprunt de l'adverbe *back*) et un cas où l'influence anglaise peut avoir joué un rôle sans qu'il soit possible d'écarter d'autres hypothèses (l'absence du pronom réfléchi dans certains verbes pronominaux).

C'est donc dans cette optique que j'examinerai un échantillon des changements en cours en FL, en particulier celui du Bassin Lafourche. Je présenterai brièvement cette communauté dans la section 2.

2. La communauté

Le Bassin Lafourche, qui comprend les Paroisses de Terrebonne et de Lafourche, mérite bien d'être considéré comme une zone linguistiquement conservatrice (Trépanier 1988 : 283, Picone 1997 : 125), grâce au fait que le nombre de jeunes locuteurs y serait plus grand que dans d'autres régions de l'Acadiana. Cela est attribuable en partie à l'isolement géographique de certaines communautés de la région, ainsi qu'à la particularité de sa démographie ; la zone méridionale de cette région est habitée surtout par une tribu amérindienne, les Houma. Les Houma ont une très longue tradition d'intermariage avec leurs voisins français et cadiens, comme en témoignent leurs noms de famille, presque tous d'origine française, et ce serait au cours du 19ᵉ siècle qu'ils auraient perdu leur langue muskoguéenne pour adopter la langue et la culture franco-louisianaises. À l'époque actuelle, les Houma, avec une génération ou deux de retard par rapport à leurs voisins cadiens, sont en train d'abandonner le français en faveur de l'anglo-américain.

Autre intérêt du bassin Lafourche : la perspective diachronique est possible puisque l'on dispose d'une documentation écrite plus complète que dans beaucoup d'autres régions louisianaises. La thèse doctorale inédite de John Guilbeau (1950) est l'ouvrage descriptif le plus détaillé sur une variété franco-louisianaise. Guilbeau nous a légué une précieuse description de l'état de la langue au milieu du 20ᵉ siècle, faisant souvent des observations concernant des éléments de grammaire qui étaient déjà en voie de disparition lors de la rédaction de son travail. À l'ouvrage de Guilbeau s'ajoutent ceux de Parr (1940), Oukada (1977), Papen (1972), Melançon (1964) et Papen et Rottet (1997), entre autres.

Les données analysées ici proviennent d'un corpus oral appelé Corpus de Terrebonne-Lafourche. Ce corpus contient des entretiens que j'ai enregistrés en 1993 et en 1994 auprès de soixante-quatorze locuteurs âgés de 8 à 88 ans, dont trente-neuf Cadiens et trente-cinq Indiens Houma, trente-huit hommes et trente-six femmes[4]. Faisaient partie de ces entretiens une période de conversation libre ainsi qu'une interview plus structurée, où figurait la présentation d'une cinquantaine de phrases anglaises pour lesquelles une traduction orale en français local était sollicitée.

L'élicitation par la traduction offre certains avantages incontestables en contexte d'attrition linguistique. Cette technique peut être très efficace pour faire parler de jeunes locuteurs dont la compétence linguistique est souvent imparfaite, et qui produisent, en règle générale, assez peu d'énoncés en langue minoritaire, surtout devant un étranger. Je souligne aussi le fait que la traduction n'est pas une tâche artificielle dans cette communauté, beaucoup de locuteurs s'étant vus obligés, dans un

---

[4] À cela s'ajoutent une trentaine d'interviews effectuées en 2000, surtout auprès de locuteurs âgés.

passé parfois assez récent, de servir de truchement linguistique entre leurs aînés monolingues français et de jeunes monolingues anglais.

Le questionnaire utilisé pour la traduction crée un contexte dans lequel les sujets parlants font légèrement plus attention à leur façon de parler; ce serait donc un langage plus surveillé que leur discours spontané. Par conséquent, ces données permettraient certaines comparaisons stylistiques. Cela dit, étudions maintenant le pronom sujet de la 1re personne du singulier, variable qui permet des observations sur la réduction stylistique en contexte d'attrition.

3. La réduction de la variation stylistique

Pronom sujet de la 1re personne du singulier[5]

Abstraction faite des nombreuses variantes phonétiques du pronom *je* (à savoir les réalisations /ʒœ/, /œʒ/, /hœ/, /ʃ/, /s/ et /z/), le pronom sujet de la 1re personne du singulier correspond en général à celui du FR. Apparaissent aussi la forme redoublée *mon je* (/mɔ̃/ étant la prononciation usuelle de *moi* dans cette région), le pronom disjoint *mon* tout seul et l'absence totale du pronom sujet. Les formes *je* et *mon je* sont de loin les plus fréquentes parmi les locuteurs âgés. La citation dans l'exemple (1) illustre ces formes :

(1) **Je** vas pas arrêter parce que c'est trop important. **Je** te garantis, n'importe quelle église, ça pourrait être catholique ou une autre, si ça serait en français, y a plein du monde qui vadrait (*irait*). **Mon je** vas pas changer de ma religion. Mais s'il y aurait comme une méthodiste ou une baptiste et eusse fédrait (*ferait*) une messe en français, **mon je** vadrais (*j'irais*). **Je** vas pas dire que **je** vas changer ma religion parce que **je** vas pas changer. Mais y a plein qui vadrait et qui changerait. Si **je** serais, si une certaine religion voudrait assayer d'avoir du monde, c'est ça que **je** ferais.
[K023, 1937, homme, Cutoff/Lafourche][6]

---

[5] Voir Rottet (2001).

[6] Je fournis entre crochets le code du locuteur, sa date de naissance, son sexe, et son origine (village/paroisse). Toutes les phrases citées en exemple dans cet article proviennent de discours spontanés (non-élicités).

L'utilisation de la forme redoublée *mon je* dans des contextes emphatiques et du pronom clitique seul, là où il n'y a pas d'emphase spéciale, ressemble à l'utilisation de ces formes en FR. Or, le français des jeunes francophones louisianais diffère d'une façon assez frappante de ce modèle. Voir l'exemple (2) :

(2) **Mon s'a** appris les prières en anglais, mais **s'**connais le Salut Marie, le *Hail Mary*, en français. Là **mon s'**connais. Mémère m'a montré. Ø Veux apprendre les autres, mais pour m'assir là, aller dire que **mon Ø** vas lé apprendre, mais ça c'est le seul qui **mon s'**connais.

[I28, 1965, homme, Ile Jean-Charles/Terrebonne]

La montée en fréquence des formes autres que le pronom clitique seul, et surtout de la forme redoublée, est clairement révélée par le décompte des formes pronominales de la 1re personne du singulier apparaissant dans les résultats obtenus avec le questionnaire, qui contenait vingt-huit occurrences potentielles du pronom de la 1re personne du singulier (v. tableau 1). Il est évident, à considérer ces données, que le déclin intergénérationnel en fréquence du pronom *je* est accompagné de la montée de la forme redoublée, mais aussi de la forme disjointe *mon* toute seule.

Tableau 1
Pronoms sujets de la 1re personne du singulier
(74 locuteurs, traductions)

Âge	je	mon je	mon Ø	Ø	*n*
55+	97% (853)	2% (19)	0% (2)	1% (5)	879
30-54	92% (719)	4% (29)	2% (19)	2% (17)	784
< 30	41% (218)	30% (162)	22% (116)	7% (38)	534

Puisque le pronom sujet de la 1re personne du singulier est d'une fréquence très élevée en discours spontané, il est possible de faire la comparaison des données élicitées du tableau 1 avec celles provenant des conversations spontanées du tableau 2. Si la même direction de développement est esquissée par les données des deux tableaux, il y a une différence intéressante à remarquer : les locuteurs des deux tranches d'âge supérieures ont utilisé la forme simple moins souvent en contexte informel qu'en contexte formel; la forme simple est apparue 12 % moins

Tableau 2
Sujets de la 1re personne du singulier en conversation libre
(15 locuteurs)

Âge	je	mon je	mon Ø	Ø	*n*
55+	85% (454)	15% (80)	< 1% (1)	< 1% (2)	537
30-54	73% (332)	19% (88)	3% (15)	5% (22)	457
< 30	46% (174)	35% (132)	12% (46)	6% (23)	375

souvent chez les locuteurs âgés de plus de 55 ans et 19 % moins souvent chez les locuteurs de 30 à 54 ans en contexte informel qu'en contexte formel. C'est la forme redoublée qui prend la relève dans les deux cas. Cette distribution laisse à penser que le redoublement du pronom sujet est un trait linguistique permettant à ces groupes de varier le style selon le niveau de formalité. Les jeunes de la troisième tranche d'âge, par contre, ne maintiennent pas cette distinction ; ils ont inversé la distribution de ces formes en utilisant la forme simple un peu plus fréquemment en contexte informel qu'en contexte formel (une différence de 5 %). Cela suggère que les jeunes de moins de 30 ans ont perdu cette variable stylistique que possèdent leurs aînés. Ce développement va dans le sens de la réduction stylistique signalée par d'autres chercheurs comme phénomène d'attrition linguistique.

4. Attrition vs continuation d'une tendance naturelle

Le genre grammatical[7]

L'une des catégories grammaticales montrant des signes d'affaiblissement en FL est le genre grammatical dans le groupe nominal. Il convient de distinguer deux phénomènes : 1) de fausses attributions de genre grammatical[8], phénomène sans doute imputable à l'attrition (c'est-à-dire à l'acquisition incomplète des normes chez les jeunes en contexte d'étiolement linguistique) ; 2) une tendance à l'invariabilité de certains mots, phénomène qui s'inscrit de longue date dans certaines variétés populaires. Quand ce phénomène se voit appliqué, dans le discours des jeunes Louisianais, à des formes grammaticales qui traditionnellement n'étaient pas invariables, il peut être difficile de décider s'il

---

[7] Voir Rottet (2001).

[8] Il va sans dire que l'identification des manquements dans l'assignation du genre se fait par rapport aux normes locales, et non pas au FR.

s'agit de la continuation d'une tendance évolutive en place depuis des siècles, ou bien si ce n'est qu'un phénomène d'attrition.

Si les jeunes locuteurs font clairement la distinction entre deux genres dans le groupe nominal, leurs productions langagières laissent voir, par moments, de l'incertitude concernant le genre de certains substantifs. C'est le cas des exemples (3) à (5) :

(3) J'a pas *le* chance tout le temps.
[C27, 1966, homme, Cutoff/Lafourche]

(4) Après ma première femme a mouri j'ai loué *la* magasin ici à A. et son soeur qui travaille pour lui.
[C35, 1958, homme, Pointe aux Chênes/Terrebonne]

(5) On prie tou[s] pour *la* pardon.
[I28, 1965, homme, Ile Jean-Charles/Terrebonne]

Ces fausses attributions, sans doute imputables à l'attrition, ont le mérite d'être pratiquement le seul trait grammatical intergénérationnel dont la communauté est consciente. Il arrive quelquefois que les locuteurs âgés se plaignent du français des jeunes, que certains appellent parler *baroque* ; à part l'anglicisation du vocabulaire, c'est presque toujours la mauvaise assignation du genre grammatical qu'ils citent en exemple. Ces déviations ne sont pas interprétables comme une perte de la catégorie de genre pour les locuteurs en question, puisque tous utilisent les deux articles (*le* et *la*) dans leur discours et, la plupart du temps, en conformité avec les normes traditionnelles. Seuls quelques semi-locuteurs extrêmement faibles semblent ignorer l'existence du genre grammatical dans le groupe nominal en FL[9].

S'il est facile d'attribuer les déviations dans l'assignation du genre à l'attrition, cette explication est moins évidente lorsqu'il s'agit de la tendance à l'invariabilité de certaines formes grammaticales. Selon les normes traditionnelles du FL, les signes audibles de l'accord sont bien moins fréquents en FL qu'en FR, car beaucoup d'adjectifs cadiens sont invariables, et l'adjectif prédicatif est presque toujours à la forme du masculin singulier. Cette tendance existe aussi dans le français populaire de France (Gadet 1992).

---

9 Des erreurs occasionnelles dans l'assignation du genre ne sont pas totalement inconnues chez les locuteurs âgés.

Dans le langage des jeunes, cette tendance vers l'invariabilité se poursuit, en particulier pour certains adjectifs possessifs. Si les formes *mes, tes, ses* se maintiennent plutôt bien au pluriel, les distinctions du singulier *mon ~ ma, ton ~ ta,* et *son ~ sa* semblent se perdre dans le langage de certains jeunes du corpus, les seules formes masculines *mon, ton* et *son* prenant la relève, voir l'exemple en (6) :

> (6) J'sutais dix-sept (*J'avais 17 ans*) équand j'ai marié la première fois. **Mon** mère étout, nous-autres était élevées que toi mariais jeune, et tout ça, et alle croyait qu'alle pourrait faire la même chose avec mon. Et j'ai quitté lui après six semaines! J'ai pris **mon** vie pour mon-même!
> [I29a, 1964, femme, Pointe aux Chênes/Terrebonne]

Dans cet exemple nous voyons la forme *mon* devant les noms *mère* et *vie*. Il est pourtant évident que cette locutrice n'ignore pas le genre féminin, car nous trouvons « la première fois » et « la même chose » dans cet échantillon (et d'autres substantifs féminins, y compris *la vie,* ailleurs dans son discours). Il ne s'agit donc pas de la perte du genre grammatical, mais simplement d'une tendance à l'invariabilité du possessif de la 1ʳᵉ personne du singulier.

Les résultats de la traduction confirment cette tendance observée dans le discours spontané des jeunes. Le questionnaire contenait quatre substantifs anglais accompagnés du possessif de la 1ʳᵉ personne du singulier : « my sister », « my pipe », « my life », et « my mother ». Or, les seuls équivalents disponibles pour ces quatre substantifs étaient des noms du féminin singulier (*ma soeur, ma pipe, ma vie,* et *ma mère/ ma mame*). Le genre de ces substantifs ne montre aucune fluctuation dans les normes locales. Les résultats sont présentés dans le tableau 3 :

Tableau 3
Possessif de la 1ʳᵉ personne du singulier avec quatre substantifs

Âge	ma	mon	n
55+	100% (98)	0	98
30-54	88% (87)	12% (12)	99
< 30	59% (47)	41% (32)	79

L'utilisation fréquente de *mon* par les jeunes est d'autant plus frappante que les locuteurs âgés de plus de 55 ans ont utilisé la forme *ma* à l'unanimité avec ces quatre substantifs. Cependant, le choix entre *mon* et *ma* se montre variable pour les sujets âgés de 30 à 54 ans, qui ont employé *mon* dans 12 % des cas, et pour ceux âgés de moins de 30 ans, qui ont choisi *mon* 41 % du temps. Ces données révéleraient donc une nette hausse dans la fréquence d'une forme possessive *mon* qui est invariable pour le genre, sans pour autant indiquer une perte de la catégorie du genre grammatical en tant que tel.

5. Attrition vs convergence avec la langue dominante

Bien connus dans les études sur le contact linguistique sont les phénomènes de *convergence*, terme qui regroupe nombre de processus et de développements qui ont pour effet de réduire la distance structurale entre la langue en récession et son concurrent. Quand il ne s'agit pas d'emprunter de toutes pièces ou de calquer une langue sur l'autre, il peut s'agir de faire un choix parmi les éléments disponibles dans la langue en récession pour augmenter la fréquence relative des éléments qui sont partagés par les deux langues et pour réduire ou éliminer ceux qui sont différents. La discussion portera sur deux exemples de convergence : l'emploi de l'adverbe *back*, emprunt à l'anglais, pour renforcer le verbe *revenir*, et l'emploi ou le non-emploi du pronom réfléchi dans certains verbes pronominaux.

revenir (back)[10]

L'adverbe *back*, d'origine anglaise, est attesté en Louisiane au moins depuis Ditchy (1932, version éditée d'un manuscrit de 1901). *Back* apparaît fréquemment en FL avec certains verbes de mouvement, comme *revenir*, où il renforce le sens du préfixe « re- » comme dans l'exemple (7), sans être obligatoire (v. l'exemple 8 où *back* est absent).

(7) Il va être peut-être quatre heures et demie, cinq heures avant qu'on s'en revient à back.
[C62b, 1931, femme, Cutoff/Lafourche]

(8) Alle m'a dit comme ça, alle avait revenu pour que je la traite encore.
[C74, 1919, femme, Chauvin/Terrebonne]

---

[10] Voir Rottet (2000).

Certains locuteurs (jeunes pour la plupart) vont jusqu'à utiliser l'adverbe sans le préfixe *re-* :

> (9) On a venu back la journée après.
> [C18, 1976, homme, Chauvin/Terrebonne]

Certains emplois de *back* en FL, ou du moins dans le dialecte du Bassin Lafourche, montrent que cet adverbe n'est plus identique au mot anglais d'origine ; il apparaît parfois dans des contextes où l'énoncé équivalent anglais contiendrait plutôt l'adverbe *again* « de nouveau », comme dans les exemples (10) et (11) :

> (10) Je m'ai jamais ressôulé back. (Ang. : « I never got drunk again. »)
> [I45a, 1947, homme, Golden Meadow/Lafourche]

> (11) J'ai jamais revu back cette lumière-là. (Ang. : « I never saw that light again. »)
> [C65, 1928, homme, Pointe aux Chênes/Terrebonne]

Le questionnaire demandait à deux reprises une traduction de la séquence anglaise « come back ». Les résultats sont présentés dans le tableau 4 :

Tableau 4
L'expression du sens de « revenir »

Âge	revenir	revenir back	venir back	venir	*autre*[11]	*n*
55+	78% (42)	11% (6)	2% (1)	6% (3)	3% (2)	54
30-54	40% (21)	10% (5)	17% (9)	6% (3)	27% (14)	52
< 30	22% (9)	10% (4)	29% (12)	15% (6)	24% (10)	41

Non seulement les jeunes avaient plus tendance à utiliser l'adverbe *back*, mais l'emploi qu'ils en faisaient montre aussi un abandon du préfixe *re-* : on constate chez les jeunes une tendance à utiliser *venir back*, plutôt que *revenir* ou *revenir back*. On voit donc un cheminement intéressant de la pensée des locuteurs au fur et à mesure que l'anglicisation de la communauté progresse; le lexème *revenir*, formulé à la française (le concept de

---

[11] La colonne *autre* représente les cas où le locuteur a utilisé un autre verbe, d'habitude *arriver*, pour rendre le sens de l'anglais « come back » dans les phrases présentées.

retour est exprimé avec le préfixe *re-*), combine ensuite les formulations française et anglaise dans l'expression *revenir back*, pour céder enfin la place à une formulation tout à fait anglaise, *venir back*.

J'ai compté le nombre d'occurrences des formes de *revenir, revenir back*, et *venir back* dans le discours spontané des locuteurs âgés de plus de 55 ans. Dans le tableau 5 ces données sont comparées avec celles produites par tous les locuteurs de moins de 55 ans, toute catégorie d'âge en dessous de 55 ans confondue, le faible nombre d'occurrences produites par ces locuteurs ne permettant pas de subdivisions plus nuancées. Ces données provenant de la conversation libre, même si elles sont assez peu nombreuses, suggèrent largement la même tendance.

Tableau 5
L'expression du sens de « revenir » (conversation libre)

Âge	revenir	revenir back	venir back	*n*
55+	62% (42)	34% (23)	4% (3)	68
< 55	29% (5)	24% (4)	47% (8)	17

verbes pronominaux

Si l'emprunt de l'adverbe *back* est un signe évident de l'influence anglaise, il y a aussi un bon nombre de phénomènes en FL où l'influence anglaise est possible sans qu'on puisse exclure d'autres hypothèses. C'est le cas de la tendance à omettre le pronom réfléchi dans certains verbes pronominaux. Les exemples (12) à (14) illustrent les verbes pronominaux *se marier, se battre*, et *se rappeler* dans le discours de locuteurs âgés :

(12)   Un de mes frères, dès que lui **il s'a marié**, il a mandé à mon père voir s'il pouvait avoir le terrain pour se bâtir une maison[12].
[C62b, 1931, femme, Cutoff/Lafourche]

(13)   **Il s'a battu** avec une bétaille sus Pointe de Farm.
[C62c, 1931, femme, Pointe aux Chênes/Terrebonne]

(14)   Et la vaisselle sale était d'un bout à l'autre dans son TRAILER, **je me rappelle**, quand j'avais été là.
[C48b, 1945, femme, Pointe aux Chênes/Terrebonne]

---

[12] En FL, le verbe pronominal *se marier* est utilisé lorsque le sens est intransitif ; l'équivalent cadien de l'expression *se marier avec quelqu'un* est *marier quelqu'un* : Il a marié ma grand-mère. [K022]

Parmi les locuteurs jeunes, il n'est pas rare que le pronom réfléchi soit absent. Comparez les exemples (15) à (17) :

(15) J'sutais dix-sept équand **j'ai marié** la première fois.
[I29a, 1964, femme, Pointe aux Chênes/Terrebonne]

(16) Mon veux aller dans l'armée [...] Mon veux aller **battre** là-bas.
[I12, 1981, garçon, Pointe aux Chênes/Terrebonne]

(17) Je peux te dire une histoire, **je rappelle** comme du monde comme vous-autres a venu de LSU pour parler avec mon grand-père.
[C33a, 1960, homme, Cutoff/Lafourche][13]

Ces données sont confirmées par les résultats du questionnaire qui fournissait des occasions de traduire « to feel », « to get married », et « to get dressed ». Les seuls équivalents utilisés pour les deux premiers étaient *(se) sentir*, et *(se) marier*, alors que plusieurs traductions de « get dressed » sont apparues : *(se) changer, (se) préparer* et *s'habiller*. Le tableau 6 résume les résultats[14]. Il est clair que les jeunes se montrent prêts à abandonner le pronom réfléchi avec ces verbes, ce qu'ils font dans 55 % des cas. Plusieurs explications seraient possibles, y compris l'influence de l'anglais, car dans cette langue les verbes équivalents ne sont pas pronominaux, même quand le mot est apparenté (comparez « se changer » et « to change [clothes] »).

---

[13] L'omission du pronom réfléchi n'est pas inconnue chez les locuteurs âgés, mais pas avec les verbes à l'étude ici. Il s'agit plutôt de verbes pronominaux qui ont un objet direct représentant une partie du corps, par ex. *Si t'enfonçais un clou par terre dans le pied, tu mettais du coal-oil là-dessus, ça tuait la poison.* [K029, né vers 1928, homme, Chauvin/Terrebonne]. Malheureusement aucun exemple de ce type d'emploi ne figurait dans l'instrument de traduction.

[14] Le nombre d'occurrences et les pourcentages sont différents de ceux que j'ai présentés ailleurs (Rottet 2001), car j'ai exclu deux items de la présente discussion. La phrase « Be quiet! » de l'instrument de traduction donnait lieu à l'utilisation de *Tais-toi/Taisez-vous*, formes figées qui ne révèlent donc rien ; et une deuxième occurrence de « to feel », cette fois-ci avec le sujet « you » en contexte formel, donnait lieu à *vous (se) sentez/vous (se) sent* ; mais la différence entre [vusᾱte] et [vussᾱte] est à peine audible. J'ai donc décidé d'exclure cet item. L'autre occurrence de « to feel » donnait lieu à *je (me) sentirais*, où l'audibilité du pronom n'a posé aucun problème.

Tableau 6
Emploi ou non-emploi du pronom réfléchi

Âge	Pronom réfléchi présent	Pronom réfléchi omis	*n*
55+	94% (74)	6% (5)	79
30-54	76% (60)	24% (19)	79
< 30	45% (27)	55% (33)	60

6. Remarques comparatives et conclusions

Dans cet article je me suis donné pour tâche d'illustrer quelques changements en cours en FL dans la perspective d'une étude de quelques difficultés d'analyse des langues en voie d'étiolement. Je voudrais maintenant conclure avec quelques commentaires comparatifs concernant les phénomènes à l'étude tels qu'ils apparaissent dans d'autres communautés francophones d'Amérique du Nord. Ces remarques ne sauraient être complètes ; elles visent plutôt à donner au lecteur quelques références vers d'autres études des phénomènes en cause.

Le redoublement du pronom sujet a fait l'objet de nombreuses études sociolinguistiques (v. King 1989, Nadasdi 1995, Auger 1996, entre autres). Des différences importantes concernant la nature des communautés font que les résultats ne sont pas vraiment comparables aux miens. Par exemple, dans l'étude de Nadasdi, les sujets parlants qui pratiquaient le moins souvent le redoublement du sujet étaient ceux qui avaient appris le français en milieu scolaire essentiellement et qui avaient très peu d'accès au vernaculaire. Par contre, les locuteurs louisianais de la présente étude étaient tous très peu ou pas du tout scolarisés en français, ce qui fait que leur français ne peut refléter que le vernaculaire local; c'est le FR qui est totalement absent de leur répertoire linguistique. Il n'est donc pas surprenant que les productions langagières de ces jeunes représentent une évolution du vernaculaire, encore plus loin du FR que ne le sont les normes traditionnelles de la communauté. Il est évident que si le FR est quasiment absent, comme c'est largement le cas du bassin Lafourche, il ne peut guère exercer d'influence sur l'évolution du parler local.

Le genre grammatical a été examiné par Fox (1998) pour le français de Cohoes, dans l'état de New York, autre communauté où le français est en voie de disparition. Fox a exclu «les locuteurs dont l'acquisition du français n'a été que partielle» (Fox 1998 : 63), c'est-à-dire les semi-locuteurs; elle n'a retenu que des informateurs qui «démontrent tous de fortes compétences en français» (Fox 1998 : 62). Cependant, la même direction de développement est esquissée dans les résultats de Fox, à savoir une tendance à l'invariabilité.

Le FL est loin d'être la seule variété de français en Amérique du Nord à avoir emprunté l'adverbe *back*, car le mot semble être attesté partout où le français est minoritaire : Île du Prince Édouard, Nouvelle-Écosse, Ontario, Terre-Neuve (Perrot 1995 : 157, Mougeon 2000). Pour le vernaculaire *chiac* de Moncton (au Nouveau-Brunswick), Perrot (1995) identifie trois phénomènes qu'elle appelle la *redondance* («je vais revenir back ») où l'adverbe *back* redouble le préfixe verbal *re-* ; la *substitution* ('je vais venir back") où il remplace le préfixe *re-* ; et la *permutation* («je vais back venir ») où l'adverbe est antéposé avec des formes verbales composées. Seule la permutation n'est pas attestée dans mon corpus pour la Louisiane. Elle serait une particularité de la variété *chiac*, car elle ne semble pas attestée dans toutes les autres communautés francophones.

À ma connaissance, aucune autre étude n'évoque la perte du pronom réfléchi dans des variétés françaises d'Amérique du Nord.

Références

AUGER, Julie. 1996. «Variation data and linguistic theory : Grammatical agreement and subject doubling », dans Anthony D. GREEN et Virginia MOTAPANYANE (dirs.), *Proceedings of the Thirteenth Eastern States Conference on Linguistics '96*, Ithaca, Cornell University Press, 1-11.

CAMPBELL, Lyle et Martha C. MUNTZEL. 1989. « The structural consequences of language death », dans Nancy C. DORIAN (dir.), *Investigating Obsolescence : Studies in Language Contraction and Death*, Cambridge, Cambridge University Press, 181-196.

DITCHY, Jay K. 1932. *Les Acadiens louisianais et leur parler*, Paris, Droz.

DORIAN, Nancy C. 1994. « Stylistic variation in a language restricted to private-sphere use », dans Douglas BIBER et Edward FINEGAN (dirs.), *Sociolinguistic perspectives on register*, New York, Oxford University Press.

DRESSLER, Wolfgang U. 1982. « Acceleration, retardation, and reversal in language decay? », dans Robert L. COOPER (dir.), *Language spread*, Bloomington, Indiana University Press, 321-336.

FOX, Cynthia A. 1998. « Le transfert linguistique et la réduction morphologique : le genre dans le français de Cohoes », dans Patrice BRASSEUR (dir.), *Français* d'*Amérique : variation, créolisation, normalisation*, Avignon, Centre d'Études Canadiennes, 61-74.

GADET, Françoise. 1992. *Le français populaire*, Paris, Presses Universitaires de France.

GUILBEAU, John. 1950. *The French spoken in Lafourche Parish, Louisiana*, thèse de doctorat inédite, University of North Carolina, Chapel Hill.

HAGÈGE, Claude. 2000. *Halte à la mort des langues*, Paris, Éditions Odile Jacob.

KING, Ruth. 1989. « On the social meaning of linguistic variability in language death situations : Variation in Newfoundland French », dans Nancy C. DORIAN (dir.), *Investigating obsolescence : Studies in language contraction and death*, Cambridge, Cambridge University Press, 139-148.

MELANÇON, Dale Ann. 1964. *French folklore in Terrebonne Parish*, mémoire de maîtrise inédit, Louisiana State University, Baton Rouge.

MOUGEON, Raymond. 2000. « Les emprunts au vocabulaire de base de l'anglais en français ontarien », dans Danièle LATIN et Claude POIRIER (dirs.), *Contacts de langues et identités culturelles : perspectives lexicographiques*, Québec, Presses de l'Université Laval, 29-43.

NADASDI, Terry. 1995. « Restriction linguistique et cliticisation des pronoms indirects inanimés en franco-ontariens », dans Robert FOURNIER et Henri WITTMAN (dirs.), *Le français des Amériques*, Trois-Rivières, Presses Universitaires de Trois-Rivières, 165-180.

OUKADA, Larbi. 1977. *Louisiana French : A linguistic study with a descriptive analysis of Lafourche dialect*, thèse de doctorat inédite, Louisiana State University, Baton Rouge.

PAPEN, Robert A. 1972. *Louisiana «Cajun» French : A grammatical sketch of the French dialect spoken on Bayou Lafourche (Lafourche Parish, LA)*, manuscrit inédit.

PAPEN, Robert et Kevin J. ROTTET. 1997. « A structural description of the Cajun French of the Lafourche Basin », dans Albert VALDMAN (dir.), *French and Creole in Louisiana*, New York, Plenum, 71-108.

PARR, Una M. 1940. *A glossary of the variants from Standard French in Terrebonne Parish*, mémoire de maîtrise inédit, Louisiana State University, Baton Rouge.

PERROT, Marie-Ève. 1995. « Quelques aspects du métissage dans le vernaculaire *chiac* de Moncton », *Plurilinguismes* 9/10 : 147-167.

PICONE, Michael. 1997. « Enclave dialect contraction : An external overview of Louisiana French », *American Speech*, 72 (2) : 117-153.

ROTTET, Kevin J. 2000. « The calquing of phrasal verbs in language contact », dans Julie AUGER et Andrea WORD-ALLBRITTON (dirs.), *The CVC of sociolinguistics : Contact, variation, and culture*, Bloomington, Indiana University Linguistics Club, 109-126.

ROTTET, Kevin J. 2001. *Language shift in the coastal marshes of Louisiana*, New York, Peter Lang.

SASSE, Hans-Jürgen. 1992. « Language decay and contact-induced change : Similarities and differences », dans Matthias BRENZIGER (dir.), *Language death : Factual and theoretical explorations with special reference to East Africa*, New York, Mouton de Gruyter, 59-80.

SVENSON, Lars-Owen. 1959. *Les parlers du marais vendéen*, Göteborg, Elanders Boktryckeri Aktiebolag.

TRÉPANIER, Cécyle. 1988. *French Louisiana at the threshold of the twenty-first century*, thèse de doctorat inédite, The Pennsylvania State University, University Park.

Rôle des facteurs linguistiques et extra-linguistiques dans la dévernacularisation du parler des adolescents dans les communautés francophones minoritaires du Canada

Raymond Mougeon, Université York

1. Introduction

Plusieurs études centrées sur la variation du parler des adolescents scolarisés dans les écoles de langue française des minorités francophones du Canada ont observé une tendance à la dévernacularisation de ce parler. Cette tendance est particulièrement évidente dans le parler des adolescents qui ne maintiennent pas le français dans les domaines ou situations qui assurent la reproduction du français vernaculaire (par ex. le foyer). Toutefois, d'autres études n'ont pas observé cette tendance et certaines ont même observé la tendance inverse. En effet, elles ont trouvé que ce sont les adolescents qui ne maintiennent pas le français dans les domaines et situations qui assurent la reproduction du français vernaculaire qui emploient le plus certaines variantes non standard.

L'objectif principal de la présente étude est de faire le point sur la question en procédant à une réflexion approfondie sur les facteurs linguistiques et extra-linguistiques qui engendrent la dévernacularisation ainsi que sur ceux qui l'entravent. Cette réflexion s'inscrit dans le cadre plus large de recherches ayant pour but de caractériser les phénomènes variationnels propres aux locuteurs du français qui font un usage restreint de cette langue et qui sont en contact intense avec l'anglais (cf. entre autres Mougeon et Beniak 1991, Mougeon et Nadasdi 1998).

2. Les écoles de langue française

La création d'écoles de langue française financées par les gouvernements provinciaux représente incontestablement l'acquis le plus important des minorités francophones hors Québec dans la reconnaissance de leurs droits linguistiques. Dans certaines des neuf provinces où l'anglais est langue majoritaire, l'établissement de ces écoles remonte à plusieurs décennies (c'est le cas notamment de l'Ontario et du Nouveau-Brunswick). Dans d'autres, elle est relativement récente. Toutefois cette mesure historique n'a pas eu pour effet de juguler l'assimilation linguistique des minorités francophones. En fait, dans huit des neuf provinces canadiennes majoritairement anglophones, tous les cinq ans, le recensement national révèle une érosion progressive des minorités francophones. Cette érosion se traduit par l'abandon partiel ou total de l'usage du français au foyer par une portion croissante de la population de langue maternelle française, abandon qui va de pair avec la montée de l'exogamie linguistique (cf. Castonguay 1998, Mougeon 1998). Une conséquence importante d'un tel abandon est que dans nombre de localités où les francophones sont minoritaires, les écoles de langue française sont devenues le principal lieu de la reproduction linguistique, tout au moins dans le cas des jeunes dont les parents ont plus ou moins abandonné l'usage du français au foyer. Dans la mesure où ces jeunes utilisent le français surtout dans les écoles de langue française, on comprend que l'on ait observé une tendance à la dévernacularisation de leur parler

3. Le corpus de Mougeon et Beniak

Afin de réaliser des études sur la variation du parler des adolescents inscrits dans les écoles des minorités francophones hors Québec, Mougeon et Beniak ont recueilli un corpus de français auprès d'un échantillon d'élèves de 9ᵉ et 12ᵉ années (14/15 ans et 17/18 ans). Ces élèves étaient inscrits dans les écoles de langue française de quatre localités où les francophones représentent une proportion plus ou moins importante de la population locale. Il s'agit de trois localités où les francophones sont minoritaires : i) Cornwall (où ils représentent 35 % de la population locale), ii) North Bay (16 %) et iii) Pembroke (8 %), et d'une localité où les francophones sont fortement majoritaires : Hawkesbury (85 %). Pour chacun des élèves inclus dans l'échantillon, Mougeon et Beniak ont calculé un indice global de fréquence d'emploi du français dans onze situations de communication où les élèves sont susceptibles de s'exprimer dans la variété vernaculaire (par ex. quand ils communiquent avec leurs amis, les membres de leur famille, etc., cf. la légende du tableau 1)[1]. À l'aide de cet indice, on a divisé l'échantillon en trois groupes à peu près égaux: a) les élèves qui emploient le français de 5 % à 44 % du temps dans ces situations (à l'instar de Mougeon et Beniak, 1991, nous les désignerons du terme de *locuteurs restreints*), b) les élèves qui emploient le français de 45 % à 79 % du temps dans ces situations (*locuteurs semi-restreints*) et c) les élèves qui emploient le français de 80 % à 100 % du temps dans ces situations (*locuteurs non-restreints*). La répartition des élèves dans ces trois groupes est indiquée dans le tableau 1 ci-dessous. Signalons que l'on peut « lire » cet indice comme une mesure du niveau de contact avec l'anglais: très intense dans le cas des locuteurs restreints, moyen dans le cas des locuteurs semi-restreints et modéré ou faible dans le cas des locuteurs non-restreints. Par ailleurs, lorsque ces trois groupes d'élèves ont auto-évalué leur compétence en français et en anglais, on a trouvé que les locuteurs non-restreints incluaient en majorité des bilingues franco-dominants, les locuteurs semi-restreints des bilingues équilibrés et les locuteurs restreints des bilingues anglo-dominants (cf. Mougeon et Beniak 1991).

Le tableau 2 fournit des données sur la répartition des élèves selon le sexe et la classe sociale des élèves et le niveau de restriction dans l'emploi du français. On constate qu'il y a, grosso modo, la même proportion de filles et de garçons parmi les locuteurs non-restreints, semi-restreints et restreints et que ces trois groupes de locuteurs incluent des individus d'origines sociales diverses.

Signalons finalement que dans les quatre localités mentionnées plus haut, la grande majorité de la population francophone a une origine québécoise plus ou moins reculée. La venue de Québécois dans ces localités remonte à la deuxième moitié du 19ᶜ siècle. Toutefois l'immigration francophone en provenance du Québec s'est poursuivie avec des hauts et des bas durant la première moitié du 20ᶜ siècle. On peut donc considérer que dans ces communautés la variété de français locale est génétiquement reliée au français québécois, lien de parenté qui rend la comparaison interlectale particulièrement intéressante (cf. Nadasdi ce volume).

---

[1] Cet indice a été calculé de la manière suivante: fréquence d'emploi du français dans la situation n° 1 + fréquence d'emploi du français dans la situation n° 2 + fréquence d'emploi du français dans la situation n° 3, etc. divisée par onze et transformée en taux dont la valeur maximale est 100.

Tableau 1

Répartition des locuteurs de Mougeon et Beniak (1991) en fonction du niveau de restriction dans l'usage du français

N° du locuteur	Indice de restriction	N° du locuteur	Indice de restriction	N° du locuteur	Indice de restriction	N° du locuteur	Indice de restriction
H01 F/F	100	P02 F/F	86	P18 F/F	64	P25 F/F	41
H02 F/F	100	P30 F/F	86	N24 F/F	61	C22 F/F	39
H03 F/F	100	C35 F/F	82	N17 F/F	59	N10 F/A	39
H04 F/F	100	N01 F/F	82	N16 F/F	57	P28 F/A	39
H05 F/F	100	N33 F/A	82	N18 F/F	57	C02 F/F	36
H06 F/F	100	C21 F/F	80	N09 F/F	57	N20 F/A	36
H09 F/F	100	H08 F/F	78	C37 F/F	55	N06 F/F	34
H11 F/F	100	C16 F/F	77	N08 F/F	55	C04 F/F	32
H12 F/F	100	C20 F/F	77	N34 F/F	55	P06 F/F	32
H13 F/F	100	N19 F/F	77	P12 F/F	55	N13 F/F	30
H14 F/F	100	N21 F/F	77	P17 F/F	55	C24 F/A	27
H15 F/F	100	N30 F/F	77	P31 F/F	55	C07 F/A	25
H17 F/F	100	C33 F/F	75	P29 F/F	53	C38 F/A	25
H18 F/F	100	C12 F/F	75	C31 F/F	52	P23 F/F	25
H19 F/F	100	N11 F/F	75	P20 F/F	52	P05 F/A	23
H20 F/F	100	N36 F/F	75	C25 F/F	50	P24 F/A	22
C23 F/F	98	P09 F/F	73	P07 F/F	50	N29 F/A	20

N° du locuteur	Indice de restriction	N° du locuteur	Indice de restriction	N° du locuteur	Indice de restriction	N° du locuteur	Indice de restriction
H07 F/F	97	C39 F/F	70	C18 F/F	48	P14 F/F	20
C09 F/F	95	N22 F/F	70	P16 F/F	48	P27 F/A	20
N07 F/F	95	N25 F/F	70	C40 F/A	45	C11 F/A	18
C06 F/F	93	C03 F/A	68	N12 F/A	45	P13 F/F	18
H16 F/F	91	C08 F/F	68	N26 F/F	45	C28 F/A	14
C10 F/F	91	C05 F/A	66	N31 F/F	45	P01 F/A	11
C17 F/F	91	C13 F/F	66	P19 F/F	45	P08 F/A	09
C26 F/F	91	C34 F/F	66	P22 F/F	45	P10 F/A	09
N03 F/F	91	C36 F/A	66	N28 F/F	44	P34 F/A	08
N35 F/F	91	N05 F/F	66	C27 F/A	43	N02 F/A	06
H10 F/F	89	P35 F/F	66	C19 F/A	41	C29 F/A	05
C01 F/F	86	N04 F/F	64	C32 F/F	41	P21 F/A	05
C30 F/F	86	P15 F/F	64	N32 F/F	41		

C = Cornwall; H = Hawkesbury; N = North Bay; P = Pembroke
Situations: i) adolescent <-> et élèves en classe; ii) adolescent <-> et élèves dans les couloirs de l'école; iii) mère > adolescent; iv) père > adolescent; v) père <-> mère; vi) adolescent > mère; vii) adolescent > père; viii) adolescent <-> frères et sœurs à la maison; ix) adolescent <-> frères et sœurs en dehors de la maison; x) adolescent <-> et amis à la maison; xi) adolescent <-> et amis en dehors de la maison

Tableau 2
Répartition des locuteurs du corpus Mougeon et Beniak
en fonction du niveau de maintien du français,
du sexe et de l'appartenance socio-économique

Restriction	Sexe		Appartenance socio-économique*		
	Masculin	Féminin	Bourgeoisie	Petite bourgeoisie	Classe ouvrière
Non-restreints	17	19	9	13	14
Semi-restreints	25	24	8	22	20
Restreints	20	14	5	18	10

*Celle-ci a été établie à partir de la profession des parents

4. L'hypothèse de la dévernacularisation

Le corpus de Mougeon et Beniak a donné lieu à de nombreuses études sociolinguistiques qui ont permis de mieux comprendre le rôle de la restriction dans l'emploi du français, et du contact intense avec l'anglais, dans la variation du français ontarien. Nous renvoyons le lecteur à Nadasdi (ce volume) pour un survol des principaux résultats de ces études. Une des hypothèses qui ont retenu l'attention des chercheurs qui ont examiné la variation à partir de ce corpus est la possibilité que l'on observe une association linéaire entre le niveau de restriction et le taux de dévernacularisation (perte des traits du français non standard) : les locuteurs restreints affichant le taux le plus élevé, les locuteurs non-restreints affichant le taux le plus bas et les locuteurs semi-restreints faisant montre d'un taux intermédiaire. Cette hypothèse part de la prémisse que moins les élèves emploient le français dans les situations de communication informelles, moins ils seront exposés aux variantes non standard et plus ils seront soumis à l'influence standardisatrice de l'école.

Dans la présente étude nous allons passer en revue treize variables sociolinguistiques qui ont fait l'objet d'analyses variationnistes à l'aide du corpus de Mougeon et Beniak et pour lesquelles il est possible de vérifier si on observe une association linéaire entre la restriction linguistique et la dévernacularisation. Nous verrons en fait que l'on observe trois cas de figure: i) la dévernacularisation linéaire est confirmée, ii) la dévernacularisation ne s'observe que dans le parler des locuteurs restreints et iii) la dévernacularisation est infirmée. Le but principal de la présente étude est d'essayer de comprendre comment les facteurs externes de la restriction linguistique et du contact intense avec l'anglais qu'elle implique, interagissent avec les propriétés linguistiques et extra-linguistiques des variantes pour aboutir à ces différents cas de figure. Mougeon et Beniak (1991) et Mougeon et Nadasdi (1998) avaient déjà, entre autres, visé cet objectif. Nous allons l'explorer de façon plus systématique dans cet article et ce à la lumière d'un plus grand nombre de variables que celui que ces chercheurs ont examiné antérieurement.

Les exemples ci-dessous tirés du corpus de Mougeon et Beniak, illustrent chacune des treize variables et les variantes standard **(S)** et non standard **(NS)** qui leur sont associées[2]. Pour chaque variable nous fournissons la référence de l'étude ou des études qui l'a/l'ont examinée.

char vs **auto** vs **automobile** vs **voiture** (Nadasdi et al. 2004)
(1) a) il était le plus beau **char** au monde **(NS)**
     b) il est allé voir dans son **auto** **(S)**
     c) pis peut-être je m'achèterais une **automobile** **(S)**
     d) c'est à peu près une demi-heure de **voiture** d'ici **(S)**

rester vs **demeurer** vs **habiter** vs **vivre** (Nadasdi 2002)
(2) a) moi je **reste** sur la Main **(NS)**
     b) ma sœur elle **demeure** à Kirkland Lake **(S)**
     c) heu sont tous là ils **habitent** plutôt tous là **(S)**
     d) ma sœur **vivait** à 40 milles de là **(S)**

job vs **ouvrage** vs **travail** vs **emploi** (Mougeon et Nadasdi en cours)
(3) a) la plupart des **jobs** faut être bilingue **(NS)**
     b) si tu parles rien que français tu peux quand même poigner une **ouvrage (NS)**
     c) pis là il trouverait un **travail** meilleur **(S)**
     d) ça va te servir pour un **emploi** plus tard **(S)**

---

2 Nous utilisons le terme « standard » dans le sens de conforme à l'usage du français de référence. Nous allons voir que dans la réalité sociolinguistique cette « étiquette » et son contraire « non standard » renvoient à des variantes qui peuvent différer sensiblement dans leurs marques sociale et stylistique.

rien que vs ***juste*** vs ***seulement*** (Rehner et Mougeon 1997)

(4) a)   il voulait **rien que** dire qu'il était pour la séparation du Québec **(NS)**

      b)   ils font **jusse** dire ça pour heu ... épeurer le monde là **(NS)**

      c)   des fois j'aimerais **seulement** parler une langue **(S)**[3]

ça fait que vs ***so*** vs ***alors*** vs ***donc***
(Mougeon et Beniak 1991, Mougeon et al. 2004)

(5) a)   il est dans un niveau beaucoup moins avancé que moi **ça fait que** je le vois plus **(NS)**

      b)   je suis pas une jaseuse **so** c'est un peu difficile **(NS)**

      c)   je suis pas une personne gênée **alors** j'y réponds t'sais **(S)**

      d)   elle a trois mois de convalescence **donc** j'ai eu beaucoup d'ouvrage **(S)**

à vs ***de*** (Mougeon et Beniak 1991)

(6) a)   oui je conduis l'auto **à** mes parents **(NS)**

      b)   tu veux dire les parents **de** mes parents **(S)**

m'as vs ***je vas*** vs ***je vais*** (Mougeon et Beniak 1991)

(7) a)   **m'as** le retourner dans une semaine **(NS)**

      b)   ben **je vas** y aller à l'université **(NS)**

      c)   O.K. **je vais** t'aider **(S)**

avoir vs ***être*** (Beniak et Mougeon 1989)

(8) a)   pi après les polices ils **ont** rentré dans la maison **(NS)**

      b)   la vieille avare elle aussi **est** rentrée comme le chat **(S)**

sujet redoublé vs **sujet non redoublé** (Nadasdi 2000)

(9) a)   **le gars il** a lâché l'école (sujet redoublé) **(NS)**

      b)   **mon père** m'emmène au Mont-Tremblant **(sujet unique) (S)**

verbes singulier vs verbes pluriel à 3ᵉ personne du pluriel
(Mougeon et Beniak 1991, Mougeon et Beniak 1995)

(10) a)   eux autres ils **dit** une prière **(NS)**

      b)   pis ils **disent** que c'est une bonne vue **(S)**

non-emploi de *ne* (Sandy 1997)

(11) a)   notre parler est **pas** tellement différent **(NS)**

      b)   ma mère **ne** parle **pas** un mot d'anglais **(S)**

---

[3] On trouve une autre variante standard en français québécois. Il s'agit de la construction *ne...que* (cf. Massicotte 1986, Thibault et Daveluy 1989). Dans les corpus de français montréalais où elle a été attestée, cette variante est marginale et son emploi est confiné au parler des locuteurs au sommet de l'échelle sociale.

effacement de /l/ dans *il(s)* (Tennant 1995)

(12) a) il(s) arrive(nt) [jaʀiv/izaʀiv] **(NS)**

  b) il(s) arrive(nt) [ilzaʀiv] **(S)**

effacement de schwa (Mougeon et al. 2002)

(13) a) je vas le faire [ʒvalfɛʀ] **(NS)**

  b) je vas le faire [ʒəvaləfɛʀ] **(S)**

5. Présentation des données

Pour éclairer notre réflexion sur les cas de figure énoncés plus haut, nous fournissons, sous forme de deux tableaux, des données sur la fréquence des variantes dans le parler des trois groupes de locuteurs et sur l'effet des paramètres sexe et classe sociale sur l'emploi de ces variantes. Les données sur la fréquence des variantes permettent de vérifier l'hypothèse de l'association linéaire entre la restriction linguistique et la dévernacularisation. Quant aux données sur l'effet des paramètres sexe et classe sociale, elles nous donnent une idée de la marque sociale des variantes. Ces deux types de données proviennent d'analyses statistiques de la variation effectuées à l'aide du logiciel GoldVarb pour chacune des treize variables présentées plus haut. Le lecteur pourra consulter ces deux tableaux lorsque nous discuterons des cas de figure énoncés plus haut.

Dans le tableau 3 nous présentons les données relatives aux variables binaires (impliquant deux variantes) et dans le tableau 4 nous présentons les données relatives aux variables plus complexes qui impliquent trois ou quatre variantes.

6. Discussion

Nous pouvons maintenant entamer notre réflexion sur la façon dont la restriction, et le contact linguistique qu'elle implique, interagissent avec les propriétés des variantes pour aboutir aux cas de figure suivants: i) la dévernacularisation linéaire est confirmée, ii) la dé- vernacularisation ne s'observe que dans le parler des locuteurs restreints, iii) la dévernacularisation est infirmée. Pour faciliter notre réflexion, nous avons regroupé les variantes non standard dans un même

Tableau 3

Effet de la classe sociale et du sexe et fréquence des variantes selon le niveau de restriction (variables binaires)

Variantes	Effet de la classe sociale	Effet du sexe	Locuteurs non restreints		Locuteurs semi-restreints		Locuteurs restreints	
			N	%	N	%	N	%
ne présent	non	non	9	1	40	2	39	3
ne absent	non	non	2104	99	2182	98	1558	97
/l/ présent	oui	non	4**	2**	56**	7**	23**	9**
/l/ absent	oui	non	261**	98**	752**	93**	224**	91**
schwa présent	non	non	1189	31	2777	34	1140	42
schwa absent	non	non	2568	69	5387	66	1548	58
sujet unique	non	non	435	59	840	75	634	83
*sujet redoublé***	non****	non	298	41	276	25	132	17
de	oui	inverse	42	81	41	79	26	100
à	oui	inverse	10	19	11	21	0	0
être	?	?	94	67	107	53	93	54
avoir	?	?	47	33	94	47	78	46
verbes pl.	non	non	1194	98	1627	86	871	81
verbes sg.	non	non	19	2	270	14	203	19

oui: ce paramètre exerce un effet significatif sur la variation – les locuteurs des couches sociales plus basses emploient la variante non standard plus souvent que les locuteurs des couches sociales plus élevées; **non**: ce paramètre n'a pas d'effet significatif sur la variation; **inverse**: les locutrices emploient la variante non standard plus souvent que les locuteurs; **italiques**: les mots en italiques renvoient aux variantes non standard.

? Dans le cas de cette variable on n'a pas examiné l'effet de la classe sociale et du sexe

*L'étude de l'effacement de /l/ dans *il(s)* est limitée au sous-corpus de North Bay.

**Ces nombres et pourcentages m'ont été gracieusement fournis par J. Tennant. Dans Tennant (1995) on ne trouve qu'une représentation graphique du taux d'effacement de /l/ dans *il(s)*.

***Précisons ici qu'il s'agit des sujets redoublés sans dislocation (ou si l'on préfère sans mise en relief, cf. Nadasdi [2000] pour une discussion des implications théoriques de cette distinction).

****On a observé un effet de la classe sociale à Hawkesbury (Nadasdi 2000).

Tableau 4
Effet de la classe sociale et du sexe et fréquence des variantes selon
le niveau de restriction (variables à trois ou quatre variantes)

Variantes	Effet de la classe sociale	Effet du sexe	Locuteurs non-restreints		Locuteurs semi-restreints		Locuteurs restreints	
			N	%	N	%	N	%
seulement	non	oui	52	16	62	11	41	14
juste	oui	inverse	218	66	366	68	231	80
rien que	non	oui	58	18	115	21	16	6
je vais	oui	oui	11	6	30	17	11	13
je vas	non	non	119	64	98	56	49	60
m'as	non	oui	56	30	48	27	22	27
donc	?	?	8	2	12	3	12	7
alors	oui	oui	57	21	122	29	123	70
so	oui	oui	22	8	217	51	30	19
ça fait que	oui	oui	180	69	75	17	7	4
travail	non	non	7	26	16	18	27	38
emploi	non	oui	26	60	53	62	22	32
job	non	oui	5	12	11	13	21	30
ouvrage	non	non	5	12	6	7	0	0
voiture	?	?	4	7	1	1	1	1
automobile	?	?	6	10	12	8	8	8
auto	oui	oui	33	57	87	58	74	76
char	non	oui	15	26	50	33	15	15
vivre	non	non	12	17	18	17	33	47
demeurer	non	oui	13	18	40	38	26	37
habiter	non	non	2	3	0	0	0	0
rester	oui	oui	45	63	47	45	11	16

? On n'a pas examiné la corrélation avec la classe sociale et le sexe à cause de la faiblesse des données.

tableau (cf. tableau 5 ci-dessous) selon ces trois cas de figure. Dans ce tableau chacune des variantes non standard est considérée séparément. Le tableau inclut 17 variantes, car trois des treize variables sur lesquelles porte notre étude mettent en jeu deux variantes non standard. Dans la deuxième colonne de ce tableau, nous résumons les principaux résultats relatifs à la fréquence d'usage des variantes non standard dans le parler des trois groupes de locuteurs. Le lecteur pourra consulter les tableaux 3 et 4 pour des informations statistiques sur la fréquence d'emploi des variantes non standard par chacun de ces groupes de locuteurs. Dans la troisième colonne nous indiquons les propriétés linguistiques et extra-linguistiques des variantes. Les propriétés extra-linguistiques dont il sera question dans notre discussion concernent l'effet de la classe sociale ou du sexe observé dans le parler des adolescents. Dans la troisième colonne du tableau 5 la mention *marque sociale forte* signifie que ces deux paramètres ont un effet sur la variation et la mention marque sociale nulle qu'aucun de ces deux paramètres n'a d'effet sur la variation. Les propriétés linguistiques qui sont prises en compte incluent: a) la fréquence discursive (telle qu'indiquée par le nombre d'occurrences des variantes dans les tableaux 3 et 4), b) la régularité ou l'irrégularité morphosyntaxique, c) l'origine intersystémique (anglaise) et d) l'existence d'un élément de l'anglais dont la forme et le sens sont semblables à ceux d'une variante non standard (contrepartie intersystémique).

Comme le montre la deuxième colonne du tableau 5, lorsqu'il y a une association linéaire entre la restriction linguistique et la dévernacularisation, on constate soit que les différences de fréquence entre les trois groupes de locuteurs sont ténues (variantes 1-3), soit qu'elles sont prononcées (variantes 4-7).

Lorsque les différences de fréquence sont ténues, on remarque que les variantes non standard ont une fréquence discursive élevée et que leur marque sociale est faible ou nulle. On peut donc supposer que les locuteurs semi-restreints et restreints seront amplement exposés à ces variantes, et ce même s'ils: a) sous-emploient le français, b) sont plus ou moins coupés de la variété vernaculaire et c) dans le cas des locuteurs restreints, tendent à employer surtout le français dans le contexte scolaire. En d'autres termes, ce sont la haute fréquence discursive et la faible « saillance » sociostylistique de variantes telles que l'effacement de *ne* ou de /l/ dans *il(s)* qui expliquent pourquoi la dévernacularisation linéaire se manifeste de façon graduée.

Lorsque les différences de fréquence intergroupes sont marquées ou fortes, on constate que la fréquence discursive des variantes non standard est soit moyenne (redoublement du sujet et [*ça*] *fait que*) soit (très) faible (*rester* et *ouvrage*). On constate aussi que dans le cas de (*ça*) *fait que* et *rester*, la marque sociale est forte (effet de la classe sociale et du sexe). On a donc affaire à des propriétés linguistiques et extra-linguistiques qui, à l'inverse de celles que l'on vient de mentionner, vont limiter la probabilité que les locuteurs qui sous-emploient plus ou moins le français (locuteurs semi-restreints et restreints) ou qui emploient le français surtout à l'école (locuteurs restreints) soient exposés à la variante non standard. Dans le cas du redoublement du sujet, on peut invoquer une autre propriété linguistique, à savoir la complexité morphosyntaxique. En effet, comme l'a signalé Nadasdi (2000), lorsqu'il y a redoublement du sujet sans dislocation (cf. note du tableau 3 et les exemples 9a et 9b), les clitiques fonctionnent comme des préfixes et sont redondants du point de vue sémantique. On peut donc supposer que dans la mesure où ils sous-utilisent le français, les locuteurs restreints (et dans une moindre mesure les locuteurs semi-restreints) seront peu enclins à converger vers ce type de variante morphosyntaxique[4]. On remarque aussi que si la variante *ouvrage* est dépourvue de marque sociale, tout au moins dans le parler des élèves, sa fréquence est marginale[5]. Il est donc possible qu'à elle seule, cette propriété bloque l'entrée de la variante *ouvrage* dans le répertoire sociostylistique des locuteurs restreints. Somme toute, lorsque les différences intergroupes sont marquées, les variantes non standard ont toutes des propriétés linguistiques et extralinguistiques qui intensifient le processus de dévernacularisation et donnent à la corrélation avec le niveau de restriction un caractère fortement contrasté.

Considérons maintenant les trois variantes (8, 9 et 10) où la dévernacularisation se manifeste seulement dans le parler des locuteurs restreints. Pour ce qui est de la variante *à*, il est possible d'invoquer, comme l'ont fait Mougeon et Beniak (1991), des propriétés linguistiques susceptibles d'expliquer pourquoi on observe une tendance à la dévernacularisation. En effet, on remarque que cette variante est peu fréquente et qu'elle est moins régulière que sa contrepartie standard *de*. *À* n'exprime que la possession au sens strict (le possesseur est un animé « supérieur »; par ex. *l'auto à mon père* mais **la cuisse à la grenouille*)

---

4 Sans parler du fait que l'anglais (langue dominante de ces locuteurs) ne connaît pas le redoublement du sujet sans dislocation.
5 Dans le corpus de Sankoff et Cedergren (français parlé à Montréal), cette variante est associée aux locuteurs des couches populaires (Sankoff et al. 1986).

Tableau 5

Attestation ou non attestation de la dévernacularisation et propriétés des variantes non standard

Variantes non standard	Dévernacularisation linéaire confirmée	Propriétés des variantes non standard
1) *ne > Ø*	Différences intergroupes très faibles	Très haute fréquence; marque sociale nulle
2) *schwa > Ø*	Différences intergroupes faibles	Très haute fréquence; marque sociale nulle
3) *il(s) > i*	Différences intergroupes faibles	Haute fréquence; effet de la classe sociale
4) *sujet redoublé*	Différences intergroupes marquées	Fréquence moyenne; complexité morpho-syntaxique; marque sociale nulle
5) *(ça) fait que*	Différences intergroupes fortes	Fréquence moyenne; marque sociale forte
6) *rester*	Différences intergroupes fortes	Faible fréquence; marque sociale forte
7) *ouvrage*	Différences intergroupes fortes; N.B. les locuteurs restreints n'emploient pas *ouvrage*	Fréquence marginale; marque sociale nulle
	Dévernacularisation du parler des locuteurs restreints seulement	
8) *à*	N.B. les locuteurs restreints n'emploient pas *à*	Fréquence marginale; moins régulier que *de*; effet de la classe sociale
9) *rien que*	N.B. les locuteurs restreints emploient rarement *rien que*	Fréquence moyenne; effet du sexe
10) *char*	N.B. les locuteurs restreints emploient *char* moins souvent que les locuteurs non-restreints; les locuteurs semi-restreints sont à la tête de l'usage de *char*	Contrepartie intersystémique; effet du sexe

Variantes non standard	Dévernacularisation infirmée	Propriétés des variantes non standard
11) *so*	N.B. les locuteurs restreints emploient *so* plus souvent que les locuteurs non-restreints; les locuteurs semi-restreints sont nettement à la tête de l'usage de *so*	Origine intersystémique; marque sociale forte
12) *juste*	Les locuteurs restreints se distinguent par l'emploi le plus fréquent de *juste*	Contrepartie intersystémique; effet de la classe sociale et du sexe (inverse)
13) *job*	Les locuteurs restreints se distinguent par l'emploi le plus fréquent de *job*	Origine intersystémique; effet du sexe
14) *avoir*	Les locuteurs semi-restreints et restreints sont à la tête de l'usage d'*avoir*	Plus régulier que *être*
15) verbes singulier	Corrélation linéaire inversée	Plus réguliers que les verbes pluriel; marque sociale nulle
16) *je vas*	Différences intergroupes non significatives	*je vas* plus régulier que *je vais*; marque sociale nulle
17) *m'as*	Différences intergroupes non significatives	*m'as*: morpho-syntaxiquement exceptionnel; effet du sexe

alors que *de* exprime cette notion spécifique et les formes d'appartenance connexes, telles que la partie d'un tout ou l'élément d'un ensemble (par ex. *les plumes de l'oiseau, la poignée de la porte, le chef de l'équipe*). Si on ajoute à ceci que l'emploi de la variante *à* est influencé par la classe sociale, on comprend pourquoi les locuteurs restreints n'emploient pas cette variante. Ceci dit, aucune des propriétés que nous venons d'invoquer ne constitue une explication du fait que les semi-locuteurs n'affichent pas un taux de fréquence intermédiaire pour ce qui est de *à*. Il se peut donc que la faiblesse de la fréquence de cette variante ait pour conséquence de masquer la corrélation linéaire attendue. En ce qui concerne la variante *rien que*, on note que sa fréquence est moyenne et qu'elle n'est influencée que par le sexe du locuteur. Par ailleurs, elle ne possède pas de propriété linguistique qui la rendrait plus difficile à acquérir que les deux autres variantes (*juste* et *seulement*). On peut donc se demander si le déclin de *rien que* dans le parler des locuteurs restreints ne reflète pas en partie le fait que ceux-ci convergent fortement sur la variante *juste* pour des raisons que l'on va discuter plus bas. En ce qui concerne la variante *char,* on peut, à l'instar de Nadasdi et al. (2004), l'attribuer à deux facteurs. D'une part les locuteurs semi-restreints ne sont pas coupés du vernaculaire et, d'autre part, en tant que locuteurs bilingues équilibrés, ils sont susceptibles de converger sur des variantes dont la forme et le sens sont similaires à ceux de mot anglais (ce qui est le cas de la variante *char* qui renvoie par sa forme et son sens au mot *car*)[6]. Cette similitude pourrait constituer aussi une explication du fait que les locuteurs restreints emploient aussi souvent *char* que les locuteurs non-restreints.

Abordons maintenant la catégorie des variantes pour lesquelles on a trouvé que l'hypothèse de la dévernacularisation était infirmée. Commençons par la variante *so*, forme que, non seulement, les locuteurs restreints emploient plus souvent que les locuteurs non-restreints, mais aussi, que les locuteurs semi-restreints emploient nettement plus souvent que les deux autres groupes. Pour expliquer ce dernier résultat, on peut supposer, comme l'ont fait Mougeon et Beniak (1991), que les locuteurs semi-restreints sont les importateurs de cette forme (hypothèse confirmée par des études réalisées à partir d'autres corpus franco-ontariens: celui de Welland, cf. Mougeon et Beniak 1987, et celui de Hearst, cf. Golembeski 1998), et que celle-ci fonctionne comme symbole de l'identité bilingue de ces locuteurs (rappelons que les locuteurs

---

[6] Sur les origines anglaises de l'emploi du mot *char* avec le sens d'« automobile », cf. Poirier (1999).

semi-restreints incluent surtout des bilingues équilibrés)[7]. Quant au fait, à première vue surprenant, que les locuteurs restreints emploient *so* deux fois sur dix et deux fois plus souvent que les locuteurs non-restreints (cf. tableau 4), on peut probablement l'attribuer à l'origine anglaise de *so*. Bilingues anglo-dominants, les locuteurs restreints seraient plus enclins à converger sur cette variante que sur *(ça) fait que* même si *so*, tout comme *(ça) fait que*, est doté d'une forte marque sociale.

Examinons maintenant les trois variantes non standard (12, 13 et 15) où, on a constaté que les locuteurs restreints étaient à la tête de l'usage non standard. La première d'entre elles, *juste*, rappelle en partie le cas de *char* discuté plus haut dans la mesure où elle possède une contrepartie anglaise (l'adverbe de restriction *just*) identique au niveau du sens et similaire au niveau de la forme. *Juste* est aussi la plus fréquente des trois variantes qui expriment la notion de restriction et elle n'est pas à proprement parler une variante vernaculaire. Elle n'est certes pas prescrite par les ouvrages de référence; toutefois dans le corpus de Mougeon et Beniak, elle est associée au parler des filles et des locuteurs des couches populaires, alors que dans les corpus de Sankoff et Cedergren et celui de Thibault et Vincent[8], elle est associée aux locuteurs des couches sociales plus élevées. En d'autres termes, on peut supposer que les locuteurs restreints ne manquent pas d'occasions d'être exposés à la variante *juste* et que la similarité de cette forme avec l'adverbe anglais *just* les fait converger sur cette variante. Ceci dit, on note que dans le parler des deux autres groupes d'élèves, l'emploi de *juste* est loin d'être marginal. Le contact intense avec l'anglais ne ferait donc que renforcer un usage déjà bien intégré dans le français local.

En ce qui concerne la variante *job*, on a vu plus haut que les locuteurs restreints n'emploient pas la variante non standard *ouvrage*. Avec la variante *job* on observe une tendance opposée, puisque ce sont les locuteurs restreints qui sont à l'avant-garde de son emploi. Ce résultat est d'autant plus remarquable que *job* est socialement plus marqué qu'*ouvrage* : on a trouvé une association avec les locuteurs de sexe masculin dans le cas de *job* mais aucune association avec les paramètres so-

---

[7] L'hypothèse que des emprunts « gratuits » (structurellement non motivés) puissent constituer des symboles d'identité bilingue a été proposée par Mougeon et Beniak (1987 et 1991), mais aussi par Myers-Scotton et Okeju (1973) et Myers-Scotton (2003) dans leurs travaux sur les langues en situation de contact intensif.

[8] Comme celui de Sankoff et Cedergren, le corpus de Thibault et Vincent a été recueilli à Montréal.

ciaux dans le cas d'*ouvrage*. De plus *job* n'est guère plus fréquent qu'*ouvrage*. Nous avons invoqué la faible fréquence d'*ouvrage* pour expliquer son absence dans le parler des locuteurs restreints. Somme toute, la seule propriété qui peut expliquer pourquoi les locuteurs restreints emploient aussi souvent *job* est l'origine anglaise de cette variante. En d'autres termes, on aurait affaire à un phénomène de convergence intersystémique similaire à celui que nous avons évoqué dans le cas des variantes *so* et *char*, à la différence près que dans le cas de *job* ce sont les locuteurs restreints qui sont à la pointe de l'usage non standard et non pas les locuteurs semi-restreints[9]. Par convergence intersystémique nous voulons dire ici que les locuteurs restreints montrent une préférence pour la variante *job* plutôt qu'une tendance à ré-emprunter cette forme. À l'appui de cette interprétation on peut signaler que dans leur parler toutes les occurrences de job sont au féminin, genre porté par cette variante en français ontarien (et québécois vernaculaire).

Examinons maintenant l'emploi des formes verbales singulier à la 3e personne du pluriel variante où l'on constate que la corrélation linéaire avec le niveau de restriction est inversée. Comme le montre le tableau 3, l'emploi de ces formes est un trait plutôt marginal de la variété vernaculaire (sa fréquence n'est que de 2 % dans le parler des locuteurs non-restreints). On peut donc à juste titre s'interroger sur les raisons du fait que cet usage est nettement plus fréquent dans le parler des locuteurs restreints (et dans une moindre mesure dans celui des locuteurs semi-restreints)[10]. La première explication que l'on peut proposer est que ces deux groupes de locuteurs convergent sur ces formes non standard parce qu'elles sont morphologiquement plus simples et plus régulières que leur contrepartie standard. La deuxième, est que les formes verbales pluriel distinctives sont une difficulté notoire du français (cf. Mougeon et Beniak 1991 et 1995). Il est donc possible de supposer que des locuteurs qui sous-emploient le français n'aient pas réussi à les automatiser complètement. Selon cette perspective, l'emploi des formes verbales singulier par les locuteurs restreints (et aussi peut-être dans

---

[9] Le caractère récent de l'importation de *so* en français ontarien (par opposition à celle de *job* qui est beaucoup plus ancienne, cf. Poplack et al. 1988) constitue peut-être une explication de cette différence. Dans le cas de *so* on pourrait toujours observer l'association avec le bilinguisme équilibré alors que dans le cas de *job* la connexion initiale avec ce type de bilinguisme serait perdue.

[10] Comme le signale Nadasdi (ce volume), il y a plus qu'une différence de fréquence entre les locuteurs non-restreints et les locuteurs restreints pour ce qui est de l'emploi des formes verbales singulier. En effet les premiers n'emploient les formes singulier qu'après *ils* et *qui* alors que les seconds le font dans tous les contextes syntaxiques.

une certaine mesure par les locuteurs semi-restreints) correspondrait aussi pour partie à un phénomène de régularisation spontané[11]. Finalement, on peut aussi mentionner que les formes verbales singulier ne sont pas marquées socialement, propriété qui permet de supposer que les locuteurs restreints seront exposés à ces formes dans le contexte scolaire.

Abordons maintenant l'usage de l'auxiliaire *avoir* à la place de l'auxiliaire *être*. Contrairement à l'emploi des formes verbales singulier, l'usage de l'auxiliaire *avoir* n'est pas marginal dans la variété vernaculaire. En effet le tableau 3 révèle que les locuteurs non restreints emploient cette variante non standard une fois sur trois. Par contre l'auxiliaire *avoir* a ceci de commun avec les formes verbales singulier, qu'il est plus régulier que sa contrepartie standard, l'auxiliaire *être* (cf. entre autres, Sankoff et Thibault 1980, Knaus et Nadasdi 2002, pour une discussion approfondie des propriétés linguistiques de ces deux variantes). On peut donc supposer que dans la mesure où ils sous-emploient plus ou moins le français, les locuteurs semi-restreints et les locuteurs restreints seront naturellement enclins à converger sur le plus régulier de ces deux auxiliaires. Selon cette perspective, on aurait pu s'attendre à ce que les locuteurs restreints soient à la tête de l'emploi d'*avoir*. Toutefois, dans la mesure où ils communiquent en français surtout dans le contexte scolaire, il est logique de supposer qu'ils subissent plus que les autres locuteurs l'effet standardisateur de l'école et que ceci ait pour effet de diminuer de quelque peu leur propension à employer la variante *avoir*[12].

Terminons notre discussion des variantes non standard qui infirment l'hypothèse de la vernacularisation par les variantes *je vas* et *m'as*. Nous avons regroupé ces deux variantes, car pour chacune d'entre elles on a trouvé qu'il n'y avait pas de différence significative dans leur fréquence d'emploi par les trois groupes de locuteurs. Commençons par la variante *je vas*.

---

[11] On peut faire un parallèle ici avec des formes verbales encore plus difficiles à automatiser que les formes verbales pluriel de la 3e personne du pluriel. Nous pensons à des formes comme *vous faites* ou *vous dites* qui dans le discours relâché de francophones unilingues sont parfois régularisées (cf. *vous faisez, vous disez*).

[12] Nous ne disposons pas d'informations sur la valeur sociale d'*avoir* car Beniak et Mougeon (1989) n'ont pas examiné cette dimension de la variation. On sait toutefois que dans le corpus Sankoff et Cedergren la variante *avoir* est associée au parler des locuteurs des couches sociales moins élevées. On sait aussi que cette variante fait partie des usages proscrits dans les ouvrages de référence. On peut donc supposer que dans le contexte scolaire cette variante fasse l'objet d'un certain évitement.

On remarque en premier que dans le paradigme du semi-auxiliaire *aller*, *je vas* est régulier alors que sa contrepartie standard *je vais* ne l'est pas. Deuxièmement, *je vas* est la plus fréquente des trois variantes du futur périphrastique à la 1re personne du singulier et il en est de même pour la forme *je vas* lorsqu'elle alterne avec *je vais* verbe de mouvement (cf. Mougeon et Beniak 1991). Finalement dans le corpus de Mougeon et Beniak, on a trouvé que ni la classe sociale ni le sexe n'avait une influence sur son emploi[13]. En d'autres termes, la variante *je vas* possède plusieurs propriétés qui permettent de comprendre pourquoi elle n'est pas affectée par la tendance à la dévernacularisation. Toutefois, on note que ces propriétés ne vont pas jusqu'à renverser cette tendance. En effet contrairement aux formes verbales singulier les locuteurs restreints ne sont pas à la pointe de l'emploi de *je vas*. Ils emploient cette forme avec sensiblement la même fréquence que les deux autres groupes. Ce dernier résultat reflète peut-être le fait que la forme *je vais* pose moins de problèmes d'acquisition que les formes verbales pluriel.

Si on considère à présent la variante *m'as*, on doit reconnaître d'emblée que l'absence de tendance à la dévernacularisation est un résultat pour le moins surprenant. En effet, contrairement à *je vas*, la variante *m'as* n'est pas dépourvue de marque sociale (dans le corpus de Mougeon et Beniak, elle est plus souvent utilisée par les garçons que par les filles et dans le parler de locuteurs adultes franco-ontariens, elle est aussi associée au parler des locuteurs des couches populaires, Mougeon et al. 1988). Il est donc logique de supposer que dans le contexte scolaire la variante *m'as* tendra à être évitée. De plus il s'agit d'une variante morphosyntaxiquement exceptionnelle. On ne peut pas la rattacher à la racine d'un verbe existant en français contemporain et elle est très souvent utilisée sans pronom sujet. Somme toute, il ne manque pas de raisons linguistiques et extra-linguistiques pour que les locuteurs restreints emploient moins souvent *m'as* que les deux autres groupes, ou même, pour que l'on observe une corrélation linéaire entre la dévernacularisation et le niveau de restriction. Il serait donc intéressant de poursuivre l'examen de cette variante dans d'autres corpus pour vérifier si on observe à nouveau son maintien dans le parler des locuteurs restreints à un niveau similaire à celui des autres locuteurs.

---

[13] Mougeon et al. (1988) et Mougeon (1996) sont arrivés au même résultat dans une étude de cette forme reposant sur le corpus du français parlé à Welland (corpus de francophones adultes).

7. Conclusion

Comme on a pu le constater, dans le corpus de Mougeon et Beniak, on observe la tendance à la dévernacularisation dans neuf des treize variables qui ont retenu notre attention. Que cette tendance se manifeste sous la forme d'une association linéaire entre le niveau de restriction linguistique et le taux de fréquence d'emploi des variantes non standard ou seulement dans le parler des locuteurs restreints, son attestation n'est pas triviale. En effet, si on place cette tendance dans le contexte plus large de la recherche sur la variation du parler des adolescents, on peut remarquer ici qu'elle est à l'opposé de ce que des chercheurs comme Labov (1972), Trudgill (1975) ou Romaine (1984) ont observé dans leurs travaux sur le parler des adolescents dans les communautés unilingues. En fait, selon ces chercheurs, à l'époque de l'adolescence, les élèves s'identifient fortement à la variété vernaculaire et leur parler tend à converger vers cette variété plutôt qu'à s'en éloigner. Comme telle, la tendance à la dévernacularisation mise au jour par le corpus de Mougeon et Beniak, mais aussi par d'autres corpus recueillis auprès d'adolescents scolarisés dans une langue minoritaire (Jones 1998, Thomas 1986) est un des aspects distinctifs de la variation que l'on peut observer dans le parler des locuteurs des langues minoritaires. Nous renvoyons le lecteur à Mougeon et Nadasdi (1998) et Nadasdi dans ce volume pour une discussion générale de ces aspects distinctifs.

Récapitulons à présent les principaux points de notre réflexion sur la tendance à la dévernacularisation. On peut tout d'abord rappeler que les deux principaux facteurs externes qui expliquent pourquoi on observe (ou on n'observe pas) cette tendance dans le parler des adolescents du corpus de Mougeon et Beniak, sont la restriction dans l'emploi de la langue minoritaire et le contact intense avec la langue majoritaire. En effet, si les locuteurs restreints et semi-restreints sont plus ou moins sous-exposés à certaines variantes non standard, et donc emploient rarement ces variantes, c'est parce qu'ils sous-emploient plus ou moins le français dans les situations associées à la communication en langue vernaculaire et, dans le cas des locuteurs restreints, parce qu'ils tendent à communiquer en français principalement dans le contexte scolaire. Inversement, dans le cas d'autres variantes non standard, si les locuteurs restreints et semi-restreints font montre d'une propension à utiliser certaines variantes non standard, c'est à la fois parce qu'ils sous-emploient plus ou moins le français ou parce qu'ils sont en contact intensif avec l'anglais. Revenons maintenant sur les propriétés des variantes non standard que l'on peut associer aux quatre cas de figure présentés dans le tableau 5.

Commençons par les variantes non standard pour lesquelles on a observé une tendance à la dévernacularisation. Lorsque la dévernacularisation se manifeste de façon linéaire, mais où les différences intergroupes sont prononcées ou abruptes (variantes 4-7), les variantes non standard ont l'une et/ou l'autre des propriétés suivantes : a) fréquence moyenne à marginale, b) complexité ou manque de régularité (par opposition à la variante standard) et c) marque sociale forte ou effet d'un des deux paramètres sociaux. Quand la dévernacularisation se manifeste de façon linéaire, mais où les différences intergroupes sont (très) graduées (variantes 1-3), les variantes non standard ont l'une et/ou l'autre des propriétés suivantes: a) très haute fréquence et b) marque sociale nulle ou effet de seulement un des deux paramètres sociaux. Lorsque la dévernacularisation se manifeste seulement dans le parler des locuteurs restreints (variantes 8 et 9), les variantes non standard ont l'une ou l'autre des propriétés suivantes : a) fréquence marginale ou moyenne, b) manque de régularité et c) effet d'un des deux paramètres sociaux.

Considérons maintenant les variantes non standard pour lesquelles on n'a pas observé la tendance à la dévernacularisation. Il s'agit de la variante 15, où la corrélation linéaire entre le niveau de restriction et le niveau de dévernacularisation est complètement renversée; des variantes 12 et 13, où les locuteurs restreints se distinguent des deux autres groupes par un emploi plus fréquent de la forme non standard; de la variante 14, où ce sont les locuteurs semi-restreints et les locuteurs restreints qui sont à la pointe de l'usage non standard, et des variantes 16 et 17, où les différences intergroupes ne sont pas significatives. Dans tous ces cas, il est remarquable que les variantes non standard ont l'une et/ou l'autre des propriétés suivantes: a) régularité (par opposition à la variante standard), b) contrepartie intersystémique, c) origine intersystémique, d) marque sociale nulle ou effet d'un seul facteur social. La seule variante non standard pour laquelle les propriétés que l'on vient de mentionner ne constituent pas des explications entièrement adéquates est la forme *m'as*. En effet, on a vu que cette variante est morphosyntaxiquement irrégulière et qu'elle est socialement sans doute plus marquée que *je vas*.

Finalement, dans les deux cas de figure où ce sont les locuteurs semi-restreints qui sont à la pointe de l'usage non standard (*so* et *char*), les variantes non standard ont une origine ou une contrepartie inter-systémiques. Toutefois dans un cas de figure, on constate que les locuteurs restreints emploient la variante non standard plus souvent que les locuteurs non restreints (la variante *so*) – absence de dévernacularisation – et dans l'autre on trouve la différence inverse (*char*) – dévernacularisation.

Sans prétendre que les propriétés que nous venons de résumer expliquent parfaitement tous les cas de figure révélés par notre étude, nous estimons qu'avec la prise en compte des facteurs externes de la restriction linguistique et du contact avec l'anglais, elles constituent des pistes de recherche intéressantes susceptibles d'avancer notre compréhension des facteurs qui favorisent ou entravent la dévernacularisation du parler des locuteurs des langues minoritaires qui sont scolarisés dans ces langues. Resterait maintenant à poursuivre la recherche sur ces facteurs et sur d'autres dont on n'a pas pu tenir compte dans les études réalisées à l'aide du corpus Mougeon et Beniak. Nous pensons en particulier à l'emploi des variantes par les enseignants des écoles de langue française et dans le matériel pédagogique utilisé dans ces écoles. Des données sur un tel emploi pourraient fournir des explications supplémentaires ou confirmer celles que nous avons proposées dans le cadre du présent chapitre (par ex. en ce qui concerne la marque sociostylistique des variantes). Nous nous sommes fixé l'objectif de recueillir de telles données dans le cadre d'une recherche à venir dans les écoles secondaires où Mougeon et Beniak ont recueilli leur corpus. Notons finalement que de telles données nous permettraient de mieux rendre compte du corollaire de la dévernacularisation, à savoir la standardisation, que nous avons quelque peu laissée dans l'ombre dans notre étude, notamment dans le cas des variables qui impliquent plus d'une variante standard.

Références

BENIAK, Édouard et Raymond MOUGEON. 1989. « Recherches sociolinguistiques sur la variabilité en français-ontarien », dans Raymond MOUGEON et Édouard BENIAK. (dirs.), *Le français canadien parlé hors Québec: un aperçu sociolinguistique*, Québec, Les Presses de l'Université Laval, 69-104.

CASTONGUAY, Charles. 1998. « The fading Canadian duality », dans John EDWARDS (dir.), *Language in Canada*, Cambridge, Cambridge University Press, 36-60.

GOLEMBESKI, Daniel. 1998. *French language maintenance in Ontario, Canada: A sociolinguistic portrait of the community of Hearst*, thèse de doctorat inédite, Indiana University, Bloomington.

JONES, Mari C. 1998. *Obsolescence and revitalisation: Linguistic change in two sociolinguistically contrasting Welsh-speaking communities*, Oxford, Oxford University Press.

KNAUS, Valerie et Terry NADASDI. 2002. « *Être* ou ne pas *être* in Immersion French », *La Revue canadienne des langues vivantes*, 58 (2) : 287-306.

LABOV, William. 1972. *Language in the inner city: Studies in the Black English vernacular*, Philadelphia, University of Pennsylvania Press.

MASSICOTTE, Francine. 1986. « Les expressions de la restriction en français de Montréal », dans David SANKOFF (dir.), *Diversity and diachrony*, Philadelphia, Benjamins, 325-332.

MOUGEON, Raymond. 1996. « Recherche sur les origines de la variation *vas*, *m'as*, *vais* en français québécois », dans Thomas LAVOIE (dir.), *Français du Canada, français de France*, Tübingen, Niemeyer, 61-78.

MOUGEON, Raymond. 1998. « French outside New Brunswick and Quebec », dans John EDWARDS (dir.), *Language in Canada*, Cambridge, Cambridge University Press, 226-251.

MOUGEON, Raymond et Édouard BENIAK. 1987. « The extralinguistic correlates of core lexical borrowing », dans Keith DENNING, Sharon INKELAS, Faye MCNAIR-KNOX et John RICKFORD (dirs), *Proceedings of NWAV-XV*, Palo Alto, California, Department of Linguistics, Stanford University, 337-347.

MOUGEON, Raymond et Édouard BENIAK. 1991. *Linguistic consequences of language contact and restriction : The case of French in Ontario, Canada*, Oxford, Oxford University Press.

MOUGEON, Raymond et Édouard BENIAK. 1995. « Le non accord entre sujet et verbe en français ontarien: un cas de simplification ? », *Présence francophone*, 46: 53-66.

MOUGEON, Raymond, Édouard BENIAK et André VALLI. 1988. « *Vais, vas, m'as* in Canadian French: A sociohistorical study », dans Katherine FERRARA, Betsy BROWN, Keith WALTERS et John BAUGH (dirs.), *Linguistic change and language contact*, Austin, Linguistics Department, University of Texas at Austin, 250-260.

MOUGEON, Raymond et Terry NADASDI. 1998. « Sociolinguistic discontinuities in minority linguistic communities », *Language*, 74 (1): 40-55.

MOUGEON, Raymond et Terry NADASDI. En cours. « Variation dans l'emploi des noms exprimant la notion de travail rémunéré dans le parler des adolescents franco-ontariens », manuscrit inédit, Université York, Toronto.

MOUGEON, Raymond, Terry NADASDI, Katherine REHNER et Dorin URITESCU. 2002. « The sharing of constraints in minority speech communities », communication présentée à NWAV 31, Stanford University, Palo Alto, California, octobre.

MOUGEON, Raymond, Katherine REHNER, Terry NADASDI et Marie-Claude TREMBLAY. 2004. « Inter-clausal expressions of consequence in the

speech of French immersion students and same-age Franco-Ontarians »,
communication présentée à SS15, University of Newcastle, Newcastle,
U.K., mars.

MYERS-SCOTTON, Carol. 2003. « Code-switching: evidence of both flexibility
and rigidity in language », dans Jean-Marc DEWALE, Alex HAUSEN and Li
WEI (dirs.), *Bilingualism: Beyond basic principles*, Clevedon, U.K., Multilingual
Matters.

MYERS-SCOTTON, Carol et John OKEJU. 1973. « Neighbors and lexical bor-
rowings », *Language*, 49 (4) : 871-889.

NADASDI, Terry. 2000. *Variation grammaticale et langue minoritaire: le cas des pronoms clitiques en français ontarien*, Munich, LINCOM Europa.

NADASDI, Terry. 2002. « Living in Canadian French », communication présentée à la conférence annuelle de l'Association canadienne de linguistique
appliquée, University of Toronto, mai.

NADASDI, Terry, Raymond MOUGEON et Katherine REHNER. 2004. « Expression de la notion de "véhicule automobile" dans le parler des adolescents
francophones de l'Ontario », *Francophonie d'Amérique*, 17 : 91-106.

POIRIER, Claude. 1999. *Dictionnaire historique du français québécois*, Québec, Les
Presses de l'Université Laval.

POPLACK, Shana, David SANKOFF, et Christopher MILLER. 1988. « The social
correlates and linguistic processes of lexical borrowing and assimilation »,
Linguistics, 26 : 47-104.

REHNER, Katherine et Raymond MOUGEON. 1997. « Use of restrictive expressions *juste, seulement,* and *rien que* in Ontario French », *Revue de l'Association
canadienne de linguistique appliquée*, 19 (1) : 89-110.

ROMAINE, Suzanne. 1984. *The language of children and adolescents : The acquisition of
communicative competence*, Oxford, Basil Blackwell.

SANDY, Stephanie. 1997. *L'emploi variable de la particule négative « ne » dans le parler
des Franco-Ontariens adolescents*, mémoire de maîtrise inédit, Université York,
Toronto.

SANKOFF, Gillian et Pierrette THIBAULT. 1980. « The alternation between the
auxiliaries *avoir* and *être* in Montréal French », dans Gillian SANKOFF (dir.),
The social life of language, Philadelphia, University of Pennsylvania Press,
311-345.

SANKOFF, David, Pierrette THIBAULT et Hélène BÉRUBE. 1986. « Semantic
field variability », dans David SANKOFF (dir.), *Linguistic variation models and
methods*, New York, Academic Press, 23-43.

TENNANT, Jeff. 1995. *Variation morphologique dans le français parlé des adolescents de
North Bay (Ontario)*, thèse de doctorat inédite, University of Toronto.

THIBAULT, Pierrette et Michelle DAVELUY. 1989. « Quelques traces du passage
du temps dans le parler des Montréalais, 1971-1984 », *Language Variation
and Change*, 1 (1) : 19-45.

THOMAS, Alain. 1986. *La variation phonétique: cas du franco-ontarien*, Ville La Salle,
Québec, Didier.

TRUDGILL, Peter. 1975. *Accent, dialect and the school*, London, E. Arnold.

Un siècle de français cadien parlé en Louisiane : persistance linguistique, hétérogénéité géographique et évolution

Sylvie Dubois, Louisiana State University

1. Introduction

Le présent chapitre porte sur les multiples sources de la variation linguistique en français cadien parlé par un groupe représentatif de locuteurs, en particulier l'emploi intergénérationnel de formes linguistiques. Selon nous, il est impératif de décrire l'usage de formes phonétiques et grammaticales en français cadien d'un point de vue interne plutôt que de comparer les formes cadiennes avec celles de la variété de français international basée sur le modèle de l'écrit (une variété qui joue uniquement un rôle scolaire en Louisiane). L'étude de l'évolution du français cadien nécessite une comparaison systématique et empirique entre les usages locaux de la communauté cadienne en Louisiane et les formes dialectales toujours en vigueur dans la diaspora francophone en Amérique du Nord. En cadien, on remarque un emploi variable de normes locales qui coïncident avec le modèle standard (il *avait* [avɛ], *encore* [ãkɔr], aller *en* Louisiane, ils *parlent*, il *est mort*) et d'usages (il avait [ave], encore [ãkɔr], aller *dans/à* la Louisiane, ils *parlont*, il *a mouri*) qui étaient en vigueur aux 18ᵉ et 19ᵉ siècles dans plusieurs variétés de français en Amérique du Nord et en France. Dans la section suivante, nous présentons notre base de données qui inclut cinq générations de locuteurs qui couvrent presque un siècle de langue cadienne. Nous poursuivons en comparant l'usage de formes phonétiques et morphosyntaxiques entre le français cadien et les variétés acadiennes au Canada.

Nous discutons ensuite de la variation stable en temps apparent en français cadien. Nous identifions les différents facteurs qui motivent l'alternance stable de plusieurs usages. La plus importante est certainement la variation géographique observée entre les quatre localités à l'étude. Nous verrons qu'il est possible d'établir des isoglosses, dont certaines sont catégoriques et variables entre les différentes localités. Dans la dernière section, nous tenterons de mettre en évidence les multiples forces socio-historiques, externes ou internes, qui ont influencé le comportement linguistique de la communauté francophone en Louisiane. Déterminer l'évolution de formes dialectales en français cadien nous oblige à répondre à quatre importantes questions. Le type de réponse entraîne d'importantes conséquences quant à l'interprétation des données. Ces questions concernent la nature du français en France lors de la colonisation de la Louisiane, la variété de français parlé en Acadie avant la déportation, le sort des dialectes français au 19e siècle en Louisiane ainsi que les effets propres de chacune des communautés cadiennes sur le développement de leur variété locale.

2. Les générations de locuteurs cadiens

Les résultats de nos analyses linguistiques reposent sur le plus important corpus sociolinguistique recueilli en français cadien. Financé par la National Science Foundation, cette base de données comprend 137 locuteurs provenant de quatre paroisses (Avoyelles, Lafourche, St. Landry et Vermilion) dans lesquelles la collectivité cadienne représente une forte proportion de la population. Le corpus contient 120 entrevues réalisées en 1997 par Sylvie Dubois et son équipe et 17 entrevues du projet en géographie sociale réalisé en 1975 par les chercheurs canadiens Gerald Gold, Dean Louder et Eric Waddell. Les 120 entrevues de Dubois ont été menées par un natif de chaque paroisse ayant le cadien comme langue maternelle; un intervieweur québécois a dirigé les 17 autres entrevues. Le corpus contient au total plus de trois millions de mots. Il comprend cinq générations de locuteurs cadiens: les ancêtres, les doyens, les aînés, les cadets et les benjamins (Dubois 2002).

Les ancêtres de notre corpus (1890-1901), toutes des femmes, n'ont jamais appris l'anglais. Une seule d'entre elles a fréquenté brièvement l'école primaire. Certaines ont appris à écrire en français avec l'aide de leur mère ou d'autres membres de la famille. À l'instar de leurs parents, les ancêtres ont travaillé toute leur vie dans les champs. Tous les membres de leur famille, leurs enfants et leurs amis parlent français. Leur variété de français cadien constitue la plus ancienne représentation orale que nous possédons. Elle nous donne accès aux normes locales en vigueur dans la communauté cadienne à une époque où la vitalité du français cadien était encore à son zénith.

Les doyens (1905-1915) ayant le français comme langue dominante ont appris l'anglais tardivement et ils préfèrent utiliser le français. Ils n'ont pas été à l'école très longtemps (2 à 5 ans maximum), ni de façon très régulière, surtout les hommes qui, à un très jeune âge, devaient aider aux travaux agricoles. Ceux qui ne sont pas devenus fermiers ont travaillé dans l'industrie de la pêche ou du pétrole. Leur épouse et tous leurs enfants parlent français.

Les doyens bilingues (1907-1912) ont une connaissance plus approfondie de l'anglais. Certains le parlent très bien parce qu'ils sont allés à l'école plus longtemps (surtout les femmes). Pour d'autres (notamment les hommes), la présence de locuteurs anglophones dans leur environnement familial ou la localité où ils ont grandi a favorisé un apprentissage précoce de l'anglais. Tous savent écrire et lire dans cette langue. Malgré leur habileté en anglais, plusieurs d'entre eux utilisent le français dans leur quotidien. Ils parlent français avec tous les membres de leur famille et la majorité d'entre eux ont élevé leurs enfants en cadien, quoique leurs plus jeunes enfants le parlent moins bien comparé aux plus âgés. Dans notre corpus, les doyens bilingues représentent la première génération de Cadiens parlant anglais couramment.

Les aînés du corpus sociolinguistique sont nés entre 1920 et 1932. Ils ont subi plus intensivement que la génération précédente les pressions économiques et sociales en faveur de l'anglais. Sauf exception, ils l'ont tous appris très jeunes et ils le maîtrisent parfaitement bien. À l'encontre de leurs prédécesseurs, les aînés utilisent l'anglais dans presque toutes les situations de la vie quotidienne à l'extérieur du réseau familial. Ceux qui ont épousé des anglophones ont favorisé l'usage de l'anglais. La plupart des aînés ont élevé leurs enfants dans les deux langues, mais ces derniers leur répondaient généralement en anglais. Les aînés ont également ressenti plus vivement que les générations précédentes les conséquences de l'impérialisme linguistique. Leur première langue a été dévalorisée et leur variété d'anglais ridiculisée.

Les cadets (1935 et 1945) ont grandi durant la période d'après guerre et récolté les bénéfices financiers et sociaux de ces changements (l'expansion du réseau scolaire, le déclin de l'agriculture, le développement de l'industrie du pétrole, etc.), notamment l'ordre économique sur lequel reposaient les communautés cadiennes. Ils ont pris conscience très tôt du discrédit du français cadien et du stigmate attaché à la culture cadienne et, en toute logique, ils se sont rapidement assimilés à la culture anglophone américaine. Beaucoup mieux éduqués que leurs parents (certains ont reçu une éducation universitaire), la plupart d'entre eux ont été élevés dans les deux langues. Ils ont préféré parler anglais avec leurs frères et soeurs et ils utilisent les deux langues avec leurs parents. Devenus adultes, ils ont choisi d'utiliser l'anglais à la maison et d'élever leurs enfants uniquement en anglais. Leur comportement linguistique témoigne des pressions multiples dirigées vers la communauté cadienne pour qu'elle adopte les comportements et les attitudes du groupe dominant.

La célébration de la culture cadienne depuis les années 1960 a fortement inspiré les benjamins (nés entre 1957 et 1977). Ils sont fiers d'être Cadiens maintenant que l'identité cadienne est devenue non seulement positive mais aussi désirable (Dormon 1983). Mais cette renaissance culturelle n'a pas freiné le déclin du français cadien, puisque son usage n'est plus considéré comme nécessaire du point de vue économique ou identitaire (Dubois et Melançon 1997: 86). La connaissance du français international chez une minorité de jeunes en immersion est trop faible pour les qualifier de locuteurs (l'utilisation du français de la première à la dernière année au primaire étant récessive [Henry 1990]). La plupart des benjamins ont appris le français cadien parce que leurs grands-parents les ont élevés ou encore parce qu'ils ont grandi à l'intérieur d'un réseau compact de locuteurs cadiens dans une localité très isolée des grands centres (Nouvelle Orléans, Baton Rouge, Lafayette). Bien qu'ils soient bilingues, ces jeunes interagissent presque toujours en anglais avec leurs parents et les membres de leur famille immédiate, excepté pour les générations plus âgées. Ils sont conscients d'être la dernière génération de locuteurs ayant le français cadien comme langue maternelle et ils se rendent compte que leur variété de français montre, plus que celles des générations précédentes, des signes importants d'étiolement grammatical.

3. Formes dialectales et usages innovateurs

Le degré de conservation de formes dialectales en français cadien se révèle lorsqu'il est comparé à celui des provinces maritimes canadiennes. Le tableau 1 contient une sélection de variables morphosyntaxiques et phonologiques en usage dans la diaspora acadienne (données de Dubois 2002 et Flikeid 1997, d'après les études de Gesner 1979, Ryan 1981, Flikeid 1984 et Péronnet 1989). Dans les provinces maritimes, les trois niveaux correspondent à trois variétés de français qui se distinguent d'après un plus ou moins haut degré de conservatisme. La variété de niveau III est la plus conservatrice, celle du niveau I est la plus ouverte aux influences linguistiques externes. Dans ces provinces, toutes les variétés possèdent le suffixe verbal -*ont* (*ils parlont*), les pronoms démonstratifs (*c'ti-là*) et le placement des adverbes. On trouve également la palatalisation de [k] et [g], les voyelles fermées [ø, o, e] devant R, et la fermeture de [ɔ] devant les consonnes nasales. La variété de niveau II comprend en plus l'usage du *je* avec le suffixe -*ons* (*je parlons*), le subjonctif passé, la neutralisation de l'opposition [ɔ̃] et [ã], et l'ouverture du son [ɛ]. La plus conservatrice, celle du niveau III, a préservé l'utilisation du passé simple (*ils coupirent*), le marqueur de négation *point*, la spirantisation de [ʒ] et [z] ainsi que la variante fermée du son [ɛ] en syllabes fermées ouvertes.

En Louisiane, on voit que la plupart des caractéristiques phonétiques ont été conservées. Par contre, les formes morpho-syntaxiques (à l'exception de l'ordre des adverbes et des pronoms démonstratifs dans la paroisse de Lafourche et du suffixe -*ont* à Vermilion) ont été remplacées par des formes plus communes. À l'exception de la variante fermée [e], les autres variantes se maintiennent partout en Louisiane. La spirantisation subsiste uniquement dans la variété la plus conservatrice en Acadie alors qu'en Louisiane, son usage est vigoureux seulement à Lafourche.

Comparant la présence de formes phonétiques provenant de la région du Poitou entre le français acadien (l'atlas linguistique d'Acadie de Massignon 1962) et le français cadien (des glossaires sous formes de mémoires de maîtrise et de thèses de doctorat dans les années 1930-1950 à Louisiana State University), Bodin (1987 : 172) a conclu que le français cadien parlé en Louisiane présente moins de formes dialectales comparé au français acadien. Plusieurs chercheurs mentionnent le modèle académique utilisé à l'école comme un facteur ayant contribué à l'introduction de formes innovatrices. Nos données confirment certainement la présence de traits plus innovateurs en Louisiane, surtout sur le plan morphosyntaxique, mais c'est une question de degré et non de présence ou d'absence. L'influence du modèle standard comme hypothèse paraît exagérée puisqu'une majorité de Cadiens nés au début du 20e siècle ne sont jamais allés à l'école et ceux qui ont pu le faire n'y sont pas restés plus de deux ou trois années. De plus, on remarque l'usage variable de formes dialectales (*parlont* et *il a mouri*) et innovatrices (*parlent* et *il est mort*) non seulement en français acadien (King et Nadasdi 1996) mais aussi dans les variétés de français parlées en France au 18e et 19e siècles (Thurot 1881, Bauche 1920, Rickard 1989). On peut donc supposer que ces traits étaient disponibles à l'intérieur même de la communauté francophone en Louisiane, de sorte que les locuteurs n'ayant aucune exposition au français académique pouvaient les employer. Il faut se rappeler que les formes dites innovatrices ne sont en fait que des usages en vigueur au 18e siècle en France qui ont été sanctionnés par les grammairiens. Le changement linguistique (à titre d'exemple, l'emploi du passé simple, du suffixe -*ont*, de la particule de négation *point*) s'est réalisé bien antérieurement puisque la plupart des ancêtres et les doyens utilisent ces traits rarement, voire jamais.

4. La persistance linguistique

En français cadien, on remarque l'usage variable de formes dialectales du 18e siècle et de traits innovateurs. Est-ce que cette variation synchronique

Tableau 1. Préservation de formes morphosyntaxiques et
selon le type de communautés linguistiques*

Formes	Français acadien et cadien avec équivalents en français académique
Morphosyntaxiques	
Ordre des adverbes	assez/très***
Pronoms démonstratifs	c'ti-là/celui-là
ILS + ONT	ils parlont/ils parlent
JE + ONS	je parlons/je parle
Subjonctif passé	qu'al aidit/qu'elle aide
Passé simple	ils coupirent/ont coupé
Négation	point/ (ne) pas
Phonologiques	
Palatalisation: /k/ = [tʃ]	quinze [tʃez]
Fermeture /œ/ = [ø]	peur [pør]
Fermeture /ɔ/ = [o]	école [ekol]
Fermeture /ɔ/ = [u] + N & M	bonne [bun]
Ouverture /ɔ̃/ = [ã]	garçon [garsã]
Spirantisation /ʒ/ = [h]	j'ai [he]
Fermeture /ɛ/ = [e] + R/L	mère [mer]
Ouverture /ɛ/ = [a] + R/L	hiver [ivar]
Fermeture /ɛ/ = [e] syllable ouverte	avait [ave]

*   Adapté de Flikeid (1997: 266).
** Paroisses : SL= St. Landry, VE= Vermillon, AV= Avoyelles,
LF= Lafourche (Dubois 2000: 6).
*** *assez* peut apparaître devant ou après un verbe

phonologiques dialectales dans les provinces maritimes au Canada
et en Louisiane, USA, par paroisses**

Niveaux de communautés acadiennes			Louisiane Paroisses cadiennes				
I	II	III	SL	VE	AV	LF	occ.
+	+	+	+	+	+	+	279
+	+	+	-	-	-	++	95
+	+	+	-	++	-		2098
	+	+					3475
	+	+					432
		+					2789
		+					324
+	+	+	-	-	-	-	838
+	+	+	+	+	+	+	1287
+	+	+	+	+	+	+	1572
+	+	+	-	-	-	-	1007
	+	+	-	+	-	+	2272
		+				++	8289
+	+	+					2076
	+	+	-	-	-	-	2076
		+	+	+	+	+	7510

Dans les provinces maritimes, le symbole + indique un usage fréquent
et autour de 60 % des occurrences en Louisiane; les symboles ++ et
+++ signifient un usage disproportionné comparé aux autres paroisses
en Louisiane; le symbole - représente un pourcentage d'utilisation entre 10 % et 30 %.

qu'on observe pour plusieurs variables signale un changement linguistique en progrès à travers les générations? Ce changement que Labov (1990: 215) appelle « the basic form of linguistic change that operates within the system » débute dans le parler d'une génération, s'étend graduellement aux autres, de façon telle que chaque génération de locuteurs présente un différent portrait du dialecte. La variabilité linguistique qui ne s'accompagne pas d'un mouvement générationnel représente plutôt une fluctuation stable dans le temps. Cette alternance de formes est souvent conditionnée par des facteurs sociaux tels que le sexe, la localité, l'ethnicité, etc. Labov (1990: 213) la considère comme une « altération dans la distribution sociale ».

Une des observations les plus marquantes est la conservation intergénérationnelle de plusieurs traits dialectaux, c'est-à-dire l'absence de changement linguistique en temps apparent en français cadien. Pour la plupart des variables étudiées, il y a deux ou trois formes en alternance dans la communauté, mais cette variation est stable à travers les générations de locuteurs. On ne distingue aucun mouvement graduel, les générations de locuteurs présentant un usage similaire. Très souvent, la présence variable des formes est motivée de façon interne au système. Dans d'autres cas, elle est conditionnée socialement[1].

Le cas des variantes du son [ɛ] devant -R (*frère, mère*) en cadien est particulièrement intéressant. Dubois (2003) a montré que l'usage de la forme orthographique É, qui correspond à la prononciation de la variant fermée [e], est fréquemment utilisée (94 %) à l'écrit dans la correspondance personnelle de l'élite, des planteurs et des marchands en Louisiane. Son emploi décline précipitamment (35 %) après 1770 et ne se retrouve que dans les écrits des marchands après 1820. Ce changement coïncide avec la transition entre la variante fermée et celle ouverte [a] qui débute en France au tournant du 19e siècle, un peu avant la grande migration de colons français en Louisiane. En cadien, l'usage des variantes est conditionné linguistiquement : les variantes

---

[1] Dans certaines paroisses, on remarque un contraste entre l'usage innovateur des femmes et celui plus conservateur des hommes alors que cette distinction est absente dans d'autres communautés. Le degré d'habileté linguistique représente un autre aspect de la variation en cadien. Plusieurs facteurs sociolinguistiques ont affaibli la vitalité de la communauté cadienne et, par conséquent, son dialecte inclut également de nouvelles structures linguistiques qui tirent leur source de l'étiolement linguistique (Dubois 2001, Dubois et Noetzel à paraître, Noetzel et Dubois 2003, Rottet 1995 et ce volume). L'étude du comportement linguistique des locuteurs restreints permet de distinguer un changement en cours d'un autre de nature épiphénoménale. Elle nous permet également de mieux comprendre l'origine et la direction de l'étiolement linguistique.

Tableau 2
L'usage intergénérationnel des prépositions locatives,
du pronom pluriel sujet *ça* et du suffixe verbal *-ont*

		1890-1901	1905-1915	1907-1912 (bilingues)	1920-1932	1935-1945	1957-1977
Bâtiments (#2296)	À l'école (57%, #1306)	64% (57/109)	61% (68/112)	61% (100/163)	62% (356/570)	58% (427/730)	53% (324/612)
	DANS l'école (34%, #778)	34% (37/109)	37% (41/112)	34% (56/163)	35% (197/570)	34% (244/730)	33% (203/612)
Personnes (#510)	CHEZ ma mère (63%, #323)	89% (40/45)	74% (26/35)	66% (37/56)	78% (116/149)	55% (60/113)	38% (42/112)
	AU docteur (14%, #71)	4% (2/45)	20% (7/35)	9% (5/56)	10% (15/149)	20% (23/113)	17% (19/112)
	SUR ma mère (5%, #25)	2% (1/45)	0% (0/35)	11% (6/56)	3% (5/149)	5% (6/113)	6% (7/112)
Villes (#1889)	À Eunice (78%, #1478)	83% (72/87)	74% (102/138)	90% (110/123)	82% (491/595)	78% (380/489)	71% (323/456)
	Aux Pins Clairs (11%, #220)	15% (14/87)	22% (31/138)	8% (8/123)	10% (62/595)	15% (70/489)	8% (35/456)
Pays/États (#519)	DANS la Louisiane (35%, #182)	50% (5/10)	50% (14/28)	46% (17/37)	41% (70/169)	27% (42/154)	28% (34/121)
	À LA Louisiane (21%, #111)	50% (5/10)	25% (7/28)	8% (3/37)	20% (33/169)	27% (41/154)	18% (22/121)
ÇA vs ILS (#1480)	Les enfants, ils/ça chante(nt)	58% (46/79)	61% (167/273)	58% (90/154)	39% (376/974)	-	-
Ils ONT/Ø (#1274)	Ils parlaient /parliont	63% (27/43)	40% (63/159)	15% (25/167)	23% (207/905)	-	-

Le symbole # représente le nombre d'occurrences.

[a], [e] et [ɛ] sont en compétition en syllabe fermée (*frère, manière*) alors que seul l'emploi variable de [e] et [ɛ] se retrouve en syllabe ouverte (*avait, lait*).

La persistance linguistique se remarque également dans le système des prépositions locatives, des verbes et des pronoms pluriels sujets en cadien (tableau 2). On remarque l'usage régulier de deux normes locales (quelquefois trois) à travers les générations et dans toutes les communautés cadiennes de notre corpus. L'emploi variable de *à* et *dans* devant des noms de bâtiments et des noms de pays est contraint par le type de verbe. *Dans* s'utilise davantage avec un verbe d'état (*être, rester*) alors que *à* s'emploie avec un verbe d'action. Une marque de détermination attachée au nom (*belle, grande*) favorise aussi l'utilisation de *dans*. L'usage de *chez* et *au* est aussi déterminé par le contexte linguistique. La forme *au* est plus fréquente devant des noms de profession (*docteur, avocat, médecin*) alors que *chez* s'utilise devant des noms communs ou noms propres (*mère, cousin, amie, Annette, Octave*). Devant les noms de villes, les locuteurs privilégient l'emploi de la préposition *à* réservant l'utilisation de *au(x)* devant des noms composés (*Baton Rouge, Pins Clairs*). *Chez* est moins utilisé par les benjamins qui produisent un grand nombre de formes innovatrices comme *à ma mère/dans ma mère*. De plus, *ça* comme pronom pluriel sujet (*les gens ça parle français*) est distribué de façon homogène dans le discours des ancêtres, des doyens et des aînés (l'usage des cadets et des benjamins n'a pas encore été codifié). L'emploi instable du suffixe *-ont* (16 %) est plus complexe. Une analyse plus approfondie démontre que la variation intergénérationnelle qu'on observe dans le tableau 2 est fortement conditionnée par la localité. Toutes les générations de locuteurs de St. Landry et d'Avoyelles affichent un usage similaire du suffixe *-ont*. Par contre, son utilisation est presque inexistante à Lafourche (quatre occurrences). La paroisse de Vermilion affiche le plus haut taux de *-ont* (40 %) et l'âge conditionne fortement son emploi. Plus de 96 % des verbes au pluriel produits par le seul ancêtre originaire de Vermilion apparaissent avec le suffixe *-ont*. Les doyens ayant le français comme langue dominante affichent un taux d'emploi de 91 %, les doyens bilingues diminuent son usage à 57 % et les aînés le réduisent davantage – 31 % (Dubois et al. 2003).

5. La variation géographique

L'analyse comparative de plusieurs communautés parlant le même dialecte relève de l'interprétation géolinguistique. Il s'agit d'identifier la dispersion des formes linguistiques. La variation topolectale représente une dimension particulièrement fascinante de la variation en français cadien. Comme le démontre le tableau 3, les systèmes vocalique et morphologique du français cadien ne sont pas géographiquement homogènes.

Une démarcation catégorique dans l'utilisation ou non de formes dialectales entre les communautés cadiennes est le premier type de discontinuité observé dans nos analyses linguistiques. En d'autres termes, on remarque la présence ou l'absence de variantes dans certaines localités (la définition classique d'une isoglosse). La spirantisation du son [ʒ] dans la forme grammaticale *j'ai* et les éléments lexicaux (*manger, jamais*) et celle du son [z] en liaison (*eux-autres*) sont uniquement employées dans la paroisse de Lafourche. La forme *eusse* comme pronom pluriel sujet se décèle seulement à Lafourche. La variante *-ont* (*ils parlont/parlent*) est fortement utilisée dans toutes les localités cadiennes, sauf dans la paroisse de Lafourche.

Le deuxième type de discontinuité est un écart variable dans l'emploi des variantes entre les localités. Selon la force des contraintes sociales à l'intérieur de chaque communauté, cet écart peut être plus ou moins vigoureux. Le plus grand nombre d'écarts s'observe entre Avoyelles et les autres paroisses. Un premier écart concerne la forme dialectale [ə] suivie de la consonne nasale [n] (*personne*), précédée surtout d'une consonne occlusive [d, k], comme dans les verbes *donne* et *connais* et le marqueur interactionnel *ti-connais?* Cette variante s'utilise à 63 % au Nouveau Brunswick et à 62 % à Avoyelles, mais elle est produite moins fréquemment dans les autres localités étudiées en Louisiane. La contrainte syllabique qui favorise la présence de l'une ou de l'autre des variantes de [ɛ] se maintient dans toutes les communautés. Néanmoins, la variante ouverte [a] en syllabe fermée est beaucoup plus fréquente à Avoyelles. L'usage du pronom pluriel sujet *ça* (*ça parlait les deux langues*) est répandu à Lafourche, à Vermilion et à St. Landry, mais il est nettement moins robuste à Avoyelles. Finalement, un dernier écart se dessine dans l'utilisation de la variante [ã] du son [ɔ̃] entre les localités situées au sud sur la côte du Golfe du Mexique (Lafourche et Vermilion) et celles localisées plus au nord (St. Landry et Avoyelles), autrement dit, entre la prairie et le littoral, cette variante étant plus fréquente sur le littoral.

Au total, on dénombre huit isoglosses : 3 catégoriques et 5 variables (si on inclut l'usage très fréquent du suffixe *-ont* par les ancêtres et les doyens à Vermilion). Si on avait à représenter géographiquement l'ensemble des discontinuités entre les localités cadiennes, on tracerait une isoglosse substantielle entre Lafourche et les autres localités, une autre d'égale importance qui rendrait compte des écarts variables entre Avoyelles et les autres paroisses. Finalement, on dessinerait une dernière plus subtile entre la région côtière (le littoral) et les régions plus au nord (la prairie). Les isoglosses Lafourche et Avoyelles ne symbolisent pas le maintien des formes dialectales présentes en français cadien. En fait, leur mise à jour dérive de l'absence ou de l'usage

Tableau 3
Les différents effets de la localité en français cadien

ISOGLOSSES CATÉGORIQUES

	Lafourche	Vermilion	St. Landry	Avoyelles
Spirantisation /ʒ/ et /z/				
J'ai > b'ai	45% (1710)	5% (2212)	0% (2707)	0% (1660)
Manger > manber	37% (492)	1% (345)	0% (727)	1% (508)
Nous-autres > nous-hautres	33% (227)	0% (71)	0% (377)	0% (317)
Suffixe verbal -ONT (*aviont*)	2% (252)	45% (316)	32% (200)	22% (506)
Pronom sujet pluriel EUSSE	20% (725)	0,4% (496)	0,3% (534)	0,4% (705)

ISOGLOSSES VARIABLES

	Lafourche	Vermilion	St. Landry	Avoyelles
Pronom pluriel sujet ÇA vs ILS	70% (319)	71% (185)	70% (359)	17% (441)
Le son /ɛ/ en syllabe fermée (*frère*)	(396)	(252)	(526)	(254)
Variante [ɛ]	74%	69%	84%	60%
Variante [a]	26%	31%	16%	40%
Le son /l/ devant N (*tu connais*)	(110)	(292)	(112)	(164)
Variante [l]	76%	78%	80%	38%
Variante [l]	24%	22%	20%	62%

	Lafourche	Vermilion	St. Landry	Avoyelles
Le son /ɔ̃/ position finale (*maison*)	(333)	(376)	(325)	(529)
Variante [ɔ̃]	26%	19%	48%	58%
Variante [ã]	74%	81%	52%	42%

HOMOGÉNÉITÉ ENTRE COMMUNAUTÉS

	Lafourche	Vermilion	St. Landry	Avoyelles
Le son /œ/ devant R (*asteur*)	(351)	(219)	(396)	(321)
Variante [ ]	66%	75%	60%	62%
Variante [ ]	34%	25%	40%	38%
Le son /ʮ/ devant R (*mort*)	(510)	(256)	(431)	(375)
Variante [ ]	38%	34%	28%	37%
Variante [o]	62%	66%	72%	63%
Le son /ɔ/ devant M (*comme*)*	(55)	(146)	(56)	(72)
Variante [ɔ]	65%	65%	78%	51%
Variante [u]	23%	24%	11%	17%
Le son /ɛ/ en syllabe ouverte (*avait*)	(1986)	(1644)	(2586)	(1294)
Variante [ɛ]	46%	45%	50%	53%
Variante [e]	54%	55%	50%	47%

Les chiffres entre parenthèses représentent le nombre d'occurrences.

* Les pourcentages incluent la troisième variante [ə] de la variable.

sporadique de traits dialectaux (le suffixe *-ont* à Lafourche, le pronom *ça* à Avoyelles) ET de leur présence ou de leur usage fréquent (la variante [h] et le pronom *eusse* à Lafourche; les variantes [ə] et [a] à Avoyelles).

Malgré tous ces écarts, on remarque l'emploi uniforme de plusieurs formes dialectales entre les quatre communautés, notamment les variantes fermées [ø, o, e, u] des sons [œ, ɔ, ɛ, ɔ+m]. En fait, les usages variables et homogènes sont beaucoup plus nombreux que les emplois catégoriques. Les communautés ne présentent pas différents portraits du français cadien; elles se distinguent plutôt par leur emploi variable de traits linguistiques.

6. La trajectoire temporelle du français cadien

Quatre aspects fondamentaux sont au coeur de l'évolution du français en Louisiane. Chacun d'entre eux peut se résumer sous la forme d'une question :

1) La nature du français parlé en Nouvelle France, en particulier par la population fondatrice en Louisiane avant la déportation des Acadiens (1760 et 1780). Les formes dialectales identifiées aujourd'hui comme acadiennes étaient-elles aussi utilisées dans d'autres variétés de français parlées par la population louisianaise au moment où les Acadiens ont trouvé refuge en Louisiane?

2) Le degré d'homogénéité du français acadien (Flikeid 1994). Le français parlé en Acadie qui a été implanté en Louisiane était-il une langue unifiée? Est-ce que la langue acadienne présentait un certain niveau de variation dialectale?

3) Est-ce que l'environnement linguistique a favorisé un processus d'unification linguistique en Louisiane? Si oui, quand a-t-il débuté? À quoi peut-on l'attribuer?

4) Existe-t-il des variétés géographiques de français cadien? Si oui, quelles sont-elles? Y a-t-il des évidences linguistiques indéniables, c'est-à-dire systématiques et empiriques? Quels effets propres à chaque aire géographique ont influencé cette différenciation linguistique?

Répondre à ces questions représente tout un défi pour les chercheurs. Il serait impossible de discuter de chacune d'entre elles en détail dans l'espace qui nous est alloué. Néanmoins, nous voulons présenter certains éléments de réponses. De plus, puisque deux siècles séparent le français cadien de la diaspora acadienne, l'interprétation du changement linguistique ainsi que de la persistance de traits dialectaux dans toutes les localités à l'étude doit se faire d'un point de vue interne. Quelles sont les forces sociolinguistiques locales qui ont motivé la trajectoire du français en Louisiane?

Avant l'arrivée des Acadiens, le français louisianais correspondait à une continuation d'usages qui avaient cours en France. La colonie de la Louisiane était composée non seulement de populations monolingues non-francophones mais de plusieurs communautés francophones parlant différents dialectes français régionaux, des parlers de l'ouest situés au sud de la Loire ainsi que des parlers du nord-ouest de la France[2]. La plupart des locuteurs était d'origine modeste et ils étaient illettrés. Une petite élite bidialectale et éduquée était en charge de la colonie. Il n'y avait pas une langue unifiée ou une variété originelle et plusieurs facteurs sociolinguistiques freinèrent l'uniformisation linguistique. Les traits dialectaux des français populaires du 18e siècle en vigueur en France, au Québec et en Acadie étaient donc employés également en Louisiane avant même l'implantation du français cadien. Les immigrants acadiens étaient certainement un groupe ethnique distinct (Brasseaux 1987), mais leur variété n'était qu'un usage vernaculaire parmi tous les parlers populaires en Louisiane. Que leur variété ait été homogène ou non est donc une question plus ou moins pertinente.

Selon nous, l'emploi continu de plusieurs traits dialectaux dans toutes les localités à l'étude, qu'ils soient jugés typiquement acadiens ou non, témoigne de leur usage vigoureux par la population fondatrice. Lorsqu'on examine des données historiques comme la correspondance personnelle de planteurs, marchands et militaires semi-illettrés nés à la fin du 18e siècle, on remarque l'utilisation fréquente des formes morphologiques et d'usages graphiques de traits phonétiques chez des auteurs acadiens ou français provenant de paroisses dans lesquelles cet usage est maintenant absent ou rare. À titre d'exemple, le suffixe *-ont* est employé presque systématiquement (*ils parlont* et *je parlons*) dans une lettre écrite en 1820 par un auteur de Lafourche, une paroisse où on observe aujourd'hui son absence. Il est certain que les formes dialectales utilisées dans plusieurs parlers populaires plutôt qu'un seul ont eu plus de chance d'être conservées (Thomason et Kaufman 1988). Les affriquées [ts] et [dz], absentes dans les variétés acadiennes au Canada, sont plus fréquentes que [tʃ]

---

2 Voir Dubois 2003 pour une description de la situation linguistique au début de la colonie jusqu'en 1850.

et [dʒ] en français cadien dans toutes les paroisses et toutes les générations. En français acadien, les variantes fermées et ouvertes du son [ɛ] s'entendent dans toutes les positions syllabiques. Par contraste, seulement [a] apparaît en syllabe fermée en français cadien alors que [e] est produit uniquement en syllabe ouverte.

Il est probable qu'une véritable concurrence linguistique a eu lieu avec l'arrivée massive de colons francophones en Louisiane de 1789 à 1830. Puisque ces nouveaux immigrants provenaient de toutes les couches sociales et de toutes les régions de France, ils ont pu introduire de nouvelles normes linguistiques. L'élite louisianaise, dont le modèle linguistique était aligné sur celui de l'usage métropolitain, assimila précipitamment les nouvelles normes. Leur variété avait certainement plus de chances d'être diffusée socialement et géographiquement. Cependant, ce phénomène de dédialectalisation en zone rurale ne se réalisa pas aussi simplement. Le modèle migratoire des nouveaux locuteurs francophones a pu affecter de manière différente plusieurs paroisses selon l'endroit où ils s'établirent et la force de leur présence comparée à la population fondatrice. Certes, ce scénario est tout à fait probable à condition que 1) la variété parlée par les nouveaux arrivants ait été différente de celle utilisée par les communautés locales et 2) ces dernières aient jugé cette variété désirable et supérieure comparée à la leur.

Plusieurs évidences historiques remettent en cause non pas la possibilité mais l'ampleur de ces deux modalités. Nous savons que de nouvelles normes linguistiques étaient proposées en France. Par exemple, la correspondance personnelle de la génération de marchands née après 1840 en Louisiane présente plusieurs nouvelles formes orthographiques de type phonétique (Dubois 2003). Néanmoins, nous savons également que la plupart des nouveaux arrivants étaient de petits habitants de régions dialectales situées au nord et au sud de Paris. Il y a de fortes chances que leur dialecte ait été semblable, quoique non identique, à celui de la population locale en zone rurale. Cette similarité pourrait expliquer le maintien de formes dialectales toujours en vigueur en Louisiane dans toutes les paroisses, malgré l'attraction du modèle colonial de l'élite, l'instruction en français académique et l'enseignement religieux en français standard. Sinon, on observerait en français cadien une absence significative de formes dialectales dans toutes les régions puisque la plupart des locuteurs cadiens décrivent la composition généalogique de leur famille comme un mélange hétéroclite d'Acadiens, de Français de France et d'Anglo-Américains qui apprirent le français, sans parler des Allemands, des Irlandais et des Amérindiens.

Selon nous, cette nouvelle vague de locuteurs français a plutôt entraîné une plus grande diffusion de normes qui étaient fréquemment utilisées par une majorité de locuteurs dans chaque paroisse. Les mariages très fréquents entre les populations locales et étrangères ont engendré une harmonisation des usages. En somme, une interprétation spatiale du changement linguistique qui tire son origine d'une population précise (externe) pour ensuite se propager à d'autres (internes) n'est pas suffisante dans le cas de la Louisiane. Seule une interprétation locale peut expliquer la persistance linguistique de certains traits dialectaux dans toutes les localités ainsi que les différents types d'isoglosse en français cadien. De plus, cette interprétation doit aussi prendre en compte l'introduction du bilinguisme qui a freiné l'évolution du français en Louisiane.

De toute évidence, un ensemble complexe d'effets locaux a déterminé le maintien de certaines mais non pas de toutes les formes dialectales dans chaque paroisse. Pourquoi observe-t-on la perte du suffixe -*ont* à Lafourche, une paroisse en région côtière qui a toujours été plus homogène et isolée que celles des prairies ? Pourquoi Lafourche a-t-elle été la seule à conserver des traits dialectaux comme le pronom *eusse* et l'aspiration du *H* ? Pourquoi retrouve-t-on une fréquence plus élevée de traits phonétiques dialectaux à Avoyelles, une localité peuplée tardivement par de nouveaux arrivants et des Cadiens d'autres localités? Sans aucun doute, chacune des régions cadiennes demande une réponse spécifique. Nos résultats ne soutiennent pas l'existence d'une stricte division entre des paroisses plus conservatrices (ou acadiennes) et des paroisses plus innovatrices (moins acadiennes). Il existe très peu d'isoglosses catégoriques comparé aux isoglosses variables et l'emploi de plusieurs formes dialectales s'observe dans toutes les communautés. De plus, les communautés partagent les contraintes linguistiques internes régissant l'usage de plusieurs variables.

Dans nos prochaines études, nous voulons déterminer si le système linguistique du français cadien correspond davantage à une création louisianaise d'usages dialectaux de l'époque coloniale en compétition avec d'autres traits plus innovateurs introduits tardivement (comme au Québec) ou à un sous-produit dérivé de la variété originelle acadienne au Canada. Plusieurs étudiants et chercheurs au Canada et en Louisiane ont entrepris d'examiner notre corpus et d'étudier divers aspects linguistiques du français cadien. Nous espérons que plusieurs autres suivront leur exemple pour qu'un jour cette variété occupe la place qu'elle mérite dans la diaspora francophone.

Références

BAUCHE, Henri. 1920. *Le langage populaire : grammaire, syntaxe et dictionnaire du français tel qu'on le parle dans le peuple de Paris avec tous les termes d'argot usuel*, Paris, Payot et Cie.

BODIN, Catherine. 1987. *The dialectal origins of Louisiana Acadian French*, thèse de doctorat inédite, University of North Carolina, Chapel Hill.

BRASSEAUX, Carl. 1987. *The founding of New Acadiana : The beginnings of Acadian life in Louisiana, 1765-1803*, Baton Rouge, Louisiana State University Press.

DORMON, James. 1983. « The Cajuns : Ethnogenesis and the shaping of group consciousness », dans Glenn CONRAD (dir.), *The Cajuns : Essays on their history and culture*, Lafayette, University of Southwestern Louisiana Press, 233-251.

DUBOIS, Sylvie. 2000. *Final report of the Cajun project at LSU* (grant SBR-9514831), National Science Foundation, Washington, District of Columbia.

DUBOIS, Sylvie. 2001. « *Je parle français, moi j'parle français, moi parle français* : le rôle de l'attrition linguistique dans le système de pronoms sujets en français cadien », dans Anaïd DONABEDIAN (dir.), *Langues de diaspora : langues en contact*, Paris, Ophrys, 149-165.

DUBOIS, Sylvie. 2002. « French language's status and preservation in Louisiana, USA, and in the Maritime Provinces, Canada », dans Waldemar ZACHARASIEWICZ et Peter KIRSCH (dirs.), *Aspects of interculturality – Canada and the United States : A comparison*, Vienne, Université de Vienne ; Hagen, ISL-Verlag, 123-137.

DUBOIS, Sylvie. 2003. « Letter-writing in French Louisiana : Interpreting variable spelling conventions, 1685-1840 », *Written Language and Literacy*, 6 (1) : 31-70.

DUBOIS, Sylvie et Megan MELANÇON. 1997. « Cajun is dead – long live Cajun : Shifting from a linguistic to a cultural community », *Journal of Sociolinguistics*, 1 (1): 63-93.

DUBOIS, Sylvie et Sibylle NOETZEL. À paraître. « Intergenerational patterns of interference and internally-motivated changes in Cajun French », dans Jeanine TREFFERS-DALLER et Raymond MOUGEON (dirs.), *Bilingualism : Language and cognition*, Cambridge, Cambridge University Press.

DUBOIS, Sylvie, Ruth KING et Terry NADASDI. 2003. « What Acadians and Cajuns agree on : A comparison of third person plural marking », communication présentée à NWAV 32. Philadelphia, Pennsylvania, octobre.

FLIKEID, Karin. 1984. *La variation phonétique dans le parler acadien du Nord-Est du Nouveau-Brunswick : étude sociolinguistique*, New York, Peter Lang.

FLIKEID, Karin. 1994. « Origines et évolution du français acadien à la lumière de la diversité contemporaine », dans Raymond MOUGEON et Édouard BENIAK (dirs.), *Les origines du français québécois*, Québec, Presses de l'Université Laval, 275-326.

FLIKEID, Karin. 1997. « Structural aspects and current sociolinguistic situation of Acadian French », dans Albert VALDMAN (dir.), *French and Creole in Louisiana*, New York, Plenum Press, 255-286.

GESNER, B. Edward. 1979. *Étude morphosyntaxique du parler acadien de la Baie Sainte-Marie, Nouvelle-Écosse, Canada*, Québec, Centre International de Recherche sur le Bilinguisme.

HENRY, Jacques. 1990. « Le français nouveau arrivé? », *Gazette de la Louisiane*, 1 (3) : 1-5.

KING, Ruth et Terry NADASDI. 1996. « Sorting out morphosyntactic variation in Acadian French : The importance of the linguistic marketplace », dans Jennifer ARNOLD, Renee BLAKE, Brad DAVIDSON, Scott SCHWENTER, et Julie SOLOMON (dirs.), *Sociolinguistic variation, data, theory, and analysis*, Stanford, California, CSLI Publications, 113-128.

LABOV, William. 1990. « The intersection of sex and social class in the course of linguistic change », *Language Variation and Change*, 2 (2) : 205-254.

MASSIGNON, Geneviève. 1962. *Les parlers français d'Acadie*, Paris, Klincksieck.

NOETZEL, Sibylle et Sylvie DUBOIS. 2003. « The intergenerational patterns of attrition in Cajun French », communication présentée à NWAV 32, Philadelphia, Pennsylvania, octobre.

PÉRONNET, Louise. 1989. *Le Parler acadien du sud-est du Nouveau-Brunswick*, New York, Peter Lang.

RICKARD, Peter. 1989. *A history of the French language*, 2ᵉ éd., London, Routledge.

ROTTET, Kevin. 1995. *Language shift and language death in the Cajun French-speaking communities of Terrebonne and Lafourche Parishes, Louisiana*, thèse de doctorat inédite, Indiana University, Bloomington.

RYAN, Robert. 1981. *Une analyse phonologique d'un parler acadien de la Nouvelle-Écosse*, Québec, Centre International de Recherche sur le Bilinguisme.

THOMASON, Sarah et Terrence KAUFMAN. 1988. *Language contact, creolization and genetic linguistics*, Berkeley, University of California Press.

THUROT, Charles. 1881. *De la prononciation française depuis le commencement du XVIᵉ siècle, d'après les témoignages des grammairiens*, 2 vols., Paris, Imprimerie Nationale.

Le chiac de Moncton :
description synchronique
et tendances évolutives

Marie-Ève Perrot, Université d'Orléans

1. Le Nouveau-Brunswick :
une province au statut particulier

Le Nouveau-Brunswick est la province canadienne hors Québec qui possède le pourcentage de francophones le plus élevé (34,5 %)[1]. Le bilinguisme institutionnel, émanant de la *Loi sur les langues officielles du Nouveau-Brunswick* (1969), lui confère également un statut particulier. Depuis 1981, elle bénéficie d'une *Loi reconnaissant l'égalité des deux communautés linguistiques officielles* enchâssée dans la Constitution canadienne, visant à garantir l'égalité du statut et des droits des deux communautés et l'accès à des institutions distinctes dans les domaines culturel, éducatif et social. En 1997, un rapport dénonçant le caractère insuffisant et inefficace de la politique linguistique menée jusqu'à cette date fut à l'origine d'une seconde *Loi sur les langues officielles* (2002) qui devrait permettre de renforcer le dispositif existant et d'augmenter le nombre de services offerts dans les deux langues.

Malgré les indéniables progrès accomplis, il reste pertinent de décrire globalement la situation en termes de conflit linguistique, c'est-à-dire de la coexistence d'une langue dominante et d'une langue dominée. L'une des manifestations immédiates du conflit linguistique est l'asymétrie du bilinguisme : seulement 15 % des anglophones maîtrisent suffisamment le français pour soutenir une conversation, tandis que 70 % des francophones parlent anglais. Dès lors, l'assimilation linguistique reste une menace pour les communautés francophones, bien qu'elle soit relativement stable (10,5 %), voire en baisse si l'on en croit certaines analyses : selon Castonguay (2003), le Nouveau-Brunswick serait la seule

---

[1] Les chiffres donnés proviennent de Statistique Canada (2001).

province où la minorité francophone a réussi à faire baisser, ces dernières années, son taux d'anglicisation.

La répartition géographique des Acadiens au Nouveau-
Brunswick est inégale : ils se concentrent principalement dans les régions du Nord (dites « régions acadiennes ») et dans la région du Sud-
Est, où se situe Moncton, dans une moindre proportion. Au sein de ces
régions, ils sont souvent majoritaires dans les petites collectivités et dans
les zones rurales. Dans ce contexte, la minorité francophone du centre
urbain qu'est Moncton apparaît relativement importante (34,09 %).

2. La situation sociolinguistique de Moncton : une dynamique particulière

L'agglomération de Moncton (le « Grand Moncton ») inclut
Riverwiew, banlieue où les francophones sont minoritaires (environ
7 %) et Dieppe, où ils sont majoritaires (76,8 %). Dieppe exerce un fort
pouvoir d'attraction sur les francophones d'autres régions de la province, y compris des régions acadiennes. Cette arrivée continue de nouveaux migrants, due également à une conjoncture économique favorable, a pour conséquences le renforcement du poids des francophones et
la baisse de l'anglicisation des jeunes adultes (Castonguay 2003). Elle
pourrait à terme avoir d'importantes répercussions sur les répertoires
linguistiques et les pratiques langagières. On observe donc actuellement
dans l'agglomération de Moncton une « dynamique distincte » très positive que Castonguay (2003 : 82) résume ainsi :

> Dans la région de Moncton et tout particulièrement à Dieppe,
> l'interaction sociale en français dans un quartier plutôt ou majori-
> tairement francophone paraît servir de contrepoids efficace aux
> rapports tissés sur d'autres plans avec la majorité de langue an-
> glaise. [...] Ainsi, le mode d'établissement que pratiquent les fran-
> cophones à Moncton semble aussi salutaire pour le maintien du
> français que l'a été à l'échelle provinciale leur concentration en ré-
> gion acadienne.

Souvent considérée comme la capitale culturelle des Acadiens,
Moncton joue aussi un rôle symbolique non négligeable au sein de la
province. De nombreux organismes acadiens ont leur siège à Moncton :
la société des Acadiens et Acadiennes du Nouveau-Brunswick, Radio-
Canada Atlantique, le centre hospitalier provincial Georges-L.-Dumont

par exemple. La présence d'une université francophone, d'où partirent en 1968 les mouvements de lutte pour l'obtention des droits linguistiques fondamentaux, et le dynamisme de la communauté intellectuelle et artistique expliquent aussi en partie l'importance que revêt la ville aux yeux de la communauté acadienne. Tout récemment, la nomination de l'écrivain acadien Herménégilde Chiasson au poste de gouverneur de la province atteste la reconnaissance du rayonnement culturel acadien et plus généralement de la cause acadienne. Enfin, ces dernières années, Moncton a été le théâtre de deux événements majeurs, l'un culturel l'autre politique, le Congrès Mondial Acadien (1994) et le Sommet de la francophonie internationale (1999).

3. Le continuum linguistique et les variétés de français[2]

Au plan linguistique, Moncton se caractérise par un continuum complexe qui est le produit de changements relativement récents : 1) l'affaiblissement de l'acadien traditionnel, « langue des ancêtres » parlée par la plus vieille génération mais dont certains traits restent vivaces, même chez les plus jeunes; 2) l'intensification du contact avec l'anglais, qui a donné naissance au vernaculaire chiac; 3) dans le même temps, le développement d'un français standardisé, langue des institutions normatives, du système éducatif et des médias et plus généralement des échanges formels.

Ces changements sont perceptibles dans les principaux travaux sur lesquels je me suis penchée pour tenter de cerner, dans ses grandes lignes, l'évolution du vernaculaire. À partir d'un corpus constitué à la fin des années 1970 auprès de personnes âgées vivant dans des villages proches de Moncton, Péronnet (1989a) a décrit le « parler acadien traditionnel du Sud-Est du Nouveau-Brunswick ». La présence des emprunts à l'anglais y est négligeable : mise à part la particule adverbiale *back*, l'auteure ne relève que quelques lexèmes (noms, verbes et adjectifs), quelques marqueurs discursifs (*well, anyway, all right*) et une conjonction (*but*) (Péronnet 1989b). À la même époque, l'étude de Roy (1979) sur

---

[2] Une étude sociolinguistique destinée à cerner précisément la nature et l'ampleur de la variation dans l'ensemble de la communauté francophone n'a pas encore été menée à ce jour. Il est clair que le français parlé à Moncton dépend tout autant de facteurs tels l'âge, le milieu socio-économique et le niveau d'éducation que de facteurs liés à la situation d'interlocution. Aussi, s'il est commode pour les besoins de la description de distinguer différentes variétés, c'est en gardant toujours à l'esprit le caractère fluctuant des usages et le flou des frontières existant entre ceux-ci.

« les conjonctions *but* et *so* dans le français de Moncton » s'appuie sur un corpus constitué dans des situations d'échanges informels, auprès de deux groupes d'informateurs, de 15 à 30 ans et de 60 ans et plus, tous issus de « milieux populaires ». Chez les plus jeunes, l'auteure observe la perte de certains traits traditionnels répertoriés par Péronnet et l'influence croissante de l'anglais, aboutissant à la diversification des catégories touchées par ce phénomène (différents types d'adverbes et particules adverbiales, de prépositions et de pronoms indéfinis).

Dans les années 1990, les travaux de Péronnet ont confirmé le recul de l'acadien traditionnel et l'anglicisation croissante chez les plus jeunes. Mais surtout, l'analyse du français parlé par de jeunes adultes, en situation formelle cette fois, a montré d'une part un phénomène global de standardisation du français et d'autre part l'apparition de nouveaux régionalismes, attribuable à l'intensification des contacts avec d'autres variétés de français, notamment le français québécois (Péronnet 1996). Selon Péronnet, l'extrême instabilité linguistique caractérisant la situation monctonienne était le résultat de la divergence entre deux mouvements fondamentaux, anglicisation et refrancisation/standardisation.

4. Présentation des corpus

Les corpus sur lesquels s'appuie cet article ont été constitués à dix ans d'intervalle (1991 et 2001) dans une école secondaire de langue française de Dieppe, auprès d'adolescents âgés de 16 à 19 ans[3]. Les conditions d'enquête étaient rigoureusement identiques : par groupes de deux, les élèves étaient laissés seuls avec un micro dans une salle de l'école, pendant une trentaine de minutes. La finalité linguistique de l'enquête ayant été dans un premier temps occultée, ils avaient pour consigne de se servir comme base de discussion d'un questionnaire écrit portant sur divers aspects de leur vie quotidienne.

Quelle que soit par ailleurs l'étendue de leur répertoire linguistique, la grande majorité des informateurs a spontanément fait le choix du chiac dans la situation d'enquête proposée, mettant ainsi en évidence ce

---

[3] Le premier corpus (Perrot-CRLA) a été constitué grâce à l'aide du Centre de Recherche en Linguistique Appliquée de l'Université de Moncton, notamment de Louise Péronnet et de Catherine Phlipponneau; le second (corpus Boudreau-Perrot) avec l'aide d'Annette Boudreau dans le cadre d'un projet de recherche commun.

qui constitue le code non marqué du groupe[4]. Certes, les informateurs sont ici « entre eux », échappant au contrôle des professeurs comme à celui de l'enquêteur. Mais c'est tout de même dans les murs de l'école et dans le cadre d'une enquête présentée comme émanant de l'université qu'ils parlent chiac.

À l'image de la situation dont ils sont les produits, les deux corpus ne se laissent appréhender qu'en termes de continuum d'anglicisation. Mais globalement, une anglicisation accrue par rapport au corpus de Roy est perceptible tout autant dans la généralisation des phénomènes observés par l'auteure à l'époque que dans l'apparition de nouveaux emprunts. La matrice française dans laquelle s'insèrent les éléments anglais est quant à elle typiquement marquée par l'instabilité des formes, les variantes régionales et/ou archaïques alternant, à des degrés divers selon les locuteurs, avec les variantes standards[5].

5. Statut du chiac et représentations

Les travaux de Boudreau ont bien montré la stigmatisation du chiac – y compris par ceux qui le parlent – « soit parce qu'il symbolise l'aliénation linguistique en reflétant le contact avec l'oppresseur, soit parce qu'il constitue un ghetto linguistique qui risque d'isoler les Acadiens des autres francophones » (Boudreau et Gadet 1998 : 58), au moment même où l'Acadie s'ouvre résolument à la francophonie internationale. Force est de constater toutefois que le chiac n'est plus le tabou qu'il a sans aucun doute été : il s'est fait ces dernières années une place dans le paysage linguistique, en partie grâce au rôle joué par certains médias locaux[6] et par des artistes qui, pour reprendre les mots du poète Gérald Leblanc, « ont transformé cet objet de mépris en une force d'expression qui témoigne d'une réalité vécue, articulée et assumée » (2003 : 520)[7].

---

4 Il serait toutefois abusif de voir dans le chiac « la langue officielle de (l'école) », comme le dit l'un des informateurs. C'est au chiac et à ceux qui le parlent que je m'intéresserai surtout dans le cadre de cet article, mais je ne voudrais pas donner une image faussée de la situation : dans les deux enquêtes, certains informateurs n'ont *pas* fait le choix du chiac. Je reviendrai sur cette question plus loin.

5 J'explique plus loin ce que j'entends par *emprunts* et *matrice*.

6 Cf. dans ce volume l'article de Boudreau sur l'expérience des radios communautaires.

7 Il serait intéressant d'étudier comment le chiac se donne non seulement à entendre mais aussi à *voir* dans l'espace public. A. Boudreau m'a par exemple fait part de la présence au marché des fermiers d'affichettes sur lesquelles on pouvait lire « c'est right bon! ». Il y a quelques années, on pouvait acheter à Moncton des tee-shirts portant

L'analyse des discours épilinguistiques relevés dans mes deux corpus permet d'esquisser les multiples facettes des représentations langagières des jeunes adolescents telles qu'elles sont mises en mots au sein du groupe[8]. Dans le corpus 1991, on passe du chiac assumé, voire revendiqué comme français véhiculant une identité francophone spécifique, à des positionnements plus complexes et ambigus, pouvant aller jusqu'au dénigrement et au rejet; la conscience de parler un français différent et la réflexion sur la qualité de ce français peuvent engendrer un véritable sentiment d'insécurité linguistique qui, poussé à l'extrême, rend problématique la construction de l'identité.

Le corpus le plus récent laisse apparaître des positionnements différents, plus contrastés et plus affirmés. Tout d'abord, le nombre d'informateurs n'ayant *pas* fait le choix du chiac et parlant un français standardisé exempt (ou quasi) d'anglais, est en augmentation sensible (une dizaine sur cinquante-six, contre deux seulement sur quarante-quatre pour la première enquête). Chez ceux qui parlent chiac, on observe deux tendances principales : d'une part, les discours de résistance à la domination du standard (ici, la norme scolaire) et les discours de revendication du chiac comme emblème identitaire se durcissent dans les entretiens les plus anglicisés; d'autre part, dans l'ensemble des entretiens, la récurrence du terme « chiac » lui-même constitue une avancée flagrante par rapport au corpus 1991, où le terme n'apparaissait qu'une fois. Ce changement me semble aller dans le sens d'une affirmation identitaire, et il faudrait ajouter au constat de Leblanc « le chiac existe parce que des gens le parlent » (2003 : 521) celui-ci : le chiac existe parce que les gens *en* parlent – en le nommant.

6. Description linguistique

L'analyse des données recueillies en 2001 étant en cours, la description linguistique ne s'appuiera que sur celles de 1991, et plus précisément sur un corpus restreint constitué de quatre extraits situés en an-

---

l'inscription « 'worry pas ta brain', expression chiac » et à l'occasion du Sommet de la Francophonie Internationale, des tee-shirts affichant le slogan « Chirac chez les chiacs! ».

[8] Pour une analyse détaillée des discours épilinguistiques dans chacun des corpus, cf. Perrot (2001) et à paraître.

nexe[9], choisis pour leur caractère représentatif du continuum d'anglicisation : l'extrait (1) donne une idée du niveau de standardisation le plus élevé que l'on puisse trouver; les extraits (2), (3) et (4) se situent respectivement dans les zones d'anglicisation faible, moyenne et forte du continuum. Dans les pages qui suivent, les relevés ne sauraient donc être exhaustifs, mais ils permettent néanmoins de rendre compte des principales modalités du contact des langues. En effet, par delà la variation individuelle et collective, le chiac se distingue par son remarquable degré de stabilisation : les éléments d'origine anglaise sont pour la plupart récurrents et leurs modes d'appropriation réguliers et prévisibles.

C'est aux emprunts effectifs que je m'intéresserai dans cet article, les caractéristiques de la matrice elle-même (variantes standard et acadiennes, interférences) ne seront pas explorées[10].

Je ne ferai qu'une brève remarque concernant la matrice, mais elle me paraît significative : la standardisation de l'extrait (1) est notamment repérable dans les formes verbales à la troisième personne du pluriel de verbes irréguliers :

   (1)   i me disent / i savent / i veulent

Dans l'extrait (2), ces formes alternent avec la terminaison acadienne *-ont* toujours très vivace dans le discours des jeunes :

   (2)   i aiment / i savent / i voulont / i aimont

On notera que dans l'extrait (4), seules les formes acadiennes *-ont* (et *-iont* à l'imparfait) sont attestées, confirmant ainsi l'hypothèse selon laquelle la forte anglicisation du discours et la conservation de traits typiquement acadiens vont de pair (Boudreau et Gadet 1998)[11]:

---

[9] La numérotation des exemples linguistiques fait référence à l'extrait en annexe dont chaque exemple est tiré.

[10] Une brève clarification terminologique s'impose ici : c'est précisément le critère de fréquence qui autorise à qualifier les éléments anglais d'*emprunts*, indépendamment de leurs modes d'appropriation à la matrice (adaptation, non-adaptation ou restructuration) que je désignerai globalement par le terme de *mélange* de langues. *Mélange* s'oppose à *alternance* de langues, phénomène sur lequel je reviens plus loin. Enfin, le terme de *matrice* se justifie dans la mesure où le français fait figure de langue quantitativement, structurellement et symboliquement dominante.

[11] Dans les extraits cités, les termes d'origine anglaise qui, dans les enregistrements, conservent leur prononciation anglaise, sont en italiques. Les affixes français restent en roman et sont distingués par un tiret. Les majuscules finales signalent la réalisation

(4) i croyont / i voulont / i avont peur / i allont *back* pousser / des *prepS* veniont à moi / i disiont / i étiont pas mal longs

L'absence d'emprunts à l'anglais est la caractéristique la plus saillante du premier extrait. On ne relève que deux occurrences du lexème *curfew* et une du connecteur *but*. Le refus de l'anglicisme – la distanciation explicite par rapport au chiac – se traduit de façon remarquable par le recours aux connecteurs français « mais » (3 occurrences) et « alors » (2 occurrences), ainsi que la locution adverbiale « de toute façon », dont les homologues anglais (*but, so, anyway*) sont des emprunts totalement stabilisés. Connecteurs et ponctuants du discours participent largement à l'élaboration de la structure discursive et argumentative en chiac. Ils sont typiquement récurrents, et n'ont pas d'équivalents français, dans les trois autres extraits :

(2) *whatever/ but, so, 'cause*
(3) *well/ but, so, 'cause*
(4) *whatever, well, or something/ but, 'cause, because*

Dans l'extrait (2), mis à part les ponctuants et les connecteurs, les emprunts se réduisent à des lexèmes verbaux simples (*mind, clean*) ou composés (verbes suivis d'une particule adverbiale : *help out, help around*). Comme le notait déjà Péronnet (1989b), le verbe anglais est systématiquement adapté à la conjugaison franco-acadienne des verbes dits « du premier groupe ». L'adaptation est manifeste dans les formes autres que celles des personnes du singulier au présent de l'indicatif :

(2) ça me tente pas de *clean*-er
(3) je le *tap*-ais , une *show* qu'a *start*-é , je l'ai *watch*-é , je vais *back* le *watch*-er, des *shows* qui *start*-ont

L'étude du syntagme verbal mixte s'avère particulièrement intéressante dans l'extrait (3). On y relève des exemples de verbes français suivis d'une particule adverbiale anglaise :

---

d'un morphème de pluriel à l'anglaise (*prepS*) ou la réalisation d'une liaison sans enchaînement (touT).

Concernant la prononciation, Péronnet (1989b : 239) note que dans son corpus d'acadien traditionnel « en règle générale, les emprunts sont intégrés à la prononciation française régionale ». Roy (1979) ne mentionne pas cet aspect dans son étude. Dans mon corpus, je note à l'inverse que la non-intégration phonologique est quasi-systématique et concerne également les emprunts vraisemblablement anciens.

(3) c'est-tu encore *on* ça / c'est *back* supposé venir *on* /
tout ce qui va *on*

De tels exemples sont attestés dans le corpus néo-écossais de Flikeid (1989 : 221-22), qui y voit le résultat de l'« intégration partielle d'une expression anglaise au sein de laquelle seul le verbe est traduit ». En effet, les équivalents anglais des verbes « être », « venir » et « aller » ne sont pas des emprunts autonomes attestés. Mais plus que cela, je verrais dans ces « expressions mixtes » l'emprunt d'un mode opératoire propre à l'anglais, permettant la dissociation de deux mouvements de nature différente : la mise en place d'un contenu de sens par un lexème français et son aménagement par une particule anglaise d'ordre aspectuel. Ce choix de l'analycité est particulièrement bien illustré par cet échange faisant intervenir le marqueur *back* :

(3) L1- c'est-tu encore *on* ça ? (est-ce que ça passe encore?)
L2- non *but* c'est *back* supposé venir *on* (c'est censé repasser)

Le fonctionnement de *back*, en germe dans les deux langues de référence, est l'aboutissement d'une restructuration[12]. Antéposé au verbe, il a ici un sens itératif, mais peut dans d'autres contextes marquer le retour à un lieu ou à un état antérieur. Ainsi, par rapport au préfixe français « re-V » (itération/retour à un lieu ou un état antérieur) et à la particule adverbiale anglaise (retour à un lieu ou à un état antérieur), il possède un champ d'application plus large, un degré de grammaticalisation plus poussé, et demande une réanalyse lui accordant une autonomie réelle. Cet emprunt, attesté à différents degrés dans d'autres régions du Canada et jusqu'en Louisiane, a été analysé par Chaudenson, Mougeon et Beniak (1993) comme une innovation s'inscrivant dans le cadre d'une évolution du système verbal français qui tend à délaisser les affixes pour les périphrases, et plus généralement une évolution du synthétique à l'analytique.

Enfin, toujours dans l'extrait (3) on relève la préposition *about* :

(3) j'avais assez aimé ça là / pis moi des *shows* de même qui sont *about* le vieux temps ou des / *anything about* le vieux temps j'aime assez ça

---

12 À partir des corpus de Péronnet et de Roy, il m'a été possible de retracer dans ses grandes lignes l'évolution de ce marqueur. Pour plus de détails, cf. Perrot (1995 : 155-175) : « Le trajet de *back* : de la redondance à la permutation ».

D'autres prépositions sont attestées dans le corpus (notamment des prépositions liées à la localisation spatiale dynamique telles *out, off, around*), mais *about*, déjà fréquente dans le corpus de Roy, est celle qui présente le degré de stabilisation le plus remarquable (« être *about* », « parler *about* », « penser *about* »). La motivation de cet emprunt pourrait être qu'il permet une homogénéisation par rapport à la multiplicité des emplois correspondants en français (« à », « de », « sur »).

Les principales caractéristiques du syntagme nominal mixte seront également présentées à partir du même extrait. On y relève les noms suivants :

(3) un *movie*, une *nurse*, des *soapS*, une *show* / des *shows*

Le nom anglais est toujours précédé d'un déterminant français porteur d'une marque de nombre et de genre (l'attribution d'un genre présente différents degrés de stabilisation selon les noms, mais aussi selon les locuteurs). La tendance majoritaire à la prononciation du « s » du pluriel induit ainsi le double marquage du nombre (sur le déterminant français puis sur le nom anglais). On notera que l'emprunt *show* est le seul nom relevé dans tout le corpus à être systématiquement adapté, sans doute en raison de son ancienneté et de sa très large diffusion. On relève par ailleurs « des *soapS* » et dans l'extrait (4), « mes *friendS* » et « des *prepS* ».

L'adjectif anglais, invariable, est antéposé au nom indépendamment de l'origine française (« programme ») ou anglaise (*shows*) de celui-ci :

(3) mes *normal shows*, [j'ai pas de] *favorite* programme

L'adoption systématique de l'ordre fixe de l'anglais (Det. + Adj. + N) constitue un exemple clair de non-adaptation à la matrice mais correspond néanmoins à la régularisation de l'ordre commun aux deux langues.

Dans son corpus d'acadien traditionnel, Péronnet (1989a : 118) observait des tendances inverses : « les noms empruntés à l'anglais suivent la règle du pluriel des noms français : le "s" du pluriel n'est pas prononcé »; la combinaison « adjectif qualificatif anglais préposé à un nom français » est attestée mais rare (Péronnet 1989b : 244). Il y aurait donc dans le domaine nominal une évolution nette vers une moindre adaptation morphosyntaxique à la matrice[13].

Toujours dans le cadre du syntagme nominal, l'extrait (4) offre un grand nombre d'occurrences de quantifieurs ou pronoms indéfinis :

> (4)   ma *gang* peut s'accorder avec *anybody*
>   je dis pas *every headbanger* est comme ça
>   *nobody* se moque de moi
>   je *care* pas quoi-ce qu'*anybody* dit / *whoever* qui-ce qui peut gra-
>   duer dans trois ans est pas brûlé

Tous ces marqueurs sont liés à l'expression de la totalité et sont fondamentalement la trace d'une opération de parcours[14]. Certes, le français possède des marqueurs de cette opération de détermination, mais leur diversité, leur fréquence et leur maniabilité à l'oral sont moindres, ce qui pourrait expliquer l'emprunt de marqueurs anglais permettant de pallier les déficits d'explicitation du français dans ce domaine[15].

Enfin, on relève dans les extraits (3) et (4) différents types d'adverbes (ici adverbes de degré et adverbes en -*ly*), domaine particulièrement perméable à l'emprunt :

> (3)   ça m'intéresse *right out*
>   j'aime *right* ça
>   l' été je *watch usually* comme *General Hospital*

---

13 Flikeid quant à elle (1989 : 203) note une « tendance très forte à intégrer morphologiquement les noms ». En revanche, l'adjectif anglais est systématiquement antéposé au nom (Perrot 2003).

14 Terme emprunté à la théorie culiolienne des opérations énonciatives.

15 J'ai eu l'occasion d'amorcer une comparaison entre le corpus 1991 et une partie du corpus de Flikeid constitué dans la petite communauté rurale de Pubnico, au sud de la Nouvelle-Écosse. Situé à proximité d'une grande ville anglophone, ce village compte 57,1 % de francophones et possède un taux d'assimilation faible (0,21 %), mais il fait figure de véritable isolat linguistique dans une province qui ne compte que 5 % de francophones et possède un taux d'assimilation de 40,9 %. Malgré des situations de départ extrêmement contrastées, il ressort de l'étude que les modalités du contact sont tout à fait comparables au sens où les mêmes catégories sont touchées par l'emprunt, ce qui pourrait s'expliquer par des pressions intersystémiques identiques. Mais au sein d'une même catégorie s'élaborent des normes régionales distinctes : les emprunts ne pénètrent pas de la même façon, ou du moins pas dans le même ordre, et la cohérence de l'ensemble ne s'articule pas forcément autour des mêmes éléments centraux. Pour ce qui est des indéfinis par exemple, on repère à Moncton le couple saillant *any*/*every* (*some* étant inexistant) et à Pubnico le couple *any*/*some* (*every* étant inexistant). Pour d'autres exemples, cf. Perrot (2003).

(4) i croyont que je suis *right* brûlé ou que je suis *right stupid*
y a *probably* du monde qui se moque de toi
mes *friendS personally*

Dans la série (3), l'emploi alterné de *right* et de *right out*, portant ici sur l'ensemble de la relation prédicative, répond typiquement à des règles d'insertion particulières : lorsque l'énoncé comporte une forme verbale simple, l'emploi de *right* est réservé aux verbes transitifs (il s'intercale entre le verbe et le complément : « j'aime *right* ça ») et celui de *right out* aux verbes intransitifs ou réfléchis (il est postposé au verbe : « ça m'intéresse *right out* »). Lorsque l'énoncé comporte une forme auxiliée, *right*, antéposé au verbe, sera possible quel que soit le type de verbe (ça m'a *right* intéressé/j'ai *right* aimé ça).

Par-delà la variation inhérente au corpus, la très large diffusion des éléments recensés, ainsi que le caractère prévisible de leurs modes d'insertion dans la matrice selon leur catégorie, contribuent à l'identification d'une variété distincte qui est le résultat du *mélange* des langues. Ce terme, par lequel je désigne l'ensemble des phénomènes décrits jusqu'ici, se justifie par la diversité des emprunts, par la diversité de leurs modes d'insertion (de l'adaptation à la restructuration) et surtout par la réelle interpénétration des langues, en certains points de la matrice, qui en découle.

Le remarquable degré de stabilisation du mélange autorise sans doute à qualifier le chiac de *code mixte*. Ce qualificatif ne doit cependant pas occulter l'existence d'une matrice française acadienne qui, je l'ai dit, est quantitativement, structurellement mais aussi symboliquement dominante. En effet, dans les représentations des locuteurs, le chiac est généralement perçu comme une variété de *français* véhiculant une identité *francophone* particulière (« le nouveau français de Moncton », selon l'un des informateurs du corpus 2001).

Le terme d'*alternance*, qui implique à mon sens une certaine binarité et la juxtaposition plutôt que l'interpénétration des langues, est utilisé ici pour désigner un phénomène radicalement différent, marginal si l'on considère l'ensemble du corpus, fortement soumis à la variation individuelle et non prévisible dans sa forme. Dans l'extrait (4), les éléments anglais non soulignés sont tous des emprunts récurrents (*preps, but, 'cause, job, probably, back*). C'est en cela même qu'ils se distinguent des passages d'alternance soulignés :

(4) L2 *yeah* moi j'étais de même aussi / j'avais des longs cheveux/ *jeez you're burnt man*

L2 *yeah* des *prepS* veniont à moi des fois hein/pi i disiont heu/ *that's 'cause you got long hair like you have to wear your stupid ripped up jeans / your jean jacket there with the patches on it*

L2 non moi j'avais/moi j'étais fier de mon image là *my image*

L2 *but* moi comme j'ai juste coupé mes cheveux *'cause* j'avais une *job*
L1 *yeah*
L2 *I need money*

L2 i étiont *probably* pas mal longs hein
L1 *yeah* i étiont / *they're getting there* / i allont *back* pousser

Les séquences anglaises homogènes relevant de l'alternance diffèrent d'autres « séquences » qui sont le résultat de la rencontre fortuite dans le discours d'emprunts que l'on retrouve régulièrement isolés dans d'autres contextes. Ainsi, dans l'énoncé suivant, je discerne bien trois emprunts répandus (l'intensifieur *right*, l'adjectif *stupid* et l'expression entière *or something*) et non une alternance intra-phrastique[16]:

(4) i croyont que /je suis *right* brûlé ou que je suis *right stupid or something*

Par ailleurs, il faut souligner que dans le cas du chiac, parler d'alternance français/anglais serait fondamentalement réducteur : dans ces extraits, le locuteur alterne soit entre un énoncé homogène français et un énoncé homogène anglais, soit – et c'est le cas le plus fréquent – entre un énoncé « mixte » (*déjà* caractérisé par le mélange) et un énoncé anglais.

La distinction entre mélange et alternance de langues me semble d'autant plus importante que les locuteurs eux-mêmes la font spontanément : une partie de l'enquête menée en 2001 visait à provoquer des commentaires sur certains extraits du corpus 1991. Ce qui est identifié comme du « vrai chiac » – voire du « chiac correct » – est systématiquement défini comme « les deux langues mêlées », « anglais et français ensemble », « anglais et français en même temps ». En revanche, les pas-

---

16 Sur ce point encore, le corpus de Flikeid est très semblable au mien (cf. sa discussion sur la distinction entre *emprunt* et *alternance* [1989]).

sages d'alternance ne sont « pas tout à fait », « pas vraiment » chiacs, et sont perçus comme « une phrase en anglais, une phrase en français » ou encore : « ils parlent anglais pis ils parlent français ».

Bien qu'attestée sur l'ensemble du continuum, l'alternance se concentre dans les entretiens les plus anglicisés et constitue un phénomène *marqué* dans le reste du corpus dès lors qu'elle dépasse un certain « seuil d'acceptabilité », tant quantitatif que qualitatif[17]. Mais au sein même d'un passage fortement anglicisé tel que (4), le mélange reste dominant. De plus, on ne relève que des cas d'alternance inter-phrastique ponctuels et bien délimités : un syntagme nominal dans le cadre d'une répétition/traduction et – à l'exception de la longue citation – de brefs énoncés complets.

À cet égard, la comparaison avec le corpus 2001 s'avère d'ores et déjà révélatrice : si le phénomène de l'alternance reste attesté, il est globalement moins représenté dans le corpus le plus récent. Mais c'est dans les productions les plus anglicisées que le recul est particulièrement net : les occurrences d'alternance s'apparentent quantitativement et qualitativement à celles que l'on relève dans le corpus 1991 dans les zones d'anglicisation moyenne à faible.

7. Conclusion

L'analyse comparative des corpus 1991 et 2001, en cours actuellement, me semble d'ores et déjà révéler les indices d'une stagnation de l'anglicisation, voire d'un réel recul dans certains domaines. Dans la situation d'enquête proposée, un moins grand nombre d'informateurs a fait le choix du chiac, adoptant un français standardisé le plus souvent fluide et spontané. Chez ceux qui parlent chiac, l'épilinguistique met en exergue un mouvement d'affirmation identitaire. Mais il faut insister sur le fait que dans le discours de ces locuteurs, l'affirmation du chiac ne va pas de pair avec une anglicisation croissante, au contraire. C'est en tout cas très net en ce qui concerne le phénomène de l'alternance.

Dans leur article sur les attitudes en situation minoritaire, Boudreau et Gadet (1998 : 61) écrivaient :

---

[17] Sur la stigmatisation de l'alternance, cf. Perrot (1998).

Anglicisation et standardisation polarisent les transformations que traverse l'Acadie du Nouveau-Brunswick. Pour ne pas aliéner les francophones qui parlent un français plus ou moins éloigné du standard, il faudrait savoir reconnaître une place à leur variété dans le répertoire linguistique. Ne pas en tenir compte, c'est favoriser l'anglicisation.

Je l'ai dit, même si sa reconnaissance n'est encore que partielle, le chiac n'est plus le tabou linguistique qu'il a été et il s'est fait une place, ces dernières années, dans le paysage linguistique monctonien. Dans le contexte actuel, favorable au maintien du français, les mots de Leblanc sont plus que jamais justifiés : « défendre la cause du français et du parler chiac n'(est) pas une contradiction a priori » (2003 : 519).

Références

BOUDREAU, Annette et Françoise GADET. 1998. « Attitudes en situation minoritaire. L'exemple de l'Acadie », *Le français en Afrique : Francophonies. Recueil d'études offert en hommage à Suzanne Lafage*, Paris, Didier-Érudition, 54-61.

CASTONGUAY, Charles. 2003. « L'urbanisation comme catalyseur de l'assimilation : dynamiques distinctes au Nouveau-Brunswick et en Ontario », dans Annette BOUDREAU, Lise DUBOIS, Jacques MAURAIS et Grant MCCONNELL. (dirs.), *L'écologie des langues/Ecology of languages*, Paris, L'Harmattan, 67-86.

CHAUDENSON, Robert, Raymond MOUGEON et Édouard BENIAK. 1993. *Vers une approche panlectale de la variation du français*, Paris, Didier-Érudition.

FLIKEID, Karin. 1989. « Moitié anglais moitié français? Emprunts et alternances de langues dans les communautés acadiennes de la Nouvelle-Écosse », *Revue québécoise de linguistique : grammaires en contact*, 1 (14) : 177-225.

LEBLANC, Gérald. 2003. « L'alambic acadien : identité et création littéraire en milieu minoritaire », dans Maurice BASQUE, André MAGORD et Amélie GIROUX (dirs.), *L'Acadie plurielle. Dynamiques identitaires collectives et développement au sein des réalités acadiennes*, Moncton, Université de Moncton, Centre d'études acadiennes, 517-522.

PÉRONNET, Louise. 1989a. *Le parler acadien du Sud-Est du Nouveau-Brunswick. Éléments grammaticaux et lexicaux*, New York, Peter Lang.

PÉRONNET, Louise. 1989b. « Les emprunts à l'anglais dans le parler acadien du Sud-Est du Nouveau-Brunswick », *Revue québécoise de linguistique : grammaires en contact*, 1 (14) : 229-247.

PÉRONNET, Louise. 1996. « Nouvelles variétés de français parlé en Acadie du Nouveau-Brunswick », *Actes du colloque « Les Acadiens et leur(s) langues : quand le français est minoritaire »*, Moncton, CRLA, Université de Moncton, 121-133.

PERROT, Marie-Ève. 1995. *Aspects fondamentaux du métissage français/anglais dans le chiac de Moncton (Nouveau-Brunswick, Canada)*, thèse de doctorat inédite, Université de la Sorbonne Nouvelle Paris III, Paris.

PERROT, Marie-Ève. 1998. « Les modalités du contact français/anglais dans un corpus chiac : métissage et alternance codique », *Le français en Afrique : Francophonies. Recueil d'études offert en hommage à Suzanne Lafage*, Paris, Didier-Érudition, 219-226.

PERROT, Marie-Ève. 2001. « *Même si qu'i tournont everything en anglais on peut still garder notre langue*. Les jeunes Acadiens et leur(s) langue(s) : l'exemple de Moncton », *Actes du colloque international « Langues en contact et incidences subjectives »*, Montpellier, Université Montpellier III, 138-149.

PERROT, Marie-Ève. 2003. « Le français en contact avec l'anglais : analyse de situations distinctes », dans Maurice BASQUE, André MAGORD et Amélie GIROUX (dirs.), *L'Acadie plurielle. Dynamiques identitaires collectives et développement au sein des réalités acadiennes*, Moncton, Université de Moncton, Centre d'études acadiennes, 267-279.

PERROT, Marie-Ève. À paraître. « Analyse de discours épilinguistiques : statut et fonction du vernaculaire chiac », *Actes du colloque « Langues dominantes, langues dominées »*, Rouen, Presses Universitaires de Rouen.

ROY, Marie-Marthe. 1979. *Les conjonctions anglaises « but » et « so » dans le français de Moncton. Une étude sociolinguistique de changements linguistiques provoqués par une situation de contact*, mémoire de maîtrise inédit, Université du Québec, Montréal.

Corpus

Extrait n°1

[« Es-tu libre de sortir comme tu veux, quelles sont les limites? » Dans cet extrait, les propos d'un seul informateur sont cités].

moi je suis libre de faire comme que je veux / pas mal / mes parents sont / ben pas faire comme que je veux ben mais quand qu' i me disent de rentrer tôt c'est parce que je suis fatiguée ou quelque chose
[...]
j'ai un *curfew* d'une heure et demie là / mais / je l'avais ce *curfew* de l'été dernier / pis / si i savent où est-ce que je suis pas de problèmes
[...]
je suis pas mal libre à faire qu'est-ce que je veux / j'ai des limites là comme je peux pas juste arriver chez nous ah *bye mum* je m'en vas pour la fin de semaine je te verrai heu quelque temps dimanche soir là ou lundi matin là / je serai à l'école lundi / fais toi-en pas je peux pas faire ça faut que je leur dise d'avance / où-ce que je suis comme / i veulent savoir où est-ce que je suis pis alentour de quelle heure je vais rentrer ou / trois quart du temps c'est juste comme rentre pas trop tard t'as l'air fatiguée / ou / j'ai pas trop de restrictions
[...]
mon père c'est l'autorité là chez nous / je pense que c'est normal / alors comme y a des choses / je trouve que ça vaut même pas la peine de me chicaner avec là / je le laisse faire je dis rien / j'ai juste trop appris comme / il est vraiment / i se fâche vite pis quand-ce qu'i se fâche là / houf / je suis toute basse là / alors comme / mais / ça va bien avec les deux / comme je suis la plus vieille pis / j'étais chouchoutée pis tout ça j'étais le premier né là j'étais ben gâtée là / pis comme je suis une bonne enfant j'ai jamais rien fait de mal / i savent pas qu'est-ce que je fais *but* / je veux dire j'ai rien fait de mal de toute façon / mais comme //

Extrait n°2

[« Est-ce que ça te pose des problèmes de demander de l'argent de poche à tes parents? »]

L2 ben / je crois pas / ben mes parents / ma mère *mind* pas trop là / comme / si je / si que / comme / je *help around* là ben des fois j'ai pas le temps je lui dis j'ai juste pas le temps pour mes leçons pi ça pi ielle travaille / mon père travaille plus i a un cours à la tech les soirs / *so* faut *still* que je *help out* comme faut je faise / des fois comme faut je faise le souper *whatever* / épousseter à la week-end ou quoi de même là / ben des fois comme ça me tente pas comme / j'irai comme je sortirai comme une soirée pi je resterai debout comme tard pi ça pi là / la journée d'après je dormirai pi heu / l'après midi ça me tente pas de *clean*-er ça me tente d'aller au *Mall* pi / je sais pas là comme

L1 moi ça me / ben ça me pose pas vraiment des problèmes / moi ça *whatever* si j'ai besoin d'argent je demande à mes parents *but* / souvent j'essaye de pas comme j'essaye de faire avec l'argent que j'ai pour le mois j'essaye faire avec [...]

L2 *well* mes parents / mes parents ça i fait pas grand chose comme / i aiment savoir quoi-ce que je vas faire / comme quoi-ce que je vas faire comme / si que je vas heu / je sais pas si je demande pour heu vingt cinq trente piasses là i voulont savoir comme / à cause comme si que c'est pour m'acheter du linge ou / si c'est pour sortir *whatever* / i aimont de savoir quoi-ce c'est pour / je crois pas ça les dérange trop *'cause* / je trouve que / i savent que si je vas travailler pi qu'i faut que je travaille jusqu'à un heure du matin

Extrait n°3

[« Regardes-tu beaucoup la télévision? »]

L1 si que je vois qu'y va avoir un beau *movie* comme là je fais sûr que je le *watch* / comme / mes *normal shows* je *watch* juste XXX *'cause* ça m'intéresse *right out* / j'aime *right* ça / parce que comme je veux être une *nurse* je crois au xxx *so* ça m'intéresse *right out* / l'été pi ça je *watch usually* comme *General Hospital* / comme des *soapS* pi ça / ... / l'été là c'était comme je le *tap*-ais tout le temps je voulais pas le manquer / pis comme pendant je vas à l'école là je le *tape* pas ma mère le *watch* elle me dit tout ce qui va *on*
[...]

L2 y a une nouvelle *show* qu'a *start*-é c'est *Beverley Hills* quelque chose / je l'ai *watch*-é la semaine passée là j'ai *right* aimé ça là je vais *back* le *watch*-er là

L1 y a beaucoup de *shows* qui *start*-ont là comme
[...]

L2 j'avais vu Les filles de Caleb là oh ben / je mourrais pour c'te *show* là
là

L1 t'as aimé ça j'ai jamais *watch*-é ça

L2 ah c'était beau

L1 c'est-tu encore *on* ça

L1 non / *but* je crois que c'est *back* supposé venir *on* là comme au mois
de septembre *but* c'est comme le deuxième livre là / y a deux livres / *but*
oh j'avais assez aimé ça là / pi moi des *shows* de même qui sont *about* le
vieux temps ou des / *anything about* le vieux temps j'aime assez ça / moi
ça oh / j'aime *right* ça là

L1 ouais moi itou comme moi j'aimais *right The Little House on the Prairie*
/ xxx c'était *on* / poste 29 / ah faut je *watch* ça le vendredi là

L2 c'est tout le temps *on* là / moi j'avais lu tous les livres là comme
trois quatre fois là

Extrait n°4

[Modes vestimentaires et conflits entre différents groupes]

L1 ma *gang* peut s'accorder avec *anybody* / comme mes *friendS personally* /
but heu je dis pas *every headbanger* est comme ça *because* y en a que moi
j'aime pas

L2 *yeah* à cause qu' y a *probably* du monde là qui se moque de toi hein
quand que / tu t'habilles

L1 non *nobody* se moque de moi / c'est juste i croyont que / je suis *right*
brûlé ou que je suis *right stupid or something*

L2 *yeah* moi j'étais de même aussi / j'avais des longs cheveux / *jeez*
you're burnt man

L1 *yeah* / c'est pas de même que c'est *whatsoever* / tant qu'à moi *anyways*
because j- / je gradue cette année pi je *care* pas quoi-ce que *anybody* dit s-
/ *whoever* qui-ce qui peut graduer dans trois ans est pas brûlé

L2 *yeah* des *prepS* veniont à moi des fois hein / pi i disiont heu / *that's 'cause you got long hair like you have to wear your stupid ripped up jeans / your jean jacket there with the patches on it*

L1 *yeah* / *well whatever* / i pourront dire quoi-ce qu'i voulont moi je *care* pas / moi je le prends pas moi / moi y'a personne qui me dit ça *because* je crois qu'i avont touT peur de moi *or something* / je suis pas *scary*

L2 non moi j'avais / moi j'étais fier de mon image là *my image* / j'étais pas

L1 *yeah* / même moi je *care* pas quoi-ce que le monde pense de moi

L2 *but* moi comme j'ai juste coupé mes cheveux *'cause* j'avais une *job*

L1 *yeah*

L2 *I need money*

L1 moi je me coupe pas les cheveux / je m'ai coupé les cheveux avant hier là *but* / ça paraît pas de même hein

L2 i étiont *probably* pas mal longs hein

L1 *yeah* i étiont / *they're getting there* / i allont *back* pousser

Le mitchif :
langue franco-crie des Plaines

Robert A. Papen, Université du Québec à Montréal

1. Introduction

Le mitchif[1] est une langue constituée d'un curieux mélange de français et de cri, langue amérindienne de la famille algonquienne. Il est parlé par quelques centaines de locuteurs, la plupart étant des descendants de Métis de l'ancienne colonie de la Rivière-Rouge et habitant de petites communautés dans l'une des trois provinces « des Prairies » (le Manitoba, la Saskatchewan et l'Alberta) ou dans l'état du Dakota du Nord (et peut-être aussi au Montana). À titre d'exemple, voici deux phrases typiques[2,3] :

[1] Ceci représente la prononciation « locale » de *métif*, ancien terme canadien-français équivalent à *métis*. Voir la section 3 pour une description de la composante phonologique du mitchif.

[2] Les données sont tirées de Laverdure et Allard (1983), Bakker (1997), Fleury (2000), Flamand (2003) ainsi que de nos propres données obtenues sur terrain auprès de locuteurs natifs. Le système orthographique utilisé est celui que nous avons proposé dans Papen (2004). Voir les détails du système à la section 2.

[3] Nous donnons pour chaque exemple une glose morphologique (en petites majuscules) ainsi qu'un équivalent français. Les éléments cris sont indiqués en italiques. Les abréviations utilisées sont :

AD (MS, FS, P, SV) : Article défini (masculin singulier, féminin singulier, pluriel, singulier pré-vocalique)

AI (MS, FS) : Article indéfini (masculin singulier, féminin singulier)

AI : Intransitif, sujet animé

CONJ : Verbe de l'ordre conjonctif

COP : Copule

DEM : Démonstratif

FUT : Futur

IMP : Impératif

INF : Infinitif

INT : Interrogatif

LOC: Locatif

NEG : Négatif

NOMIN : Nominalisateur

OBV : Obviatif

P : Pluriel

PASSÉ : Passé

POSS : Possessif

REFL : Réfléchi

SUB : Subordonnant

TA : Transitif, complément animé

TI : Transitif, complément inanimé

1 : 1re personne (singulier)

2 : 2e personne (singulier)

3 : 3e personne (singulier)

3' : 4e personne animé (obviatif)

1P : 1re personne du pluriel (exclusif)

2-1 : 1re personne du pluriel (inclusif)

2P : 2e personne du pluriel

3P : 3e personne du pluriel

(1) Lii pileunn *chii ki-t-utinam - aawak eekaa-* lii z-anfan *shi- ayaaw- achik?*
ADP PILULE INT 2 PRENDRE TA2-3P NEG ADP ENFANT SUB AVOIR CONJ TA2-3P
« Prends-tu les pilules contraceptives? (lit. pour ne pas avoir d'enfants) »

(2) *Naash* -*ik* lii raji daa li zharden *uschi*
ALLER-CHERCHER IMP ADP RADIS LOC ADMS JARDIN HORS-DE
TA2-3P
« Va chercher des radis dans le jardin. »

Comme on peut le constater, les énoncés en mitchif sont géné-ralement constitués de syntagmes nominaux français et de verbes cris. En (2), le syntagme prépositionnel est constitué d'une préposition issue du français « dans » (*daa*) mais accompagnée d'une postposition crie (*us-chi*) « hors-de ».

Le mitchif représente un cas assez typique de ce qu'on appelle variablement les « langues mixtes » (*mixed languages*) (Bakker et Mous 1994), « entrelacées » (*intertwined languages*) (Bakker et Muysken 1994), « clivées » (*split languages*) (Myers-Scotton 1993) ou « composites » (Payment 2001) afin de bien distinguer ce type de langues des pidgins et des créoles, qui en diffèrent structurellement. Les langues mixtes sont relativement rares; il en existerait une trentaine, chacune d'elles ayant un nombre restreint de locuteurs (Bakker et Mous 1994).

Dans cet article, nous traçons premièrement un portrait de la situation sociolinguistique actuelle de la langue (section 2). Dans la sec-tion 3, nous décrivons les grandes lignes des structures phonologique, morphologique et syntaxique. Vu les contraintes du présent volume, nous nous limiterons principalement aux éléments structuraux et lexi-caux issus du français, mais afin de bien faire ressortir l'imbrication pro-fonde des composantes en présence et des conséquences structurales qui en découlent, certains éléments cris ainsi que le rôle de l'anglais seront discutés.

2. Aperçu sociolinguistique du mitchif

Bakker et Papen (1997) et Bakker (1997) décrivent en détail la situation sociolinguistique du mitchif, dont nous reprenons ici les élé-ments essentiels.

2.1. *Ambiguïté du terme « mitchif »*

En général, les Métis du Canada, surtout ceux historiquement liés aux premières communautés métisses de l'Ouest, identifient souvent la langue qu'ils parlent comme étant du « mitchif », mais ce terme peut soit faire référence à une variété vernaculaire de français soit à la langue mixte franco-crie dont il sera ici question. À vrai dire, pour ces Métis, toutes les langues qu'ils parlent (à l'exception de l'anglais) sont une forme de mitchif et s'il faut les distinguer davantage, on ajoutera un qualificatif : pour identifier le parler français du village de Saint-Laurent, Manitoba, on dira que c'est du « mitchif français » alors que celui parlé par les Métis de Saint-Lazare, Manitoba ou de Turtle Mountain au Dakota du Nord serait du « mitchif cri » et pour ceux qui parlent l'ojibwa, ce serait de l'« ojibwa mitchif » et ainsi de suite (Lavallée 2003).

Dans cet article, le terme «mitchif» sera restreint à la langue mixte franco-crie telle qu'exemplifiée par les exemples (1-2).

2.2. *Origines probables du mitchif et statut actuel*

Nous ne nous attarderons pas sur les événements historiques des Métis de l'Ouest canadien (mais v. Giraud 1945, Bakker 1997, Payment 2001). Il suffit de souligner que les Métis sont les descendants des premiers hommes blancs à pénétrer les Plaines de l'Ouest au 18e siècle et de femmes autochtones[4]. Dès le premier tiers du siècle suivant, dans la vallée de la rivière Rouge au Manitoba, l'idée que les Métis constituaient une nouvelle nation s'est développée et c'est grâce au chef métis Louis Riel qu'est née la province du Manitoba en 1870. Les Métis francophones représentaient alors la majorité de la population. Mais bien avant ces événements, de nombreux Métis avaient déjà émigré plus à l'ouest dans ce qu'on appelait alors les districts de la Saskatchewan et de l'Alberta des Territoires du Nord-Ouest.

Si le développement de la nation métisse aux 18e et 19e siècles est surtout dû à la traite des fourrures, la disparition progressive de la faune a eu pour effet que les Métis ont été obligés de se trouver d'autres sources de survie. Ils se sont donc tournés vers la chasse aux bisons, alors extrêmement nombreux dans les Plaines et ils sont rapidement

---

[4] Il existait déjà des communautés métisses dans la région des Grands Lacs dès le début du 18e siècle mais celles-ci se sont assez rapidement assimilées aux Blancs américains et n'ont laissé aucune trace de leur existence, sauf peut-être certains patronymes.

devenus les pourvoyeurs principaux de viande séchée (le pemmican) pour les employés des compagnies de traite. Plus tard, ils sont devenus charretiers et ont assuré le transport de marchandises partout dans l'Ouest, des deux côtés de la frontière.

Bien qu'il n'existe aucun document historique permettant de situer et de dater les origines du mitchif[5], il est probable que dès le premier tiers du 19e siècle la langue ait été créée par de jeunes chasseurs métis qui, au lieu de retourner à la colonie à la fin de chaque chasse, avaient pris l'habitude d'hiverner sur les territoires de chasse, plus à l'ouest. Bakker (1997) indique que les communautés où le mitchif se parle encore sont précisément les endroits où les hivernants métis se réunissaient, par exemple au confluent de l'Assiniboine et de la Qu'Appelle au Manitoba, dans la vallée Qu'appelle en Saskatchewan ou dans la région du Grand Coteau du Missouri au Dakota du Nord. Aujourd'hui, la majorité des locuteurs du mitchif vivent dans les villes comme Winnipeg, Edmonton, Regina ou Grand Forks.

Tous les documents historiques mentionnent que les chasseurs métis étaient parfaitement bilingues, voire souvent plurilingues, parlant le saulteux (ojibwa des Plaines), l'assiniboine, le sioux, le cri et le français. Évidemment, une langue mixte telle que le mitchif, qui maintient relativement inchangées les structures des deux langues dont elle est constituée, ne peut être créée que par des bilingues. Par contre, il est important de souligner qu'aujourd'hui la grande majorité des locuteurs du mitchif n'ont qu'une connaissance très partielle du français et du cri mais qu'ils parlent tous l'anglais.

Le mitchif a toujours été une langue « communautaire » (*insider's language*), utilisée uniquement par et avec les membres d'une communauté restreinte; ceci explique d'ailleurs pourquoi son existence a si longtemps été ignorée. De plus, les attitudes envers la langue, tant par ses propres locuteurs que par les non-locuteurs, ont toujours été très négatives[6]. Encore aujourd'hui, le mitchif n'est généralement pas reconnu par les instances officielles et Statistique Canada, par exemple, n'en tient pas compte dans sa liste des langues autochtones du pays. Du côté des spé-

---

[5] Curieusement, Giraud (1945), œuvre magistrale sur les Métis, ne fait aucune mention de l'existence du mitchif.

[6] Selon Payment (2001), le mitchif était considéré comme un « jargon » ou du « mauvais français » par les Blancs dans la région de Batoche et les Métis de Turtle Mountain au Dakota du Nord se faisaient appeler « les Bonjours », faisant allusion à leur langue « étrangère » et à leur statut inférieur.

cialistes des langues amérindiennes de l'Amérique du Nord, les références à l'existence du mitchif sont rarissimes (v. par ex. Foster 1982, Cook 1998, Mithun 2001).

Depuis quelques années, le mitchif suscite davantage d'intérêt de la part des Métis eux-mêmes. La constitution du Canada de 1982 reconnaît les Métis comme un des trois peuples autochtones et ce nouveau statut semble avoir généré un intérêt croissant pour les langues qu'ils utilisent, en particulier le mitchif. L'Initiative des langues autochtones de Patrimoine Canada, récemment mise sur pied dans le but de protéger et de revitaliser ces langues, mentionne spécifiquement « les langues mitchif ». En 2000, le Ralliement national des Métis, organisme pan-canadien, a voté à sa réunion annuelle en faveur de faire du mitchif la langue officielle de tous les Métis du Canada[7].

Il est impossible de déterminer le nombre de locuteurs du mitchif au Canada et aux États-Unis. Bakker (1997) considère qu'en 1990 il y aurait eu entre 200 et 1 000 locuteurs, l'écrasante majorité étant âgée de plus de 60 ans. Selon le site Internet Ethnologue.com il y aurait 390 locuteurs des deux côtés de la frontière; le site Geocities.com suggère plutôt le chiffre de 500[8]. Par contre, le gouvernement de la Saskatchewan évalue le nombre de locuteurs à 3 000, uniquement en Saskatchewan[9].

2.3. La variation en mitchif

Étant donné la très grande dispersion géographique, l'isolement des petites communautés où les locuteurs du mitchif se trouvent, l'absence de norme établie et les divers degrés de compétence langagière des locuteurs, on pourrait s'attendre à une variation linguistique importante. Or, s'il est vrai qu'il y a effectivement de la variation, elle est relativement minime, même si elle peut paraître importante aux yeux des locuteurs eux-mêmes et elle n'est certainement pas plus importante que

---

[7] Il est intéressant de noter ici l'emploi du pluriel (« les langues mitchif ») par Patrimoine Canada et du singulier (« le mitchif ») par le Ralliement national; ici, il s'agit sans aucun doute la langue mixte franco-crie et non pas d'autres parlers utilisés par les Métis, tels que le français, l'anglais ou des langues autochtones.

[8] http://www.ethnologue.com/ et http://us.geocities.yahoo.com.

[9] Il est plus que probable que l'ambiguïté même du terme « mitchif » ait fait gonfler ce chiffre car il inclurait sans doute les locuteurs du français (des Métis). Selon Payment (2001), la population métisse en 1991 aurait été de 100 000 au Manitoba, de 80 000 en Saskatchewan et de 60 000 en Alberta.

celle valable pour d'autres langues autochtones. La variation la plus évidente est surtout celle de la distribution des éléments français et cris. Si la majorité des noms est de source française et que les verbes sont presque toujours cris, la proportion des autres catégories grammaticales peut varier selon le locuteur. D'aucuns ont davantage tendance à utiliser certaines formes verbales françaises, particulièrement la copule, d'autres préfèrent utiliser des équivalents cris. Le dictionnaire de Laverdure et Allard (1983), par exemple, donne souvent deux ou trois versions de l'énoncé exemple accompagnant la définition d'un mot. Ainsi, pour le terme *foundling* (« enfant trouvé ») on trouve les énoncés suivants :

(3a) *Gii-   miyi - ikwak*   en   truvay
     1-PASSÉ DONNER TA3P-1 AIMS TROUVAILLE

(3b) L'   anfan *kaa - mishkaa   -t   gii-   miyi   - ikwak*
     ADSV ENFANT SUB   TROUVER CONJAI3 1-PASSÉ DONNER TA3P-1

(3c) *Gii-   miyi - ikwak* en   *mishk -kan*
     1-PASSÉ DONNER TA3P-1 AIMS TROUVER NOMIN
     « Ils m'ont donné un/l'enfant trouvé »

En général, la proportion de français ou de cri dans un énoncé dépend du degré de connaissance du français ou du cri de la part du locuteur ou de ceux qui lui ont appris la langue.

2.4. *Le problème d'écriture en mitchif*

Comme pour la plupart des langues à tradition orale, il n'existe aucune norme orthographique ou grammaticale et les rares auteurs ont toujours eu tendance à écrire leur langue selon leur propre fantaisie. Il en résulte une multitude de systèmes d'écriture, pas toujours très systématiques. Par exemple, dans Flamand (2003) et Murray (2001) on représente la voyelle nasale /ã/ par pas moins de sept graphies différentes : *awn, an, án, añ, ãn, ám* et *én*; Fleury (2000) en a six : *en, end, emp, awn, aun,* et *awn*.

Comme nous le verrons à la section suivante, les inventaires phonologiques des composantes française et crie sont relativement distincts et ceci pose problème pour quiconque veut développer un système orthographique respectant les exigences des deux composantes. Nous avons proposé (Papen 2004) un système orthographique unifié qui tente de résoudre la plupart des problèmes inhérents à la langue. C'est le système que nous utiliserons ici.

Les consonnes ne posent pas de problèmes particuliers. Les symboles correspondent aux mêmes phonèmes qu'en français ou en anglais, par ex. *p* = /p/, *b* = /b/, *k* = /k/; *sh* = /ʃ/ comme dans *chien* ou *sheep*; *ch* = /tʃ/ comme en anglais *chip*; *zh* = /ʒ/ comme dans *jour*, *j* = /dʒ/ comme en anglais *jam*; *ng* = /ŋ/ comme en anglais *sing*; *gn* = /ɲ/ comme dans *agneau*, *h* = /h/ comme en anglais *hot*, *y* = /j/ comme dans *yacht* ou *yes* et *w* = /w/ comme dans *oui* ou *wet*.

La représentation des voyelles est plus problématique. En cri, on distingue les voyelles longues des voyelles brèves et cette distinction est maintenue en mitchif. Heureusement, il y a également une distinction de quantité pour certaines voyelles issues du français, même si celles-ci ne sont pas toutes phonologiques. Par exemple, la voyelle /o/ du français se prononce toujours [uː] lorsqu'elle est accentuée, mais le plus souvent [ʊ] ailleurs. Dans le système que nous utilisons, une voyelle double (par ex. *ii, uu,* etc.) indique qu'elle est (phonologiquement ou phonétiquement) longue et une voyelle simple (par ex. *i, u,* etc.) indique qu'elle est brève. Le symbole *ae* renvoie à une voyelle antérieure ouverte écartée (comme en anglais *cat*), *eu* = /y/ comme dans *du* ou /ø/ comme dans *deux*, ces voyelles étant rarement distinguées; *o* = /ɔ/ comme dans *or* et *oe* = /œ/ comme dans *coeur*. Les voyelles nasales sont indiquées par un *n* à droite (par ex. *ron* « rond », *van* « vent », *dend* « dinde », *chin* [tʃĩ] « particule interrogative »), sauf à l'intervocalique où un *n* écrit représente la consonne nasale (par ex. *zhinu* « genou » [ʒɨnuː]). En fin de mot, un double *nn* indique que la voyelle qui précède est orale et que le *n* est prononcé (par ex. *venn* « veine » mais *ven* « vin »).

3. Aperçu structural du mitchif

Il ne s'agit pas ici de décrire l'ensemble de la structure du mitchif, car celle-ci n'est pas encore entièrement connue. Nous décrivons premièrement le système phonologique, en soulignant sa nature fondamentalement double. Pour la partie grammaticale, nous nous limitons surtout aux structures du groupe nominal, qui, comme nous l'avons souligné, sont presque toujours de source française. Mais pour bien démontrer à quel point les composantes française et crie sont imbriquées l'une dans l'autre, nous touchons brièvement au verbe qui, lui, est surtout issu du cri. Nous verrons également quelques structures verbales issues du français, ainsi que la distribution des autres catégories fonctionnelles.

3.1. *Les inventaires phonologiques*

Nous présentons ci-dessous sous forme de tableaux les inventaires phonologiques des composantes française et crie.

Tableau 1
Consonnes de la composante française

	Labiales	Dento-alvéolaires	Palatales	Vélaires	Glottale
Occlusives	p, b	t, d	tʃ, dʒ	k, g	
Constrictives	f, v	s, z	ʃ, ʒ		h
Nasales	m	n	ɲ	ŋ	
Liquides		r, l			
Approximantes	w		j		

Tableau 2
Consonnes de la composante crie

	Labiales	Alvéolaires	Palatales	Vélaire	Glottale
Occlusives	p	t	tʃ	k	
Constrictives			ʃ		h
Nasales	m	n			
Approximantes	w		j		

Tableau 3
Voyelles de la composante française

		Antérieures écartées	Antérieures arrondies	Centrales	Postérieures arrondies
Orales	Fermées	i	y/ø	ɨ	u
	Moyennes	ɛ	œ		ɔ
	Ouvertes	æ		a	ɑ
Nasales	Moyennes		œ̃		õ/ũ
	Ouvertes	æ̃			ɑ̃

Tableau 4
Voyelles de la composante crie

		Antérieures	Centrale	Postérieures
Orales	Fermées longues Fermées brèves	iː i		uː u
	Moyenne	eː		
	Ouverte longue Ouverte brève		a	aː
Nasales	Fermées	ĩ		ũ

Les consonnes de la composante française sont à peu près identiques à celles du français de référence (FR), exceptions faites des deux affriquées /tʃ/ et /dʒ/, de la constrictive /h/ et de la nasale /ŋ/. De plus, l'approximante /ɥ/ n'existe pas. D'un point de vue historique, /tʃ/ et /dʒ/ sont le résultat d'une règle qui affrique les occlusives dento-alvéolaires /t/ et /d/ lorsqu'elles précèdent les voyelles antérieures fermées ou l'approximante palatale (petit > *pchi*, dur > *jeur*, dieu > *jeu*, etc.)[10], ou qui change l'occlusive vélaire sourde en affriquée devant une voyelle moyenne antérieure (cœur > *choer*), comme en acadien. Mais une analyse synchronique et non comparative nous oblige de les considérer comme phonèmes et non comme simples allophones des occlusives. Le phonème /h/ est restreint à l'initiale de quelques mots, tous ayant historiquement été prononcés avec le soit-disant « h aspiré », comme *hont* (< honte), *haesh* (< hache), *harnwen* (< harnais), etc.

La composante française contient des obstruantes sourdes et sonores alors que la composante crie ne contient que des sourdes. Il y a quatre nasales dans la composante française, seulement deux dans la crie et celle-ci n'a pas de liquides. Par contre, les approximantes sont identiques, et les deux inventaires ont /h/, même si leur distribution et leurs allophones sont forts différents. Par exemple, /h/ dans des mots issus du cri comme *uhchi* (< cri /ohci/ « hors de ») peut se prononcer variablement [h], [s] ou [ʃ]; /h/ dans les mots issus du français se prononce

---

10 C'est la règle qui fait que /t/ dans le mot *métif* (forme ancienne de *métis*, fréquemment utilisée en Nouvelle France) se prononce [tʃ] : *mitchif*. Cette règle est semblable à la règle d'assibilation connue au Québec et représente selon Poirier (1994) une étape antérieure.

toujours [h]. Pour l'inventaire cri du mitchif, /ʃ/ et /tʃ/ correspondent à /s/ et /c/ en cri des Plaines.

On observe des différences importantes dans l'inventaire vocalique des deux composantes quant au nombre des phonèmes ainsi qu'à leur qualité. Dans la composante crie la distinction de longueur est phonologique; dans la composante française elle est surtout phonétique[11]. La composante française conserve les voyelles antérieures arrondies, mais la distinction entre /y/ et /ø/ n'est pas toujours maintenue. Dans la composante française, les voyelles moyennes sont toutes ouvertes (/e/ et /o/ du français se sont fermés en /i/ et /u/ en mitchif); dans la composante crie, l'unique voyelle moyenne est fermée (et toujours longue). Parmi les voyelles issues du français, il existe une voyelle centrale /ɨ/. La réalisation phonétique de ce phonème est variable : [ɨ] ~ [ə], le plus souvent [ɪ]; ce qui importe est que cette voyelle peut s'effacer dans certains contextes précis, tout comme le *e* caduc du français, dont elle est d'ailleurs le réflexe historique. Il faut donc distinguer [ɪ], allophone du phonème /ɨ/, de [ɪ], allophone du phonème /i/, puisque contrairement au premier, ce dernier ne s'efface jamais : *vit* « vite » se prononce toujours [vɪt], jamais *[vt], alors que *dimen* « demain » peut se réaliser [dɪmẽ] ou [dmẽ].

La composante française maintient les quatre voyelles nasales du français – bien que leurs réalisations phonétiques soient différentes – la composante crie n'en a que deux. Les voyelles nasales n'existent pas en cri et l'occurrence de ces deux voyelles en mitchif est donc une innovation, probablement sous l'influence du saulteux. De toute façon, elles sont limitées à toutes fins utiles à quelques mots, par exemple la particule interrogative *chin* (< cri *ci*), le déterminant démonstratif *unhin, yamun* « abeille », *enikuns* « fourmi », etc.

En résumé, même s'il existe un certain nombre de points communs entre les deux inventaires, ils demeurent relativement distincts, tant par le nombre de phonèmes que par leur qualité et surtout du fait que même pour les phonèmes qui se retrouvent dans les deux inventaires, leur distribution allophonique n'est pas la même.

---

[11] Le statut phonologique ou phonétique de la longueur des voyelles en mitchif n'est pas encore entièrement établi.

3.2. *La structure du syntagme nominal*

Près de 90 % des substantifs du mitchif sont de source française. Les autres substantifs sont soit de source crie – plus rarement du
saulteux – soit empruntés à l'anglais. Les substantifs français peuvent
être accompagnés de déterminants indéfinis (*en* ou *enn*) ou définis (*li, la*
ou *lii*); l'indéfini pluriel est remplacé par le défini, comme dans l'exemple
(2). Les déterminants partitifs n'existent pas, sauf dans quelques expressions figées, et sont également remplacés par le défini.

Le genre attribué aux substantifs français est le plus souvent
conforme au FR, mais pas toujours. Certains noms masculins deviennent féminins et vice versa : « moulin » et « bâton » sont féminins en
mitchif mais « chèvre » et « griffe » sont masculins. Quelques substantifs
ont un genre incertain : *en/enn sigaret* « une cigarette ». Les substantifs
empruntés à l'anglais prennent souvent le genre du mot français équivalent, mais il y a là aussi des exceptions : *li bees* (< base) « le but » mais *la
dam* « le barrage », *li sutkees* (< suitcase) « la valise ». Les rares substantifs
cris ou saulteux peuvent prendre un déterminant cri (démonstratif ou
possessif – il n'y a pas d'articles en cri): *n-uushishim* « mon petit-fils », où
le déterminant possessif est un préfixe, mais en général ils prennent un
déterminant français (souvent le masculin) : *en yamun* « une abeille », *en
enikuns* « une fourmi », *li kuukuush* « le monstre », etc. Les verbes cris
nominalisés – construction fort courante en mitchif – prennent un déterminant français ou non : *suu waaweekinikan*   (< *waaweekini-*
« envelopper » + *kan* « instrument ») « sa couverture », *kimutiwin* (< *ki-
muti-* « voler » + *win* « nominalisateur ») « son butin ».

3.2.1. Les déterminants possessifs

Les déterminants possessifs sont le plus souvent issus du français avec plus ou moins la même forme (mais les voyelles nasales de
« *mon, ton, son* » sont devenues orales : *muu, tuu, suu*) et ils s'accordent en
genre et en nombre. Le cri fait une distinction entre possession « aliéna-
ble » et « inaliénable », dans ce sens qu'avec des entités de possession
inaliénable, comme les termes de parenté et les parties du corps, un déterminant possessif est obligatoire. Cette distinction est maintenue dans
les deux composantes du mitchif : *ki-maamaa-naan* « notre (incl.) mère »,
muu frer « mon frère »; on peut même avoir un déterminant possessif
français avec un suffixe possessif cri : *not parantii-eenaan* « notre parenté ».

3.2.2. Les déterminants démonstratifs et la question du genre

Les déterminants démonstratifs sont systématiquement cris, à l'exception de quelques expressions figées comme *s' prentan* « ce printemps », *s't atonn* « cet automne », *ist anii* « cette année ». Les démonstratifs cris sont toujours accompagnés d'un article défini ou d'un possessif français qui s'accordera en genre et en nombre avec le nom : *ana la fiy* « cette fille », *neema muu shan* « mon champ-là-bas », *unhin lii z-afer* « ces choses-ci », etc. En plus de la distinction de nombre (singulier/pluriel), les démonstratifs cris distinguent trois degrés de proximité de l'objet désigné par rapport au locuteur : le proximatif, l'intermédiaire et le distantif. Comme en français, les démonstratifs cris s'accordent en genre avec le substantif qu'ils déterminent mais celui-ci est établi sur une distinction d'animé/inanimé plutôt que de masculin/féminin. Ceci présente une situation intéressante en mitchif puisque le substantif en question sera le plus souvent issu du français. En conséquence, tous les substantifs français doivent non seulement être marqués pour le genre masculin/féminin, afin de garantir la forme correcte du déterminant français obligatoire, mais également pour le genre cri. On dira *awa la fiy* « cette fille-ci » parce que *awa* est la forme du démonstratif singulier, proximatif, animé ; *fiy* est donc de genre animé et féminin, mais on dira *uuma la rob* « cette robe-ci » parce que *uuma* est le démonstratif singulier, proximatif, inanimé ; *rob* est donc inanimé et féminin. Il ne faut pas déduire de ces deux exemples que le genre cri est fonction de ce qui est « vivant » ou non. En cri – et en mitchif – de nombreux substantifs faisant référence à des entités non vivantes comme « pantalon », « gant/mitaine », « écharpe/foulard », « orange », « pomme », « tabac », « soleil », etc., sont tous de genre animé : on dira donc *awa l'aranzh* « cette orange-ci » et non **uuma l'aranzh*.

Le genre (animé/inanimé) attribué aux substantifs français est presque toujours celui du terme cri équivalent : si *franbweez* « framboise » est de genre animé c'est parce que son équivalent cri (*ayooskan*) est animé. Les néologismes et les emprunts fonctionnent surtout par analogie : *kol* (< col) « cravate » est de genre animé, par analogie à « foulard/écharpe » (cri *taapiskaakan*, animé); *suut di skiduu* (< angl. *skidoo suit*) « combinaison de motoneige » est de genre animé, probablement par analogie à « pantalon » (cri *mitaas*, animé) (Papen 2003).

3.2.3. Les adjectifs

La catégorie adjectivale n'existe pas en cri ; les adjectifs qualitatifs en mitchif sont donc français et ils sont postposés ou préposés selon le modèle français : *la menzon blan* « la maison blanche », *li bwa shesh* « le bois sec », *en pchi fizi* (< un petit fusil) « une arme légère », *enn pchit fiy* « une petite fille ». Les adjectifs postposés ne s'accordent pas, contrairement aux préposés; ceux-ci forment une liste fermée, plus ou moins comme en français.

3.2.4. Les quantifieurs, les relatives et les syntagmes prépositionnels

Les autres modificateurs de substantifs en mitchif sont les quantifieurs, les relatives et les syntagmes prépositionnels. Les quantifieurs peuvent être français, cris ou un mélange des deux : *en pchi bren la sup* (< un petit brin) « un peu de soupe », *jis lii zhenn dend* « dix dindonneaux », *mischeet li manzhii* « beaucoup de nourriture », *yenk peeyak en z-eyon* « un seul oignon ». On aura remarqué que l'expression de quantité, que celle-ci soit française ou crie, est toujours accompagnée d'un article défini ou indéfini, qui se place entre elle et le nom. De plus, en cri – et en mitchif – les quantifieurs peuvent être déplacés à l'extérieur du syntagme nominal :

(4) *Kaaya   mischeet   ashtaaw -   Ø   li   sel*
   NEG   BEAUCOUP METTRE   IMP ADMS SEL
   　　　　　　　　　　　　AI2
   « Ne mets pas beaucoup de sel! »

Les relatives peuvent être soit françaises soit cries, ces dernières étant plus typiques :

(5) Li   mond   *kaa -   kimuti-   chik*
   ADMS MONDE   SUB   VOLER   CONJAI3P
   « les gens (lit. le monde) qui volent »

(6) *Awiyek*　　　ki- l - i   *drul*
   QUELQU'UN   QUI   COP DRÔLE
   « un comique »

La tête du syntagme prépositionnel peut être une préposition française, une préposition ou une postposition crie : *l' weezuu avik enn tash ruuzh diseu la tet* « l'oiseau avec une tache rouge sur la tête »; *teehkee li saley* « vers le soleil »; *li bli-d-end shavaezh uhchi* « à partir du maïs (lit. Blé d'Inde sauvage) ».

Comme en français, certaines prépositions peuvent s'amalgamer à un déterminant, mais l'amalgame n'est pas nécessairement celui du français : *di* + *li* = *dli* (< du), *dan* + *en* = *den* (< dans un), *di* + *en* = *den* (< d'un).

3.2.5. La construction possessive et l'obviatif

La syntaxe du syntagme nominal est fondamentalement française : les déterminants et les modificateurs tels que les quantifieurs précèdent le nom, les adjectifs sont préposés ou postposés comme en français et les SP modificateurs sont toujours à droite du nom. La seule exception à ce principe est la construction possessive ou génitive qui est semblable à celle du cri, même si les déterminants peuvent être français[12] : *suu n-amii sa fam* « la femme de son ami », *lii fiy leu zhveu* « les cheveux des filles », *li pchi zhwal sa cheu* « la queue du poney », *li Bon Jeu u-maamaa-wa* « la mère du Bon Dieu », etc. Dans le dernier exemple, le terme possédé cri (*maamaa*) est marqué par le préfixe possessif cri de 3e personne et par le suffixe *-wa*. En cri, un terme possédé par une 3e personne prend obligatoirement la « 4e personne », appelée l'obviatif (*-wa/-a* ou *[i]yi*). En mitchif, seuls les substantifs cris possédés prennent l'obviatif.

L'obviatif peut également être marqué sur des noms faisant référence à des êtres animés lorsque ceux-ci sont complément d'un verbe à la troisième personne :

(7) La fam -di- polis *kii- natupayiw - eew* la fiiy *-a*
ADFS FEMME-DE-POLICE PASSÉ FOUILLER TA3-3' ADFS FILLE OBV
« La policière a fouillé la fille »

Mais même lorsque le nom n'est pas marqué pour l'obviatif par suffixation, la terminaison verbale portera la marque de l'obviatif puisque le verbe cri s'accorde (en genre et en personne) et avec son sujet et avec son complément :

(8) *Kii- ataawaak - eew* suu shaar
PASSÉ VENDRE TA3-3' POSS3MS CHAR
« Il a vendu son auto »

---

[12] À vrai dire, cette construction vient tout probablement du parler français métis mais elle est néanmoins d'origine algonquienne.

Ici, le suffixe -*eew* indique que le verbe est transitif, que le sujet est à la 3ᵉ personne et de genre animé et que le complément est aussi à la 3ᵉ personne et de genre animé, donc à l'obviatif (la « 4ᵉ personne », indiquée 3').

3.2.6. Les formes pronominales

La très grande majorité des verbes en mitchif sont des formes issues du cri sauf pour les verbes « être » et « avoir », plus rarement le verbe « aller » utilisé avec l'infinitif pour indiquer le futur, et quelques expressions verbales figées. Pour « être », « avoir » et « aller », les pronoms personnels sont très proches des formes françaises (v. l'exemple [16]). On ne semble pas connaître la 2ᵉ personne du pluriel. Le cri ne possède pas de pronoms personnels clitiques comme en français et un sujet « pronominal » sera indiqué par un préfixe de personne sur le verbe (Ø aux 3ᵉ et « 4ᵉ » personnes) et, bien entendu, par la flexion.

Les pronoms indéfinis, les pronoms et les adjectifs interrogatifs sont presque toujours cris : *awiyek* « quelqu'un », *kahkiyaw* « tous/toutes », *paah-peeyak* « chacun/chacune », *nama kikwee* « rien », *nuu awiyek* « personne », etc., pour les indéfinis; *awiina/aweena* « qui », *kiikwee/keekway/kakway* « que/quoi », *taandee* « où », *taan-ishpi* « quand », *taanshi(shi)* « comment », *taaneehki* « pourquoi », etc., pour les interrogatifs. Les adjectifs interrogatifs s'accordent en genre et en nombre : *taana* « quel (sg. animé) », *taanima* « quel (sg. inanimé) », *taaniki* « quels (pl. animé) », *taanihi* « quels (pl. inanimé) ». Quelques formes indéfinies et interrogatives françaises sont également utilisées mais elles sont rares : *tu li muud* (< tout le monde) « tous/toutes », *cheukzenn* (< quelques uns/unes) « quelqu'un », *shaken* « chacun », *kel~kil* « quel(le) », *kan* « quand », *konbyen* « combien », etc.

3.2.7. Quelques procédés dérivationnels et compositionnels

Les procédés dérivationnels du français ne sont pas très productifs en mitchif et les suffixes nominaux sont peu nombreux; ils peuvent être ajoutés à des radicaux français ou (plus rarement) anglais. Certain dérivés constituent des innovations par rapport au FR : *seukrazh* (*sucrage) « bonbon », *kontantri* (*contenterie) « bonheur », *konfidasyon* (*confidation) « confiance », *pruvas* (*prouvasse) « preuve », *avariseu* (*avariseux) « avare », *begeur/begeuz* (< angl. *beg* + -eur/-euse) « mendiant(e) », *zhaliyes* (*joliesse) « beauté », *budar* (*boudard) « boudeur ». D'autres dérivés existant en FR n'ont pas le même sens : *zhardinaezh* (jardinage) « légumes frais », *garnicheur* (garniture) « perles décoratives ».

La dérivation impropre est également souvent utilisée : *la brod* (< broder) pour « broderie », *en ripon* (< répondre) pour « une réponse », *enn presh* (< prêcher) pour « un sermon ».

Par contre, la néologie est souvent exprimée par une circonlocution dont la structure la plus fréquente est un syntagme de forme N P N, presque toujours avec la préposition *di* (< de). Ces néologismes deviennent souvent des composés, puisque leur sens n'est pas toujours ou entièrement compositionnel : *pweson-d-or* « poisson rouge » (calque de l'anglais *goldfish*), *kor-di-rob* (< corps de robe) « jupon », *li-fon-bleu* (< le fond bleu) « bleu marin », etc. D'autres composés n'ayant pas la forme N P N sont *fe-li-sen* (< faire le saint) « hypocrite », *fe-la-bonn* (< faire la bonne) « prude », *pla-kuutii* (< plat côté) « côte », *pyer-kok* (< pierre coq?) « alouette », etc. Certaines circonlocutions ont une structure N A : *shapuu jeur* « casque », *suyii muu* « chaussure de tennis », *gru vyelon* « contrebasse », *bwane plaet* (< bonnet plat) « béret ».

3.3. *Quelques aspects du syntagme verbal*

Nous ne nous attarderons pas longuement sur la description du syntagme verbal parce que le verbe en mitchif est fondamentalement cri et que notre discussion se limite surtout aux éléments de langue française.

La conjugaison verbale crie est d'une très grande complexité : le verbe est conjugué différemment selon qu'il est transitif ou intransitif, selon que le sujet est animé ou inanimé et pour les transitifs, selon que le complément est animé ou non. Les radicaux eux-mêmes peuvent varier selon le genre du complément : *waapam-* « voir (quelqu'un) » mais *waapaht-* « voir (quelque chose) ». Aussi, les verbes se conjuguent différemment lorsqu'ils sont dans une proposition principale (ou indépendante) ou subordonnée ou s'ils sont à l'impératif. Les formes verbales sont également fort complexes puisqu'elles peuvent contenir, outre des préfixes pronominaux ou subordonnants, des préfixes de temps ou de mode et une classe ouverte de « pré-verbes » qui expriment divers aspects adverbiaux. Le radical peut être suivi de suffixes indiquant la personne du sujet ou la combinaison de personnes du sujet et du complément, l'accord obviatif, la voix, le réfléchi ou le réciproque, le conditionnel, etc. Les radicaux eux-mêmes peuvent souvent être analysés en constituants plus petits et il n'est pas toujours aisé de distinguer entre les morphèmes du radical, les éléments dérivationnels et les morphèmes flexionnels. Voici un exemple typique :

(9) *Ni- kii- puuni   -kakwee -piitush   - inaakuh -ishuu -naan*
     1 PASSÉ ARRÊTER ESSAYER DIFFÉREMMENT APPARAÎTRE REFL AI1P
     « Nous avons arrêté d'essayer de nous déguiser »

La contribution du français au verbe en mitchif est somme toute assez modeste. Tout au plus, certaines formes lexicales du français (et de l'anglais) peuvent être utilisées comme radicaux verbaux ou comme marqueurs de modalité; de plus, quelques verbes sont effectivement conjugués comme en français. Nous les discuterons brièvement tour à tour.

3.3.1. Les bases verbales issues du français

Certains radicaux verbaux français ou anglais ont été intégrés à la morphologie verbale crie et prennent donc toute la gamme de préfixes et de suffixes de la langue. La façon dont ces formes sont intégrées au cri est encore assez mal comprise. Par exemple, le verbe est toujours à l'infinitif et c'est toujours le suffixe verbal du 1er groupe *(-ii < -er)* qui est utilisé : *brodii* (< brod + -er), *binii* (< bén(ir) + -er); ceci est vrai même pour les verbes issus de l'anglais : *robii* (< *rob* + -er) « voler ». De plus, le radical est toujours accompagné par ce qui semble être l'article défini *(li)*, surtout lorsque le verbe est transitif :

(10) *Ni- miyeeht -een ee- li-   brod- ii- yaan*
     1 AIMER   TI1 SUB ADMS BROD- INF CONJ AI1
     « J'aime broder »

(11) *Kahkiyaw* li- selibret -ii -wak   li   kaet   di   zhuyet
     TOUS   ADMS CÉLÈBR- INF AI3P ADMS QUATRE DE JUILLET
     « Tout le monde fête (< angl. *celebrate*) le quatre juillet »

Des noms et des adjectifs français peuvent également servir de base à des verbes cris à l'aide de suffixes tels que *-iwi* « être » ou *-ihkee* « faire ». Comme pour les bases verbales, l'article défini précède et s'accorde avec le genre du substantif:

(12) *Kaa* li- beetaa *-iwi* *-yan* *namuu* *naannduu* *ki- ituhtee-* *n*
  SUB ADMS BÈTE ÊTRE CONJAI2 NEG QUELQUE PART 2 ALLER AI2
  « Si tu es bête, tu ne peux aller nulle part »

(13) *Ga-* la- pencheur- *een* ma maenzon
  1-PASSÉ ADFS PEINTURE TI1 POSS1FS MAISON
  « Je vais peindre ma maison »

Le cri ne possède pas de verbe copule en tant que tel. Pour exprimer une proposition du type « X être Y », le mitchif aura recours à diverses constructions cries telles que Sujet + Attribut ou Attribut + Sujet, sans copule, ou encore l'emploi d'un démonstratif cri :

(14) Aryen la seevr *ana* l'arbr « L'arbre est sans sève »

(15) En vree grus maenzon *anima* « C'est une très grande maison »

On peut également avoir des propositions contenant une forme fléchie des verbes « être », « avoir » et « aller »; les sujets substantifs sont obligatoirement repris par le pronom clitique *il* ou *ce*. Voici les formes au présent, à l'imparfait et au futur :

(16) « être »

	Présent	**Imparfait**	**Futur**
	zh-i	zh-ite	zhi va yet
	t-i	t-ite	t-i va yet
	i/sa-l-/s-i	i/sa-l-/s-ite	i/sa va yet
	on-l-i	on-l-ite	on va yet
	i-son	i-sonte	i von yet

« avoir »

	Présent	**Imparfait**	**Futur**
	zh-a	zh-ave	(non attesté)
	t-a	t-ave	
	i/sa-l-a	i/sa-l-ave	
	on-l-a	on-l-ave	
	i/sa-l-on	i/sa-l-onve	

3.3.2. Quelques formes verbales françaises ré-analysées

Le mitchif innove particulièrement dans l'expression modale. Il existe de nombreuses expressions adverbiales ou des constructions à base verbale qui expriment une modalité; celles-ci introduisent toujours une proposition subordonnée : *ankur* (< encore) « désidératif », *pa-*

mwayen (< pas moyen) « impossibilité », *magree* (< malgré) « obligation/coercition », *fu(le)-ben* (< faut/fallait bien) « nécessité », *sa-pran* (< ça prend) « nécessité », *si-pa-si* (< (je ne) sais pas si) « doute », *sa-s-pura-ben* (< ça se pourrait bien) « possibilité », etc.

Il existe également de nombreuses expressions impersonnelles du type « c'est + A/Adv/N » à l'affirmatif ou au négatif qui introduisent également une subordonnée : *s-i sarten* (< c'est certain) « certitude », *s-ite-pa-nisiser* (< c'était pas nécessaire) « non-nécessité », *s-i-t-iizii* (< angl. c'est *easy*) « facilité », etc.

4. Conclusion

Étant donné les limites de cet article, nous n'avons pas discuté des autres catégories grammaticales telles que les adverbes et les conjonctions, ni des aspects syntaxiques tels que l'interrogation, la négation, la relativisation, etc. Disons brièvement que les adverbiaux peuvent être soit français soit cris mais que ces derniers sont deux fois plus nombreux; la plupart des conjonctions adverbiales sont issues du français. Les éléments de coordination sont *pi* (< puis) « et », *uben(don)* (< ou bien [donc]) « ou » et *eekwa / miina* « et ».

L'ordre syntaxique de la phrase est celle du cri, langue non configurationnelle. Ceci implique que la position du sujet, du verbe et du complément est libre et surtout déterminé par des considérations d'ordre pragmatique. Par contre, les rares phrases qui ne contiennent que des éléments lexicaux et grammaticaux français respectent l'ordre canonique du français oral vernaculaire. Les interrogatives « fermées » qui contiennent une forme verbale crie sont toujours construites à partir d'une déclarative en y ajoutant la particule interrogative crie *chi(n)* directement après le premier constituant majeur ou en fin de phrase. Les interrogatives indirectes sont à quelques détails près identiques aux interrogatives directes.

Il est évident que la structure grammaticale du mitchif est résolument « mixte », dans ce sens que même si les éléments du syntagme nominal sont surtout de source française, la présence de démonstratifs cris, des suffixes obviatifs et personnels sur des substantifs possédés et le fait que les substantifs français doivent nécessairement être marqués pour le genre cri font en sorte que le syntagme nominal a une grammaire provenant des deux langues à la fois. Et s'il est vrai que le verbe est surtout cri, il existe de nombreuses constructions verbales à base lexicale française (ou anglaise) et même des verbes français fléchis.

Il a souvent été dit que le mitchif serait un cas assez typique de « relexification » (Bakker 1997), processus par lequel le lexique d'une langue A est remplacé massivement par le lexique d'une langue B, tout en laissant la grammaire de A intacte. Effectivement, on pourrait supposer que les substantifs cris (la langue A) aient été remplacés par des équivalents français (la langue B). Les déterminants français qui accompagnent obligatoirement le substantif auraient été maintenus, sauf pour le démonstratif qui, lui, est porteur d'information grammaticale plus importante. On pourrait également supposer que le fait que les lexèmes verbaux n'ont pas (tous) été remplacés par des lexèmes français est dû à la structure interne trop opaque des lexèmes cris pour permettre aisément un tel remplacement. C'est du moins l'hypothèse que propose Bakker (1997). Par contre, elle n'explique pas pourquoi les prépositions, les conjonctions, les adverbiaux, etc. n'ont pas tous été remplacés par des items lexicaux français. Ce processus n'est donc que partiellement responsable de la structure de la langue.

Pour le moment, nous n'avons pas encore d'explication pour rendre entièrement compte de la structure symbiotique du mitchif, langue des Métis de l'Ouest. Nous ne pouvons que nous émerveiller devant le génie de ces êtres humains, les plus dépossédés et les plus laissés-pour-compte de l'histoire du pays, qui ont, sans le savoir, créé une merveille linguistique qui n'a pas fini de nous fasciner.

Références

BAKKER, Peter. 1997. *A language of our own : The genesis of Michif, the mixed Cree-French language of the Canadian Métis*, New York, Oxford University Press.

BAKKER, Peter et Maarten MOUS (dirs.). 1994. *Mixed languages: Fifteen case studies in language intertwining*, Amsterdam, Institute for Functional Research in Language and Language Use.

BAKKER, Peter et Pieter MUYSKEN. 1994. « Mixed languages », dans Jacques ARENDS, Pieter MUYSKEN et Norval SMITH (dirs.), *Pidgins and creoles: An introduction*, Amsterdam : John Benjamins, 41-42.

BAKKER, Peter et Robert A. PAPEN. 1997. « Michif : A mixed language based on French and Cree », dans Sarah Grey THOMASON (dir.), *Contact languages : A wider perspective*, Amsterdam, John Benjamins, 295-363.

COOK, Eung-Do. 1998. « Aboriginal languages : History », dans John R. EDWARDS (dir.), *Language in Canada*, Cambridge, Cambridge University Press, 125-143.

FLAMAND, Rita. 2003. *Michif conversational lessons for beginners*, Winnipeg, Metis Resource Centre.

FLEURY, Normand. 2000. *La lawng: Michif peekishkwewi : The Canadian Michif language dictionary*, Winnipeg, Metis Resource Centre.

FOSTER, Michael K. 1982. « Canada's indigenous languages : Present and future », *Language and Society*, 7, 7-16.

GIRAUD, Marcel. 1945. *Le Métis dans l'Ouest canadien*, Paris, Institut d'Ethnologie.

LAVALLÉE, Guy. 2003. *The Metis of St. Laurent, Manitoba : Their life and stories, 1920-1988*, Winnipeg, Guy Lavallée.

LAVERDURE, Patline et Ida Rose ALLARD. 1983. *The Michif dictionary : Turtle Mountain Chippewa Cree*, Winnipeg, Pemmican Publications.

MITHUN, Marianne. 2001. *The languages of native North America*, Cambridge, Cambridge University Press.

MURRAY, Bonnie. 2001. *Li minoush*. Traduction de Rita FLAMAND. Winnipeg : Metis Resource Centre.

MYERS-SCOTTON, Carol. 1993. *Duelling languages: Grammatical structures in codeswitching*, Oxford, Clarendon.

PAPEN, Robert A. 2003. « Le mitchif : un problème de genre », dans Robert STEBBINS, Claude ROMNEY et Micheline OUELLET (dirs.), *Francophonie et langue dans un monde divers en évolution : contacts interlinguistiques et socioculturels : actes du 19ᵉ colloque du Centre d'études franco-canadiennes de l'Ouest tenu à la University of Calgary*, Winnipeg, Presses universitaires de Saint-Boniface, 119-141.

PAPEN, Robert A. 2004. « Michif spelling conventions : A proposal for a unified Michif writing system », dans L. BARKWELL (dir.), *La lawng : Michif peekishkwewin : The heritage language of the Canadian Metis*, Winnipeg, Pemmican Publications.

PAYMENT, Diane. 2001. « Plains Métis », dans Raymond J. de MALLIE et William C. STURTEVANT (dirs.), *Handbook of North American Indians*, vol. 13, 1ʳᵉ partie, Washington, District of Columbia, Smithsonian Institute, 661-676.

POIRIER, Claude. 1994. « Les causes de la variation géolinguistique du français en Amérique du Nord : l'éclairage de l'approche comparative », dans Claude POIRIER, Aurélien BOIVIN, Cécyle TRÉPANIER et Claude VERREAULT (dirs.), *Langues, espace, société : les variétés du français en Amérique du Nord*, Sainte-Foy, Québec, Les Presses de l'Université Laval, 69-95.

Le problème de la démarcation des variétés de langues en Louisiane : étiquettes et usages linguistiques

Thomas A. Klingler, Tulane University

1. Introduction

L'objectif de la présente étude est d'aborder le problème de la démarcation du créole louisianais et du français cadien de deux points de vue différents, celui des formes linguistiques et celui des étiquettes linguistiques – c'est-à-dire les noms que les locuteurs donnent à la variété (ou aux variétés) qu'ils parlent. Je pars de l'hypothèse qu'il est possible d'établir des définitions linguistiques du créole et du cadien sur la base d'un ensemble de variables linguistiques qui se réalisent par des variantes différentes dans chaque variété, telles qu'elles ont été décrites dans la littérature sur le français en Louisiane[1]. Dans le cas des étiquettes linguistiques, je me propose d'examiner dans quelle mesure l'usage des termes « cadien » et « créole » par les francophones louisianais s'accorde avec la définition linguistique de ces variétés qui ressortent des descriptions dont nous disposons. Pour ce qui est des formes linguistiques, je me propose d'examiner un certain nombre d'énoncés où se mêlent variantes « cadiennes » et variantes « créoles », de façon que la classification des énoncés comme appartenant à l'une ou l'autre variété ne puisse se faire sans difficulté.

Avant d'aborder ces sujets, il conviendra de présenter brièvement la situation actuelle du créole louisianais ainsi que les grandes lignes du débat à propos de son origine. Le cadien faisant l'objet d'étude d'autres articles dans le présent volume, il ne figurera pas dans cette présentation.

---

[1] Pour le créole, voir par exemple Mercier (1880), Lane (1935), Neumann (1985a), Valdman et Klingler (1997), Klingler (2003). Pour le cadien, voir Conwell et Juilland (1963), Guilbeau (1950), Oukada (1977), Smith (1994), Stäbler (1995a et 1995b), Papen et Rottet (1997).

2. Le créole louisianais

De par sa structure, le créole louisianais ressemble beaucoup aux autres créoles à base lexicale française, notamment au créole haïtien. À titre d'exemple, on peut noter un système pronominal dont toutes les formes des pronoms personnels proviennent des formes toniques du français, et un système verbal dans lequel les notions de temps, de mode, et d'aspect sont exprimées au moyen d'une séries de particules placées devant le verbe, plutôt que par des morphèmes flexionnels. Ainsi la phrase « Je dansais » se dit en créole *Mo t ape danse* [mo t ape dãse], où *mo* (< « moi ») représente la 1ʳᵉ personne du singulier et *t* (dont la forme pleine est *te*) est le marqueur du passé, qui se combine ici avec le marqueur d'aspect progressif *ape* pour exprimer un passé non ponctuel. Il est à noter que le marqueur *ape* rapproche le créole louisianais du créole haïtien en même temps qu'il distingue ces deux variétés des autres créoles français de la zone caribéenne, qui ont *ka* dans cette fonction.

Les nombreuses ressemblances entre les créoles de Louisiane et d'Haïti ont amené certains à supposer que ces deux langues partagent une origine commune. Pour les uns, il s'agirait d'un pidgin ou d'un pre-créole qui aurait été transporté dans diverses colonies où il aurait subi des développements différents (v. par ex. Stewart 1962, Goodman 1964 et 1992, Hull 1979, Hazaël-Massieux 1990, Valdman 1992, 1996a et 1996b, Parkvall 1995), alors que d'autres suggèrent que la langue créole fut importée en Louisiane directement de Saint-Domingue lors de la Révolution haïtienne à la fin du 18ᵉ et au début du 19ᵉ siècles (v. Brasseaux et Conrad 1992 : vii et xi, Dorais 1980 : 74, Haas 1980 : 27, Maguire 1979 : 2). Cette dernière hypothèse s'appuie sur le fait historique que plus de 10 000 anciens habitants de Saint-Domingue, dont environ un tiers d'esclaves, un tiers de gens de couleur libres et un tiers de Blancs, s'installèrent en Louisiane pendant ou après la révolte des esclaves dans cette ancienne colonie française (Lachance 1992, Klingler 2003 : 79-82). Cependant dans une étude récente (Klingler 2003 : 25-53), je mets en doute l'hypothèse d'une origine caribéenne du créole louisianais en montrant, d'une part, que la Louisiane reçut très peu d'esclaves des îles au cours du 18ᵉ siècle et, d'autre part, qu'une langue créole existait en Louisiane bien avant le grand flot de réfugiés de Saint-Domingue en 1809-1810[2]. Avec Neumann (1985b), qui montre par une analyse lin-

---

[2] C'est en 1792, dans le procès-verbal d'un procès où plusieurs esclaves portèrent témoignage, que l'on trouve la première mention d'une langue nommée « créole » (*criollo* dans le document original, rédigé en espagnol) et reconnue comme distincte du fran-

guistique comparée des créoles d'Haïti et de Louisiane qu'il n'est pas nécessaire de supposer une origine commune des deux langues pour rendre compte de leurs ressemblances, je préfère l'hypothèse d'une origine indigène du créole louisianais. Il est probable que cette langue se développa par le contact entre colons francophones et Africains alloglottes sur les plantations entourant la Nouvelle-Orléans, qui connurent au 18e siècle le plus grand nombre d'esclaves et la plus grande disproportion entre les populations servile et libre, et que la langue se répandit par la suite dans diverses parties de la colonie (Klingler 2003 : 89-91).

Comme les autres langues créoles, le créole louisianais a toujours été une langue stigmatisée. Elle est souvent considérée comme une version corrompue du français, et elle jouit d'encore moins de prestige que le cadien qui, jusqu'à date récente, fut lui aussi une langue dévalorisée. On ne dispose pas de chiffres sûrs pour le nombre de créolophones en Louisiane, mais en toute probabilité ils sont moins de 30 000 à l'heure actuelle[3]. Comme elle ne se transmet presque plus aux jeunes générations, la langue créole est sérieusement menacée de disparition, malgré une certaine revalorisation dont elle bénéficie depuis quelques années et qui fait partie d'un renouveau plus général de la culture créole en Louisiane (Klingler 2003 : xxx-xxxiii, 128-130). Le centre démographique de la Louisiane créolophone se trouve aujourd'hui à l'ouest du bassin de l'Atchafalaya dans la région du Bayou Tèche, mais il y a encore aussi des communautés créolophones dans la paroisse St-Tammany (entre le village de Lacombe et la ville de Slidell, au nord du Lac Pontchartrain), dans la paroisse de Pointe Coupée et dans un couloir du Mississippi traversant les paroisses St-Jean et St-Jacques.

Bien qu'on ait tendance à associer la langue créole aux populations noire et créole de couleur, elle est également parlée par un nombre non négligeable de Blancs. Le créole des Blancs en Louisiane se caractérise par une proportion plus importante de traits francisants que chez les Noirs et les Créoles de couleur, mais d'une manière générale il se distingue encore nettement du cadien (Neumann 1984, Klingler 1998 et 2003 : 110-119). Pourtant dans certaines régions où des créolophones sont longtemps restés en contact avec des locuteurs du cadien, les in-

---

çais. La première description du créole louisianais date des toutes premières années du 19e siècle (Robin 1807). Pour les détails, voir Klingler (2003).

3   Pour des raisons qui deviendront claires dans la section 3, on ne peut pas s'appuyer sur les chiffres du dernier recensement selon lesquels il y aurait eu 4 470 locuteurs du « French Creole » en Louisiane en 2000 (U.S. Census Bureau).

352 *Thomas A. Klingler*

fluences de chaque variété sur l'autre ont eu comme effet de brouiller les frontières linguistiques qui les séparent.

Il convient de préciser qu'il s'agit avant tout de frontières morphosyntaxiques, car les linguistes reconnaissent depuis longue date une certaine « unité lexicale » parmi toutes les variétés apparentées au français en Louisiane. En effet, le créole semble partager la plus grande partie de son lexique avec le cadien, les principales exceptions étant quelques mots qui sont si fortement associés au créole qu'on peut les considérer comme des marqueurs de cette variété (par ex. *gen* « avoir », *kouri* « aller », et *ole* « vouloir »). Rottet (2000), après avoir comparé un nombre significatif de textes en créole et en cadien, trouva un degré très élevé de correspondance. Pour vérifier cette unité lexicale à plus petite échelle, j'ai choisi au hasard une vingtaine de mots commençant par la lettre « T » dans le *Dictionary of Louisiana Creole* (Valdman et al. 1998)[4], que j'ai ensuite comparés aux mots figurant dans la base de données LADICO servant à l'élaboration d'un dictionnaire du cadien[5]. Pour chacun des mots créoles, j'ai trouvé un équivalent sémantique cadien ayant une forme identique, à quelques détails de prononciation près. Dans la liste suivante, le mot créole apparaît d'abord, dans l'orthographe phonétique du dictionnaire, suivi de son équivalent cadien : *tache/tacher, talèr/talheure* (« tout à l'heure »), *tandi/tandis, tante/tenter, tarde/tarder, tay/taille, tche/tcheueu* (« queue »), *tchu/tchu* (« cul »), *tèlman/tellement, terebantin/térébantine, tèt-d-oriye/tête d'oreiller, tij/tige, titis/titisse* (« petit oiseau »), *tomat/tomate, tòr/taure, toro/taureau, tour/tour, tournavis/tournevis, traka/tracas, trankil/tranquille*. Dans la section 4 de cette étude, nous examinerons de plus près le problème d'éléments lexicaux partagés, ainsi que celui des frontières linguistiques séparant le créole du cadien.

3. Le problème des étiquettes linguistiques

Parmi les multiples complexités que doit confronter l'observateur de la situation linguistique en Louisiane, celle des noms que les francophones utilisent pour désigner ce qu'ils parlent ne peut pas être négligée. « Français », « cadien » et « créole » sont trois des noms que l'on entend le plus souvent en Louisiane francophone, et on peut se de-

---

[4] J'ai choisi les mots à un intervalle de dix, en écartant les emprunts à l'anglais et les mots dont l'emploi se limite à une seule région de la Louisiane.
[5] Ce dictionnaire, qui est actuellement au stade de la rédaction, est le produit d'une équipe inter-universitaire dirigée par Albert Valdman à Indiana University.

mander s'ils correspondent à trois réalités linguistiques distinctes. Dans le cas du premier terme, la réponse semble assez claire : le terme « français » peut s'appliquer à n'importe quelle variété apparentée au français, tant que le contexte n'exige pas un plus haut degré de précision. S'il y a lieu de distinguer entre le français de référence (FR) et une variété locale, les locuteurs useront d'un autre terme – cadien, créole, ou *broken French*, par exemple – en précisant souvent qu'ils ne parlent pas « le bon français ». Bien que le FR ne soit pas complètement absent de la scène linguistique, il existe avant tout comme langue seconde apprise en milieu scolaire, et son usage comme langue vernaculaire au foyer est limitée principalement à quelques familles originaires de pays francophones et à des intellectuels qui parlent français et qui envoient leurs enfants à des écoles d'immersion. Étant donnée la présence très marginale du FR comme vernaculaire, on peut supposer que les 227 717 Louisianais qui, selon les chiffres du recensement de 1990, ont déclaré qu'ils parlaient français (« French ») au foyer furent très majoritairement des locuteurs d'une variété louisianaise et non pas du FR[6,7].

Si l'emploi du terme « français » ne se laisse pas interpréter sans ambiguïté, on pourrait croire que celui de « cadien » et de « créole » poserait moins de problèmes, étant donné qu'il existe des descriptions détaillées des variétés qui sont désignées par ces noms. Cependant, les travaux d'ethnologues travaillant sur les populations francophones de la Louisiane révèlent que la réalité que désignent ces termes peut changer selon le locuteur et le contexte. Il semble y avoir un lien entre le groupe ethnique du locuteur et l'étiquette qu'il attache à son parler, de sorte que les « Créoles noirs » ont tendance à appeler leur variété de français « créole », même si dans certains cas, sur le plan linguistique, elle ressemble plus aux descriptions du cadien qu'aux descriptions du créole louisianais. Ainsi Le Menestrel, dans une étude récente, fait remarquer que « même lorsqu'ils parlent cadien, les Créoles noirs désignent souvent

---

6 On ne peut donc pas se fier à la déclaration de Dubois et Melançon (2000 : 246, tableau 1) selon laquelle il y aurait 227 755 locuteurs de « Standard French » en Louisiane. Il convient de préciser que le terme « Standard French » représente l'interprétation que font Dubois et Melançon de l'étiquette « French » employée par l'*U.S. Bureau of the Census*, qui n'emploie nulle part le terme « Standard French » dans ses publications de données sur la Louisiane.

7 Il reste quelques locuteurs de ce qu'on appelle parfois le « français colonial » (mais v. Picone, 1998. et Picone et Valdman, ce volume, pour une critique de ce terme), une variété louisianaise qui comporte des régionalismes phonétiques et lexicaux mais dont la structure morphosyntaxique est très proche du FR. Ces locuteurs sont cependant très peu nombreux de nos jours.

leur langue comme du créole. Ils n'effectuent alors aucune distinction dans leur terminologie entre le cadien et le créole. [...] Bien qu'il s'agisse de deux formes linguistiques distinctes, c'est le groupe d'appartenance du locuteur qui détermine le sens du terme employé, et non la nature de la langue » (1999 : 97; v. également à ce sujet Spitzer 1986 : 162-163).

Pour tester les propos de Le Menestrel par des données linguistiques, mes étudiants et moi avons récemment mené une enquête auprès de francophones dans la partie de la paroisse St-Landry située à l'ouest du Bayou Tèche, région où, selon Spitzer (1986), la population francophone noire a été fortement assimilée, sur les plans culturel et linguistique, à la population cadienne. Nous avons demandé aux participants de traduire dans la variété de français qu'ils parlaient, une série d'énoncés qu'on leur a présentés en anglais. Nous avons transcrit les interviews les plus claires et les plus complètes, dont 7 furent avec des locuteurs blancs et 15 avec des locuteurs noirs ou créoles de couleur. Parmi les locuteurs blancs, tous s'identifièrent comme « Cajun » et 5 des 7 appelèrent aussi leur variété de français « Cajun » ou « Cajun French », alors que l'un d'entre eux appela son français « Louisiana French » et une autre déclara qu'elle parlait « Louisiana French » et « Louisiana Creole » (nous n'avons pas pu déterminer si cette personne était bidialectale ou s'il s'agissait simplement de deux noms différents qu'elle donnait à la même variété). Parmi les locuteurs noirs ou créoles de couleur, tous s'identifièrent comme « Creoles » et tous ceux qui donnèrent un nom à leur variété de français la nommèrent par le même nom (4 locuteurs n'ont pas fourni de nom à leur variété). À partir des transcriptions que nous avons faites de ces interviews, nous avons analysé l'usage chez chaque locuteur de trois variables qui, d'après les descriptions du cadien et du créole dont nous disposons, se réalisent par des variantes bien distinctes dans chaque variété. Les trois variables ainsi que leurs principales variantes sont résumées dans le tableau 1.

Les résultats montrent que, pour les trois variables en question, les locuteurs de chaque groupe ethnique ont utilisé la variante cadienne dans la très grande majorité des cas, alors qu'ils ont utilisé la variante créole dans moins de 10 % des cas pour chaque variable. Comme le montre le tableau 2, le pourcentage de variantes créoles et cadiennes est presque identique pour les deux groupes, sauf pour la variable du pro-

Tableau 1
Variables linguistiques

	Variantes créoles	**Variantes cadiennes**
1) Pronom sujet, 1ʳᵉ personne du singulier	*mo* (*mwen, m*)	*je* (*j, ch, s*)
2) Passé ponctuel/ révolu	base verbale	aux. + participe passé
3) Le verbe « avoir »	*gen*	*avoir* (diverses formes)

Tableau 2
Variantes créoles et cadiennes chez des locuteurs de St-Landry

	Pronom sujet, 1ʳᵉ personne du singulier				Passé				Le verbe « avoir »			
	variantes créoles		variantes cadiennes		variantes créoles		variantes cadiennes		variantes créoles		variantes cadiennes	
	N	%	N	%	N	%	N	%	N	%	N	%
Blancs (7)	0	**0**	101	**97,1**	10	**8,3**	110	**91,7**	0	**0**	36	**100**
Noirs* (16)	2	**1,0**	174	**89,2**	20	**9,1**	199	**90,9**	0	**0**	60	**100**

*Cette catégorie inclut également des Créoles de couleur.

nom sujet de la 1ʳᵉ personne du singulier, où dans 5,6 % des cas les locuteurs noirs ont traduit les énoncés sans pronom sujet[8].

Ces chiffres peuvent être comparés à ceux du tableau 3, qui résume l'emploi de ces mêmes variables chez 10 francophones, 5 Blancs et 5 Noirs, de la paroisse de Pointe Coupée. Ici, on voit que les variantes créoles s'emploient à la quasi-exclusion des variantes cadiennes, bien que les locuteurs blancs fassent légèrement plus souvent usage de ces dernières. Pour ce qui est de la variante « cadienne » du verbe « avoir », il faut préciser que dans chaque cas il s'agissait de la forme du passé *eu* [y] utili-

---

8   La variante zéro pour de la 1ʳᵉ personne du singulier n'a pas été prise en compte dans les tableaux 2 et 3, ce qui explique pourquoi la somme des pourcentages pour cette variable ne s'élève pas à 100.

sée sans auxiliaire. Or, si cette forme peut être considérée moins basilectale que son équivalent *te gen*, plus typiquement créole, elle ne correspond pas tout à fait au cadien, qui utiliserait soit l'imparfait, soit le passé composé avec l'auxiliaire *avoir*. L'usage de [y] sans auxiliaire est également bien documenté dans le créole de Breaux Bridge (Neumann 1985a : 263-264).

Tableau 3
Variantes créoles et cadiennes
chez des locuteurs de Pointe Coupée

	Pronom sujet, 1re personne du singulier				Passé				Le verbe « avoir »			
	variantes créoles		variantes cadiennes		variantes créoles		variantes cadiennes		variantes créoles		variantes cadiennes	
	N	%	N	%	N	%	N	%	N	%	N	%
PC : Blancs (5)	307	**97,5**	6	**1,9**	258	**97,3**	7	**2,7**	80	**94,1**	5	**5,9**
PC : Noirs* (5)	178	**98,9**	0	**0**	163	**100**	0	**0**	31	**96,8**	0	**3,2**

*Cette catégorie inclut également une Créole de couleur.

Les schémas 1 et 2, basés sur les chiffres des deux tableaux, permettent de voir plus clairement que, d'une part, il est possible de distinguer deux variétés, cadien et créole, sur la base de critères linguistiques, et que, d'autre part, pour l'échantillon utilisé dans cette étude, l'usage linguistique varie selon la région bien plus que selon le groupe ethnique : à Pointe Coupée, le créole louisianais est la variété parlée par les Noirs aussi bien que par les Blancs, alors que dans la paroisse St-Landry c'est le cadien qui est parlé par les deux groupes. L'usage d'étiquettes différentes chez les Noirs et les Blancs de St-Landry pour désigner leur parler ne correspond pas tant à des différences linguistiques qu'à l'appartenance ethnique du locuteur.

4. Le problème des frontières linguistiques

Chacune des deux régions que j'ai choisies pour illustrer le problème des étiquettes linguistiques se caractérise par l'existence d'une variété linguistique qui est relativement homogène à l'intérieur de la ré-

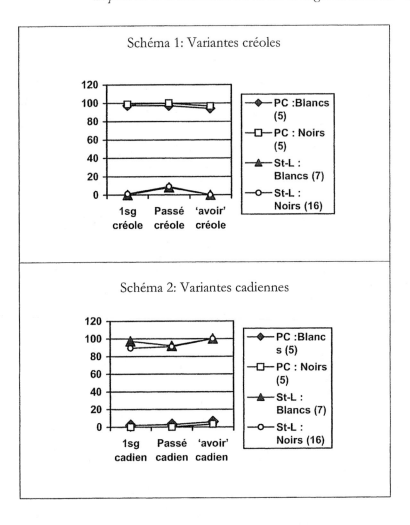

Schéma 1: Variantes créoles

Schéma 2: Variantes cadiennes

gion mais qui se distingue nettement de la variété parlée dans l'autre région. Pourtant les frontières linguistiques ne sont pas toujours aussi nettes que celle qui sépare le cadien des prairies de la paroisse St-Landry du créole de Pointe Coupée. Dans cette partie de l'étude je me propose d'examiner des énoncés où ces frontières linguistiques se trouvent brouillées par le mélange de variantes cadiennes et créoles. Mon objectif sera d'entamer la réflexion sur le problème que posent de tels exemples pour la démarcation du cadien et du créole et la relation synchronique entre les deux variétés.

Les premiers exemples viennent d'un locuteur que j'ai interviewé dans trois situations différentes et qui possède une compétence bidialectale dans les deux variétés. RB est un Créole de couleur qui est originaire de Carencro, un village fortement créolophone situé à quelques kilomètres de Lafayette. Au moment de l'interview, RB, âgé alors de 54 ans, avait habité à Lafayette (qu'il appelle « le Village ») depuis vingt-cinq ans. Le premier extrait est tiré d'une interview au cours de laquelle je lui posais des questions en créole et il me répondait le plus souvent dans une variété qui était plus proche du cadien. Je précise, car cela pourrait servir d'élément d'explication de son comportement linguistique, que l'interview a été filmée et qu'il y avait donc en plus de moi-même, une équipe de deux personnes avec caméra, microphones et appareils d'éclairage, ce qui a rendu la situation très formelle. Les traits cadiens sont indiqués en caractères gras, alors que ceux qui sont plus typiquement créoles sont en italique. Des passages inaudibles sont indiqués par des « x » placés entre parenthèses.

(1) RB : Mon nom c'est RB. **Je** reste ici au Village mais **je** deviens de Carencro. **J'ai été** [ite] né et élevé au Carencro, et *ina* vingt-cinq ans **je** reste au Village, et **j'ai travaillé** trente ans pour le Village, ça fait **j'ai RETIRE** *ina* quatre ans et demi **j'ai RETIRE**. Et **j'ai** un 'tit ga— un 'tit jardin qui **me** tient BUSY et **je** MOW la cour les affaires, ça fait comme ça UH **je** reste BUSY tout le temps. Et puis **je** l-aime TRAVEL un tas, UH *ti* connais différentes places (x) là-bas FLORIDA et puis Texas et tout partout. Et **je** l-aime aller au Carencro parce que EUH mon [mo] jardin **est** joli c'est des TURNIP et puis UH des choux et là **j'ai** trois rangs de cannes de plantés et c'est des grosses cannes des, des bonnes cannes à chiquer.

TK : E se sa to fe ave dekann-sa-ye, to, to, to chik ye ?

RB : *To* chiques ça c'est, c'est doux, *ti* comprends ?

TK : To vann pa sa to-menm ?

RB : Non, non, *mo,* non, *mo, mo* vends pas *ye* parce que *mo gen* juste trois rangs, là que **j'eurais planté** un— comme deux trois arpents, là **j'eurais été** EUH EUH, pour vendre mais ça c'est juste pour moi EUH donner à ma famille et des affaires comme ça pour chiquer. Oui.

Il est clair que les traits cadiens dans cet extrait sont bien plus nombreux que les traits créoles. Pour le cadien, on relève les traits suivants : **je** comme pronom sujet de la 1re personne du singulier ; **ti** comme pronom sujet de la 2e personne du singulier ; la forme **ai** (plutôt que *gen*) pour le verbe « avoir » à la 1re personne du singulier ; le passé composé et le passé du conditionnel formés avec auxiliaire ; la copule **est** (« Mon jardin est joli ») là où le créole n'emploie pas de copule ; et la forme et le placement du pronom complément d'objet direct **me** (« un 'ti jardin qui me tient BUSY »), dont l'équivalent créole *mo, mwa,* ou *mwen,* se place après le verbe. Pour le créole, on note : *mo* comme pronom sujet de la 1re personne du singulier ; *to* comme pronom sujet de la 2e personne du singulier ; *ye* comme pronom complément d'objet de la 3e personne du pluriel ; et *gen* utilisé une fois pour le verbe « avoir ».

Le deuxième extrait est tiré d'une interview avec un créolophone de Carencro que RB connaît depuis son enfance. Les principaux participants à cette interview étaient l'ami de RB et moi-même, et nous parlions en créole. RB intervenait de temps en temps dans la conversation, comme dans l'extrait qui suit :

(2) RB : Et là *to gen* des EUH tes ROAST tes jambes des, des cuisses en arrière c'est des ROAST. *Ye* pelle c'est des des – comment *ye* pelle ça en créole, les daubes, les daubes, les daubes des cochons. T'as – t'as quatre – t'as quatre daubes, IN OTHER WORDS chaque (...) *to gen* to – aoù *to* PART-*ye ye*, WELL c'est une daube ce – THE SHOULDER IS A daube.

Ici on relève cinq traits typiquement créoles – les pronoms *to* et *ye*, le verbe *gen*, le marqueur pluriel *ye* postposé au nom (« to PART-ye ») et la copule *ye* placée en fin de proposition (« aoù to PART-ye ye ») – et un seul trait qui est typiquement cadien, le verbe **as**. Ces deux extraits semblent montrer que RB maîtrise le cadien, représenté dans le premier extrait, ainsi que le créole, représenté dans le deuxième extrait. Chaque extrait contient également un où plusieurs éléments typiques de l'autre variété, mais ils sont nettement minoritaires et on serait donc tenté de traiter leur présence dans chaque extrait comme des cas d'alternance codique. Le fait que les traits cadiens et créoles n'apparaissent jamais dans la même proposition tendrait à conforter une telle interprétation. On notera par ailleurs que dans le premier extrait les variantes créoles *to, mo, ye,* et *gen* apparaissent directement après mes interventions en créole mais cèdent rapidement la place aux variantes cadiennes, ce qui laisse supposer que ce fut mon usage du créole qui déclencha chez RB le changement momentané vers cette variété.

Il convient de noter toutefois que, s'il est possible d'analyser le mélange d'éléments du cadien et du créole dans ces extraits en termes d'alternance codique, il s'agit alors d'un type d'alternance codique particulier qui est différent de celui qui a lieu entre deux langues ne partageant pas une bonne partie de leur lexique. Car à l'exception des mots anglais notés en lettres majuscules, les parties de chaque extrait qui ne sont pas clairement identifiables comme du cadien ou du créole pourraient aussi bien appartenir à une variété comme à l'autre. Ce sont des éléments comparables aux *diamorphes homophones* caractéristiques du mélange de codes qui a lieu entre deux variétés étroitement apparentées et que Muysken (2000) appelle « *congruent lexicalization* ». Comment savoir alors où l'une variété s'arrête et l'autre commence ? Considérons la séquence « T'as – t'as quatre – t'as quatre daubes, IN OTHER WORDS chaque (...) *to gen to* – aoù *to* PART-*ye ye*, WELL c'est une daube ». Il est facile de déterminer les limites du changement codique vers l'anglais, qui commence par « IN » et s'arrête après « WORDS »; ce qui précède et ce qui suit (jusqu'au mot « PART ») est en « français ». Par contre, les éléments « t », « quatre daubes », « chaque », « aoù », et « c'est une daube » sont communs au cadien et au créole, ce qui rend plus difficile la démarcation de ces deux variétés à l'intérieur de cet énoncé. Puisque, comme il en a été fait mention ci-dessus, les éléments distinctifs du cadien et du créole dans ces extraits n'apparaissent pas dans les mêmes propositions, une solution possible serait de faire coïncider les frontières entre ces variétés avec les frontières syntaxiques de l'énoncé: la proposition « t'as – t'as quatre – t'as quatre daubes » serait alors classifiée comme du cadien et les propositions qui la précèdent et la suivent (à l'exception des éléments de l'anglais), comme du créole.

Pourtant il y a des cas où le mélange de traits cadiens et créoles a lieu à l'intérieur d'une même proposition, voire d'un même syntagme. Des exemples de ce type de mélange viennent d'un locuteur d'Arnaudville, village où, comme à Carencro, le cadien et le créole se parlent. JT, âgé de 46 ans, est un Créole de couleur qui nomme également sa variété de fraçais « créole ». Il a traduit des phrases isolées qui lui ont été présentées en anglais. Cinq de ces phrases sont reproduites ci-dessous.

(3a) *Elle est* bien court.
      « Elle est très petite. »

(3b) **Li bwa** une **tas kafe** avant **li kouri** (xx) de [di] la maison.
      « Il a bu une tasse de café avant de sortir ce matin. »

(3c) *J'ai donné **elle*** les oranges.
      « Je lui ai donné les oranges. »

(3d) *J'ai* déjà *dit* **toi** tout quelque chose pour le GAME.
« Je vous ai déjà tout dit à propos du match. »

(3e) *Je serais* **kouri** avec toi si *je* **se gen** le temps.
« Je viendrais avec toi si j'avais le temps. »

En plus des éléments partagés par les deux variétés, la phrase (3a) contient des traits associés au cadien (le pronom *elle* et la copule *est*) alors que la phrase (3b) contient des traits créoles (le pronom **li**, le verbe **bwa** employé sans auxiliaire pour exprimé le passé, l'absence de préposition *de* dans **tas kafe**, et le verbe **kouri**). Dans les phrases (3c)-(3e), pourtant, des éléments particuliers au créole et au cadien se côtoient à l'intérieur d'une même proposition : dans (3c) ce sont le pronom *je* et le passé composé *ai donné* à côté du pronom complément d'objet indirect **elle** placé après le verbe[9]; dans (3d) ce sont de nouveau le pronom *je* et le passé composé à côté du pronom complément d'objet indirect **toi** placé après le verbe ; et dans (3e) il s'agit du pronom *je* et du passé du conditionnel (*serais kouri*) utilisé en même temps que dans le sens d' « aller », **se** comme marqueur préverbal du conditionnel, et **gen** dans le sens d' « avoir ».

Comment rendre compte de ce type de variation ? Comparés aux extraits (1) et (2), les exemples en (3) posent un double problème pour l'analyse en termes d'alternance codique. D'une part, il est moins facile d'identifier une « langue matrice » car il n'y a pas de prépondérance nette de traits particuliers à l'une des variétés. D'autre part, le mélange de traits ayant lieu à l'intérieur des propositions, on ne peut pas s'appuyer sur la structure syntaxique comme guide pour tracer la frontière entre le cadien et le créole. Pourtant, il serait peut-être possible d'interpréter le mélange de traits dans (3c)-(3e) comme des cas de *congruent lexicalization*. En effet, ce type de mélange de codes est attesté entre des variétés qui montrent une « équivalence structurale générale » (Muysken 2000 : 123) aussi bien qu'entre celles qui partagent une grande partie de leur lexique, et bien qu'on puisse identifier un certain nombre de structures fondamentalement différentes dans les deux variétés louisianaises en question (par ex. la position des pronoms compléments d'objet direct et indirect ainsi que celle des articles définis), il est vrai

---

[9] C'est le placement de ce pronom après le verbe qui le rapproche du créole. La forme, en revanche, n'est pas typiquement créole, car le créole basilectal ne fait aucune distinction entre le genre féminin et masculin et utilise la forme **li** dans les deux cas.

que, d'une manière générale, le créole est structuralement proche du cadien, surtout lorsqu'on compare la distance structurale entre ces deux variétés et celle qui sépare le créole du FR.

Une autre possibilité serait d'analyser ce mélange de traits cadiens et créoles comme faisant partie d'un continuum linguistique, dont certains linguistes affirment l'existence en Louisiane (v. par ex. Brown 1996, Klingler 2003, Neumann 1985a, Marshall 1987, Valdman 1996a). Dans une telle perspective, les énoncés illustrés ci-dessus ne seraient pas simplement le résultat du mélange, fait au hasard, de traits appartenant à deux systèmes discrets, le cadien et le créole, mais plutôt le reflet de la variation non discrète, continue reliant deux variétés qui ne se distinguent clairement qu'aux pôles opposés du continuum. Le modèle du continuum ayant été développé pour rendre compte de la variabilité linguistique dans des sociétés créolophones, cette solution semble particulièrement appropriée pour la situation louisianaise. On notera par ailleurs que Marshall (1987) démontra que, dans le village de la Vacherie, où l'on retrouve le créole, le cadien et une variété assez proche du FR que l'on appelle « Riverfront French », la variation dans le groupe verbal n'est pas aléatoire mais est structurée selon une échelle implicationnelle semblable à celles que l'on trouve dans d'autres contextes où une langue créole est restée en contact avec une variété de sa langue lexificatrice. Le tableau 4 montre l'échelle implicationnelle que Marshall a pu établir pour les marqueurs aspecto-temporels. Alors que le marqueur du futur *va* fut employé par tous les locuteurs, les autres marqueurs – *ape* pour l'aspect progressif, Ø pour le passé, *te* pour l'antériorité, *sa* pour le futur et *se* pour le conditionnel – furent associés au mésolecte ou au basilecte. La présence du symbole « + » dans une case, indiquant que le locuteur utilisa le marqueur en question, implique des « + » dans toutes les cases au-dessus et à gauche, alors qu'un signe « - », indiquant que le locuteur n'utilisa pas le marqueur, implique des « - » dans toutes les cases au-dessous et à droite. Il faut noter que l'étude de Marshall fut limitée à un seul village et à un nombre restreint de traits grammaticaux. Jusqu'ici aucune tentative n'a été entreprise d'étendre son analyse à un plus grand nombre de locuteurs et à d'autres parties de la grammaire.

Malgré les limitations de son étude, on aura remarqué que Marshall tient compte d'une gamme de variation linguistique plus large que celle dont il a été question ici, car à la Vacherie on reconnaît, en plus du cadien et du créole, une troisième variété structuralement plus proche du FR et qui sert d'acrolecte dans le contexte de la varia-

Tableau 4
Relations implicationnelles des marqueurs aspecto-temporels
dans le village de la Vacherie (adapté de Marshall 1987: 92)

Locuteurs		Marqueurs				
		va	ape	Ø	te	sa/se
Basilecte	#8	+	+	+	+	+
	#4	+	+	+	+	+
	#5	+	+	+	+	+
	#3	+	+	+	+	+
	#1	+	+	+	+	+/-
	#9	+	+	+	+	+/-
Mesolecte	#2	+	+	+/-	-	-
	#7	+	+	-	-	-
Acrolecte	#10	+	-	-	-	-
	#6	+	-	-	-	-

va = marqueur du futur; *ape* = marqueur d'aspect progressif; Ø = verbe utilisé au passé sans marqueur; *te* = marqueur d'antériorité; *sa/se* = marqueurs du futur et du conditionnel

tion linguistique de ce village. En effet, en commençant par Neumann (1985a), ceux qui ont tenté d'analyser la situation linguistique de la Louisiane en termes de continuum linguistique s'accordent sur le fait qu'une représentation complète de cette situation ne peut se limiter au cadien et au créole. D'une part, même si le FR, ou une autre variété qui s'en approche, ne joue qu'un rôle marginal de nos jours[10], comme il a déjà été dit ci-dessus, cette variété n'est pas complètement absente de la scène, et il est même permis de croire que sa présence devient plus importante avec la croissance du tourisme francophone et l'augmentation du nombre de programmes d'immersion en français dans les écoles louisianaises. D'autre part, si l'acrolecte est défini comme la variété la plus prestigieuse, il faut reconnaître que le véritable acrolecte en Louisiane n'est ni le cadien ni le FR, mais plutôt l'anglais, qui n'est pas une variété de la langue lexificatrice du créole. Par ailleurs, Brown (1996) montre que le cadien et le créole peuvent eux aussi jouir de prestige dans certains contextes, et que le mouvement des locuteurs à travers le continuum n'est pas unidirectionnel dans le sens du FR[11]. Empruntant un terme de

---

[10] D'après mes propres recherches à la Vacherie, par exemple, le « Riverfront French » semble avoir disparu depuis l'époque où Marshall y a mené son enquête.
[11] Brown (1996) utilise le terme « français international ».

la biologie, elle propose le concept d'un continuum *chimérique*, ou hybride, comprenant des éléments de sources très différentes (le français et l'anglais), et existant « dans un espace multidimensionnel [...] où les locuteurs reconnaissent le code ou la variante approprié(e) selon le contexte social » (Brown 1996 : 54).

Il est évident que le type de continuum que l'on propose pour la Louisiane dépendra de la portée des éléments pris en compte. Alors que Brown tenta de rendre compte de toutes les variétés linguistiques, la présente étude se limite au problème du rapport entre le créole et le cadien. Peut-on donc affirmer, dans cette perspective plus réduite, que la variation illustrée par les énoncés ci-dessus forme un continuum reliant le créole basilectal au cadien acrolectal ? Pour le moment il ne s'agit que d'une hypothèse, et seules des études plus approfondies pourront déterminer si la variation illustrée par les énoncés ci-dessus s'explique mieux en termes de continuum ou en termes de mélange de codes.

5. Conclusion

S'il est possible de distinguer, chez certains locuteurs et dans certains contextes, un créole louisianais relativement basilectal d'un français cadien comportant peu ou pas de traits créoles, la démarcation des deux variétés est souvent compliquée par les étiquettes que les locuteurs donnent à leur(s) variété(s) ainsi que par les formes et structures linguistiques qu'ils emploient. Nous avons vu qu'il y a un lien étroit entre l'ethnicité des locuteurs et les noms par lesquels ils désignent leurs variétés linguistiques, les membres de chaque groupe ethnique ayant tendance à nommer leur variété par le même nom qu'ils emploient comme ethnonyme. Cette pratique donne lieu à des conflits entre l'étiquetage des linguistes et celui des francophones louisianais, ceux-ci nommant parfois « créole » une variété que ceux-là définissent comme « cadien ». Dans de telles conditions, il est clair qu'on ne peut pas se fier aux étiquettes linguistiques employées par les locuteurs pour savoir qui parle quelle variété.

Pour ce qui est des usages linguistiques, l'un des résultats du contact entre le créole et le cadien est la production d'énoncés où se mêlent des traits associés aux deux variétés, ce qui rend difficile la classification de ces énoncés comme appartenant à l'une ou l'autre variété. L'analyse des exemples que nous avons examinés comme des cas d'alternance codique n'est pas exclue, à condition d'adopter un modèle de ce phénomène qui peut s'appliquer à des contextes où les variétés en contact partagent un nombre significatif d'éléments et où il n'est pas toujours possible d'identifier une langue matrice et une langue enchâssée. Pourtant certains ont préféré analyser la variation linguistique en Louisiane en termes de continuum linguistique. Seule l'étude de données plus étendues permettra de déterminer quel modèle s'applique le mieux au contact entre le créole et le cadien.

Références

BRASSEAUX, Carl A. et Glenn R. CONRAD. 1992. « Introduction », dans Carl A. BRASSEAUX et Glenn R. CONRAD (dirs.), *The road to Louisiana : The Saint-Domingue refugees 1792-1809*, Lafayette, Louisiana, Center for Louisiana Studies, vii-xviii.

BROWN, Becky. 1996. « Les conséquences théoriques d'un continuum linguistique en Louisiane », *Plurilinguismes*, 11 : 37-62.

CONWELL, Marilyn J. et Alphonse JUILLAND. 1963. *Louisiana French grammar*, vol. 1, The Hague, Mouton.

DORAIS, Louis-Jacques. 1980. « Diglossie, bilinguisme et classes sociales en Louisiane », *Pluriel*, 22 : 57-91.

DUBOIS, Sylvie et Megan MELANÇON. 2000. « Creole is, Creole ain't : Diachronic and synchronic attitudes toward Creole identity in southern Louisiana », *Language in Society*, 29 : 237-258.

GOODMAN, Morris F. 1964. A comparative study of French Creole dialects, The Hague, Mouton.

GOODMAN, Morris F. 1992. [Compte rendu de *Pidgins and creoles, Volume II, Reference Survey*, John HOLM], *Journal of Pidgin and Creole Languages*, 7 (2) : 352-361.

GUILBEAU, John. 1950. *The French spoken in Lafourche Parish, Louisiana*, thèse de doctorat inédite, University of North Carolina, Chapel Hill.

HAAS, David F. 1980. *La langue française dans un village du couloir industriel du Mississippi, Document de travail 9,* Québec, Projet Louisiane, Département de Géographie, Université Laval.

HAZAËL-MASSIEUX, Guy. 1990. « Le guyanais et les créoles atlantiques à base française », *Études Créoles*, 13 (2) : 95-110.

HULL, Alexander. 1979. « On the origin and chronology of the French-based creoles », dans Ian HANCOCK (dir.), *Readings in Creole studies*, Ghent, Belgium, E. Story-Scientia, 201-215.

KLINGLER, Thomas A. 1998. « Français cadien, créole des Blancs et créole des Noirs en Louisiane », dans Patrice BRASSEUR (dir.), *Français d'Amérique : variation, créolisation, normalisation, actes du Colloque « Les Français d'Amérique du*

Nord en situation minoritaire », Université d'Avignon, 8-11 octobre 1996, Avignon, Université d'Avignon, Centre d'Études canadiennes, 205-225.

KLINGLER, Thomas A. 2003. *« If I could turn my tongue like that » : The creole language of Pointe Coupee Parish, Louisiana*, Baton Rouge, Louisiana State University Press.

LACHANCE, Paul F. 1992. « The 1809 immigration of Saint-Domingue refugees to New Orleans : Reception, integration, impact », dans Carl A. BRASSEAUX et Glenn R. CONRAD (dirs.), *The road to Louisiana : The Saint-Domingue refugees 1792-1809*, Lafayette, Louisiana, Center for Louisiana Studies, 245-284.

LANE, George S. 1935. « Notes on Louisiana French II : The Negro-French dialect », *Language*, 11 : 5-16.

LE MENESTREL, Sara. 1999. *La voie des Cadiens. Tourisme et identité en Louisiane*, Paris, Éditions Belin.

MAGUIRE, Robert E. 1979. *Notes on language use among English and French Creole speaking blacks in Parks, Louisiana, Document de travail 6*, Québec, Projet Louisiane, Département de Géographie, Université Laval.

MARSHALL, Margaret M. 1987. « A Louisiana Creole speech continuum », *Regional Dimensions*, 5 : 71-94.

MERCIER, Alfred. 1880. « Étude sur la langue créole en Louisiane », *Comptes-rendus de l'Athénée Louisianais*, 5 : 378-383.

MUYSKEN, Pieter. 2000. *Bilingual speech : A typology of code-mixing*, Cambridge, Cambridge University Press.

NEUMANN, Ingrid. 1984. « Le créole des Blancs en Louisiane », *Études Créoles*, 6 (2) : 63-78.

NEUMANN, Ingrid. 1985a. *Le créole de Breaux Bridge, Louisiane. Étude morphosyntaxique, textes, vocabulaire*, Hamburg, Helmut Buske.

NEUMANN, Ingrid. 1985b. « Bemerkungen zur Genese des Kreolischen von Louisiana und seiner historischen Relation zum Kreolischen von Haiti », dans Norbert BORETSKY, Werner ENNINGER et Thomas STOLTZ (dirs.), *Akten des ersten Essener Kolloquiums über « Kreolschprachen un Sprachkontakte »*, Bochum, Brockmeyer, 87-113.

OUKADA, Larbi. 1977. *Louisiana French : A linguistic study with a descriptive analysis of Lafourche dialect*, thèse de doctorat inédite, Louisiana State University, Baton Rouge.

PAPEN, Robert A. et Kevin J. ROTTET. 1997. « A structural sketch of the Cajun French spoken in Lafourche and Terrebonne Parishes », dans Albert VALDMAN (dir.), *French and Creole in Louisiana*, New York, Plenum Press, 71-108.

PARKVALL, Mikael. 1995. « The role of St Kitts in a new scenario of French Creole genesis », dans Philip BAKER (dir.), *From contact to creole and beyond*, London, University of Westminster Press, 41-62.

PICONE, Michael D. 1998. « Historic French diglossia in Louisiana », communcation présentée à la 58th Annual Meeting of the Southeastern Conference on Linguistics, Lafayette, Louisiana, mars.

ROBIN, Charles-César. 1807. *Voyages dans l'intérieur de la Louisiane*, 3 vols., Paris, F. Buisson.

ROTTET, Kevin J. 2000. « Le lexique du français louisianais et la notion de continuum linguistique », dans Danièle LATIN et Claude POIRIER (dirs.), *Contacts de langues et identités culturelles; perspectives lexicographiques; actes des quatrièmes Journées scientifiques du réseau « Étude du français en francophonie »*, Saint-Nicolas, Québec, Agence Universitaire de la Francophonie, Les Presses de l'Université Laval, 365-377.

SMITH, Jane S. 1994. *A morphosyntactic analysis of the verb group in Cajun French*, thèse de doctorat inédite, University of Washington, Seattle.

SPITZER, Nicholas R. 1986. *Zydeco and Mardi Gras : Creole identity and performance genres in rural French Louisiana*, thèse de doctorat inédite, University of Texas at Austin, Austin.

STÄBLER, Cynthia K. 1995a. *Entwicklung mündlicher romanisher Syntax. Das français cadien in Louisiana*, Tübingen, Gunter Narr.

STÄBLER, Cynthia K. 1995b. *La vie dans le temps et asteur. Ein Korpus von Gesprächen mit Cadiens in Louisiana*, Tübingen, Gunter Narr.

STEWART, William A. 1962. « Creole languages in the Caribbean », dans Frank A. RICE (dir.), *Study of the role of second languages in Asia, Africa and Latin America*, Washington, Center for Applied Linguistics, 34-53.

U.S. Census Bureau. 2000 Census of population and housing, summary tape file 3 (SF3), PCT10, Age by language spoken at home for the population 5 years and over. Généré par Thomas Klingler, utilisant American FactFinder http://factfinder.census.gov (le 23 février 2004).

VALDMAN, Albert. 1992. « On the socio-historical context in the development of Louisiana and Saint-Domingue Creoles », *Journal of French Language Studies*, 2 (1) : 75-95.

VALDMAN, Albert. 1996a. « The place of Louisiana Creole among New World French creoles », dans James H. DORMON (dir.), *Creoles of color of the Gulf South*, Knoxville, University of Tennessee Press, 144-165.

VALDMAN, Albert. 1996b. « La diffusion dans la genèse du créole louisianais », *Études créoles*, 19 (1) : 72-92.

VALDMAN, Albert et Thomas A. KLINGLER. 1997. « The structure of Louisiana Creole », dans Albert VALDMAN (dir.), *French and Creole in Louisiana*, New York, Plenum Press, 109-144.

VALDMAN, Albert, Thomas A. KLINGLER, Margaret M. MARSHALL et Kevin J. ROTTET. 1998. *Dictionary of Louisiana Creole*, Bloomington, Indiana University Press.

Maintien et revitalisation des variétés endogènes

Attitudes et représentations linguistiques en contexte minoritaire : le Québec et l'Acadie[1]

Michel Francard, Centre de recherche VALIBEL,
Université catholique de Louvain

1. Introduction

1.1. *Représentations, attitudes et comportements*

L'étude des systèmes de savoirs, de croyances et d'attitudes à travers lesquels des groupes sociaux appréhendent la réalité remonte au fondateur de la sociologie structurale, Émile Durkheim, qui voyait là des « routines » liées à la dimension psychosociale des institutions, ainsi qu'aux rituels, aux croyances et aux valeurs fondamentales d'une société (Seca 2003 : 304). Si Durkheim avait une vision statique de ces routines, des chercheurs comme Moscovici montreront dès les années 1960 que l'étude des représentations doit prendre en compte les changements d'opinion qui permettent aux acteurs sociaux de s'adapter à un contexte perpétuellement mouvant.

Les représentations sociales sont à la fois des *processus*, c'est-à-dire des systèmes sociocognitifs qui aident les acteurs à comprendre leur environnement et à y vivre, et des *productions* qui s'actualisent notamment dans des attitudes et des comportements. Les *attitudes*, dont l'étude a été développée par les psychologues sociaux sur la base de techniques expérimentales (échelles d'évaluation d'items, différenciateurs sémantiques, etc.), reposent sur des systèmes de valeurs à forte composante stéréotypale, intériorisés par les acteurs sociaux et qui permettent à ceux-ci d'évaluer des personnes, des produits, des situations, etc. Elles « déter-

[1] Cette contribution s'inscrit dans le programme de recherche « Langues et identités collectives » de l'ARC 99/04-237, financé par la Communauté française de Belgique. Une version antérieure de ce texte a bénéficié des remarques d'Annette Boudreau, de Philippe Hambye et de Claude Poirier, que je remercie sincèrement.

minent » des *comportements*, individuels et collectifs, directement observables.

Étudiées dans plusieurs champs disciplinaires, les attitudes et les représentations sociales sont familières des linguistes depuis les études pionnières de Lambert et al. (1960) sur le bilinguisme français-anglais à Montréal. On sait que le comportement langagier est l'une des principales sources d'information dont nous disposons pour nous forger une opinion sur autrui. Les traits linguistiques sont soumis à diverses évaluations : tel « accent » est ressenti comme lourd ou peu élégant, tel autre comme « pincé » ; telle prononciation irrite, telle autre est un signal de connivence. Ce sont là des attitudes inférées de stéréotypes relatifs aux pratiques linguistiques, et qui fondent la catégorisation sociale. En démontrant la relation entre variation linguistique et variation dans les évaluations des locuteurs, Lambert et ses (nombreux) émules ont ouvert la voie à de fructueuses recherches, tant du côté de la psychologie sociale que de celui de la (socio)linguistique.

1.2. *Représentations et identité sociale*

Les attitudes et les représentations linguistiques[2] sont à la base de catégorisations qui permettent aux individus de reconnaître, chez autrui, des traits linguistiques stéréotypés propres à l'endogroupe ou, au contraire, spécifiques d'un exogroupe; en d'autres termes, elles fondent l'identité sociale du sujet.

Cette identité sociale n'est pas figée : elle se construit et se négocie en fonction des différents paramètres (statuts et rôles respectifs des interlocuteurs, lieu, type d'activité, etc.) de chaque situation d'interaction. À travers son comportement linguistique, par l'utilisation de langues ou de variétés de langues différentes, un locuteur peut construire son identité en fonction de la situation de communication et revendiquer différentes appartenances groupales plus ou moins valorisan-

---

[2] Dans la suite de cet exposé, nous réunirons sous la dénomination « représentations linguistiques » à la fois les attitudes et les représentations. Ce faisant, nous adoptons une simplification courante dans les travaux de sociolinguistique, où les deux termes sont souvent confondus. Comme le suggère Gueunier (1997 : 247-248), si la notion d'attitude linguistique « ressortit davantage aux théories et aux méthodes de la psychologie sociale, alors que celle de représentation doit plus à l'étude contrastive des cultures et des identités et relèverait plutôt de concepts et de méthodes ethnologiques [...], [l]a raison de cette confusion tient peut-être au fait que, pour construire leurs échelles d'attitudes, les chercheurs en psychologie sociale ont utilisé des techniques de recueil de données qui faisaient elles-mêmes appel à des représentations. »

tes selon le contexte de l'interaction. Il utilise alors la langue pour affirmer la reconnaissance de certaines normes et produire ainsi ce que Le Page et Tabouret-Keller (1985) ont appelé des « actes d'identité ».

En contexte plurilingue, le locuteur qui entre en interaction avec des membres d'un exogroupe peut adopter des stratégies de convergence ou de divergence linguistique[3]. Il peut notamment mettre entre parenthèses – provisoirement ou définitivement – son appartenance à une collectivité, en fonction de l'image de soi qu'il veut présenter, et utiliser la langue de son interlocuteur membre d'un exogroupe. Il peut, au contraire, maintenir ou accentuer une différence linguistique pour marquer de la distance; il construit alors en situation son identité sociale, en marge de l'identité collective qui continue néanmoins implicitement à le définir.

1.3. *Représentations et vitalité ethnolinguistique*

La prise en compte des représentations est donc une dimension essentielle dans notre compréhension du changement linguistique, qu'il s'agisse du sort des langues en concurrence, de l'évaluation des variétés de langue disponibles au sein d'un marché linguistique ou des caractéristiques associées à un trait langagier particulier.

Plus précisément, ces représentations sont à considérer dès que l'on souhaite évaluer la *vitalité ethnolinguistique* (Mackey 1997) d'une communauté. Cette vitalité peut certes s'appréhender sur la base de facteurs « objectivables », au rang desquels se trouvent les caractéristiques démographiques (distribution des membres du groupe sur un territoire donné, taux de natalité et de mortalité, etc.), les supports institutionnels (reconnaissance et représentation dans les structures politiques), le statut social de la collectivité. Mais il convient de tenir compte également d'une évaluation « subjective » de la vitalité ethnolinguistique, telle que la perçoivent les membres des groupes concernés, et qui implique de prendre en compte la fonction symbolique de la langue.

Cette évaluation subjective, intrinsèquement liée aux attitudes et aux représentations, est centrale dans l'analyse des rapports de force en-

---

[3] Ces concepts relèvent de la théorie de l'accommodation linguistique (issue des travaux de Giles notamment) et désignent le fait pour un locuteur d'adapter (*convergence*) ou de ne pas adapter (*divergence*) son style linguistique à celui de son interlocuteur, en vue de se présenter de façon plus ou moins favorable à celui-ci. L'accommodation peut porter sur des dimensions variées, qui vont de l'accent au choix du code (Juillard 1997).

tre communautés linguistiques. Elle contribue de manière décisive à l'identification des individus à un groupe social, tout particulièrement dans le cas de groupes pratiquant une langue minoritaire : celle-ci est en effet essentielle pour permettre à ces groupes de se démarquer par rapport à d'autres, hégémoniques au sein du même environnement.

Cette contribution va se concentrer sur deux types de minorisation : l'une est illustrée ici par l'Acadie, où la communauté francophone est minoritaire quelle que soit l'institution politique de référence (province, pays); l'autre est représentée par le Québec, où les francophones sont minoritaires par rapport à l'ensemble du Canada, mais largement majoritaires dans le territoire (la province) qu'ils gèrent avec une très large autonomie. Dans l'une et l'autre situations se vérifie l'hypothèse selon laquelle seule une identité (ethno)linguistique positive renforce la vitalité ethnolinguistique de la communauté. C'est incontestablement le cas au Québec qui, sur ce point, se distingue d'autres communautés francophones périphériques comme la Wallonie ou la Suisse romande, marquées par une insécurité linguistique patente à l'égard du « grand voisin » français (Francard et al. 1993-1994) et par un net déficit identitaire. C'est probablement aussi l'évolution qui se dessine pour l'Acadie, dans un contexte bien différent du Québec, mais avec comme perspective réaliste un rééquilibrage des rapports de force aujourd'hui défavorables à l'avenir du français dans cette collectivité.

2. Le Québec

Dans l'introduction à l'ouvrage collectif *Le français au Québec* (Plourde et al. 2000), les directeurs de cette publication proposent une périodisation de « l'aventure étonnante » du français au Québec, dont les deux phases les plus récentes sont « Le français : un statut compromis » (1850-1960) puis « La reconquête du français » (1960-2000)[4].

La première période est consécutive à la rupture brutale avec la France, suite à la conquête anglaise, rupture aggravée par le sentiment

---

[4] On comparera cette périodisation avec celle proposée par Heller et Labrie (2003 : 16-23) qui identifient l'émergence successive de trois types de discours : un discours *traditionaliste*, présent dès le 19e siècle et qui devient hégémonique au 20e siècle; un discours *modernisant*, à partir des années 1950-1960, et un discours *mondialiste* d'émergence récente. Ces discours, dans et par lesquels des francophones du Canada – Acadiens et Franco-Ontariens dans ce livre – construisent leur identité, sont reliés aux bouleversements sociaux, économiques et politiques qui leur sont contemporains.

que la mère-patrie restait indifférente au combat des Canadiens français contre la domination des anglophones. Dans leur isolement forcé, les francophones vont prendre conscience de ce que leur variété de français (dénommée péjorativement par les anglophones *French Canadian patois*[5], pour la distinguer du *Parisian French*) n'était pas un vecteur crédible du combat pour la reconnaissance du « fait français » au Canada. Marquée de traits archaïques et populaires, la langue héritée des premiers colons va, dans les pratiques des élites, céder progressivement le pas à une variété de français plus proche des normes hexagonales. Comme dans d'autres francophonies périphériques, les formes et les normes endogènes vont être la cible de campagnes puristes[6], ce qui a suscité une insécurité linguistique qui perdurera jusque dans la seconde moitié du 20e siècle[7].

Au Québec, les rapports de force entre francophones et anglophones vont se modifier profondément à partir des années 1960. On désigne par le nom de « Révolution tranquille » cette restructuration en profondeur de la société québécoise, issue de la convergence d'une série de facteurs politiques, économiques et culturels qui contribuent à faire passer les francophones du Québec d'un statut d'infériorité à une position dominante face aux anglophones au sein de la Belle Province. Cette évolution, au plan linguistique, passe par le refus d'une double aliénation : celle du français vis-à-vis de l'anglais et celle du français québécois vis-à-vis d'une norme exogène, assimilée à celle de la variété hexagonale.

---

5 Stigmatisation que l'on retrouvera bien plus tard, à la fin des années 1960, dans la bouche de Pierre Elliott Trudeau s'exprimant sur une chaîne de télévision anglophone et parlant de « lousy French ».

6 Comme le montrent Poirier et Saint-Yves (2002), à côté des puristes qui réclament un alignement inconditionnel sur le français parisien, il existe à cette période une série de glossairistes qui cherchent à valoriser le français canadien, notamment parce qu'il présente d'intéressants archaïsmes et des mots hérités des parlers de France. Les deux courants partagent un objectif similaire – faire croître l'estime pour le français au Canada – mais avec des stratégies différentes : pour les puristes, en purifiant le français canadien de ses traits caractéristiques; pour les glossairistes, en justifiant certains particularismes. Dans les deux cas, le français parisien demeure toutefois un idéal à atteindre.

7 L'Office de la langue française (OLF) écrivait encore en 1965 : « la norme qui, au Québec, doit régir le français dans l'administration, l'enseignement, les tribunaux, le culte et la presse, doit, pour l'essentiel, coïncider à peu près entièrement avec celle qui prévaut à Paris, à Genève, Bruxelles, Dakar et dans toutes les grandes villes d'expression française. » (Extrait du Cahier de l'OLF « Norme du français parlé et écrit au Québec », 1965 : 6; cité d'après Pöll 2001 : 113).

Une politique linguistique volontariste, dont on connaît peu d'équivalent ailleurs[8], va assurer aux francophones majoritaires la place qui leur revient dans la société québécoise. Parmi les mesures les plus connues figurent celles destinées à contrer les effets pervers du bilinguisme dont les Québécois estimaient faire les frais : il en résultera une application stricte du « principe de territorialité »[9] qui imposera un unilinguisme français dont la *Charte de la langue française* – encore appelée loi 101 (1977) – précise les conditions d'application dans le domaine public[10].

Mais l'évolution des attitudes et des représentations sera tout aussi significative dans le domaine des représentations linguistiques. Les enquêtes menées par Lambert et al. au début des années 1960 ne laissaient planer aucun doute sur la stigmatisation dont faisaient l'objet les francophones québécois, que ce soit dans la communauté anglophone dominante ou chez les francophones eux-mêmes. Cette auto-dépréciation, que l'on retrouve dans bien des groupes dominés (Lafontaine 1997 : 58), va progressivement faire place à l'émergence de sentiments positifs[11], due à une transformation de la conscience linguistique des Québécois. Cette rupture avec le purisme stigmatisant s'accompagnera d'une remise en cause du primat jusque là incontesté des normes exogènes.

---

[8] À l'exception toutefois de la Belgique, dont la législation linguistique contient des mesures protectionnistes en faveur du néerlandais qui sont de même nature que celles appliquées au Québec pour le français.

[9] Le *principe de territorialité*, encore appelé « droit du sol », est celui selon lequel le choix de la langue est déterminé par l'appartenance à la région : *cuius regio, eius lingua*. Chaque langue dispose donc d'un espace, délimité par une frontière linguistique et dans lequel est imposé l'unilinguisme. Il est antagoniste du *principe de personnalité*, encore appelé « droit des gens » ou « droit du sang », qui assure le libre choix de la langue aux individus et permet donc le plurilinguisme institutionnel sur un territoire donné. Pour une analyse du principe de territorialité et de ses effets en matière de protection des minorités, voir Francard et Hambye 2003.

[10] On trouvera un bilan circonstancié et nuancé des conséquences de la « loi 101 » dans Bouchard et Bourhis 2002.

[11] Cette « amélioration » de la conscience linguistique québécoise se traduira surtout au plan du prestige latent (*covert prestige*), le prestige apparent (*overt prestige*) restant l'apanage du français de l'Hexagone (v. plus loin).

Dans ce processus, la « querelle du *joual* »[12] s'avère, rétrospectivement, comme une sorte de catharsis indispensable à une société en quête d'affirmation de soi (notamment au plan linguistique). Elle a permis, par ses outrances mêmes, de poser explicitement la question du choix d'une variété de référence pour les francophones québécois qui, jusque là, partageaient avec bien d'autres communautés francophones périphériques le dilemme suivant : la légitimité associée à une variété exogène (Paris) vs la stigmatisation encourue par la variété endogène.

L'idée, pour les Québécois, de se reconnaître dans un « français standard d'ici »[13], incarnant la symbolique identitaire de la société québécoise, fera progressivement son chemin. Les enseignants de français et les « professionnels de la langue » joueront un rôle décisif dans le « rapatriement de la norme » au Québec. Ils feront triompher une vision « réaliste » de la langue, qui refuse tout autant la marginalisation du français québécois par rapport au reste de la francophonie (ce qu'aurait entraîné la généralisation de l'emploi du *joual*) que l'adoption pure et simple de la variété parisienne[14]. Cette émergence progressive d'un « français québécois standard » est un fait resté unique dans la francophonie, soumise au monocentrisme parisien et confrontée, pour la première fois, à la légitimation de normes endogènes dans une aire périphérique.

---

12 Le *joual* (prononciation altérée du mot *cheval*, qui remonte aux premiers colons de la Nouvelle-France), que l'on associe souvent aux pièces de théâtre de Michel Tremblay (dont *Les Belles-Sœurs*), est un vernaculaire très marqué de traits populaires et d'emprunts à l'anglais. La « querelle du joual », comme l'écrivent Martel et Cajolet-Laganière (2000 : 379), « a cristallisé les opinions autour d'une alternative simplificatrice : ou bien la langue des Québécois était le français de France [...] et, dans ce cas, tous les efforts devaient être faits pour s'y conformer en tout point; ou bien cette langue était celle du peuple et des gens peu scolarisés, à savoir le parler vernaculaire stigmatisé par le mot "joual" et associé par certains à l'identité du peuple québécois. »

13 Une des premières explicitations de cette formule se trouve dans une résolution de l'Association québécoise des professeurs de français lors d'un congrès tenu en 1977 : « Que la norme du français dans les écoles du Québec soit le français standard d'ici. Le français standard d'ici est la variété de français socialement valorisée que la majorité des Québécois francophones tendent à utiliser dans les situations de communication formelle. » (cité d'après Gagné 1983 : 499).

14 Une enquête menée par Maurais et Bouchard en 1998 confirme les deux composantes de cette vision « réaliste » de la langue. À l'énoncé « Les francophones du Québec devraient être capables de parler également un français international », 88,2 % des 1 591 personnes interrogées expriment leur adhésion (ils étaient 85,3 % dans une enquête similaire menée en 1983). Une proportion tout aussi importante – 87,9 % – (en nette progression depuis 1983, où le pourcentage était de 73,2 %) s'accorde également avec l'énoncé : « Les mots d'ici constituent une richesse qu'il faut absolument conserver » (Maurais 2001 : 108).

Si l'adhésion des Québécois à une variété de français qui leur soit spécifique[15] est une position de principe qui n'est guère contestée aujourd'hui[16], les formes et les normes du français québécois standard ne sont pas encore clairement identifiées et ce, malgré le remarquable travail de description et d'analyse de cette variété effectué par des linguistes québécois (pour la plupart), en particulier dans le domaine de la lexicographie différentielle[17]. Analysant cette situation, Martel (2001 : 130) suggère qu'elle résulte de l'écart existant entre la perception des linguistes, ouverts à la variation et s'efforçant d'en rendre compte, et celle des usagers en général, peu favorables à la diversité linguistique et en conséquence peu demandeurs d'ouvrages illustrant cette diversité. Cette opposition entre linguistes et usagers « ordinaires », que l'on observe dans bien d'autres communautés linguistiques, est toutefois à relativiser dans le cas du Québec, en raison du rôle important qui y est joué par les organismes linguistiques. Dans un passé récent, ceux-ci ont souvent adopté des positions très normatives (v. note 7), qui ont pu influencer négativement la réception de certains dictionnaires centrés sur la variété québécoise[18].

Même au Québec, le travail d'explicitation des normes endogènes est donc à poursuivre[19], faute de quoi il sera difficile aux Québécois

---

[15] Variété que certains linguistes québécois considèrent volontiers comme « nationale » (v. Verreault et Mercier 1998) et qui est en réalité, comme le souligne pertinemment Pöll (2002 : 267) « un complexe structuré de variétés ou registres ».

[16] Il n'y a cependant pas unanimité sur ce point : voir Nemni (1998) pour une mise en cause assez radicale de l'existence d'un français québécois standard. Une position similaire, quoique plus nuancée, était déjà exprimée par Paquot (1993).

[17] Parmi la riche tradition lexicographique québécoise, une « mention spéciale » est à décerner au récent et remarquable *Dictionnaire historique du français québécois* (Poirier 1998b).

[18] Il s'agit plus précisément du *Dictionnaire du français Plus* (Poirier 1988a) et du *Dictionnaire québécois d'aujourd'hui* (Boulanger 1992) qui avaient poussé leur logique jusqu'à supprimer toute marque diatopique pour les faits « québécois » qu'ils recensaient et à marquer comme francismes les faits et emplois spécifiques à l'Hexagone. Le DQA avait en outre intégré des formes et des tours marqués comme populaires, ainsi que des anglicismes, lesquels sont généralement stigmatisés au Québec dans des contextes de communication formels. De tels dictionnaires, quel que soit leur succès auprès du public (le DFP a été vendu à environ 60 000 exemplaires), peuvent difficilement apparaître comme des « instruments de référence » dans un contexte idéologique qui ne tolérerait que les usages « standard ».

[19] On pourrait s'étonner de ce que la codification des usages au Québec ne soit pas plus avancée, eu égard au nombre et au dynamisme des organismes linguistiques auxquels cette tâche a été confiée par les autorités politiques. Poirier (2001 : 28) explique cette situation en soulignant que ces organismes linguistiques sont « prisonniers d'une approche terminologique qui les a conduits à traiter la question [de la norme] à travers la

de s'y reconnaître et d'y adhérer : « Le jour où le français des Québécois quittera le domaine du "français de référence" (représentation abstraite actuelle) pour devenir un "standard" (lorsqu'existera une description effective et complète de leur standard), ce dernier deviendra une référence concrète et réelle. C'est à partir de ce moment que la norme québécoise deviendra opérante et fonctionnelle. » (Martel 2001 : 132). Et ce but ne peut être atteint qu'en associant la démarche descriptive interne à une étude sociolinguistique des représentations des locuteurs.

3. L'Acadie

La politique québécoise, faisant du Québec un espace public francophone à partir des années 1960, aura pour conséquence de sonner le glas du « Canada français ». En effet, en se dotant d'institutions et de services qui lui ont permis une autonomie de gestion, le Québec s'est progressivement éloigné des autres provinces restées plus dépendantes du gouvernement fédéral. L'adoption de la loi 101, qui constitue une sorte d'aboutissement, au plan linguistique, de la politique de distanciation vis-à-vis du fédéral, rendra manifeste l'isolement des « francophones hors Québec » par rapport à leurs homologues québécois.

La plus importante des communautés francophones hors Québec, les Acadiens[20], vivra avec amertume cette séparation, qui la fragilise davantage dans son rapport de force avec la majorité anglophone des provinces maritimes du Canada (Nouveau-Brunswick, Nouvelle-Écosse et Île-du-Prince-Édouard). On comprend dès lors pourquoi les Acadiens ont choisi de diversifier et d'intensifier leurs contacts avec les autres communautés francophones, dans le but non seulement de rompre l'isolement dans lequel ils étaient confinés, mais aussi pour gagner une

---

langue de l'affichage et de l'étiquetage et celles des productions gouvernementales plutôt que sur la base de corpus représentant la langue réelle (journaux, littérature, radio et télévision, usage oral des gens instruits, etc.) […]. »

[20] Précisons qu'il s'agit d'une importance proportionnelle à l'ensemble de la population des Maritimes, où les francophones acadiens constituent 20 % de la population. En chiffres absolus, l'Ontario devance quelque peu l'Acadie. On rappellera que le Nouveau-Brunswick est, depuis 1969, la seule province officiellement bilingue du Canada, grâce à la *Loi sur les langues officielles du Nouveau-Brunswick* (confortée ultérieurement par la *Loi reconnaissant l'égalité des deux communautés linguistiques officielles au Nouveau-Brunswick*, votée en 1981, et la *Loi sur les langues officielles* de 2002).

légitimité en tant que membre à part entière de la « francophonie internationale »[21].

Cette participation à un espace francophone transnational n'est pas qu'une opération de « relations publiques » : elle induit de profonds changements dans les mentalités collectives, tant chez les francophones que chez les anglophones du Nouveau-Brunswick. Un des défis majeurs posés par cette ouverture à d'autres francophones – et à d'autres variétés linguistiques du français – est de pouvoir gérer collectivement la différence patente entre les normes du français en usage en Acadie et celles d'un français « international », plus standardisé.

L'Acadie n'a pas encore fait émerger une « variété acadienne standard » du français, dotée d'une réelle légitimité et qui serait en usage dans un maximum de situations, en particulier dans les communications formelles. Les variétés acadiennes[22] se rencontrent le plus souvent dans des contextes peu formels, au sein de réseaux communautaires locaux ou régionaux. Ces vernaculaires souffrent d'un déficit de légitimité par rapport au « français international », en même temps qu'ils sont valorisés au plan de la symbolique identitaire – situation classique en contexte diglossique.

Une des principales conséquences de la densification des contacts avec d'autres communautés francophones est donc que les Acadiens ressentent à la fois le faible poids de leurs vernaculaires sur le « marché officiel » et l'inadéquation d'une variété plus standardisée sur le « marché restreint » de la seule Acadie[23]. L'évolution inéluctable qui s'en suivra, tant dans le domaine des pratiques que dans celui des représenta-

---

[21] Boudreau (2001 : 118-120) montre que la tenue à Moncton du 8e sommet des chefs d'état francophones, en septembre 1999, a été vécue par la population acadienne comme un moteur pour le développement du « fait français » au Nouveau-Brunswick.

[22] Comme le précisent Boudreau et Gadet (1998 : 57), il convient, dans le cas de l'Acadie, de distinguer trois variétés de français (inscrites dans des relations de continuum) : le français « traditionnel » (marqué par des traits archaïques qui remontent à la colonisation), le chiac (v. plus loin) et un français plus standardisé.

[23] Cette tension se retrouve dans la plupart des communautés francophones, où elle constitue une des facettes de l'insécurité linguistique. Mais, comme le souligne Boudreau (2001 : 116), elle est accentuée en Acadie du fait de la distance qui sépare le vernaculaire de la variété « de prestige », distance que l'on peut estimer largement supérieure à celle observée (ou ressentie) en Wallonie ou en Suisse par exemple, entre le français « régional » et le « français standard » (Francard 2001). En outre, comme l'écrit Thibault (2003 : 908), « en Acadie la situation est compliquée par l'existence d'un complexe d'infériorité envers les Québécois, en position de force au sein de la francophonie canadienne. »

tions, est décrite par certains auteurs (dont Boudreau 2001 : 118) comme un « aménagement en douce [...] qui s'accomplirait sur deux axes, le premier, social, qui toucherait la diversification et l'augmentation des domaines d'utilisation de la langue traditionnellement dominée, le second, linguistique, qui viserait à refranciser et à moderniser le français acadien. »

On notera que le conflit de normes entre les vernaculaires acadiens et la variété standard « de référence » se retrouve dans d'autres communautés francophones minoritaires en Amérique du Nord (Valdman 2001). C'est le cas de l'Ontario, où le français standard est en compétition à la fois avec des vernaculaires et avec une norme de référence émergente, proche du français québécois standard. Cela s'observe aussi en Louisiane, où le français standard (diffusé surtout par le Conseil pour le développement du français en Louisiane – CODOFIL) coexiste avec le « cadien », un vernaculaire dont on peut retracer la filiation avec le français des Acadiens et qui est porteur de l'identité culturelle (a)cadienne.

De ce point de vue, ces communautés se situent plutôt dans le sillage du Québec que dans celui des francophonies européennes et africaines, si l'on adopte la distinction proposée par Poirier (2001 : 26) entre :

– les variétés de français issues de la langue originaire d'Île-de-France qui, via les élites, s'est superposée à des langues régionales (Europe) ou s'est implantée comme langue seconde (Afrique du Nord, Afrique subsaharienne, Liban, etc.), jouant pleinement le rôle de « variété de référence » ;

– et celles issues d'une variété diastratique (populaire) de ce français de l'Île-de-France, marquée par des traits régionaux et dialectaux qui s'y sont conservés, et que la colonisation a introduites en Amérique du Nord.

Ces différences de genèse entraînent des représentations différentes de la variété qui incarne la légitimité linguistique :

Dans le premier cas, on remarque que cette variété de référence, même si elle n'est pas toujours maîtrisée par les locuteurs, est acceptée de façon plus spontanée comme étant la norme. Dans le second cas, bien que l'institution scolaire diffuse (en principe !) ce même modèle, les locuteurs préfèrent, même dans des situations formelles, leurs usages courants à ceux que proposent les ouvrages de référence. De plus, baignant dans un milieu où ils sont rarement en contact avec le français parisien, ces francophones, même les plus instruits, sont inconscients de la plupart des caractéristiques de leur façon de parler. » (Poirier 2001 : 27)

L'Acadie est-elle en passe de suivre l'évolution qu'a connue le Québec il y a quelques décennies ? Sans doute au plan des pratiques linguistiques *stricto sensu* : un français acadien plus standardisé gagnerait en légitimité. Peut-être au plan symbolique : il pourrait y avoir report de la loyauté linguistique – autrefois dévolue au vernaculaire – vers une variété plus véhiculaire, mais comportant encore suffisamment de traits perçus comme identitaires. Probablement pas à l'échelle de l'ensemble de la société acadienne, qui diffère trop sensiblement de celle de la Belle Province pour que le « modèle québécois » puisse lui être appliqué. Le nombre restreint de locuteurs acadiens francophones, leur éparpillement géographique, le statut bilingue du Nouveau-Brunswick, sont autant de facteurs qui rendent difficile une évolution de l'Acadie vers le modèle québécois d'une « société distincte » et, au plan linguistique, vers un développement du français acadien comme « variété nationale » du français[24].

Quoi qu'il en soit, il est urgent de mener en Acadie un double travail (Péronnet 1993 : 108) : décrire la variété acadienne et ses normes, à l'instar de ce qui a été entrepris pour le français québécois, et obtenir un consensus social pour reconnaître et diffuser cette variété, notamment de la part des enseignants. Le français en Acadie a certes donné lieu à quelques études de synthèse[25], mais sans que cela ne débouche sur

---

[24] La reconnaissance du statut de « variété nationale » à la québécoise me paraît liée à trois conditions essentielles (Francard 1998). La variété en question doit se prévaloir
  – d'une reconnaissance institutionnelle;
  – d'une autonomie par rapport à d'autres variétés proches;
  – d'une légitimité reconnue par rapport à toute autre variété de référence.
  Dans le cas de l'Acadie, la première condition est remplie de par le statut bilingue reconnu au Nouveau-Brunswick, mais les deux autres sont encore à rencontrer.

[25] Citons, sans souci d'exhaustivité, Flikeid (1984) qui propose une analyse sociolinguistique de la variation phonétique, Péronnet (1989) qui offre une analyse centrée sur les éléments morphologiques et grammaticaux, Boudreau (1998) qui étudie les attitudes et représentations des jeunes Acadiens, ainsi que le *Dictionnaire du français acadien* (Cormier 1999). Le Centre de Recherche en Linguistique Appliquée (CRLA) de l'université de Moncton a publié en janvier 2003 son premier *Cahier bibliographique du CRLA*, inventoriant les principaux travaux publiés sur le français en Acadie.

l'émergence d'un « modèle linguistique »[26], dont le besoin se fait de plus en plus sentir, en particulier dans les communications formelles.

Est-il nécessaire de rappeler que cette identification d'un « standard acadien » doit être menée en référence à des normes avalisées par les Acadiens eux-mêmes, et non en fonction de normes ressenties comme exogènes (et source potentielle d'insécurité linguistique) ? Cela passe par une évaluation des usages qui, comme dans le cas du Québec, implique des prises de position vis-à-vis de l'ensemble des variétés existantes. En Acadie, un des défis sera de « positionner » le standard de référence vis-à-vis d'un vernaculaire particulièrement répandu, sous ses formes les plus anglicisées, dans les milieux populaires et chez les jeunes : le *chiac*[27]. Celui-ci est investi d'une forte charge identitaire et pourrait être considéré comme l'une des expressions les plus significatives de la « spécificité » acadienne d'aujourd'hui. Toutefois, comme le *joual* au Québec, le *chiac*, en raison de ses caractéristiques linguistiques, risque d'être l'objet d'un rejet non seulement de la part des francophones extérieurs à l'Acadie, mais aussi de la part d'Acadiens préoccupés d'une insertion réussie dans la francophonie internationale et/ou soucieux de ne pas être identifiés à une (variété de) langue qui porte trop l'empreinte de l'oppresseur anglophone (Boudreau et Gadet 1998 : 58).

On précisera enfin que cette participation des Acadiens au réseau de la francophonie internationale leur permet de contrer – et peut-être même d'inverser, dans une certaine mesure – les relations hégémoniques imposées par la majorité anglophone. Comme le signale Boudreau (2001 : 113), « [l]a situation du français, au Nouveau-Brunswick surtout, semble donc progresser sur le plan politique et social » et cela se marque dans les attitudes tant des Acadiens que des anglophones. En

---

26 De ce point de vue, on remarquera, avec Poirier (2001 : 21-22), que les inventaires de particularités lexicales publiés par des chercheurs travaillant sur l'Afrique subsaharienne contiennent d'assez nombreuses informations métalinguistiques (fréquence, registre, diffusion selon les catégories d'utilisateurs, selon le médium, etc.) qui relèvent d'un souci de codification des usages répertoriés, mais dont on ne dispose pas à l'heure actuelle pour l'Acadie.

27 Pour une description du chiac, voir Perrot (1995, 1998 et dans ce volume). Outre le chiac, on pourrait mentionner l'*akadjonne* en Nouvelle-Écosse (dont on trouvera des éléments de description dans Flikeid 1984, Boudreau et Leblanc-Côté 2003, Dubois 2003). Ces deux vernaculaires se distinguent nettement du français pratiqué dans la péninsule (nord-est du Nouveau-Brunswick, où vivent un tiers des francophones acadiens), lequel est peu marqué par les archaïsmes et les anglicismes (communication personnelle d'Annette Boudreau, 12 avril 2004). Mais sa description reste à entreprendre.

cela, l'Acadie peut s'enorgueillir, tout comme le Québec, d'avoir significativement ralenti la progression de l'anglais au détriment du français[28].

4. Conclusion

Plusieurs constantes se dégagent des situations illustrées par l'Acadie et le Québec.

1. L'émergence d'une variété « de référence » dans une communauté donnée présuppose que soient clarifiés les rapports tant avec des variétés extérieures, en particulier celle de l'Hexagone, qu'avec des variétés co-existantes sur le même territoire (comme le joual ou le chiac). Cette codification porte à la fois sur les aspects linguistiques (délimitation des variétés) et sociolinguistiques (jugements de normativité, etc.). C'est dire si la prise en compte des représentations linguistiques est essentielle pour réussir la construction d'une variété standard correspondant aux attentes des locuteurs.

2. Un des enjeux majeurs de cette élucidation des rapports entre les variétés en présence est d'obtenir cette « sécurité linguistique » propice aux sentiments de loyauté à l'égard de la langue en usage dans la communauté. Même si le Québec paraît plus avancé dans cette voie que les autres collectivités francophones, on a constaté que le prestige associé au québécois standard est sans doute encore plus *latent* qu'*apparent*. L'explicitation et la diffusion des normes de référence devraient permettre, au Québec et ailleurs, une valorisation qui ne relève pas seulement de stratégies de compensation.

3. Il reste que le Québec dès à présent – et sans doute l'Acadie dans un proche avenir – peuvent se targuer d'avoir inversé une tendance qui aurait pu mener rapidement à la disparition du « fait français » en Amérique du Nord. De ce point de vue, ces deux communautés représentent, pour l'ensemble des francophones, deux stimulantes illustrations d'une francophonie pluri-

---

[28] Si l'on en croit Castonguay (2003), le Nouveau-Brunswick serait la seule province canadienne où, durant ces dernières années, la minorité francophone a réduit son taux d'anglicisation.

centrique, modèle encore largement théorique aujourd'hui, mais dont on peut penser qu'il est à même d'assurer un avenir au français dans des contextes où celui-ci est minorisé (et dans quels contextes le français ne doit-il pas s'attendre à être minorisé, aujourd'hui ou demain ?).

Références

BOUCHARD, Pierre et Richard BOURHIS (dirs.). 2002. *Revue d'aménagement linguistique ; L'aménagement linguistique au Québec : 25 ans d'application de la Charte de la langue française*, numéro hors série.

BOUDREAU, Annette. 1998. *Représentations et attitudes linguistiques des jeunes en Acadie du Nouveau-Brunswick*, thèse de doctorat inédite, Université Paris X-Nanterre, Nanterre.

BOUDREAU, Annette. 2001. « Le français de référence entre le même et l'autre. L'exemple des petites communautés », *Cahiers de l'Institut Linguistique de Louvain*, 27 (1-2) : 111-122.

BOUDREAU, Annette et Françoise GADET. 1998. « Attitudes en situation minoritaire. L'exemple de l'Acadie », dans Ambroise QUEFFÉLEC (dir.), *Le français en Afrique. Francophonies. Recueil d'études offert en hommage à Suzanne Lafage*, Paris, Didier Érudition, 55-61.

BOUDREAU, Annette et Mélanie LEBLANC-CÔTÉ. 2003. « Les représentations linguistiques comme révélateurs des rapports à l'autre dans la région de la Baie Ste-Marie en Nouvelle-Écosse », dans Maurice BASQUE, André MAGORD et Amélie GIROUX (dirs.), *L'Acadie plurielle. Dynamiques identitaires collectives et développement au sein des réalités acadiennes*, Moncton, Université de Moncton, Centre d'études acadiennes, 289-305.

BOULANGER, Jean-Claude (dir.). 1992. *Dictionnaire québécois d'aujourd'hui. Langue française, histoire, géographie, culture générale*, Saint-Laurent, Québec, Dicorobert Inc.

CASTONGUAY, Charles. 2003. « L'urbanisation comme catalyseur de l'assimilation : dynamiques distinctes au Nouveau-Brunswick et en Ontario », dans Annette BOUDREAU, Lise DUBOIS, Jacques MAURAIS et Grant McCONNELL (dirs.), *L'écologie des langues/Ecology of languages*, Paris, L'Harmattan, 67-86.

CORMIER, Yves. 1999. *Dictionnaire du français acadien*, Montréal, Fides.

DUBOIS, Lise. 2003. « Radios communautaires acadiennes : idéologies linguistiques et pratiques langagières », dans Maurice BASQUE, André MAGORD et Amélie GIROUX (dirs.), *L'Acadie plurielle. Dynamiques identitaires collectives et développement au sein des réalités acadiennes*, Moncton, Université de Moncton, Centre d'études acadiennes, 307-323.

FLIKEID, Karin. 1984. *La variation phonétique dans le parler acadien du nord-est du Nouveau-Brunswick*, New York, Peter Lang.

FRANCARD, Michel, Geneviève GERON et Régine WILMET (dirs.). 1993-1994. *L'insécurité linguistique dans les communautés francophones périphériques*, 2 vol., *Cahiers de l'Institut de Linguistique de Louvain*, 19 (3-4), 1993, *Cahiers de l'Institut de Linguistique de Louvain*, 20 (1-2), 1994.

FRANCARD, Michel. 1998. « La légitimité linguistique passe-t-elle par la reconnaissance du statut de variété "nationale" ? Le cas de la Communauté française Wallonie-Bruxelles », *Revue québécoise de linguistique*, 26 (2) : 13-23.

FRANCARD, Michel. 2001. « Français de frontière : la Belgique et la Suisse francophones », *Présence francophone*, 56 : 27-54.

FRANCARD, Michel et HAMBYE, Philippe. 2003. « Des langues minoritaires et des hommes. Aspects linguistiques, identitaires et politiques », dans Paul-Augustin DEPROOST (dir.), *Imaginaires européens. Les langues pour parler en Europe. Dire l'unité à plusieurs voix*, Paris, L'Harmattan, 29-57.

GAGNÉ, Gilles. 1983. « Norme et enseignement de la langue maternelle », dans Édith BÉDARD et Jacques MAURAIS (dirs.), *La norme linguistique*, Paris, Le Robert et Québec : Gouvernement du Québec : 463-509.

GUEUNIER, Nicole. 1997. « Représentations linguistiques », dans Marie-Louise MOREAU (dir.), *Sociolinguistique. Concepts de base*, Sprimont, Belgique, Mardaga, 246-252.

HELLER, Monica et Normand LABRIE (dirs.). 2003. *Discours et identités. La francité canadienne entre modernité et mondialisation*, Cortil-Wodon, Belgique, Éditions Modulaires Européennes et InterCommunications.

JUILLARD, Caroline. 1997. « Accommodation », dans Marie-Louise MOREAU (dir.), *Sociolinguistique. Concepts de base*, Sprimont, Belgique, Mardaga, 12-14.

LAFONTAINE, Dominique. 1997. « Attitudes linguistiques », dans Marie-Louise MOREAU (dir.), *Sociolinguistique. Concepts de base*, Sprimont, Belgique, Mardaga, 56-60.

LAMBERT, Wallace E., Richard C. HODGSON, Robert C. GARDNER, et Stanley FILLENBAUM. 1960. « Evaluational reactions to spoken languages », *Journal of abnormal and social psychology*, 60: 44-51.

LE PAGE, Robert et Andrée TABOURET-KELLER, 1985. *Acts of identity : Creole-based approaches to language and ethnicity*, Cambridge, Cambridge University Press.

MACKEY, William F. 1997. « Vitalité linguistique », Marie-Louise MOREAU (dir.), *Sociolinguistique. Concepts de base*, Sprimont, Belgique, Mardaga, 294-296.

MARTEL, Pierre. 2001. « Le français de référence et l'aménagement linguistique », *Cahiers de l'Institut Linguistique de Louvain*, 27 (1-2) : 123-139.

MARTEL, Pierre et Hélène CAJOLET-LAGANIÈRE. 2000. « Le français au Québec : un standard à décrire et des usages à hiérarchiser », dans Michel PLOURDE, Hélène DUVAL et Pierre GEORGEAULT (dirs.), *Le français au Québec. 400 ans d'histoire et de vie*, Québec, Fides et Les Publications du Québec, 379-391.

MAURAIS, Jacques. 2001. « L'avènement d'une langue française aux normes plurielles : un point de vue québécois », dans *Diversité culturelle et linguistique : quelles normes pour le français ?*, Paris, Agence universitaire de la Francophonie, 107-114.

NEMNI, Monique. 1998. « Le français au Québec : représentation et conséquences pédagogiques », *Revue québécoise de linguistique*, 26 (2) : 151-175.

PAQUOT, Annette. 1993. « Des dictionnaires pour perdre le nord ? L'évolution récente de la lexicographie québécoise et l'insécurité linguistique », *Cahiers de l'Institut Linguistique de Louvain*, 19 (3-4) : 199-208.

PÉRONNET, Louise. 1989. *Le parler acadien du Sud-Est du Nouveau-Brunswick. Éléments grammaticaux et lexicaux*, New York, Peter Lang.

PÉRONNET, Louise. 1993. « La situation du français en Acadie : de la survivance à la lutte ouverte », dans Didier DE ROBILLARD et Michel BENIAMINO (dirs.), *Le français dans l'espace francophone*, t. 1, Paris, H. Champion, 101-116.

PERROT, Marie-Ève. 1995. *Aspects fondamentaux du métissage français/anglais dans le chiac de Moncton (Nouveau-Brunswick, Canada)*, thèse de doctorat inédite, Université de la Sorbonne Nouvelle Paris III, Paris.

PERROT, Marie-Ève. 1998. « Les modalités du contact français/anglais dans un corpus chiac : métissage et alternance codique », dans Ambroise QUEFFÉLEC (dir.), *Le français en Afrique. Francophonies. Recueil d'études offert en hommage à Suzanne Lafage*, Paris, Didier Érudition, 219-226.

PLOURDE, Michel, Hélène DUVAL et Pierre GEORGEAULT (dirs.). 2000. *Le français au Québec. 400 ans d'histoire et de vie*, Québec, Fides et Les Publications du Québec.

POIRIER, Claude (dir.). 1988a. *Dictionnaire du français Plus à l'usage des francophones d'Amérique*, Montréal, Centre Éducatif et Culturel.

POIRIER, Claude (dir.). 1998b. *Dictionnaire historique du français québécois*, Sainte-Foy, Québec, Les Presses de l'Université Laval.

POIRIER, Claude. 2001. « Vers une nouvelle pratique de la lexicographie du français », dans *Diversité culturelle et linguistique : quelles normes pour le français ? [actes du] colloque du IXᵉ Sommet de la Francophonie, Université Saint Esprit de Kaslik, Beyrouth*, Paris, Agence universitaire de la Francophonie, 19-39.

POIRIER, Claude et Gabrielle SAINT-YVES. 2002. « La lexicographie du français canadien de 1860 à 1930 : les conséquences d'un mythe », *Cahiers de lexicologie*, 80 (1) : 55-76.

PÖLL, Bernhard. 2001. *Francophonies périphériques. Histoire, statut et profil des principales variétés du français hors de France*, Paris, L'Harmattan.

PÖLL, Bernhard. 2002. « La lexicographie et les régionalismes : un point de vue sociolinguistique sur un rapport problématique », dans Bernhard PÖLL et Franz RAINER (dirs.), *Vocabula et vocabularia. Études de lexicologie et de (méta-)lexicographie romanes en l'honneur du 60ᵉ anniversaire de Dieter Messner*, Frankfurt-Bern-New York-Paris, Peter Lang, 263-282.

SECA, Jean-Marie. 2003. « Représentation sociale », dans Gilles FERRÉOL et Guy JUCQUOIS (dirs.), *Dictionnaire d'interculturalité*, Paris, A. Colin, 304-309.

THIBAULT, André. 2003. « Histoire externe du français au Canada, en Nouvelle-Angleterre et à Saint-Pierre et Miquelon », dans Gerhard ERNST, Martin-Dietrich GLEßGEN et Christian SCHMITT, *Histoire linguistique de la Romania*. Berlin – New York, Walter de Gruyter, 895-911.

VALDMAN, Albert. 2001. « Le français de référence et la diffusion du français en Amérique du Nord et aux Antilles françaises », *Cahiers de l'Institut Linguistique de Louvain*, 27 (1-2) : 89-110.

VERREAULT, Claude et Louis MERCIER (dirs.). 1998. *Représentation de la langue et légitimité linguistique : le français et ses variétés nationales,* numéro thématique de la *Revue québécoise de linguistique,* 26 (2).

L'élaboration d'une norme endogène en Louisiane francophone[1]

Becky Brown, Purdue University

1. Introduction

Comme le suggère le titre de cette contribution, il n'y a pas que la norme métropolitaine, le français de France (FF)[2] qui exerce son influence partout dans le monde francophone. À notre époque, on remarque en effet un mélange de pressions internes et externes qui détermine la norme linguistique servant de modèle dans les diverses communautés francophones. Il s'est en effet développé une identité culturelle propre à chaque pays et région francophone qui a entraîné une certaine valorisation de la variété locale du français se manifestant par la reconnaissance de particularités linguistiques. Dans cette perspective, la francophonie dans la vaste aire de l'Amérique du Nord révèle une riche complexité. Notre contribution porte sur le développement d'une norme endogène en Louisiane.

---

[1] Je remercie mes collègues pour leurs commentaires éclairants dans l'ensemble de cette étude mais surtout dans les versions préliminaires où j'analysais le problème souvent épineux de ce qui est (le) standard dans la francophonie: Barry Ancelet, Carl Blyth, Felice Coles, Sylvie Dubois, Kathy Ferrara (à la mémoire de qui je dédie cet article), Lydie Guijarro, Tom Klingler, Amanda LaFleur, Carolyn Mackay, Fiona Mc Laughlin, Mike Picone, Kevin Rottet, Joe Salmons, Joel Sherzer, Albert Valdman et Keith Walters. Pour cette version je suis particulièrement reconnaissante à Albert Valdman et Julie Auger pour leur fine mise au point.

[2] Plusieurs chercheurs utiliseraient l'expression *français standard* dans ce cas. Mais comme je l'explique en détail dans la section 2.2, le standard se réfère à une idéologie, un ensemble de règles grammaticales que personne ne suit en réalité. Dans ce chapitre, je parle d'un français en provenance de France, la source du français cadien. Par ailleurs, si l'on continue à utiliser le français standard pour indiquer le FF, cela implique que les francophones de la francophonie non hexagonale sont non standard, à savoir inférieurs. Dans les faits, chaque variété régionale est légitime et d'ailleurs plusieurs variétés sont en train de développer des standards qui leur sont propres (v. les articles de Francard et Auger dans ce volume pour une discussion des tendances actuelles en Acadie et au Québec). Quant à nous, nous ne voyons dans les pratiques culturelles et linguistiques discutées ici et dans Brown (1997) aucune raison de penser que le FF sert du seul standard dans les communautés franco-louisianaises actuelles.

L'élaboration d'une norme comprend le développement de normes naturelles ainsi qu'artificielles liées à la variation interne. Nous postulons que le développement artificiel d'une norme, s'il va réussir, doit forcément reconnaître les développements naturels d'une norme en fonctionnant de pair avec cette évolution naturelle, c'est-à-dire en suivant autant que possible les choix effectués plus ou moins spontanément par les locuteurs eux-mêmes plutôt qu'en s'y opposant. Nous nous proposons de présenter une typologie des processus de l'aménagement linguistique et des types de normes fondées sur des recherches linguistiques. D'une part, cette typologie comprend les normes sociales et communautaires, et, d'autre part, elle tient compte des interactions entre la norme orale et écrite. L'élaboration de normes est un aspect de l'aménagement linguistique dont un élément fondamental est la standardisation. Ainsi nous examinerons le terme épineux de *standard*. Nous analyserons aussi le développement des normes du français rencontrées en Amérique du Nord ainsi que le sens de l'expression *standard* dans ce contexte. Nous nous situons au sein d'une perspective scientifique de l'aménagement linguistique qui envisage des normes à dimensions multiples fonctionnant de manière complémentaire plutôt que conflictuelle. En fin de compte nous ne nous attachons pas à « une » norme mais plutôt à des normes non hexagonales car, pour nous, la valorisation de l'identité culturelle et linguistique des communautés francophones nord-américaines constitue l'objectif visé.

Les recherches traditionnelles sur les variétés du français en Amérique du Nord adoptent souvent une perspective différentielle et se concentrent donc sur les traits qui distinguent la variété en question du FF. Cette approche, qui est malheureusement souvent basée sur une connaissance partielle et anecdotique de l'histoire du français et de ses variétés, est guidée par la vue prescriptive ou « normative » selon laquelle la France définit la norme à suivre, et l'entité gouvernementale qui détermine cette législation est la Délégation générale à la langue française. Toute digression de cette norme est considérée comme déviante, dégradée et impure.

Les recherches en linguistique historique et les études contemporaines en dialectologie et en sociolinguistique montrent que le français en Amérique du Nord, isolé géographiquement de son parent génétique, va forcément dévier ou changer (pour choisir une expression plus juste). En outre, les faits sociohistoriques de l'histoire de l'implantation des populations et la topographie qui ont encouragé la variation régionale contribuent à créer une mosaïque linguistique complexe et fascinante.

Une perspective scientifique du français en Amérique du Nord doit donc considérer la variation externe autant qu'interne en tant que processus linguistiques naturels. Parallèlement à ces phénomènes, alors que la société évolue, comme le montrent, par exemple, le mouvement social des années 1960, le politiquement correct des années 1990 et l' ouverture envers les cultures régionales et minoritaires et envers la diversité en général, on constate des changements d'attitudes envers des normes acceptées.

2. L'aménagement linguistique et les types de normes

2.1. *L'aménagement linguistique*

Le développement d'une norme peut être un processus naturel ou imposé (dit artificiel). Même s'il est tout à fait possible pour un état de n'adopter aucune position officielle et de laisser les langues et variétés de son territoire se développer et se répartir dans le paysage linguistique de façon naturelle, dans les faits, des organismes officiels sont souvent créés pour gérer la diversité linguistique. Des politiques linguistiques plus ou moins détaillées sont alors adoptées et les diverses modalités de leur mise en application constitue l'objet de l'aménagement linguistique. Les objectifs du développement d'une norme imposée ou artificielle sont souvent variés et nécessairement rattachés au contexte communautaire. Ils peuvent s'étendre de la promotion directe de l'alphabétisation aux opérations politiques controversées des activistes du langage : sélection d'une langue ou variété standard, développement d'ouvrages de référence dans lesquels sont consignés le vocabulaire, élaboration d'une terminologie technique ou scientifique, codification de la grammaire de la variété qui a été érigée en standard, de même que la place des langues minoritaires, le rôle d'une organisation pour la sauvegarde des normes, l'influence des médias sur l'usage, la valeur de la réforme de l'orthographe, l'usage du langage non sexiste, la modernisation du langage religieux, les normes stylistiques de la presse ou le maintien de l'alphabétisation dans les écoles (Crystal 1987 : 364).

Les chercheurs distinguent généralement deux types d'aménagement linguistique : l'aménagement du corpus (*corpus planning*) et l'aménagement du statut (*status planning*), que l'on appelle aussi respectivement interne et externe, ou institutionnel ou informel (Crystal 1987, Fishman 1991, Milroy et Milroy 1991, Blanc 1994). Crystal explique que cette classification binaire est fondée sur le fait que les changements affectent soit la structure linguistique primaire, soit l'usage linguistique. Dans le cas de l'aménagement de corpus, les changements sont introduits dans la structure (ou le corpus) d'une langue lorsque des changements sont proposés pour l'orthographe, la prononciation ou le vocabulaire. Par contre, dans le cas de l'aménagement du statut, les changements sont proposés dans l'utilisation de la langue dans la société, altérant ainsi son statut lorsqu'il est permis de l'utiliser pour la première fois dans les tribunaux ou les publications officielles. Crystal (1987) remarque toutefois que la distinction n'est pas évidente car les différents types d'activités ne peuvent pas tous être clairement classés exclusivement dans l'une ou l'autre catégorie.

Milroy et Milroy (1991 : 109) distinguent deux types de normes : sociales et communautaires. Une norme sociale correspond au « type de norme dont les locuteurs sont explicitement informés et qui réfère à l'acceptabilité sociale la plus répandue des variantes linguistiques. Les locuteurs montrent leur sensibilité envers cette norme en se rapprochant de ses styles soignés […]»[3]. Les mécanismes reconnus et institutionnels de la préservation d'une langue (Fishman 1991) sont guidés par les normes sociales. Pour leur part, les normes communautaires s'opposent souvent aux normes sociales. Par exemple, Milroy et Milroy (1991) citent le cas de Singapour : bien que l'anglais britannique y soit considéré comme une forme idéale et supérieure de l'anglais (la norme sociale), les Singapouriens préfèrent parler avec un accent singapourien plutôt que britannique (la norme communautaire). Ils mentionnent également le cas de Martha's Vineyard (Labov 1972), où les habitants rejettent la prononciation associée à la norme sociale de la Nouvelle-Angleterre continentale et favorisent une prononciation associée aux locuteurs conservateurs et caractéristique des autochtones de l'île (la norme communautaire). Comme le démontrent ces deux exemples, les normes communautaires qui guident les choix linguistiques sont « fréquemment perçues comme symbole important de l'identité et de la cohésion du groupe » (Milroy et Milroy 1991 : 111). Ces normes communautaires sont donc appelées à changer, de façon plus ou moins importante, selon les époques et à travers les communautés linguistiques. Les normes sociales et communautaires peuvent donc s'opposer les unes ou autres ou au contraire coïncider, selon la situation particulière.

Dans tout aménagement linguistique, il importe encore de distinguer les normes orale et écrite. Milroy et Milroy (1991), qui traitent ce

---

[3] Traduction: Becky Brown, ainsi que toutes citations des recherches anglophones.

problème en détail, soulignent que les chercheurs reconnaissent à présent les nombreuses différences à la fois de forme et de fonction qui différencient les langues parlées et écrites. En outre, ils constatent que la forme écrite d'une langue est moins sujette à la variation que sa forme orale. L'orthographe, par exemple, est généralement uniforme puisqu'elle est codifiée. Bien que ces différences soient largement reconnues en théorie, dans la pratique, le code écrit sert généralement de modèle à tout le « bon usage ». La plupart des normes proviennent du code écrit en raison de son caractère plus prestigieux. Milroy et Milroy estiment que ces normes sont alors appliquées à tort à la langue dans son ensemble, engendrant souvent des conséquences nuisibles. Biber (1988 : 5-6) indique que « historiquement les académiciens ont perçu l'écriture en tant que forme véritable de la langue alors que le discours a été considéré instable, dégénéré, et non valable pour l'étude », une opinion qui « persiste en tant que la perception profane dominante jusqu'à présent ». En conséquence, l'invariabilité caractéristique du discours écrit est imposée à la langue parlée sans aucune justification scientifique. Milroy et Milroy (1991 : 68) affirment que cette approche est irréaliste en faisant allusion à la notion de la compétence communicative de Hymes et à la capacité des locuteurs de « faire des choix alternatifs selon le contexte situationnel ». Hymes (1967, cité dans Milroy et Milroy 1991 : 9) déclare : « Aucune personne ou communauté n'est limitée dans son répertoire à une seule variété ou code, à une monotonie immuable qui exclut la possibilité d'indiquer le respect, l'insolence, l'ironie, la distance sociale, etc., en passant d'une variété à une autre », ce à quoi on peut ajouter « pour indiquer la solidarité et l'identité » dans les cas louisianais et québécois, ainsi qu'en Ontario (Mougeon et Beniak 1991, Golembeski 1999 et 2000) et en Acadie (Flikeid 1997, Péronnet et Kasparian 1998).

En résumé, les normes écrites promeuvent l'uniformité et l'invariabilité aux dépens de la variabilité du code oral et la tradition prescriptive favorise malheureusement une uniformité irréaliste, une caractéristique non naturelle de l'oral. Alors qu'une certaine invariabilité est appropriée dans le cas du code écrit et de ses objectifs habituels, elle devient dysfonctionnelle lorsqu'elle est appliquée de manière irréfléchie à l'oral.

2.2. *Le standard comme idéologie*

Romaine (1994 : 15) propose une définition traditionnelle de ce qu'est une langue standard : « une variété qui a été délibérément codifiée si bien qu'elle varie peu dans ses structures linguistiques mais qui est largement élaborée dans ses fonctions ». Dans la pratique, il est difficile d'identifier une variété qui varie peu dans ses structures linguistiques. Milroy et Milroy (1991) reconnaissent cette difficulté et proposent de considérer la langue standard ou le standard en tant que concept abstrait. Walters (1996 : 145) affirme à juste titre que « le standard lui-même n'est qu'une idéalisation que personne n'utilise régulièrement ». C'est cette vue, partagée par de nombreux linguistes, qui est adoptée dans cette contribution. En outre, Milroy et Milroy (1991) soutiennent que la standardisation est un processus dynamique qui ne s'arrête jamais, sauf dans le cas des langues mortes. Les fluctuations dans la norme sont motivées, d'une part, par le changement constant qui caractérise toute langue et, d'autre part, par les divers besoins sociaux, politiques et économiques. Le standard sélectionné est promu à travers différentes initiatives de l'aménagement linguistique qui tendent vers l'uniformité et l'intolérance de la variabilité optionnelle dans la langue. Ainsi, puisque la standardisation absolue n'est jamais réellement atteinte, ils proposent de considérer la standardisation d'une manière plus abstraite en tant qu'idéologie. Par conséquent, ils avancent une définition d'une langue standard qui est assez différente de la perspective traditionnelle. Une langue standard est « un ensemble de normes abstraites auxquelles l'usage réel peut se conformer à plus ou moins grande échelle » (Milroy et Milroy 1991 : 23). Cette perspective est particulièrement importante pour l'étude des français en Amérique du Nord car les normes abstraites ont évolué de pair avec les changements de la société en même temps que ce que l'on considère comme standard.

La normalisation et la standardisation sont des phénomènes reliés et ces termes sont souvent utilisés d'une manière interchangeable dans la littérature. Cependant, Fishman (1991) utilise le terme *normalisation* pour se référer spécifiquement au processus par lequel une langue est employée dans tous les domaines usuels en société et qui acquiert ensuite de nouvelles fonctions dans d'autres domaines. Valdman (1989 : 24) utilise le même terme dans le sens général de standardisation, mais sa définition reflète une ouverture plus grande envers la variation et la reconnaissance des fonctions sociales de la langue :

> La normalisation a pour but fondamental d'éliminer les variantes qui pourraient éventuellement nuire à l'intercompréhension au sein de la communauté tout en permettant aux utilisateurs de la langue de subvenir à leurs besoins expressifs ainsi qu'à se démarquer en tant que membre de sous-groupes de la communauté.

Crystal (1987) et Milroy et Milroy (1991) distinguent trois étapes principales dans l'aménagement linguistique : (1) la sélection d'une norme, (2) la codification de la norme sélectionnée et (3) la diffusion de la norme sélectionnée. Dans la première étape, on doit sélectionner une variété en tant que norme. S'il n'est pas exclu que différents groupes sociaux choisissent différentes variétés, dans les faits, c'est généralement le cas qu'une seule variété parviendra à s'imposer. Pour des raisons pratiques, une norme sélectionnée sera finalement favorisée, par exemple, à des fins officielles ou pédagogiques. Dans certains cas où il existe des rivalités importantes entre les langues, l'introduction d'une langue non autochtone en tant que lingua franca peut constituer la solution la plus acceptable pour tous les groupes en présence (par ex. l'hindi en Inde ou l'anglais au Ghana). Par ailleurs, une variété particulière peut être plus appropriée pour la sélection d'une norme lorsqu'on prend en compte des facteurs tels que la formalité, la classe sociale, le dialecte régional, et l'usage littéraire préexistant (Crystal 1987). Dès que l'on atteint un consensus par rapport à la variété privilégiée, elle doit être codifiée (si ce n'est déjà fait). Il peut être nécessaire de développer une langue autochtone pour faire face aux demandes de la communication nationale ou internationale. Son lexique peut avoir besoin d'être élargi, raffiné et enrichi dans les domaines techniques, tels que la science, la médecine et l'informatique. Il est également nécessaire d'établir les principes qui régissent le recours à l'emprunt aux langues étrangères et les principes de néologie qui gouvernent la création à partir des racines autochtones. Il faut également créer des styles du discours appropriés à l'usage de la radio et de la presse. S'il manque à la variété une forme écrite, ou si elle possède une forme écrite inhabituelle, on devra alors créer un alphabet ainsi que des règles d'orthographe. Le processus de codification fournit un ensemble de normes de prononciation, de grammaire et de vocabulaire pour l'usage standard dans le but de l'uniformité et de la structure invariante (Crystal 1987). Suite à la codification, le statut de la variété privilégiée en tant que norme doit être développé à travers des stratégies de préservation des langues. Milroy et Milroy (1991 : 27) expliquent que « [c]ette variété est diffusée géographiquement et socialement par divers moyens (les documents officiels, le système éducatif, la discrimination de types divers, à la fois direct et indirect, contre les locuteurs non standard) ». Au terme d'une campagne de normalisation réussie, les variétés concurrentes sont exclues des domaines formels de communication et de l'écrit et reléguées aux usages familiers de la vie quotidienne. Les étapes de l'aménagement linguistique ne se suivent pas nécessairement selon une succession temporelle, et certaines peuvent se chevaucher. Alors que la variété privilégiée étend de plus en plus ses domaines d'usage, son rôle très influent devient plus évident pour les membres de la communauté et leur perception de la variété change en conséquence. Le fait que cette variété soit utilisée à l'écrit et à l'oral par les personnes qui ont le plus de succès dans la communauté lui confère un prestige certain. La variété devient établie lorsqu'elle reçoit l'approbation de la majorité influente.

Bien que certains linguistes semblent considérer la standardisation et l'aménagement linguistique comme une intervention artificielle aux dépens de variétés moins prestigieuses et portent souvent un jugement négatif sur ces efforts, Milroy et Milroy (1991) avancent un argument important mais parfois négligé. La standardisation remplit une fonction sociale importante en encourageant l'idée d'une variété unique qui constitue une ressource disponible pour tous les locuteurs de la communauté. Cette fonction sociale vitale d'une variété standard ne peut être ignorée. La résurrection de l'hébreu en Israël constitue l'exemple le plus probant du rôle que peut jouer l'aménagement linguistique dans la formation d'une communauté linguistique forte. Certains des efforts de standardisation récents et en cours dans de nombreuses communautés linguistiques qui tentent de sauver et/ou de faire reconnaître leur langue régionale témoignent du rôle de valorisation et d'unification que joue la reconnaissance d'une variété standard.

3. L'élaboration de normes en Louisiane

3.1. *La norme sociale : le français de France*

Ce n'est que relativement récemment que se manifeste un sérieux intérêt pour certains aspects de la standardisation en Louisiane francophone. Pendant l'époque coloniale et post-coloniale, le FF était la norme indiscutablement acceptée. C'était la langue d'une puissance coloniale prestigieuse. La cession de la Louisiane aux États-Unis et la création de l'état de Louisiane en 1812 et les efforts d'américanisation qui s'en suivirent ont fait de l'anglais le code de préférence, particulièrement afin de satisfaire aux exigences pratiques de la survivance dans une société devenue progressivement anglophone. Ce n'était que dans les années 1960 qu'un mouvement social a créé un climat favorable pour faire émerger un renouveau culturel axé sur le français (v. l'article d' Ancelet et LaFleur dans ce volume). La création du Conseil pour le Développement du Français en Louisiane (CODOFIL) et, peu après, la promulgation par l'état des lois sur l'éducation bilingue ont fait surgir pour la première fois le problème de la sélection de la norme.

Pendant les premières années du programme du CODOFIL, le FF a été tacitement accepté comme norme, mais cette pratique a été très tôt remise en question alors que le renouveau culturel prenait de l'essor et que s'affirmait la fierté ethnique cadienne. Depuis cette période, la question de la standardisation du français louisianais[4] (FL) est devenue un sujet controversé. Une grande partie des discussions s'est focalisée sur le choix du code, en particulier celui du FF face à certaines variétés locales du cadien. Comme on pouvait s'y attendre, en raison de l'inclinaison raciste de la culture dominante, le créole louisianais, langue stigmatisée, n'a jamais été pris en considération. Bien que pour des raisons très pratiques le FF semble être un choix logique pour établir de nos jours une norme locale, ce n'est plus la norme acceptée telle qu'elle était reconnue pendant l'époque coloniale. Parallèlement au renouveau du FL, la langue cadienne est devenue partie intégrante d'une norme communautaire de plus en plus importante. La valorisation de la langue vernaculaire qui a accompagné le renouveau culturel cadien a remis en question l'hégémonie du FF, la norme traditionnelle depuis la période coloniale, et, partant, son choix comme norme pour les domaines langagiers que le français est en voie de reconquérir.

Par ailleurs, il est fort possible que, comme leurs « cousins » acadiens et les Franco-ontariens, les francophones louisianais se distancient par rapport à l'Hexagone. Golembeski (1999) observe que pour la communauté francophone de Hearst en Ontario, où le français local est stigmatisé, c'est le français québécois, en particulier celui de la ville de Québec, que ses sujets considéraient comme « le bon français » plutôt que le FF. En revanche, Péronnet et Kasparian (1998) notent qu'au Nouveau-Brunswick les locuteurs estiment que, d'une part, le choix du parler régional les isolerait du reste de la francophonie et que, d'autre part, le FF ne répondrait pas à tous leurs besoins linguistiques. Pour ces Acadiens le FF représente l'homogénéité et l'uniformité alors que l'acadien régional évoque la particularité et la différence. Ces chercheurs concluent qu'un français standard acadien conviendrait mieux que le FF comme norme sociale pour cette communauté.

---

[4] Suivant la tradition ethnographique nous employons l'expression le « français louisianais » pour le répertoire verbal des francophones en Louisiane dont la plupart des morphèmes proviennent du français, c'est-à-dire le cadien, le créole, le cadien créolisé, le créole cadienisé ainsi que le FF.

Les arguments contre la standardisation en Louisiane francophone se sont centrés sur la manière dont une langue, dite « non écrite »
pourrait être enseignée dans les écoles[5]. En Louisiane, à la fin des années
1970 et au début des années 1980, un élan de création littéraire
s'exprimant par diverses formes de français local a remis en question le
statut du FF comme norme communautaire. Motivés par un besoin
d'expression personnelle pour réaffirmer l'identité franco-louisianaise les
écrivains louisianais forgèrent leur propre norme communautaire. Cependant, chargée politiquement et émotionnellement, cette norme est
plus facilement définissable négativement, en termes de ce qu'elle n'est
pas plutôt que de ce qu'elle est. Il est vrai que pour la plupart d'entre eux
la norme n'est pas le FF.

Comme le montrent Picone et Valdman (ce volume), le FF a
longtemps constitué la norme sociale en Louisiane, de la période coloniale jusqu'au déclin de la société plantocratique suite à la Guerre de Sécession. Mais les contacts directs avec la France étant rompus jusqu'à la
Seconde Guerre Mondiale, la plupart des locuteurs des diverses variétés
du français louisianais n'avaient jusqu'alors jamais entendu parler le FF.
C'est dans ce sens que l'on peut dire que le FF représente une norme
idéalisée et non pas une influence et une présence quotidiennes réelles.
À partir des années 1980, la télévision par câble, qui a fait entrer la
chaîne internationale française TV5 dans les foyers, et le développement
du tourisme ont facilité l'accès au FF et aux diverses variétés de la langue
en usage dans le monde. Mais les postes de radio locaux auxquels les
Louisianais sont le plus exposés diffusent toujours les variétés locales.
Les présentateurs peuvent emprunter des éléments lexicaux au FF afin
de compenser les lacunes de leur parler vernaculaire, mais au plan de la
phonologie leur production demeure distinctement cadienne. La notion
de français standard telle qu'on l'utilise aujourd'hui s'applique
d'ordinaire au FF auquel on attribue des adjectifs mélioratifs tels que
« authentique », « correct », « pur ». Au contraire, à une langue qualifiée
de non-standard on applique des termes péjoratifs tels que « altérée»,
« impure», « incohérente» et « illogique» (Lippi-Green 1994).

Bien que les locuteurs du FL disent régulièrement qu'ils ne parlent pas « le bon français », à la suite de l'émergence de la fierté ethnique
engendrée par le renouveau culturel cadien, on commence à observer

---

[5] On entend parfois que le français louisianais est une langue non écrite. En réalité, c'est
plutôt que la plupart des locuteurs ne sont lettrés qu'en anglais.

des attitudes plus positives envers les variétés vernaculaires. Ces attitudes s'accompagnent d'une certaine dévalorisation du FF. Dans son étude des variétés locales en usages dans quatre communautés louisianaises, Dubois et al. (1996) et Dubois (1997) notent que le FF est considéré comme la variété la moins valorisée par 42 % des personnes interrogées. Plus le locuteur parle couramment, plus ce sentiment est fort. D'autre part, les plus jeunes locuteurs, quel que soit leur niveau de compétence (locuteur pleinement compétent, semi-locuteur, locuteur passif) ont tendance à avoir l'attitude la plus sévère à l'égard du FF.

3.2. Les normes communautaires en Louisiane

Les caractéristiques uniques dans l'histoire démographique de chaque communauté déterminent la qualité et la quantité des efforts de la planification linguistique et du développement des normes communautaires. Dubois (2002) estime que l'utilisation et la préservation du français se démarquent en Louisiane et en Acadie. Elle remarque qu'en Louisiane les dirigeants de l'aménagement linguistique sont pour la plupart des hommes d'affaires unilingues anglophones et que leur intérêt économique et politique les pousse plutôt vers les Anglo-Américains que vers les Franco-Louisianais. L'élite politique et celle de l'industrie touristique, pour la plupart anglophones, bénéficient ainsi de la promotion culturelle francophone par le commerce et les investissements. Par contre, Dubois souligne que les populations locales francophones ne considèrent plus le FL comme nécessaire pour une meilleure vie.

Le renouveau culturel a eu un effet remarquable sur la perception du FL comme option acceptable ou possible pour la standardisation. Les institutions éducatives s'intéressent de plus en plus à l'incorporation des formes vernaculaires dans les classes des programmes bilingues. Toutefois, la première étape de l'aménagement linguistique, la sélection d'une norme, est un problème épineux et non résolu en Louisiane. Bien que de plus en plus de personnes influentes acceptent le FL, le FF conserve un prestige élevé. Ainsi la compétition entre plusieurs normes caractérise la situation actuelle. Une autre manière de poser le problème serait de considérer les normes comme complémentaires plutôt que concurrentes. En fait, le CODOFIL promeut à présent ce qui est perçu comme français, quelle qu'en soit la variété, et le FF sert à promouvoir les variétés locales (cf. Brown 1993). Par exemple, les étudiants qui bénéficient de bourses du CODOFIL pour participer à des programmes d'immersion au Canada, en Belgique et en France acquièrent une compétence en FF qui, à leur retour en Louisiane, leur permet d'avoir un accès plus complet à la culture minoritaire[6]. Les locuteurs compétents en français vernaculaire, qui ont l'habitude de s'adresser aux jeunes en anglais, font usage du français avec eux. Ainsi la compétence nouvellement acquise de ces derniers augmente leurs opportunités de participer à des interactions en français.

Les lacunes dans la connaissance des variétés langagières effectivement en usage en Louisiane constituent un obstacle majeur pour la sélection de normes. Il n'existe que des descriptions du parler de quelques communautés particulières (v. Picone et Valdman dans ce volume). En l'absence de descriptions plus représentatives de l'ensemble de la Louisiane francophone, l'on risque de ne pas prendre en compte l'usage de certaines communautés dans la sélection de normes. Par ailleurs, comme les recensements sont peu fiables, il est difficile de déterminer dans quelle mesure telle ou telle norme recouvre l'usage du plus grand nombre de locuteurs. Enfin, les linguistes qui conduisent des recherches en Louisiane s'accordent en général pour reconnaître qu'il existe un continuum linguistique entre le créole louisianais et le français, tant du point de vue des représentations que des données objectives, bien que cette opinion ne soit pas fondée sur des recherches empiriques (v. l'article de Klingler dans ce volume). Néanmoins, il semble possible d'identifier des traits que partagent les diverses variétés. Par exemple, Lavaud-Grassin (1988) postule un noyau lexical commun aux quatre régions géographiques entre lesquelles, selon elle, se divise l'aire francophone. Dubois (1997), qui étudie le parler de quatre communautés spécifiques, étend ce type de recherches comparatives aux plans de la phonologie et de la morphosyntaxe. Ces études semblent être la direction à suivre afin de définir la norme qui serait la plus accessible au plus grand nombre de locuteurs francophones. Dans l'une des rares études qui portent sur l'existence chez les locuteurs de la conscience de normes, Byers (1988) a étudié la distribution de six variables morphosyntaxiques à travers la Louisiane francophone. Ses résultats n'indiquent aucune préférence pour des variantes qui ne seraient pas celles de locuteurs eux-mêmes. Ainsi, selon son étude, les locuteurs ne sont pas nécessairement conscients d'une norme supra-locale reconnue qu'ils seraient prêts à suivre.

Valdman (1983) examine le conflit entre la norme choisie lors du lancement du CODOFIL, le FF et celles retenues par les autres groupes et individus impliqués dans l'effort de maintien et de revitalisa-

---

[6] C'est bien le cas de cette auteure ainsi qu'Amanda LaFleur.

tion du français en Louisiane. Il fait observer que le statut inférieur du cadien en tant que variété du français pose un problème par rapport au FF dont le prestige est incontestable. Il souligne toutefois que « ces français régionaux constituent eux aussi des normes, c'est-à-dire des variétés idéalisées, avec toutes les conséquences socio-psychologiques qu'entraîne cette idéalisation » (Valdman 1983 : 698). Ainsi, en ce qui concerne la sélection d'une variété particulière en tant que norme, il se demande s'il est plus important d'établir celle qui sous-tend la variété régionale ou celle utilisée pour les fonctions administratives et éducatives. Il continue en soulignant que les planificateurs linguistiques doivent considérer d'une manière réaliste les fonctions qu'un code peut s'attribuer. En conclusion, Valdman remarque qu'il n'existe aucune réponse claire à ces questions et il suggère que selon les fonctions désirées, il peut être nécessaire, par exemple, d'élaborer un cadien standardisé en tant que véhicule éducatif et littéraire. Toutefois, s'il s'agit par exemple, de préserver une variété déjà utilisée dans la communauté, cette variété doit alors être standardisée. En fait, il ne considère pas ces deux possibilités incompatibles. Il envisage une progression graduelle selon laquelle l'individu apprend d'abord la langue du foyer lorsqu'il est enfant et apprend ensuite la langue de la communauté (si celle-ci est différente). Si la variété communautaire n'a pas été codifiée et standardisée et si les besoins fonctionnels de l'individu exigent un code écrit, l'individu apprendra alors le FF.

En ce qui concerne la deuxième étape, celle de la codification, malgré l'absence de consensus sur la norme, divers efforts ont été entrepris de la part d'individus et du CODOFIL. Au plan du vocabulaire, il existe un grand nombre d'inventaires lexicaux de paroisses individuelles sous la forme de mémoires de maîtrise de Louisiana State University compilés au cours des années 1930 et 1940. Plusieurs individus ont écrit des glossaires ainsi que des grammaires de leurs idiolectes (par ex., Faulk 1977, Whatley et Jannise 1978, Abshire et Barry 1979, Daigle 1984, Gelhay 1985, Landreneau 1989). Une recherche collaborative comprenant la compilation d'une banque informatisée est actuellement en cours et promet de mieux décrire les ressources lexicales du français de Louisiane[7].

---

[7] Cet inventaire est en voie de réalisation par les efforts d'une équipe interuniversitaire coordonnée par l'Institut Créole d'Indiana University (projet subventionné par la National Endowment for the Humanities, subventions PA-23298-99 et PA-24087-02). Cette initiative comprend l'élaboration d'une banque de données informatisée à partir de laquelle sera produit un dictionnaire synchronique non différentiel, *Dictionary of Ca-*

Le choix d'une orthographe pour représenter le français de Louisiane a suscité de nombreuses discussions (v. Ancelet et LaFleur, ce volume). Comme le fait remarquer Fishman (1991), cette situation n'est pas inhabituelle. Il note que diverses communautés romanches de Suisse et de communautés germanophones du nord de l'Italie n'ont pas de norme écrite unique. En raison de l'attention internationale dont la culture locale a bénéficié, le CODOFIL recevait un nombre croissant de questions sur l'orthographe correcte d'éléments lexicaux du FL. En vue de répondre à cette demande, le CODOFIL a créé le Comité du Français Louisianais dont la principale responsabilité consistait à formuler une politique d'aménagement du FL et à proposer des normes orthographiques (Henry 1993)[8]. Certains membres du comité estimaient que l'orthographe devrait refléter la prononciation. D'autres considéraient qu'elle devrait suivre les règles du FF. C'est cette dernière option qui a été retenue et qui est de plus en plus appliquée par les Louisianais qui tentent d'illustrer la langue vernaculaire (v. Ancelet et LaFleur, ce volume).

Jusqu'à présent, les efforts pour la diffusion d'une norme sélectionnée, la troisième étape de l'aménagement linguistique, n'ont pas été fructueux. Lors des premières années de sa fondation, le CODOFIL favorisait d'une manière officielle seulement l'emploi du FF, à l'époque la seule norme acceptable. Pendant une dizaine d'années, il publia des textes en cadien et en créole figurant occasionnellement à côté de textes en FF et en anglais dans « La Gazette », un bulletin mensuel. Le CODOFIL et le ministère de l'éducation (Louisiana State Department of Education) encouragent la présentation d'expressions du cadien et du créole dans des programmes d'immersion organisés par les commissions scolaires locales. Le CODOFIL a remporté un succès assez important dans la promotion de la culture de la Louisiane française. De cette manière, les variétés locales commencent à recevoir l'attention dont la musique et la cuisine locales ont bénéficié pendant les quatre dernières décennies. Mais en raison des valeurs sociales dépréciatives encore asso-

---

jun French. Les données de cette banque proviennent de la compilation des glossaires existants et de la collecte récente de données sur le terrain. Le premier produit de ce projet est un CD-ROM, *À la découverte du français cadien à travers la parole*, qui offre un corpus textuel représentatif du FL de 150 pages et un échantillon de la parole de diverses paroisses. Un logiciel de recherche lexicale incorporé donne accès à un glossaire d'environ 5 000 mots reliés à une concordance et aux textes dont ils sont tirés.

[8] Une demande fréquente portait sur la graphie de l'ethnonyme représenté par « Cajun » en anglais. Le comité opte pour « Cadien » et la variante « Cadjin ». (Pour une discussion détaillée, v. Henry 1993 et Brown 1993).

ciées aux variétés vernaculaires, les attitudes envers elles évoluent lentement et la lutte pour leur promotion est encore ardue.

La variation interne inhérente aux variétés vernaculaire est un problème de longue date auquel sont confrontés les planificateurs linguistiques qui visent une norme relativement uniforme. A cet égard, le cas de la Louisiane n'est pas exceptionnel. Les circonstances historiques, en particulier l'hétérogénéité du peuplement – Européens, Acadiens et esclaves d'origine africaine – et la nature peu accueillante ont favorisé l'isolement des populations (cf. Padgett 1969, Esman 1985). Avec le temps, les variétés linguistiques évoluant indépendamment ont subi des modifications qui ont engendré la variabilité. En revanche, lorsque les communautés distinctes sont entrées en contact, il s'est formé un continuum linguistique qui rend difficile la démarcation entre les diverses variétés. Dans la diffusion d'une norme, les responsables de l'aménagement linguistique doivent prendre en compte la variation que déclenche le changement linguistique ainsi que les attitudes des locuteurs à l'égard de cette variation. Pour qu'une politique d'aménagement linguistique réussisse, les normes retenues et diffusées par les planificateurs ne devraient pas être en conflit avec ce que les locuteurs estiment acceptable. Dans certains cas, il peut être nécessaire de promouvoir plus d'une seule norme. Dans le cas où des variantes défavorisées d'une langue que l'on tente de promouvoir sont perçues favorablement par une communauté on risque d'aller à l'encontre du but recherché en qualifiant telle ou telle variante préférée d'« incorrecte ».

3.3. *L'élaboration des normes et l'aménagement linguistique*

L'élaboration de normes pour le FL progresse indépendamment dans trois domaines d'utilisation principaux : le domaine pédagogique, le domaine de la littérature et le domaine des médias, en fonction des besoins fonctionnels propres à chacun de ces domaines. Cela explique pourquoi les efforts ne sont pas nécessairement unifiés. Tentchoff (1975) cite une étude de la fin des années 1960 qui décrivait de manière détaillée le manque d'enthousiasme des parents francophones à soutenir sans réserve les programmes bilingues. Leur manque d'enthousiasme était dû à leur perception des énormes différences entre leur propre français et le FF adopté dans ces programmes. Ils n'hésitaient pas à affirmer leur fierté envers leur propre variété ainsi que leur dédain à l'égard du FF. On retrouve ce sentiment de fierté dans plusieurs manuels produits à partir de la fin des années 1960 (Faulk 1977, Whatley et Jannise 1978, Abshire et Barry 1979, Gelhay 1985, Landreneau 1989).

Parmi les écrivains louisianais, les choix sont souvent moins guidés par les normes prescriptives du FF écrit que chez certains auteurs de manuels scolaires, par exemple Gelhay (1985). Brown (1993) note que la décision d'écrire en FL avait comme origine le désir d'expressivité artistique. C'était également, dans certains cas, en particulier pour les activistes du mouvement pour la préservation de la langue, un moyen d'affirmation sociale et politique. L'essor de l'activité littéraire louisianaise a eu lieu vers la fin des années 1970 et a continué jusque dans les années 1980. Au cours des années 1990, cette activité s'est stabilisée et elle continue d'une manière constante[9]. Bien que le choix de la représentation graphique parmi les écrivains louisianais apparaisse très personnel et non guidé par une norme prescriptive apparente, il semble cependant exister une norme communautaire émergente. Pour la majorité des écrivains le choix du code et des variantes linguistiques particulières ont pour but de se démarquer par rapport au FF. Par contre, en ce qui concerne l'orthographe les attitudes divergent. Ainsi Ancelet (1999) opte pour l'adoption des conventions orthographiques du FF pour ne pas isoler l'écrit cadien du reste du monde francophone.

Les médias représentent une autre direction dans l'élaboration d'une norme avec des objectifs uniques. L'Internet paraît le mode préféré des organismes ainsi que des individus. La politique éditoriale du CODOFIL a visiblement évolué au fil des années. *La Gazette de Louisiane*, qui était un bulletin strictement bilingue (anglais et FF), au cours des années tentait d'être multidialectal. Ce périodique contenait des articles en FL et même, occasionnellement, en créole. À présent le CODOFIL diffuse ses renseignements en FL sur son site web et sur un tableau d'affichage câblé. Le journal de Lafayette, *The Lafayette Daily Advertiser*, publiait en anglais les informations du CODOFIL sous la forme d'une chronique dans l'édition du dimanche. Ces colonnes contenaient des informations sur des individus, les affaires ou des activités liées à la protection et à la promotion du français et de la culture en Louisiane. Soulignons les efforts de certaines universités : University of Louisiana at Lafayette publie une revue intitulée *Feux Follet* qui diffuse les écrits de jeunes francophones de la Louisiane et Centenary College of Louisiana publie un périodique français intitulé *Le Tintamarre* ainsi que des œuvres

---

[9] Pour une discussion de la renaissance littéraire et de ses conséquences linguistiques, voir Barry (1989) et Brown (1989 et 1993).

littéraires du 19ᵉ siècle en Louisiane dans sa collection française, « Bibliothèque Tintamarre ». Depuis 1991, une grande partie de la Louisiane française reçoit TV5, la chaîne internationale de langue française dont les programmes sont pour la plupart français, belges et canadiens. Pendant la journée de nombreux types de programmes sont également diffusés en langue vernaculaire sur les chaînes câblées locales. Par exemple, le programme « Lâche pas la parole » s'adresse à la fois aux locuteurs du cadien et du créole. Il leur offre pour la première fois un programme en français local mais conforme au format américain familier qui ne dépayse pas les téléspectateurs comme ceux de TV5. Dans plus d'une douzaine de villes les stations de radio diffusent des émissions en langue vernaculaire. Non seulement mettent-elles en vedette les musiques cadiennes et zydeco mais elles incluent également des programmes religieux ainsi que les nouvelles internationales.

4. Conclusion

Cette contribution a tenté de démontrer qu'en Louisiane l'on n'attache pas d'importance à « une » norme mais plutôt à plusieurs normes non hexagonales car l'affirmation de l'identité locale demeure prioritaire. Les efforts d'aménagement linguistique réalisés par les instances gouvernementales évoluent de pair avec l'élaboration informelle de normes par les écrivains et les auteurs de manuels scolaires[10]. Il semble qu'en raison d'un regain d'intérêt pour l'écrit littéraire, le développement des normes informelles aura lieu quels que soient les choix retenus par les organismes ou institutions impliqués dans les efforts d'aménagement linguistique. Pour des résultats optimaux, il est dans l'intérêt des planificateurs linguistiques de prendre en considération les normes informelles en cours de développement et d'adapter leurs tactiques en conséquence. Comme le signale Hymes (1971 : 80), « dans les situations sociales de discrimination et de préjugé » l'on risque d'encourir des problèmes lorsqu'on traite les questions liées au langage à partir d'une perspective uniquement scientifique. Whinnom (1971 : 93) souligne l'importance des attitudes que les locuteurs adoptent à l'égard de leur langue :

> [...] une population de locuteurs sera particulièrement obstinée par rapport à sa langue [...] Différents éléments linguistiques véhiculent [...] différentes connotations, et [...] la résistance émotion-

---

[10] Ces mêmes écrivains participent également au développement des normes artificielles.

nelle est rendue plus modérée par les considérations pratiques de l'utilité.

Par ailleurs, il est important de considérer l'existence de variétés minorées comme une ressource plutôt qu'un handicap (Milroy et Milroy 1991).

Alors que le prescriptivisme est souvent perçu négativement par la plupart des linguistes, Milroy et Milroy (1991 : 100) mettent en évidence sa fonction sociale positive en tant que « mécanisme de préservation de la norme standard ». Ils mettent également en garde contre « les effets destructeurs des idéologies prescriptives des sociétés postcoloniales multilingues dans lesquelles la question de savoir quelle langue doit être choisie comme moyen de diffusion, d'enseignement et de communication publique est conçu comme un problème social et politique important » (Milroy et Milroy 1991 : 108). Ce point est particulièrement important dans le cas de la Louisiane francophone. Les études sociolinguistiques attirent souvent l'attention sur le fait que les locuteurs des langues minorées s'y accrochent et continuent de les utiliser même lorsqu'ils admettent publiquement que le standard est correct. De nombreuses études lancées dans les années 1960 démontrent qu'en définitive le choix de code et de traits linguistiques par un individu est un indice d'identité et d'appartenance à un groupe particulier. En Louisiane, les locuteurs veulent s'identifier comme Français louisianais. L'affirmation de Neumann (1985 : 18) selon laquelle aujourd'hui le français standard n'exerce aucune force normative est trop catégorique. Les éducateurs, les auteurs de manuels scolaires, les écrivains et les administrateurs sont guidés par les normes du FF. La différence réside dans le fait que ces normes sociales sont souvent adaptées pour accommoder les normes communautaires. L'optimisme du CODOFIL, du ministère de l'éducation et des autres planificateurs du langage n'est peut-être pas irréaliste. En Louisiane, comme Henry (1993) le souligne si justement, en raison de l'importante évolution des attitudes linguistiques, des recherches sérieuses ont remplacé les polémiques du passé. Il en est résulté une réponse positive à l'égard des besoins communautaires à différents niveaux. Il n'est donc pas déplacé de donner une réponse optimiste à la question posée par Marcantel (1993 : 439) : « Comme dit la chanson, notre monde s'en va dans la terre pour toujours, quel espoir et quel avenir on peut avoir ? ».

Références

ABSHIRE, Shirley et David BARRY. 1979. « Cajun French », manuscrit inédit.

ANCELET, Barry. 1999. *Cajun and Creole music makers : Musiciens cadiens et creoles*, Jackson, University Press of Mississippi.

BARRY, David. 1989. « The French literary renaissance in Louisiana : Cultural reflections », *Journal of Popular Culture*, 23 : 47-63.

BIBER, Douglas. 1988. *Variation across speech and writing*, Cambridge, Cambridge University Press.

BLANC, M. 1994. « Bilingualism, societal », dans *The encyclopedia of language and linguistics*, New York, Pergamon Press, 357.

BROWN, Becky. 1989. « Naissance d'une littérature, naissance d'une orthographe », *Revue Francophone de Louisiane*, 4 : 45-54.

BROWN, Becky. 1993. « The social consequences of writing Louisiana French », *Language in Society*, 22 : 67-101.

BROWN, Becky. 1997. « The development of a Louisiana French norm », dans Albert VALDMAN (dir.), *French and Creole in Louisiana*, New York, Plenum Press, 215-235.

BYERS, Bruce. 1988. *Defining norms for a non-standardized language : A study of verb and pronoun variation in Cajun French*, thèse de doctorat inédite, Indiana University, Bloomington.

CRYSTAL, David. 1987. *The Cambridge encyclopedia of language*, Cambridge, Cambridge University Press.

DAIGLE, Jules. 1984. *A Dictionary of the Cajun language*, Ann Arbor, Michigan, Edwards Brothers.

DUBOIS, Sylvie. 1997. « Field methods in four Cajun communities in Louisiana », Albert VALDMAN (dir.), *French and Creole in Louisiana*, New York, Plenum Press, 47-70.

DUBOIS, Sylvie. 2002. « Le statut du français et les politiques linguistiques dans les provinces maritimes canadiennes et en Louisiane aux Etats-Unis », dans Waldemar ZACHARASIEWICZ et Fritz Peter KIRSCH (dirs.), *Aspects of Interculturality – Canada and the United States : A Comparison*, Hagen, ISL-Verlag, 123-137.

DUBOIS, Sylvie, William GAUTREAUX, Howard MARGOT, Megan MELANÇON et Tracy VELER. 1996. « Laissez le français cadjin rouler », dans Rasako IDE, Rebecca PARKER et Yukako SUNAOSHI (dirs.), *SALSA III : Proceedings of the Third Annual Symposium about Language and Society-Austin*, Austin, Texas, University of Texas, Department of Linguistics, 162-175.

ESMAN, Marjorie. 1985. *Henderson, Louisiana : Cultural adaptation in a Cajun community*, New York, Holt, Rinehart et Winston.

FAULK, James Donald. 1977. *Cajun French I. The first written record and definitive study of the Cajun language as spoken by the people in Vermilion and surrounding parishes*, Crowley, Louisiana, Cajun Press.

FISHMAN, Joshua. 1991. *Reversing language shift*, Philadelphia, Pennsylvania, Multilingual Matters.

FLIKEID, Karin. 1997. « Structural aspects and current sociolinguistic situation of Acadian French », dans Albert VALDMAN (dir.), *French and Creole in Louisiana*, New York, Plenum Press, 255-286.

GELHAY, Patrick. 1985. *Notre langue louisianaise : Our Louisiana language*, Jennings, Louisiana, Éditions françaises de Louisiane.

GOLEMBESKI, Dan. 1999. *French language maintenance in Ontario, Canada : A sociolinguistic portrait of the community of Hearst*, thèse de doctorat inédite, Indiana University, Bloomington.

GOLEMBESKI, Daniel. 2000. « Variable lexical usage in the French of Northern Ontario », dans *The CVC of Sociolinguistics : Contact, variation, and culture*, Bloomington, Indiana University Linguistics Club, 35-48.

HENRY, Jacques. 1993. « Pour une écriture du français louisianais », dans Jeanne OGÉE (dir.), *En lutte pour l'avenir du français : Lafayette, 1991, actes de la XIVe biennale de la langue française*, Paris, BLF, 446-458.

HYMES, Dell (dir.). 1971. *Pidginization and creolization of languages*, Cambridge, Cambridge University Press.

LABOV, William. 1972. *Sociolinguistic patterns*, Philadelphia, University of Pennsylvania Press.

LANDRENEAU, Raymond. 1989. *The Cajun French language I*, Atlanta, Georgia, Chicot.

LAVAUD-GRASSIN, Marguerite. 1988. *Particularités lexicales du parler cadjin en Louisiane (États-Unis) : enquête, dictionnaire et documentation bibliographique*, thèse de doctorat inédite, University of Paris III – Sorbonne Nouvelle, Paris.

LIPPI-GREEN, Rosina. 1994. « Accent, standard language ideology, and discriminatory pretext in courts », *Language in Society*, 23 : 163-198.

MARCANTEL, David. 1993. « Faut que ça change : l'enseignement du français en Louisiane », dans Jeanne OGÉE (dir.), *En lutte pour l'avenir du français : Lafayette, 1991, actes de la XIVe biennale de la langue française*, Paris, BLF, 438-445.

MILROY, James et Leslie MILROY. 1991 (2e éd.). *Authority in language : Investigating language prescription and standardisation*, London, Routledge.

MOUGEON, Raymond et Édouard BENIAK. 1991. *Linguistic consequences of language contact and restriction : The case of French in Ontario, Canada*, Oxford, Clarendon Press.

NEUMANN, Ingrid. 1985. *Le créole de Breaux Bridge, Louisiane : étude morphosyntaxique, textes, vocabulaire*, Hamburg, Helmut Buske Verlag.

PADGETT, Herbert. 1969. « Physical and cultural association on the Louisiana coast », *Association of American Geographers' Annals*, 59 : 481-493.

PÉRONNET, Louise et Sylvia KASPARIAN. 1998. Le français standard acadien : proposition d'une norme régionale pour le français parlé en Acadie », dans Annette BOUDREAU et Lise DUBOIS (dirs.), *Le français, langue maternelle, dans les collèges et les universités en milieu minoritaire*, Moncton, Éditions d'Acadie.

PLATT, John et Heidi WEBER. 1980. *English in Singapore and Malaysia : status, features, functions*, New York, Oxford University Press.

ROMAINE, Suzanne. 1994. *Language in society : An introduction to sociolinguistics*, Oxford, Oxford University Press.

TENTCHOFF, Doris. 1975. « Cajun French and French Creole : Their speakers and questions of identities », dans Steven DEL SESTO et Jon GIBSON (dirs.), *The culture of Acadiana : Traditions and change in south Louisiana*, Lafayette, Louisiana, University of Southwestern Louisiana Press, 87-109.

VALDMAN, Albert. 1983. « Normes locales et francophonie », dans Édith BÉDARD et Jacques MAURAIS (dirs.), *La norme linguistique*, Québec, Conseil de la langue française, 667-706.

VALDMAN, Albert. 1989. « Une norme régionale pour la revitalisation du français en Louisiane ? », *Revue Francophone de Louisiane*, 4 : 24-44.

WALTERS, Keith. 1996. « Contesting representations of African American language », dans Rasako IDE, Rebecca PARKER et Yukako SUNAOSHI (dirs.), *SALSA III : Proceedings of the Third Annual Symposium about Language and Society-Austin*, Austin, Texas, University of Texas, Department of Linguistics, 137-151.

WHATLEY, Randall et Harry JANNISE. 1978. *Conversational Cajun French I*, Baton Rouge, Louisiana, Chicot.

WHINNOM, Keith. 1971. « Linguistic hybridization and the "special case" of pidgins and creoles », dans Dell HYMES (dir.), *Pidginization and creolization of languages*, Cambridge, Cambridge University Press, 91-115.

La revitalisation endogène du cadien en Louisiane[1]

Barry Jean Ancelet, University of Louisiana at Lafayette et Amanda LaFleur, Louisiana State University

1. Introduction

« There is room for but one language in this country, and that is the English language, for we must assure that the crucible turns out Americans and not some random dwellers in a polyglot boarding house. » C'est ainsi que Theodore Roosevelt, président des États-Unis à l'époque, a articulé un des principes du mouvement nationaliste qui dominait la première partie du 20e siècle. Cette philosophie politique a été imposée partout dans le pays afin de faire fondre les divers groupes ethniques et culturels pour en faire « une nation avec un peuple ». Roosevelt ne croyait pas au processus d'américanisation. Il ne comprenait pas que des gens pouvaient arriver de tous les coins du monde aux États-Unis pour devenir Américains par choix tout en préservant des parties importantes de leur patrimoine. Ce malentendu a aussi contribué au développement d'une politique bornée qui cherchait à établir l'anglais comme langue nationale en éliminant l'utilisation de toute autre langue.

Mais nous savons maintenant qu'on peut ajouter une langue sans en soustraire une autre, et qu'on peut utiliser une lingua franca pour communiquer efficacement tout en préservant sa langue ou son dialecte pour communiquer affectivement. Toutefois des communautés de langues minoritaires partout aux États-Unis, y compris la nôtre, celle des Cadiens et des Créoles noirs du sud de la Louisiane, se trouvent encore au bord du gouffre de l'extinction.

[1] Nous remercions Iskra Iskrova d'avoir traduit la section 5 de cet article et Albert Valdman et Bernard Dubernet pour leurs diverses suggestions rédactionnelles.

L'état de la langue française dans le sud de la Louisiane représente bien ce qui s'est passé partout aux États-Unis. En 1803, quand Napoléon a vendu la Louisiane, ce territoire qui couvrait à peu près un tiers de ce qui allait devenir les États-Unis, du Golfe du Mexique jusqu'au Canada et aux Montagnes Rocheuses, a été éventuellement partagé par des politiciens. Les frontières qu'ils ont tracées étaient artificielles; elles ignoraient la démographie et les différences culturelles. Le nouvel état de Louisiane comprenait les collines et les pinières du nord avec leurs fermiers anglophones, les bayous et les prairies du sud avec leurs fermiers cadiens et créoles, les riches terres au long du Mississipi et ses tributaires avec leurs planteurs « aristocrates » et la Nouvelle Orléans avec ses citoyens cosmopolites et urbanisés. La décision de former un état avec ses diverses régions était la première partie d'un processus assez brutal d'assimilation, surtout pour les francophones du sud de l'état.

Dans cette contribution nous commençons par une esquisse historique du processus d'assimilation des Cadiens et de la réaction à ce processus initiée par des intellectuels militants. Ensuite, nous décrivons l'effort de valoriser le parler cadien et de créer une orthographe pour le représenter par écrit. Dans la troisième partie nous abordons l'élaboration d'une littérature cadienne. Dans la quatrième partie nous passons en revue le rôle des diverses institutions et aspects culturels – la musique, le tourisme culturel, l'École et l'Université – dans le programme de maintien et de revitalisation du cadien, la variété linguistique liée au français la mieux conservée.

2. Vers le renouveau cadien

Quand l'heure est arrivée de créer des lois pour le nouvel état de la Louisiane, la diversité culturelle et linguistique qui avait déjà produit de riches mélanges créolisés, dans la cuisine, l'architecture et la musique s'est trouvée incompatible avec les frontières artificielles de l'état. Les premières versions de la constitution de l'état ont essayé en vain de préserver le statut légal de la langue française, mais à la fin de la guerre de Sécession, les Créoles blancs qui étaient imbriqués dans les systèmes économique et politique, ont compris qu'ils ne pourraient pas préserver une identité basée sur la langue, l'ethnicité et la culture, et ils ont commencé à vouloir se conformer au modèle national en envoyant leurs enfants aux écoles anglophones. Certains Cadiens, qui occupaient déjà un statut élevé dans l'échelle sociale – officiers, banquiers, hommes d'affaires – et qui avaient participé à la guerre de Sécession du côté sudiste, ont voulu faire de même. Mais la majorité des Cadiens n'avaient aucun intérêt à épouser la cause sudiste. Conscrits plutôt que volontaires dans l'armée sudiste, ils ont souvent essayé de s'en échapper. De simples petits fermiers, ils ne pouvaient laisser personne d'autre en charge de leurs habitations, et ils sont tout simplement partis pour rentrer chez eux, avec ou sans autorisation, quand les champs de batailles n'étaient pas trop loin.

La guerre a aussi profondément modifié la société créole noire. Après la Reconstruction, on était simplement blanc ou noir. Les descendants des gens de couleurs libres, souvent éduqués, cultivés et propriétaires terriens, se sont trouvés tout d'un coup socialement et légalement au-dessous des plus pauvres blancs, y compris des Cadiens illettrés. Par conséquent, les tensions qui se sont développées entre ces deux groupes ont menacé les échanges sociaux et culturels qui avaient existé entre les Cadiens de condition modeste et les Créoles noirs de même niveau économique qui partageaient après tout la même langue.

En Louisiane, l'église catholique n'a pas fourni de support pour la langue française comme elle l'a fait pour les immigrants canadiens-français dans le nord-est des États-Unis. Là, les Québecois et les Acadiens ont amené avec eux un système d'écoles francophones maintenues par l'église qui a aidé à préserver le français au moins jusqu'à la génération de Jack Kérouac. Dans les régions cadiennes il y avait quelques écoles mais elles étaient rares, éloignées les unes des autres et saisonnières. Les parents gardaient souvent leurs enfants sur l'habitation pour les aider aux travaux agricoles, d'autant plus que les sociétés traditionnelles doutent souvent de l'éducation formelle puisqu'elles menacent la transmission traditionnelle de connaissances d'une génération à l'autre.

En même temps, les indications routières sur le chemin du nationalisme et de la nouvelle économie étaient toutes en anglais. Au début de ce siècle, le cri « One nation, one people, one language! » réverbérait à travers le pays. La Première Guerre Mondiale a engendré un désir d'unité nationaliste qui supprimait la diversité régionale partout. En Louisiane, on a exclu le français du système de l'éducation à partir de 1916 avec toutes les meilleures intentions du monde dans un effort d'angliciser les enfants dans le sud de l'état pour améliorer leurs chances dans le processus d'américanisation. Cet effort s'est soldé par plusieurs générations de jeunes Cadiens et de Créoles noirs punies pour avoir parlé la langue de leur patrimoine culturel à l'école, la plupart du temps par des instituteurs partageant ce patrimoine. Ainsi, les Cadiens et les Créoles noirs qui le pouvaient se sont précipités vers la langue de l'avenir. Bientôt parler français est devenu un peu comme se picocher dans le nez, une chose que les gens bien élevés ne font jamais en public.

Ce bouleversement a eu d'importantes implications culturelles et sociales. Tout ce qui arrivait de l'extérieur avec l'anglais était immédiatement imité. Le Western Swing a commencé à remplacer la musique cadienne dans les salles de danse. Les Créoles noirs, qui avaient réussi à préserver leur langue et leurs traditions en grande partie à cause de leur isolement, sont devenus de plus en plus impliqués dans le mouvement des droits civiques qu'ils pensaient constituer leur lutte prioritaire. Leurs *jurés* et *lalas* (musique et danses traditionnelles des Créoles noirs) ont été remplacés par le rhythm-and-blues et la soul. La découverte du pétrole a engendré une période de prospérité qui a fait sortir les deux groupes d'une économie essentiellement du 19ᵉ siècle basée sur l'autosuffisance et l'échange pour entrer dans la nouvelle économie américaine basée, elle, sur l'argent. Le désenclavement des prairies et des bayous sous le règne du gouverneur Huey Long a accéléré l'ouverture vers le reste des États-Unis.

Les Cadiens et les Créoles s'en allaient à toute allure sur ce nouveau chemin vers l'homogénéisation et le rêve américain. Mais est-ce que c'était le bon chemin? Des fêlures ont commencé à se faire voir sur la surface sociale : l'alcoolisme et le suicide parmi les artistes et les musiciens; la délinquance parmi des enfants qui ne pouvaient plus parler à leurs grands-parents à cause de la perte de la langue et qui ne voulaient plus parler avec leurs parents à cause de la télévision; la dénigration de soi parmi des gens qui ont commencé à s'appeler « rien que des Cadiens », et pire, des « coonasses ». Les Créoles de couleur, essayant désespérément de s'échapper du piège d'être trop noirs pour être Français, et trop Français pour être noirs, ne pouvaient pas changer de couleur, mais ils pouvaient changer de langue. Les cultures francophones de la Louisiane se repliaient sur elles-mêmes, stigmatisées par la honte d'être elles-mêmes.

Puis, à la fin de la Deuxième Guerre Mondiale, le courant a commencé à s'inverser, surtout parmi les Cadiens. Les soldats qui avaient séjourné en France y avaient découvert que la langue et la culture qu'on leur avait déconseillées en Louisiane leur avaient donné une valeur comme interprètes. Après la guerre, les anciens combattants cherchaient à se baigner dans l'eau chaude de leur culture. On a recommencé à entendre la musique du patrimoine dans les salles de danse à travers le sud de la Louisiane. Quelques hommes politiques, surtout le sénateur Dudley J. LeBlanc, ont vu qu'ils pouvaient y gagner en soufflant sur les braises de ce renouveau culturel, et certains ont utilisé le bicentenaire de l'exil des Acadiens en 1955 comme point de ralliement dans un nouveau mouvement destiné à revitaliser la culture. Le message de 1955 était que les Cadiens avaient survécu le pire; leur culture et leur langue étaient gravement blessées, mais encore vivantes.

En 1968, l'état de la Louisiane a officiellement reconnu le mouvement avec la création du Conseil pour le développement du français en Louisiane (CODOFIL) avec James Domengeaux, ancien membre du Congrès des États-Unis, comme président. Cette initiative signifiait qu'il était officiellement acceptable d'être Cadien en public. Mais le mouvement se heurtait à plusieurs problèmes. Le CODOFIL se trouvait avec la tâche considérable d'inventer un programme d'enseignement en français à partir de zéro et sans véritable expertise ou ressources. En plus, il y avait un aspect psychologique: les Cadiens d'un certain âge qui avaient écrit plusieurs milliers de fois « I will not speak French on the schoolgrounds » avaient trop bien appris la leçon et ils hésitaient à accabler leurs enfants avec ce qui était considéré un défaut social et culturel. En plus, le mandat du CODOFIL, institution étatique, recouvrait tout l'état. Pour ces raisons, le CODOFIL a dû mettre de l'eau dans son vin et a œuvré seulement pour l'enseignement du français – le français dit international, en fait le français de référence (FR) langue seconde. D'autre part, pour des raisons politiques, on a choisi de viser les écoles maternelles d'abord. Mais on a découvert qu'il manquait à ce niveau des enseignants natifs compétents en français. Face à ce problème, le CODOFIL a opté pour l'importation d'enseignants de France, de Belgique et de Québec. Cette action aussi bien qu'un programme ambitieux d'échanges culturels ont attiré l'attention du monde francophone. Mais en même temps, des activistes cadiens ont soulevé le problème qu'avec le programme du CODOFIL la culture et le parler locaux continueraient à se faire dénigrer, cette fois-ci non pas par l'anglais, mais par le soi-disant « bon français ». Beaucoup de Cadiens répétaient encore les leçons qu'ils avaient appris dans leur jeunesse, s'excusant, d'habitude en anglais, que leur français n'était pas le vrai français, « *just broken-down Cajun French* ».

En revanche, les Cadiens n'étaient plus seuls. Pour des raisons qui leur étaient propres, la France, la Belgique et le Québec s'intéressaient à la préservation du français en Louisiane : la France, en partie par un intérêt post-colonial; la Belgique, par un intérêt d'expansion pédagogique; le Québec, probablement par un intérêt de voir ce que cela pouvait donner de résister à l'Amérique.

Ces pays ont beaucoup investi pour créer une sorte de serre linguistique en Louisiane avec l'espoir que le français pourrait éventuellement y reprendre racine. À la suite des enseignants étrangers sont venus des milliers de touristes qui découvraient par ces efforts ce paradis perdu où le français existait encore malgré la marée anglophone américaine. Ce contact a fini par montrer aux Cadiens que, malgré les leçons d'assimilation, leur français servait admirablement bien pour communiquer avec tous ces visiteurs qui parlaient « le vrai français ». Et la déségrégation aidant, beaucoup de Créoles de couleur ont commencé aussi à s'intéresser à la préservation de leur culture, y compris le français et le créole.

3. Comment représenter la langue cadienne ?

Comme seul le FR était ciblé dans les classes du programme du CODOFIL, les enfants apprenaient, par exemple, « Comment allez-vous? », une expression qui n'existe guère dans le parler louisianais. (D'abord, on n'utilise que rarement le *vous*; en plus, on ne fait pas la liaison du *t*.) Ces enfants rentraient chez eux pour pratiquer ce qu'ils avaient appris dans les classes de français avec les membres de leurs familles et ceux-ci ne comprenaient rien. Non pas parce que le français de la maison était inférieur, mais parce que les enseignants avaient négligé de commencer par la variété vernaculaire avant de passer au FR. Les parents et grands-parents se grattaient la tête en se demandant ce qu'était, un « tallez » et il s'ensuivit une résistance au « français CODOFIL ». Les responsables du CODOFIL ne voulaient rien entendre de l'idée d'introduire le français louisianais dans les salles de classe. Le président du CODOFIL, James Domengeaux, disait toujours qu'on ne pouvait pas considérer l'enseignement du français cadien parce que c'était seulement une langue orale, une langue sans grammaire. Ne déclarait-il pas : « Why should we perpetuate illiteracy in the classroom by teaching Cajun French (CF)? It's an oral language. It doesn't have a grammar. It doesn't have a written form. » Nous avons essayé de lui faire comprendre que d'abord toute langue est orale, et que toute langue a forcément une grammaire, qu'elle soit codifiée ou pas, et qu'une langue peut être écrite même si les gens qui la parlent ne peuvent pas l'écrire. Sans doute ce refus de faire entrer le parler vernaculaire à l'école de la part de Domengeaux s'explique par sa crainte de voir se développer en

Louisiane l'équivalent de la querelle du joual qui éclatait à l'époque au Québec. Il déclarait qu'il voulait réaliser en Louisiane une évolution, non pas une révolution linguistique. Il refusait d'une part d'entrer dans ce débat linguistique, se disant non qualifié dans cette matière, mais, d'autre part, il continuait à empêcher une reconsidération de sa stratégie pour la renaissance du français en Louisiane.

Plusieurs évaluations extérieures (Baird 1980, Hawthorne 1980) et les membres du Projet Louisiane (Gold 1979) ont suggéré que les programmes du CODOFIL avaient peut-être fait autant de mal que de bien en dévalorisant le français vernaculaire en faveur du FR. Des intellectuels cadiens, la plupart des enseignants, se sont demandé comment le parachutage de formes exogènes se distinguant fortement de l'usage vernaculaire porteur de la culture locale pourrait permettre à celle-ci de se maintenir. Ils ont opté pour l'introduction du cadien en domaine universitaire et scolaire. Se posaient alors les problèmes de la graphie et du choix de la variété du cadien qui devrait être instrumentalisée pour le rendre compatible avec son utilisation dans ce domaine. Un enseignant de français et d'espagnol du niveau secondaire (Faulk 1977) a proposé une première graphie autonome adaptée de la transcription utilisée dans certains dictionnaires américains. Le principe adopté – « tu lis ça en anglais et ça sort en français » (Ancelet 1993 : 58) – aboutit à une représentation de la langue qui la rendait difficilement lisible aux lecteurs habitués à l'orthographe conventionnelle. Par exemple, pour rendre le FR « Il est en train de réparer sa voiture », Faulk avait proposé « Eel a ahpra ahronja son shahr », ce qu'aucun francophone n'aurait pu déchiffrer. Cette proposition s'attira les foudres de Domengeaux et provoqua une polémique où certains journaux prirent la défense du pauvre petit professeur luttant contre l'establishement codofilien.

Il y a une façon de préserver la spécificité et la francité du français louisianais – ce qui était au cœur de l'effort de Faulk – en écrivant simplement « Il est après arranger son char ». Cela représente parfaitement le vernaculaire tout en utilisant l'orthographe française. La communication visuelle est encore possible avec quelques négociations. D'autre part, la déviance orthographique était perçue comme nuisible à l'ouverture de la Louisiane vers le monde francophone (Ancelet 1999 : 4). En revanche, l'utilisation d'une syntaxe reflétant l'oralité était clairement annoncée par cet auteur : « on va parfois écrire comme on parle mais on va bien l'écrire » (Ancelet 1999 : 5). La déclaration suivante d'Ancelet (1999 : 4) illustre clairement ce respect du vernaculaire allié à l'adhésion à l'orthographe du FR :

> On gravite vers l'utilisation d'une norme, d'une orthographe standard. Mais, par exemple, les tournures de phrases, le vocabulaire, toutes sortes de choses comme ça, sont préservées. Il y a des gens qui ont publié, par exemple, des nouvelles, des choses comme ça, des poèmes, [...] Dans leur langage on voit infiltrée, par exemple, l'utilisation de *ne*, mais pas beaucoup. La plupart des écrivains que je vois adapte la façon de parler, par exemple, ils utilisent pas du tout le *ne*, ils utilisent le *pas*, ou *jamais* ou *rien* pour faire la négation. Ils vont faire la contraction de *t'as* [...]

Dans un geste qui rappelle les efforts des peuples autochtones, certains activistes louisianais ont réclamé le droit de déterminer eux-mêmes la graphie de leur propre ethnonyme. Le terme [kadʒɛ̃] est typiquement écrit *cajun* dans les médias francophones hors de Louisiane et les grands dictionnaires tels que *le Robert,* mais cette graphie, emprunt à l'anglais *Cajun,* ne respecte ni l'origine du mot français (dérivé du terme *acadien*) ni sa prononciation locale. Une « académie » composée d'illustrateurs de la langue ainsi que d'éducateurs et de linguistes, s'est prononcée pour les graphies *cadien/cadienne* (ou alternativement *cadjin/cadjine*) plutôt que *cajun*. Ce geste représente un esprit autodéterministe chez les Cadiens aussi bien qu'une reconnaissance de l'importance de codifier une norme.

L'instrumentalisation du cadien pour faciliter son utilisation à l'École et à l'Université nécessite une meilleure connaissance de sa diversité. Il existe déjà bon nombre de descriptions, une grande partie paradoxalement remontant aux années 1930 et 1940 (Ditchy 1932, Read 1931, Phillips 1936)[2] et d'autres plus récentes (Guilbeau 1950, Conwell et Juilland 1963). Celles qui sont plus actuelles, notamment Dubois (2000) et Rottet (2001) s'inspirent des méthodes de la sociolinguistique variationnelle et comportent d'importants corpus. Sur le plan du lexique, les seuls inventaires disponibles (Daigle 1984, Lavaud-Grassin 1988), qui tous deux laissent à désirer quant à leur fiabilité, vont se voir supplanter par un dictionnaire répondant aux normes scientifiques de lexicographie en voie d'élaboration par une équipe multi-universitaire à laquelle participent des Cadiens qui se sont investis depuis longtemps dans la revitalisation de leur langue[3].

---

[2] Signalons aussi un grand nombre de mémoires de maîtrise de Louisiana State University (Baton Rouge) dont chacun offre un glossaire différentiel d'une paroisse particulière.

[3] Ce projet, subventionné par le National Endowment for the Humanities des États-Unis, regroupe cinq universités : Indiana University (Kevin Rottet et Albert Valdman),

4. Vers une littérature cadienne

Faire un dictionnaire et recueillir des corpus qui témoignent de la façon dont parlent les gens, c'est une chose. On peut établir des conventions pour rendre des variations d'une façon systématique et fidèle. Écrire quelque chose d'original représente tout à fait autre chose. Les gens qui ont pris crayon, plume, machine à écrire et traitement de texte depuis les années 1970 pour participer à l'effort de produire une forme visuelle de la langue ont eu des idées et des stratégies souvent bien différentes. Ceux qui ont écrit des pièces, des poèmes, des chansons et des contes ont été motivés par leurs propres besoins et intérêts, motivés par des pressions qui venaient de deux sources essentielles : d'une part, d'un désir de préserver une spécificité orale dans leurs écrits, et de l'autre, d'un désir de communiquer visuellement en l'absence du son. Certaines de ces productions littéraires, comme dans la chanson ou le théâtre, sont inextricablement liées à l'oralité. Pour d'autres, comme le conte ou la poésie, l'aspect visuel peut plus facilement se détacher de l'oral. Même là, les écrivains sentaient un besoin de préserver une certaine spécificité culturelle dans leurs écrits. Finalement, on trouve une gamme de possibilités. Par exemple, en écrivant pour le théâtre, David Marcantel (Gravelles 1979) et Richard Guidry (1982) ont opté pour des formes qui cherchaient à rendre le son fidèlement. Nous illustrons cette dernière approche par un extrait du texte d'un monologue de Guidry (1982 : 1)

> [...] J'sus assez larguée d'a'tend' parler d'not' magnière de parler à nous-aut', j'pourrais rej'ter. Y a la môtché du mond' qui dit qu'on devrait oublier l'français, pis l'aut' môtché est tout l'temps après nous dire qu'on devrait assayer d'garder not'langue. Moi, j'aimerais jus' qu'i' pourreriont s'faire eine idée. J'me rappelle bien quand mes enfants alliont à l'école, i' vouliont pas les laisser parler français su' l'terrain d'l'école. Ça-là, j'ai trouvé ça ein peu bête. Les Amaricains sont tout l'temps après assayer d'faire acroire au mond' qu'i' sont

University of Louisiana at Lafayette (Barry Ancelet, Dominique Ryon et Richard Guidry), Louisiana State University-Baton Rouge (Amanda LaFleur), Tulane University (Thomas Klingler) et University of Alabama (Michael Picone). Le premier produit du projet diffusé au public consiste d'un cédérom « À la découverte du français cadien à travers la parole » disponible par l'intermédiaire de l'Institut Créole de l'Indiana University (creole@indiana.edu)]. Un deuxième produit, réalisé à l'aide d'une subvention du Louisiana Board of Regents, est la base louisianaise de la Base de Données Lexicographiques Pan-Francophone, accessible au grand public via Internet (www.tlfq.ulaval.ca/bdlp) et lancée sous l'égide de l'Agence universitaire de la Francophonie.

les plus sma't! Mais moi, j'vas vous dire la franche vérité: y a pas parsône dessus la terre qu'est plus bête qu'ein Amaricain. T'as jus' besoin d'les r'garder faire pour 'oir ça. I' travaillont tout l'temps et côfaire? Sûr pas parce qu'ils avont pas assez pour manger ou qu'ils avont pas d'maison pour eusses rester d'dans. Non, c'est pour acheter ein gros T.V. en couleur, eine laveuse de plats, ein gros char... Mais t'en 'ois jâmais eune prend' le temps de viv'. I' faut qu'i'travaillont tout l'temps, tout l'temps, tout l'temps. I' marchont vite, i' mangeont vite, i' parlont vite. I' prenont jâmais l'temps d's'assir pour causer avec leurs camarades si c'est pas pour parler d'l'ouvrage ou de cômien d'argent i'pourreriont faire si i' vanderiont leur huile quèques piast' plus chère le baril. A la première aparcevance ils avont courri toute leur vie pis ils avont pas pris le temps d'rire ou de'oir rire leurs voésins ou encore pire, leur femme et leurs enfants.

D'autres auteurs, comme Jean Arceneaux et Zachary Richard, dans des ouvrages poétiques, ont utilisé un vocabulaire régional et ont suivi les règles de la grammaire du français cadien, parfois influencé par leurs expériences et leurs contacts avec la plus grande francophonie sans tenter de représenter la prononciation, comme l'illustre l'extrait de Richard (1997 : 115) :

Victimes de nous mêmes
étranglés à nos propres mains
parrain tu me battais
parler anglais pas parler français
pas parler rien du tout. Silence.
tais-toi, dérange pas. Behave yourself
cette fois une autre râclée qu'on se donne
battus au baton de notre tristesse
fouettés au fouet de notre chère souffrance:
les pauvres Cadiens souffrants
les pauvres Cadiens qu'ont perdu leur pays
qu'ont perdu leur langue
qu'ont perdu leur fierté
qu'on perdu tout court.

Bande de couillons pauvres pervertis
ici on parle ce qu'on veut et
je m'en fous si j'ai assez bu de te
révéler la vérité et la vérité c'est
qu'on a trop peur franchir barrière,
trop peur de fâcher le voisin,

on est trop civilizé, trop antiseptizé
trop américanizé, baptizé dans l'hypocrizie
la folie nous fait fléchir et tourner de bord
avec remord on s'est taillé un costume
de la Sainte-Victime les pauvres Cadiens
chassés de leur pauvre pays dans les
pauvres bateaux, arrivés pauvres
aux pauvres côtes de cette pauvre rivière
pendant que ma pauvre grand-mère
chantait sa pauvre berceuse
pendant qu'on avait rien à manger
et qu'on était pauvre [...]

D'autres encore, comme Jeanne Castille (1983) et Antoine Bourque (1986), se sont rapprochés du FR. Et bien sûr, il y a beaucoup de variabilité stylistique parmi ces auteurs. Après tout, ce qui est devenu le français normatif, le FR, a été déterminé par les gens qui l'ont utilisé, qui l'ont écrit. Pendant un temps, au Moyen Âge et à la Renaissance, les formes s'inventaient et se définissaient et s'établissaient par des auteurs qui faisaient pendant ces périodes à peu près la même chose qu'on fait en Louisiane de nos jours. Finalement, le français écrit en Louisiane sera déterminé par ceux qui l'utilisent, qui l'écrivent. C'est en partie pour cette raison que nous écrivons et que nous transcrivons. Pour laisser notre trace sur ce processus, en plus d'avoir des idées, des sentiments, des observations à communiquer. Comme l'écrivait Ancelet dans *Acadie tropicale* (1983 : xiv) : « En Louisiane, écrire en français, c'est parier sur l'avenir. »

5. Le rôle des institutions dans la revitalisation du français en Louisiane

Dans les 40 dernières années, depuis la création du CODOFIL en 1968, la Louisiane française bénéficie d'une nouvelle popularité et éveille un certain enthousiasme à travers le monde, ce qui s'accompagne d'une résurgence de la fierté ethnique. Paradoxalement, des signes d'encouragement tels que la reconnaissance internationale de musiciens et poètes d'origine créole et cadienne, le nombre croissant de programmes d'immersion en français dans les écoles locales coïncident avec la disparition de la dernière génération de francophones monolingues de Louisiane. À l'autre bout du continuum générationnel, alors que des chercheurs réfléchissent sur des questions telles que la « cadjinitude », de plus en plus d'enfants sont issus de parents, voire de grands-parents, qui ne parlent point le français. Clairement, l'avenir et la survie du français en Louisiane ne peuvent reposer uniquement sur la transmission inter-générationnelle au foyer. Des efforts d'aménagement linguistique doivent prendre en compte toutes les ressources disponibles, institutionnelles aussi bien qu'occasionnelles, locales aussi bien qu'internationales.

5.1. *La musique*

Les premiers efforts du CODOFIL, dans les années 1960 et 1970 s'adressaient principalement aux élites et aux milieux d'influence, une stratégie qui assurait le soutien au niveau politique et gouvernemental, mais qui excluait souvent la population dont le français était partie intégrante de la vie quotidienne. James Domengeaux, le président du CODOFIL, investit aussi énormément de temps et d'énergie pour obtenir le soutien de gouvernements étrangers à sa cause. En effet, l'« Hommage à la musique cadienne » (« Tribute to Cajun Music ») de 1974 qui devint un ensemble de manifestations connues comme « Festivals Acadiens » fut originellement conçu comme une vitrine pour des journalistes francophones qui se rendaient à un colloque international à Lafayette. Dewey Balfa et Barry Ancelet, qui avaient conçu et organisé cette manifestation, ont réussi à convaincre Domengeaux qu'un tel événement pourrait également attirer la population locale. Lorsque l'information fut diffusée et que l'ensemble du public fut invité à s'y rendre, l'intérêt fut d'une telle ampleur que l'espace prévu pour l'événement dût être modifié à deux reprises afin de pouvoir accueillir l'auditoire. Plus de 12 000 personnes se rendirent à l'Hommage pour y écouter des musiciens locaux jouer sur une véritable scène de concert (Bradshaw 1998[4]). Le CODOFIL avait trouvé ainsi son soutien populaire et la musique créole et cadienne partait pour une reconnaissance sans précédent.

Jean-Jacques Aucoin et son frère Louis, petits-enfants du défunt musicien cadien Cyprien Landreneau, ont grandi avec les sons de la musique traditionnelle au foyer familial. Ils ont appris à danser dès leur plus jeune âge et ils se délectaient du folklore familial à propos de Pepère Cyp et son accordéon. Dans leur enfance, leurs parents bilingues ne leur parlaient qu'en anglais, non pas par conviction idéologique, mais simplement, comme le dit Madame Aucoin, « parce qu'il ne nous est pas venu

---

[4] http://www.carencrohighschool.org/la_studies/ParishSeries/FrenchMusic/Festivals Acadiens.htm.

à l'esprit de leur enseigner le français » (Monsieur Aucoin, communication personnelle, le 3 mars 2003). Cependant, les garçons ont tous deux appris le français à l'école et s'en servaient dans leur vie sociale. Les frères Aucoin, aujourd'hui âgés d'une vingtaine d'années, sont devenus des musiciens d'un bon niveau professionnel, encouragés par leurs parents. Cette vocation a mené deux générations de Aucoin à participer à un cercle nouveau d' « amis de la musique » qui apprécient énormément la culture et la langue cadiennes. Tous parlent français beaucoup plus aujourd'hui qu'auparavant. Jean-Jacques et son épouse prennent régulièrement des cours de français cadien (FC) et le parlent à leur fils en bas âge. (Monsieur Aucoin, communication personnelle, le 5 mars 2003). Dans ce cas, la musique a été le vecteur d'une langue qui a sommeillé pendant 20 ans, mais qui s'exprime aujourd'hui à travers une nouvelle génération.

Le regain d'intérêt populaire pour la musique créole et cadienne a eu un effet singulier sur la revitalisation de la langue. Ceux qui sont attirés par ce genre musical se voient encouragés à chanter dans cette langue et constituent un modèle pour ceux qui en font la diffusion. Dans la culture cadienne, l'intérêt pour la musique est souvent le premier pas vers le souci de préserver le patrimoine culturel, tandis que la maîtrise du français est un pas vers la maîtrise du genre musical. Dans les années 1970, lorsque des musiciens comme Michael Doucet faisaient leur apprentissage auprès d'anciens maîtres Cadiens et Créoles, apprendre le français et/ou le cadien faisait toute la différence. Au lieu d'une relation superficielle, ils s'assuraient d'une relation plus intime avec leurs maîtres puisque tant d'anciens maîtres n'avaient qu'une compétence limitée en anglais. Inversement, l'étude de la langue conduit parfois à la passion pour la musique. Ce phénomène est illustré par la Bande Feufollet, un groupe d'adolescents dont l'immersion en français les a conduits à s'intéresser à la musique cadienne et à former un groupe musical à grand succès. L'accordéoniste, Chris Stafford, a composé lui-même quelques-unes des chansons du groupe. La connaissance du FC est nécessaire pour une bonne prononciation et une interprétation qui traduit bien les émotions. Et bien qu'il y ait de jeunes musiciens, dont le français n'est pas la langue maternelle mais qui maintiennent en vie les chansons anciennes, des créateurs de l'envergure de Kristi Guillory, David Greely, Bruce Daigrepont et de Chris Stafford sont nécessaires pour revitaliser la tradition en composant de nouvelles chansons en français.

De plus, la popularité de la musique cadienne dans d'autres pays francophones a stimulé les musiciens cadiens à perfectionner leur mode de communication en français afin de mieux fonctionner à l'étranger ainsi que chez eux au contact de touristes étrangers. Lorsque la Bande Feufollet a joué en tournée au Canada en 1999, ils se sont non seulement posés en ambassadeurs de la musique cadienne, mais aussi en porte-parole de la Louisiane française en accordant de longues interviews en français à la radio et à la télévision.

Non seulement les musiciens sont encouragés à apprendre et à parler le français, mais les manifestations traditionnelles dans lesquelles ils jouent constituent également un environnement dans lequel il semble encore naturel de parler français. Cela ne veut pas dire que l'anglais n'est pas parlé dans les salles de danse et dans les festivals de musique, mais ces manifestations représentent un environnement propice au français, un lieu où l'on peut confirmer son appartenance au groupe en conversant dans cette langue. Pour de nombreux héritiers de la culture cadienne qui ne sont pas locuteurs de français, la danse cadienne constitue souvent le chemin vers la prise de conscience et la redécouverte de la culture locale. Bien que le nombre de ceux qui sont devenus locuteurs de français après s'être mis à la danse cadienne soit probablement insignifiant, la danse et la musique ont certainement contribué plus que n'importe quel autre aspect de la culture de la Louisiane francophone à transformer l'attitude négative de la génération des baby-boomers et de leurs descendants. En l'espace d'une génération, *chank-a-chank*, qui fut un terme péjoratif pour désigner la musique cadienne, est devenu un symbole de fierté culturelle et de ce qui est à la mode.

Le renouveau de la musique folk dans les années 1970 a introduit une fascination de l'extérieur pour la musique « cajun », à la fois aux États-Unis et à l'étranger. En 1978, le musicien Zachary Richard, un talent pratiquement inconnu en Louisiane, eut un succès fou au hit-parade au Canada et en France. Lui, et d'autres musiciens cadiens en tournée, ont captivé leur public, intensifiant ainsi un intérêt croissant pour l'Acadiana comme destination touristique.

5.2. *Le tourisme culturel*

Comme il a été dit, le premier « Hommage à la musique cadienne » en 1974 fut d'abord organisé comme un évènement publicitaire pour des journalistes étrangers de passage. Le programme présentait un éventail d'artistes dont les styles illustraient la gamme complète d'expressions et de genres traditionnels. Ce concert fut un premier effort pour présenter la culture cadienne à sa juste valeur pour un large public d'autochtones et d'étrangers. Le terme de « tourisme culturel » n'était pas encore répandu à cette époque, mais des touristes français commençaient à se rendre en pèlerinage au Fred's Lounge à Mamou pour y boire de la bière au petit déjeuner et y parler avec de « vrais Cadiens ». La célébration de Mardi Gras sur la prairie était une occasion supplémentaire de venir en Louisiane pour touristes et journalistes qui cherchaient à décrire ou à déguster l'exotisme de la couleur locale.

La présence d'attachés d'enseignement étrangers était une attraction touristique en soi. Ces jeunes adultes avaient des parents, des frères et sœurs et des amis qui étaient aussi à la recherche de destinations touristiques. Dans la perspective fort attrayante d'un hébergement gratuit associé au désir de rendre visite à un proche, nombre de ces amis et parents ont fait leur première découverte des États-Unis dans le sud de la Louisiane.

Au début, les attractions touristiques consistaient en des manifestations traditionnelles locales auxquelles les étrangers qui en apprenaient l'existence pouvaient se joindre. Mais ce ne fut qu'une question de temps pour que des Cadiens aussi bien que des non Cadiens ingénieux commencèrent à proposer des visites guidées dans les marais et à vendre des bibelots ou souvenirs soi-disant cadiens aux touristes.

Alors que quelques puristes déplorent la commercialisation de la culture cadienne, des événements tels que « Festivals Acadiens », « Mardi Gras on the Prairie », le programme radiophonique *Rendez-vous des Cadjins* et les expositions bien documentées des centres culturels du Parc National Jean Lafitte représentent un programme de qualité qui attire à la fois les autochtones et les touristes étrangers. Le tourisme est devenu le deuxième secteur économique de la Louisiane. La réputation de la Nouvelle Orléans en tant que destination touristique est concurrencée aujourd'hui par des communes comme Eunice, Houma et Lafayette.

Comme dans le cas de la musique, le tourisme a contribué à maintenir ou à développer une bonne connaissance du français pour ceux qui travaillent dans ce secteur d'activité. Des employés qui ne parlent pas couramment le FC lorsqu'ils commencent à travailler, finissent souvent par acquérir un niveau courant parce que leur travail les oblige à parler plus souvent en français et dans les circonstances les plus diverses. De plus, ils acquièrent la capacité à modifier leur parler afin de mettre à l'aise les étrangers. Ils développent rapidement une liste mentale de faux amis et d'équivalents en FR pour des mots usuels en FC incompréhensibles pour les étrangers.

L'accommodement linguistique ne signifie pas pour autant que les utilisateurs perçoivent leur propre variété linguistique comme inférieure à celle de leurs clients. Tandis que dans les années passées les Cadiens acceptaient d'un air gêné les « corrections » des touristes européens, leur confiance linguistique a grandi au cours des années, de pair avec leur fierté ethnique, sous l'effet de leur contact avec la diversité de la francophonie. En 2002, une serveuse dans un restaurant à Abbéville a commencé à parler en français avec des enseignants autochtones. Lorsqu'elle a recommandé *la salade aux crevettes*, un des clients lui fit remarquer son emploi de *crevette* qui appartient au FR plutôt que le terme local de *chevrette*, « *Ouais, j'ai appris ça pour les Français quand ça vient* », répondit-elle avec assurance, « *Ça parle pas comme nous-autres, tu connais.* » *Ça parle pas comme nous-autres* constitue aujourd'hui, parmi les employés dans l'industrie du tourisme, une formule indulgente pour dire *Ça parle drôle*, plutôt que de s'excuser en disant *Je parle pas le bon français*. Les touristes francophones de leur côté sont venus en quête d'exotisme, par conséquent le guide qui ne parle que le français qu'il a appris pendant son séjour d'un an à Paris ne leur apporte pas une expérience culturelle authentique et n'est pas aussi prisé qu'un locuteur de FC du cru qui parle un dialecte marqué.

Des manifestations récentes telles que les Congrès Mondiaux Acadiens, qui ont eu lieu au Nouveau Brunswick en 1994 et en Louisiane en 1999, ont contribué à forger des amitiés durables entre les Cadiens et leurs cousins Acadiens. Bien que le français acadien et le FC ne soient pas identiques, le contact entre deux variétés similaires de français a affermi parmi les locuteurs l'idée que la variation linguistique est chose normale et que le FC n'est pas un produit de seconde classe. Le guide Cadien qui utilise *crevette* au lieu de *chevrette* ou *alligator* au lieu de *cocodril* le fait dans le souci d'aider les touristes étrangers qui n'ont aucune connaissance de la variation. La capacité de négocier le sens à travers plusieurs répertoires est un atout linguistique, social et même économique pour le locuteur de cadien ou de créole dans le milieu du tourisme.

5.3. *Le rôle de l'École*

Des enseignants étrangers recrutés par le CODOFIL ont commencé à enseigner dans les écoles en Louisiane en 1969. Les premiers enseignants venaient de France et du Québec. Quelques années plus tard se sont joints des enseignants de Belgique. Tandis que certains d'entre eux avaient une formation pédagogique, il y avait aussi parmi ces derniers, des coopérants à la recherche d'aventures ou d'une opportunité qui les dispensait du service militaire obligatoire dans leur pays d'origine. Beaucoup d'entre eux arrivaient sans, ou avec très peu d'expérience de l'enseignement. De plus, une fois arrivés en Louisiane, ils ne recevaient presque pas de formation aux spécificités de la situation du français en Louisiane. De toute façon, James Domengeaux s'opposait fortement à l'idée d'inclure le FC dans les programmes d'enseignement, et même de nombreux enseignants autochtones avaient le sentiment que le faire serait enseigner la mauvaise grammaire.

Cependant, à la fin des années 1970 et au début des années 1980, des programmes d'éducation bilingue financés par le gouvernement fédéral, qui furent créés indépendamment des programmes financés au niveau de l'État de Louisiane par le CODOFIL, ont contribué à financer le développement et la diffusion de matériels d'enseignement du français qui étaient spécialement conçus pour les communautés cadiennes et créoles. L'objectif de ces programmes était de faciliter l'apprentissage au niveau élémentaire, en proposant aux élèves dont la compétence en anglais était insuffisante un enseignement complémentaire dans leur langue familiale. Même si le FC ou le créole n'était pas forcément la langue première de la plupart des enfants qui prenaient ce cursus, certains enfants avaient une connaissance limitée de l'anglais à cause des interférences avec la langue du foyer, et nombre d'entre eux étaient au moins semi-locuteurs de cadien ou de créole. Le modèle d'enseignement dans ces cursus était basé sur le modèle d'enseignement du FR, mais il devint rapidement clair que certains concepts ne pouvaient être correctement décrits en n'utilisant que le FR. Richard Guidry, qui a travaillé au Programme bilingue de la paroisse de St Martin jusqu'en 1980, décrit, par exemple, une leçon en sciences sociales disant que « *L'arrivée des rouges-gorges est un signe du printemps* ». Premièrement, nous fait-il remarquer, le *rouge-gorge* est un type de merle européen qui n'est pas de la même espèce que le merle américain, qui appartient à la famille de la grive, et qui est connu en FC comme *grive*. Deuxièmement, l'arrivée de la grive en Louisiane correspond typiquement à l'arrivée du froid et non du printemps. Il est clair que la langue vernaculaire locale était nécessaire pour refléter correctement la réalité louisianaise (R. Guidry, communication personnelle, le 5 mars 2003). Les matériels pédagogiques développés pour les cursus bilingues ont fini par incorporer du vocabulaire local, surtout lorsqu'il portait sur des réalités physiques et culturelles propres à la Louisiane, pour lesquelles il n'y a pas d'équivalent en FR. En 1981, Guidry, qui plaidait ardemment en faveur de l'intégration de la langue vernaculaire locale dans tous les programmes éducatifs en français, devint responsable des programmes de langues étrangères au State Department of Education et avait sous sa responsabilité les attachés d'enseignement étrangers qui enseignaient le français en Louisiane. Peu de temps après, il a introduit une introduction systématique au français de Louisiane en tant que composante essentielle du programme d'orientation et de formation dispensée aux enseignants étrangers à leur arrivée en Louisiane. Qui plus est, il a distribué des listes de vocabulaire et des matériels pédagogiques qu'il avait élaborés, qui donnaient l'exemple d'une bonne articulation entre l'enseignement du FR et du FC en salle de classe. Les enseignants étaient fermement priés de réserver, autant que possible, une place pour le créole et le cadien dans leur salle de classe, et surtout, à montrer du respect à l'égard de la langue et de la culture locales dans leur enseignement. Richard Guidry a aussi fait un effort pour diversifier le corps des enseignants venus de l'étranger, qui comprend aujourd'hui également des ressortissants des Provinces Maritimes au Canada, de Guadeloupe et de quelques pays africains. Cette diversité a fait réaliser aussi bien aux Louisianais qu'aux enseignants étrangers que la diversité au sein de la francophonie est une réalité légitime.

Pour les enseignants de français, qu'ils soient autochtones ou étrangers, le FR demeure la variété principale enseignée dans les salles de classe en Louisiane. Cependant, il y a toujours eu des enseignants imaginatifs et audacieux conscients de l'importance de faire dans leurs cours le lien entre le français livresque et la réalité locale. Des pionniers, tels que Jeanne Castille et Catherine Blanchet ont incorporé dans leurs cours, dans les années 1930 et 1940, des chansons et des danses cadiennes et créoles. Brenda Mounier, Becky LaFleur, Caroline Ancelet et bien d'autres organisent des leçons autour d'un thème tel que le Mardi Gras, l'histoire acadienne, ou la recherche du meilleur boudin du pays, pour engager les élèves dans des activités authentiques et culturellement pertinentes. Dans la paroisse de Lafayette, des cours de FC ont été autorisés par l'administration scolaire et furent effectivement enseignés dans quelques écoles au cours des années 1980.

Depuis le début des années 1990, des circonscriptions scolaires locales, l'Association des Enseignants de Langues Étrangères de la Louisiane (Louisiana Foreign Language Teachers' Association – LFLTA) et le State Department of Education ont financé des programmes de formation sur la façon d'intégrer le français de Louisiane dans l'enseignement des langues. Mais, il n'en reste pas moins que les enseignants de tous bords préfèrent simplement enseigner en s'appuyant sur un manuel. Pour cette raison, le changement d'attitude illustré par les nouvelles normes nationales[5] pour l'enseignement des langues étrangères est d'une grande importance. Elaboré dans un effort de collaboration entre le American Council of Foreign Language Teachers (ACTFL), le US Department of Education et le National Endowment for the Humanities, le document National Standards in Foreign Language Education, d'abord publié en 1996, désigne deux des cinq « socles de compétences » majeurs contenus dans ce texte comme « Comparaisons : éveiller les élèves à la nature de la langue et de la culture » et « Communautés : s'identifier à des communautés multilingues chez soi et à l'étranger ». (ACTFL 1996[6]). Ces normes nationales ont eu une influence majeure sur le contenu de tous les manuels de langues étrangères publiés aux États-Unis. Confortés par l'atmosphère générale en faveur de la diversité dans l'éducation et par la reconnaissance de la présence francophone hors de France, les éditeurs ont rapidement ajouté, quelques exemples de la littérature, de la chanson, du folklore et du vocabulaire de Louisiane dans leurs séries. Finalement, des enseignants manquant d'initiative, ou d'assurance, sont parvenus à enseigner au moins quelques éléments de FC en concevant leur propre matériel sans faire d'efforts titanesques tandis que les ultra conformistes n'étaient pas mécontents dans leur approche à enseigner « en s'appuyant sur le manuel » (« teaching by the book »).

On peut dire que la meilleure innovation pour l'enseignement du français en Louisiane pendant les vingt dernières années a été l'enseignement en immersion. Dans ces cursus, le français est devenu langue d'instruction au lieu d'être une simple matière scolaire. Même si les programmes scolaires diffèrent à l'intérieur de l'État, la plupart offrent un système d'immersion partielle dans lequel 60-65% de l'enseignement se fait en français (généralement les mathématiques, les sciences sociales, les arts plastiques, quelques aspects des cours de langue et de littérature et parfois la musique et l'éducation physique). Pendant l'année scolaire 2002-2003, plus de 2 700 élèves étaient inscrits dans les programmes d'immersion dans 35 écoles et neuf circonscriptions scolaires différentes de l'État de Louisiane.

---

5 Il s'agit d'un effort national sous l'égide du ACTFL (American Council of Foreign Language Teachers) d'instaurer des normes nationales pour l'enseignement des langues.

6 http://www.actfl.org/i4a/pages/index.cfm?pageid=3392.

À la différence des 30 minutes par jour d'enseignement du français langue seconde qu'on trouve dans la plupart des écoles primaires, l'immersion en français a pour objectif réaliste que les élèves, à la fin de leur scolarité, parleront plus ou moins couramment le français. Ce programme a surtout séduit les parents de la génération perdue, les 25 à 45 ans dont les parents avaient renoncé à enseigner le français à leurs enfants à la maison afin de leur éviter l'humiliation dont ils avaient souffert. Une mère rapporte avec ironie : « Quand j'étais enfant, mes parents parlaient en français lorsqu'ils ne voulaient pas que je comprenne ce qu'ils disaient. Maintenant mes enfants font la même chose. » Certains programmes ont pu voir le jour grâce à la pression des parents. Le souhait de renouer avec la culture à travers leurs enfants est devenu pour ces parents la version moderne du désir des parents de la période de la Grande Dépression qui consistait à donner aux enfants nés du baby-boom les choses auxquelles ils n'avaient pas eu accès dans leur jeunesse.

Le fait d'avoir des enfants en immersion en français a eu des répercussions sur la famille et sur la communauté. La présence d'un enfant francophone dans la famille a incité de nombreux parents à commencer à étudier le français, à la fois par un souci pratique, comme par exemple, pouvoir aider leur enfant dans ses devoirs, que pour des motifs sociaux. Certains programmes d'immersion proposent aux parents des cours du soir de français élémentaire. Il y a aussi des parents d'enfants en immersion qui sont semi-locuteurs ou bilingues passifs pour lesquels le contact avec le français par l'intermédiaire de leurs enfants a accru leur propre compétence linguistique.

À l'instar des programmes de langue seconde, les enseignants en immersion sont généralement des étrangers parlant le FR en salle de classe. Mais, à la différence des élèves de langue seconde qui n'ont que 30 minutes de formation par jour, les élèves de français en immersion développent très tôt un niveau de compétence qui leur permet de communiquer effectivement dans la communauté francophone dans la région. Ils ont suffisamment de ressources linguistiques pour s'adapter aux différences dialectales et reformuler les ambiguïtés qui pourraient autrement entraver la communication avec les locuteurs de cadien. Le français que ces enfants acquièrent à l'école n'est peut être pas celui de *Mémère*, mais il ouvre les portes de son univers. Par exemple, un service communautaire dans la paroisse de Lafayette a mis en contact des élèves en immersion avec des résidents francophones en maison de retraite. Durant l'année scolaire, les élèves rendaient visite aux retraités, s'entretenaient avec eux de leurs familles (respectives), ont fait ensemble des travaux manuels, ont célébré Mardi Gras et ont appris comment on teignait les œufs de Pâques *dans le vieux temps*. Au printemps, les retraités du centre sont allés voir un spectacle de théâtre et de musique monté par les élèves de l'école. Les collégiens en immersion avaient préparé une pièce qui tournait autour des notions de mémoire, vieillissement et tradition.

Les programmes d'immersion dans tout l'État font face à des difficultés similaires alors qu'ils s'adaptent à un cursus en évolution constante pour lequel des matériels pédagogiques doivent être traduits ou adaptés. La formation d'un groupement des programmes d'immersion en français, en 1995, a fourni un forum de réflexion et de collaboration, surtout à l'égard du français de Louisiane. Les membres du groupement ont collaboré pour développer cursus, normes et matériels pédagogiques, et ont également contribué à la mise en place de nouveaux programmes.

5.4. *Le rôle de l'Université*

5.4.1. L'Université et la valorisation des culture cadienne et créole

Pour la plupart des gens, le passage à l'université est à la fois une expérience sociale et un apprentissage qui les marque à vie. De même que la notion de la Négritude a émergé dans les universités parisiennes où se sont rencontrés de jeunes intellectuels d'origines diverses de la diaspora africaine qui ont partagé des idées et consolidé leur philosophie commune, le milieu universitaire a procuré des opportunités sociales similaires aux jeunes Cadiens et Créoles en Louisiane du sud. À la fin des années 1960 à la University of Southwestern Louisiana, David Marcantel, Barry Ancelet, Richard Guidry, Georgie Mouton et Alain Dubroc étaient parmi les étudiants qui ont organisé la promotion de la fierté ethnique et culturelle parmi les francophones de la région. Une de leurs premières initiatives a été d'imprimer des affiches disant *Ici on parle français. Faites votre demande en français!* et de convaincre des entreprises locales de les afficher à leur porte. L'idée fut empruntée et développée par le CODOFIL alors que nombre de ces étudiants sont devenus plus tard des acteurs clés du mouvement de la renaissance francophone. Dans les années 1970, Louisiana State University (LSU) vit la naissance d'une organisation connue sous le simple nom *Les Cadjins*. L'engagement des participants s'échelonnait de l'activisme politique radical aux activités de niveau purement social. Les activités du groupe comprenaient des *bals de maison*, l'organisation de voyages sur le site de Mamou pour Mardi Gras, une pause-café en français à la maison des étudiants et une campagne de pression sur le gouverneur de l'époque, Edwin Edwards, pour qu'il fasse pression sur LSU pour lancer un cours de FC. L'organisation rassemblait des jeunes des communes des bayous, des villes des prairies et des confins nord de l'Acadiana. Parmi les anciens élèves de ce groupe comptent la folkloriste Maida Bergeron, le musicien Robert LeBlanc, les poètes créoles Debbie Clifton et Ulysse Ricard, l'auteur Randall Whatley et l'anthropologue Ray Brassieur, qui ont tous été actifs dans les manifestations culturelles de la Louisiane francophone.

Un autre parcours typique des étudiants a été celui de jeunes activistes louisianais qui ont étudié à l'étranger. Pratiquement sans exception les activistes dont les noms sont aujourd'hui associés à la revitalisation cadienne ont fait un séjour « en exil » au Canada, en France, en Belgique et/ou aux Antilles. Même si cela n'a pas toujours été dans le cadre des programmes d'échange du CODOFIL, la majorité d'entre eux a bénéficié de l'accueil chaleureux de leurs hôtes qui avaient de l'estime pour leur identité cadienne. Nombreux sont ceux qui ont amélioré leur français et développé une aisance en FR. Certains ont épousé des étrangers qu'ils ont fait venir avec eux en Louisiane, d'autres sont rentrés chez eux avec un nouveau regard sur leur propre culture, de nouvelles compétences linguistiques et une assurance en soi nouvellement acquise. On considère les études à l'étranger comme un élargissement de l'horizon des jeunes. Pour les jeunes Cadiens ce fut aussi une expérience de focalisation sur leurs origines.

Depuis le début des années 1990, une petite université francophone en Nouvelle-Écosse est devenue la Mecque pour les lycéens et les étudiants en premier cycle qui veulent faire une expérience d'immersion totale en français en territoire nord américain. Environ le tiers des 300 étudiants qui suivent tous les ans le programme d'été en immersion à l'Université Ste-Anne viennent de Louisiane. On peut attribuer ce succès au coût abordable ainsi qu'à l'organisation du programme dans lequel l'enseignement intensif de la grammaire s'accompagne de nombreuses activités sociales destinées à encourager la communication et à promouvoir les liens entre la commune de l'établissement et la Louisiane francophone. Le programme attire aussi de jeunes musiciens louisianais qui veulent parler couramment la langue dans laquelle ils chantent. Normalement, le programme d'été est parsemé de jam-sessions et de cours de danse improvisés, rendant ainsi encore plus chaleureuse l'atmosphère déjà très conviviale sur le campus. Bien que des étudiants de Louisiane se rendent en immersion dans de nombreuses villes en France, en Belgique et au Canada, le nombre de ceux qui vont à Ste-Anne en fait un succès remarquable. De retour en Louisiane, ces étudiants tendent à maintenir le contact avec leurs compatriotes qui ont récemment acquis une aisance à s'exprimer en français, créant ainsi une communauté de jeunes adultes qui ont consciemment fait le choix de socialiser en français.

Dans les années 1970, certains chercheurs de l'University of Louisiana Lafayette (UL-Lafayette) ont senti l'importance de documenter les divers aspects de la culture francophone de la Louisiane en créant le Centre d'études louisianaises en 1973 et le Centre de folklore acadien et créole en 1974. Peu valorisés au moment de leur fondation, ces centres ont fini par faire partie de l'infrastructure académique de cette université. Aujourd'hui, les collections de ces centres représentent des ressources inestimables pour les lexicographes, sociolinguistes, historiens, musiciens et éducateurs.

5.4.2. L'université et l'enseignement des variétés vernaculaires

En ce qui concerne l'enseignement, LSU et UL-Lafayette offrent régulièrement des cours de FC ainsi que de musique et folklore cadiens. LSU dispense des cours de base de cadien, d'étude comparée de langue, de culture cadienne ainsi que des cours spécialisés en français de Louisiane. À UL-Lafayette, on enseigne le créole louisianais, tout comme à Tulane University. Récemment, Southeastern Louisiana University a également proposé un cours de français de Louisiane. De plus, UL-Lafayette a un programme doctoral d'études francophones.

Même si on n'a pas réellement évalué l'effet que les cours de français de Louisiane ont eu sur la revitalisation du français, le fait qu'ils existent sans controverse montre une acceptation plus large du cadien et du créole en tant que variétés linguistiques légitimes. En outre, de sérieuses études linguistiques et ethnographiques ont été entreprises ces dernières années dans les universités financées par l'État de Louisiane dans le domaine du FC et du créole à base française. Ces projets, tout en approfondissant leurs connaissances dans des domaines spécifiques, offrent aussi aux doctorants natifs de la Louisiane la possibilité d'étudier le français de Louisiane sur le terrain, en interaction avec des locuteurs natifs.

Le milieu universitaire a également fourni la majorité des rares médias imprimés en français. UL-Lafayette, qui a publié, au début des années 1980, une série de travaux en créole et en cadien aux Éditions de la Nouvelle Acadie, a créé plus récemment *Feux follets,* une revue littéraire. Bien qu'elle ne soit pas limitée à des travaux de Cadiens et de Créoles natifs, la revue publie des écrits en français et en créole, surtout de la poésie, par des auteurs qui ont eu une expérience francophone en Louisiane. Il est intéressant de noter que le département de français au Centenary College de Shreveport, ville du nord de la Louisiane, quelque peu distante du cœur de l'Acadiana, publie un périodique francophone qui est dirigé par des étudiants. Le département maintient également un site Internet qui affiche une bonne sélection de littérature en français de Louisiane des 19e et 20e siècles. Récemment, le groupement des universités et établissements d'enseignement supérieur en Louisiane créé par le CODOFIL a lancé un projet avec Pelican Publishing pour la publication de littérature francophone de Louisiane dans une série appelée *Classiques Pélican.*

Outre l'enseignement universitaire, des cours destinés au public général désireux d'apprendre le FC ont été très populaires au cours des vingt dernières années. Parmi eux, les cours du projet d'alphabétisation ABC 2000 lancé par le CODOFIL sous la direction d'Earlene Broussard, sont remarquables. L'objectif de ABC 2000 est d'enseigner à lire et à écrire à des adultes francophones, en utilisant la littérature en FC et la transcription de textes oraux. La plupart des Cadiens qui savent lire et écrire en anglais se disent incapables de lire le français, généralement compte tenu de leur expérience des journaux et magazines parisiens. N'ayant pas la connaissance du contexte culturel et n'étant pas familiers avec les constructions lexicales et stylistiques utilisées dans le langage écrit, ils ne peuvent pas bien déchiffrer ces textes. Cependant, lorsqu'on leur donne le texte d'un récit oral ou d'un conte populaire situé dans un cadre qui leur est familier et raconté dans la langue vernaculaire, la plupart de ces gens peuvent utiliser leurs connaissances de la lecture en anglais pour comprendre le système graphophonémique du français.

On peut illustrer le désir de la capacité d'écrire une langue avec l'exemple de la poète Sylvia Morel, qui a grandi en milieu francophone dans la paroisse de St. Landry et qui a commencé à composer des poèmes en français, dans sa tête, il y a des années. Après avoir achevé le programme ABC 2000, elle avait une maîtrise suffisante du français pour pouvoir coucher ces poèmes sur le papier. Dans une culture traditionnelle où la tradition orale était maintenue par la mémoire collective et individuelle, les poèmes de Morel auraient pu survivre en tant qu'ouvrages strictement oraux, mais en Amérique contemporaine leur survie était menacée jusqu'au moment où elle a pu les mettre à l'écrit.

6. Conclusion

Il semble qu'il y ait, entre les domaines évoqués, une synergie de forces à l'œuvre en Louisiane en ce qui concerne la revitalisation de la langue cadienne. Des motivations intrinsèques et affectives telles que la fierté ethnique et l'intérêt pour la musique traditionnelle cadienne éveillent l'intérêt pour la langue, tandis que l'intérêt pour la langue locale renforce la fierté ethnique et entraîne souvent un intérêt pour la musique. Sur le terrain, le besoin économique généré par le développement du tourisme culturel a incité les gens à étudier ou à améliorer leur français, tandis que la langue elle-même représente une attraction culturelle qui amène les touristes. Dans le domaine de l'éducation, des réformes pédagogiques qui favorisent le respect des variétés linguistiques locales et une représentation équilibrée du monde francophone ont rendu les matériels pédagogiques élaborés pour la Louisiane plus accessibles aux enseignants à travers le monde, y compris en Louisiane elle-même.

Dans une symbiose, la musique cadienne, le tourisme culturel et les institutions éducatives en Louisiane se sont mutuellement préservés. On ignore quel serait aujourd'hui l'état de chacun de ces domaines sans cette interaction. Des chansons cadiennes peuvent être, et ont été, chantées en anglais mais, contrairement au zydeco, la musique cadienne demeure essentiellement un style musical francophone, révélant ainsi un consensus entre musiciens et public. La langue dans laquelle cette musique est chantée reste le fondement même de son identité. Est-ce que cela aurait été le cas si le CODOFIL n'avait pas lancé sa campagne linguistique au moment opportun? D'un autre côté, est-ce que la revitalisation de la langue aurait captivé l'imagination de l'ensemble du public s'il n'avait pas coïncidé avec l'engouement pour la musique cadienne? Est-ce que chacun de ces mouvements aurait pu se maintenir à lui seul, uniquement alimenté par l'intérêt des autochtones? Le « Mardi Gras de la campagne » et le samedi matin au Fred's Lounge sont des phénomènes qui ont émergé localement, initialement conçus pour la consommation locale et dont la langue était le FC. Aujourd'hui ce sont des relais à ne pas manquer du circuit touristique où l'on utilise des langues différentes, mais le français y demeure, au moins en partie, puisque il est à la fois un choix pratique et une attraction culturelle pour un grand nombre de touristes francophones. À un certain degré, c'est grâce au tourisme culturel que le débat sur le FC vs FR dans les écoles est passé d'une idéologie abstraite à une réalité pragmatique. Malgré les sinistres présages des puristes, allant à l'opposé de ce qui se passe, l'étude du FR a facilité l'étude de la langue vernaculaire locale. De la sorte, des Cadiens débrouillards qui utilisent avec compétence des versions modifiées de FC ou de créole avec les touristes étrangers reconnaissent-ils que la rhétorique enflammée de James Domengeaux n'était que trop de bruit pour « pas un tas».

Dans les écoles, le corps d'enseignants étrangers est encore nécessaire pour assurer l'enseignement du français, en particulier pour répondre à la demande croissante des programmes d'immersion. La plus grande diversité et la conscience linguistique plus aiguë de ce groupe ont profité à l'intégration du français local dans la salle de classe. Est-ce que les programmes d'immersion auraient pu survivre en l'absence des enseignants étrangers? Est-ce que ces programmes auraient même existé sans le désir des parents de la région de préserver le français en tant qu'héritage culturel? Alors que sa présence sur la scène internationale a maintenu la Louisiane en tant que partie intégrante de la diaspora francophone, ouvrant ainsi la voie au cadien et au créole dans les cursus de langue française et d'études francophones, cela a aussi incité l'intérêt des autochtones louisianais pour la francophonie mondiale. Le débat sur « quel français? » a été supplanté par le consensus qu'une collaboration à la fois régionale et internationale est nécessaire pour préserver toutes les variétés de français pour les générations à venir. Le mouvement pour la revitalisation du français en Louisiane a été plein d'énergie jusqu'à ce jour, parce que nombre de participants au processus ont pris conscience du fait que, eux aussi, ont une occasion à saisir dans ses objectifs. Reconnaître et tirer parti de ces intérêts communs sera important pour les efforts de planification linguistique à venir.

Références

ANCELET, Barry J. (dir.). 1983. *Acadie tropicale*, Lafayette, University of Southwestern Louisiana Center for Louisiana Studies.

ANCELET, Barry J. 1993. « La politique socio-culturelle de la transcription : la question du français louisianais », *Présence Francophone*, 43 : 47-61.

ANCELET, Barry J. 1999. « La politique du français louisianais », *L'ACadjin* (Éditions CMA 1999 : 4).

BAIRD, Woody. 1980, 20 juin. « Expert Wants Cajun Taught by Natives », communiqué de Associated Press.

BOURQUE, Antoine. 1986. *Trois saisons*, Lafayette, USL Éditions de la Nouvelle Acadie.

CASTILLE, Jean. 1983. *Moi, Jean Castille, de Louisiane*, Paris, Luneau-Ascot Éditeurs.

CONWELL, Marilyn J. et Alphonse JUILLAND. 1963. *Louisiana French grammar*, vol.1, The Hague, Mouton.

DAIGLE, Jules O. 1984. *A dictionary of the Cajun language*, Ann Arbor, Michigan, Edwards Brothers.

DITCHY, Jay K. 1932. *Les Acadiens louisianais et leur parler*, Paris, E. Droz.

DUBOIS, Sylvie. 2000. *Final Report of the Cajun Project at LSU* (grant SBR-9514831), National Science Foundation, Washington, District of Columbia.

FAULK, James D. 1977. *Cajun French I*, Crowley, Louisiana, Cajun Press.

GOLD, Gerald L. 1979. *The Role of France, Quebec and Belgium in the revival of French in Louisiana schools*, Document de travail 7, Ontario, Projet Louisiane, Département d'Anthropologie, Université York.

GRAVELLES, Marc Untel de (MARCANTEL, David). 1979. *Mille misères – laissant le temps rouler en Louisiane*, Document de travail 5, Québec, Projet Louisiane, Département de Géographie, Université Laval.

GUIDRY, Richard. 1982. *C'est p'us pareil : monologues*, Lafayette, Louisiana, Center for Louisiana Studies, University of Southwestern Louisiana.

GUILBEAU, John. 1950. *The French spoken in Lafourche Parish, Louisiana*, thèse de doctorat inédite, University of North Carolina, Chapel Hill.

HAWTHORNE, Miles. 1980, 20 juin. « Alan Lomax: Folklorist Seeks "Cultural Equity" », *The Daily Advertiser*.

LAVAUD-GRASSIN, Marguerite. 1988. *Particularités lexicales du parler cadjin en Louisiane (États-Unis)*, thèse de doctorat inédite, 4 vols., Université de Paris Sorbonne Nouvelle (Paris III).

MARCANTEL, David. Voir GRAVELLES, Marc Untel de.

PHILLIPS, Hosea. 1936. *Étude du parler de la paroisse Evangéline (Louisiane)*, Paris, Droz.

READ, William A. 1931. *Louisiana-French*, Baton Rouge, Louisiana, Louisiana State University Press.

RICHARD, Zachary. 1997. *Faire récolte : poésie*, Moncton, Éditions Perce-Neige.

ROTTET, Kevin J. 2001. *Language shift in the coastal marshes of Louisiana*. New York: Peter Lang Publishers.

Le français en Acadie : maintien et revitalisation du français dans les provinces Maritimes

Annette Boudreau, Université de Moncton

1. Introduction

Dans un article intitulé « Pour une science sociale de l'exiguïté. Bilan et enjeux de la connaissance en milieu minoritaire », Ali-Khodja (2003 : 19-20) invite les chercheurs en sciences humaines et sociales à chercher « d'autres voies d'analyse » pour appréhender l'objet minoritaire, ce qui suppose un « rapport différent à la dépossession culturelle » caractéristique des milieux minoritaires. Cette réflexion nourrie de celle de Paré (1992) sur les littératures de l'exiguïté nous semble riche d'implications et tout à fait pertinente pour aborder la question de la langue en milieu minoritaire. Dans un tel contexte, il nous semble primordial et essentiel de tenir compte des conditions sociales et historiques qui président aux conditions de production des langues et de leurs variétés si l'on veut rendre compte de la complexité des pratiques langagières. Ces pratiques langagières sont alors saisies comme faisant partie de ressources et de pratiques sociales qui acquièrent leur valeur dans des marchés linguistiques « régis par des lois de formation des prix qui leur sont propres » (Bourdieu 1983 : 103). Pour comprendre comment fonctionnent ces marchés linguistiques diversifiés, l'approche ethno-sociolinguistique s'appuyant sur une démarche empirico-interprétative (Blanchet 2000) paraît la mieux adaptée[1]. En tenant compte de ces prémisses, nous tenterons de montrer le rôle joué par les radios communautaires en Acadie dans une tentative de réappropriation du français envisagé ici comme ressource sociale et appréhendée dans la pluralité de ses formes d'expression, pluralité revendiquée comme *nécessité* en milieu minoritaire.

---

[1] Voir Blanchet (2000) pour un exposé convaincant sur cette approche comme alternative au courant positiviste d'une linguistique issue des sciences cognitivistes.

En situation de langues en contact, le maintien et la revitalisation d'une langue minoritaire dépendent en grande partie de l'accroissement de ses domaines d'utilisation, ce qui a pour effet de modifier les pratiques langagières de ses locuteurs. Le répertoire linguistique de ces derniers s'élargit pour répondre aux exigences croissantes des nouvelles fonctions de leur langue dans un marché linguistique diversifié où circulent des langues et des variétés de langues différentes. Or, les pratiques sont intimement liées aux représentations, celles liées aux langues elles-mêmes (valeurs attribuées à l'une ou l'autre langue) et celles liées aux variétés de ces mêmes langues. Dans son ouvrage *Pour une écologie des langues du monde*, Calvet (1999) propose une théorie globale de la communication sociale qui accorde une place importante à la sociolinguistique dans laquelle s'insère l'étude des représentations linguistiques. Calvet (1999 : 145), continuant dans la tradition de Lafont (1977, 1997), Gueunier et al. (1983) et Bourdieu (1982), estime que l'étude des représentations linguistiques s'avère essentielle pour quiconque cherche à comprendre le fonctionnement des langues; il déclare que pour intervenir sur les pratiques, il faut d'abord agir sur les représentations linguistiques (2000 : 189). Boyer et De Pietro abondent dans le même sens et considèrent que les représentations linguistiques « doivent être considérées comme constitutives au premier chef des dynamiques sociolinguistiques envisagées et même d'un poids tel qu'elles peuvent parfois en être le levier essentiel » (2002 : 120). C'est la position que nous avons adoptée dans l'explication de la situation sociolinguistique en Acadie (Boudreau et Dubois 2001) où les représentations (construites, bien entendu) nous semblent fondamentales à l'explication des phénomènes linguistiques. En outre, la prise en compte des pratiques langagières comme pratiques sociales[2] (qui comprennent les représentations) exige que ces dernières soient examinées à la lumière des relations de pouvoir qui régulent les comportements linguistiques des locuteurs dans la plupart des situations de langues en contact.

2. Corpus

Pour illustrer le rôle des radios communautaires dans le maintien et la revitalisation du français en Acadie, nous nous sommes servie d'entretiens tirés d'un corpus constitué de 145 entretiens d'acteurs so-

---

[2] Voir Heller (2002), *Éléments d'une sociolinguistique critique* où l'auteure expose sa théorie des pratiques linguistiques envisagées comme pratiques sociales avec tous les enjeux épistémologiques qui en découlent.

ciaux de l'Acadie des Maritimes. Ces entretiens semi-directifs durent entre une heure et une heure et demie chacun. Dans la mesure du possible, deux chercheurs participaient à l'entrevue, l'un de l'extérieur du milieu, ce qui avait pour effet de *faire parler* la personne interviewée, celle-ci voulant en *dire* le plus possible pour la personne de l'extérieur, et l'autre de l'intérieur, qui intervenait pour donner des précisions sur le contexte ou pour aborder des thèmes que l'informatrice aurait pu oublier. Cette formule s'avéra particulièrement riche pour la cueillette d'informations.

Les participants sont membres d'associations ou d'organismes francophones et participent de près au développement des francophones dans leurs régions. Ils nous ont entretenus longuement de leur trajectoire personnelle et des motivations à l'origine de leur engagement. Quatre-vingt-un proviennent du Nouveau-Brunswick, quarante de la Nouvelle-Écosse et vingt-quatre de l'Île-du-Prince-Édouard. Les entretiens ont été réalisés entre 1997 et 2000 dans le cadre d'une recherche multidisciplinaire, le projet *Prise de Parole 1*[3] qui visait à analyser la construction discursive de l'espace francophone en milieu minoritaire. L'objectif était de voir si les discours des acteurs sociaux contribuaient à la construction identitaire des francophones, et si oui, lesquels étaient dominants et lesquels étaient marginalisés.

Dix des entretiens[4] du Nouveau-Brunswick et cinq de la Nouvelle-Écosse traitent directement des radios communautaires. Dans ce texte, nous nous attardons aux radios en milieu minoritaire parce que les enjeux linguistiques et culturels y sont plus importants[5].

---

[3] Le projet *Prise de Parole 1* a été financé par plusieurs organismes dont le Conseil de recherche en sciences humaines du Canada (chercheurs principaux : Normand Labrie, Monica Heller [Université de Toronto] et Jürgen Erfurt [Johann-Wolfgang-Goethe Universität, Frankfurt am Main]; collaboratrices : Annette Boudreau et Lise Dubois [Université de Moncton, responsables de l'Acadie] de 1997-2000) ; le programme Transcoop de la German – American Academic Foundation Council (chercheurs principaux : Jürgen Erfurt, Monica Heller et Normand Labrie, 1996-1999) ; et l'Agence universitaire de la Francophonie (chercheurs principaux : Patrice Brasseur et Claudine Moïse).

[4] Les entrevues sont transcrites de façon à reproduire le plus fidèlement possible la langue orale; les italiques indiquent une prononciation anglaise.

[5] Dans les milieux majoritaires francophones du Nouveau-Brunswick comme le Nord-Est et le Nord-Ouest, les radios communautaires contribuent de façon importante au développement culturel de leurs régions mais l'enjeu linguistique n'est pas le même. En région minoritaire, les animateurs jouent un rôle important dans la refrancisation de leur milieu en permettant aux auditeurs de se réapproprier progressivement leur langue.

3. Discours et représentations

Lorsqu'ils ont abordé la question linguistique, la moitié de nos informateurs ont traité spontanément des représentations négatives entretenues par les locuteurs francophones à l'égard de leur français; soit ils se positionnaient à l'intérieur du groupe « *on* se sentait inférieur avec *notre* langage local », « moi *je* considère pas que *j'*ai une langue très riche, *j'*ai pas de vocabulaire », soit ils se positionnaient à l'extérieur : « il faudrait donner des mots aux gens/*ils* n'ont pas de vocabulaire », soit encore ils usaient du discours indirect « dans ma famille à Noël, les gens disaient : « ah les chiacs de Moncton/c'est eux autres qui nous nuisent /ils parlent mal français et tout ça ». Ces remarques sont revenues assez souvent pour que nous sachions que la représentation de la langue jouait un rôle clé dans les préoccupations des participants quant à l'avenir du français en Acadie. Ces représentations étaient liées soit au statut du français, soit à son usage. Dans le premier volet, les participants ont abordé des questions reliées à la place du français dans l'espace public (affichage, médias, administration provinciale, vie publique) et aux choix qui s'offrent à l'individu dans sa vie professionnelle (le droit ou non de travailler en français) ou privée (la possibilité d'envoyer ses enfants dans des écoles francophones et donc la lutte pour obtenir des écoles homogènes françaises en Nouvelle-Écosse et à l'Île-du-Prince-Édouard). Dans le deuxième volet, ils ont abordé des questions reliées au code ; à l'exception de quelques remarques négatives sur la qualité du français[6], tous ceux qui en ont parlé l'ont fait en évoquant le contexte sociolinguistique. Par ailleurs, ils nous ont abondamment entretenus de la peur des gens de prendre la parole dans l'espace public et du peu de confiance qu'avaient les gens en leur moyen d'expression. Ces remarques nous ont amenée à explorer plus profondément la question de l'insécurité linguistique en nous plongeant dans un *site discursif*[7], celui des radios communautaires, puisque plusieurs intervenants y firent allusion lors de nos rencontres.

Nous expliquerons comment les acteurs sociaux engagés dans la mise en place de deux radios communautaires en milieu minoritaire, l'une située au Nouveau-Brunswick et l'autre en Nouvelle-Écosse, ont compris l'importance du contexte sociolinguistique dans la mise en œu-

---

[6] Ces remarques provenaient de journalistes et de personnes œuvrant dans les affaires publiques.

[7] Nous avons appelé sites discursifs les « lieux » où les discours circulent et se construisent tout en agissant sur la réalité.

vre de leurs projets. Nous verrons comment ces derniers ont construit des espaces comparables aux marchés *francs* décrits par Bourdieu (1983), marchés où la *parole* interdite et/ou stigmatisée arrive à *se dire*[8].

4. Les radios communautaires en Acadie des Maritimes

4.1 *Une radio communautaire du Nouveau-Brunswick*

Les artisans à la base de l'implantation d'une radio communautaire dans le Sud-Est du Nouveau-Brunswick, (population mixte composée de 40 % de francophones et de 60 % d'anglophones) partageaient un objectif commun : donner la parole aux gens pour contrer l'insécurité linguistique. Ce sentiment d'insécurité est lié aux représentations négatives entretenues à l'égard du vernaculaire régional français appelé le chiac, variété caractérisée par l'intégration et la transformation, dans une matrice française, de formes lexicales, syntaxiques, morphologiques et phoniques de l'anglais (v. Perrot dans ce volume). Dans la région monctonienne, on pourra entendre des phrases telles que : « Je viendrai *back* ; faut que j'aille *driver* ma mère au bureau). L'acadien traditionnel y est également très vivant[9] mais, considéré comme patrimoine linguistique, il n'est pas victime des mêmes jugements que le chiac.

---

[8] Bourdieu a usé du terme marché franc pour décrire « les espaces propres aux classes dominées, repaires ou refuges des exclus dont les dominants sont de ce fait exclus, au moins symboliquement, et pour les détenteurs attitrés de la compétence sociale et linguistique qui est reconnue sur ces marchés » (1983 : 103), ce qui suppose un lieu où la parole se libère et s'exprime sans entraves.

[9] Jusqu'à la fin du 19e siècle, les Acadiens ont vécu dans l'isolement ; ils avaient peu de contacts avec l'extérieur, vivaient dans de petites communautés en milieu rural et étaient peu scolarisés. Avec le début de l'urbanisation au 20e siècle, la majorité d'entre eux ont vécu une situation de diglossie classique telle que définie par Ferguson (1959) et Fishman (1967), c'est-à-dire que leurs deux langues se partageaient différentes fonctions. En effet, le français était restreint à la maison, à l'école primaire, à l'église, bref dans les domaines privés, tandis que l'anglais était utilisé au travail, dans les affaires et les échanges de toutes sortes de la vie quotidienne, bref dans les sphères de la vie publique. Cette situation a continué jusque dans les années cinquante (elle perdure encore dans certaines régions des Maritimes) et elle ne fut pas sans marquer les pratiques langagières des Acadiens. En effet, ces facteurs (l'isolement et la diglossie) expliquent le maintien de traits archaïques dans la plupart des régions acadiennes. On trouve ces marques sur le plan phonétique (par ex. l'ouisme (une *poumme* pour une *pomme*) et la palatalisation (un *djable* pour un *diable*, *tchens* pour *tiens*), sur le plan morphologique (usage du *-ont* et du *-iont* à la troisième personne des verbes du pluriel comme dans « ils mangeont », « ils chantiont ») et sur le plan lexical. (Pour plus de renseignements sur les traits linguistiques de l'acadien, v. Lise Dubois dans ce volume; pour le chiac, v. Perrot, ce volume.)

Paul[10], un des fondateurs de la radio, raconte qu'en tant qu'ancien journaliste de Radio-Canada, il avait eu du mal à faire parler des gens de la région, « je veux pas parler là-dedans [Radio-Canada], je parle trop mal ; j'ai entendu ça un million de fois ». Selon lui, il fallait faire quelque chose pour réduire cette insécurité formelle (Calvet 1999 : 160), résultant de la comparaison entre le vernaculaire régional et le français *légitime* entendu sur le marché officiel des échanges linguistiques, marché qui s'incarnait dans la radio publique :

> Paul : je me disais pourquoi-ce pourquoi-ce qu'ils disent ça / « je parle trop mal je peux pas parler là-dedans » / [...]
>
> Monica : mm
>
> Paul : donc moi je me suis en tout cas moi et plusieurs personnes on s'est dit qu'il fallait absolument se doter d'un outil dans la communauté ici / où les gens pourraient se sentir chez eux pis / je dirais c'est ce qui a motivé tout le monde tout le tour de la table pour Radio Acadie[11] c'était / dépêchons-nous / pis soyons ceux qui / contrôlent cet outil de communication là / laissons-le pas contrôler par les autres.

Paul et d'autres ont réussi à trouver les ressources matérielles (permis, locaux, financements) et symboliques (pratiques linguistiques adaptées) nécessaires à la mise en place d'une radio servant d'outil de communication pour une population francophone habituée à écouter la radio en anglais[12]. Dans les textes officiels de la radio, la politique linguistique, rédigée en conformité avec ses objectifs communicationnels, dit viser « un français acceptable[13] ». Elle est suffisamment souple et large pour permettre l'embauche d'animateurs et de journalistes dont le français n'est pas tout à fait conforme aux règles du standard tout en

---

[10] Tous les noms sont fictifs.

[11] Les noms donnés aux radios communautaires sont fictifs.

[12] Rappelons que dans une situation de langues en contact, ces ressources sont inégalement distribuées et que pour les minoritaires, il est toujours difficile d'avoir accès à celles qui leur reviennent. C'est à la suite de luttes incessantes que les acteurs sociaux ont réussi leur pari de doter les francophones d'une radio communautaire. Ils ont eu à intervenir devant le Conseil de la radiodiffusion et des télécommunications canadiennes (CRTC) et montrer qu'une radio francophone était absolument nécessaire à l'épanouissement des francophones.

[13] La politique linguistique de cette radio se lit comme suit : « Tout écart de langage doit être évité sur les ondes. La radio vise la qualité au niveau du contenu verbal. La norme vise un **français acceptable** » (c'est nous qui soulignons).

n'étant pas non plus un reflet parfaitement fidèle de la réalité : les angli-cismes[14] ne sont pas admis bien que tolérés dans certaines circonstances. Les stratégies utilisées pour donner la parole aux gens sont conformes à cette politique. En effet, dans certaines occasions, les animateurs et les journalistes utilisent des stratégies de reformulation et de répétition pour joindre leur public, comme lors d'émissions où les auditeurs téléphonent pour acheter ou vendre des objets ; les animateurs traduisent des termes de l'anglais vers le français pour amener les gens à se réapproprier leur langue :

Exemple 1[15]

L'auditeur : pis je suis à la recherche d'un *deep freeze*
L'animateur : ah oui, d'un congélateur
L'auditeur : un congélateur, pis mon numéro de téléphone, c'est ...

Exemple 2

L'auditrice : j'ai aussi de la *craft*
L'animateur : de la quoi?
L'auditrice : de la *craft*
L'animateur : de l'artisanat
L'auditrice : oui de l'artisanat

Parfois, le vocabulaire pose problème pour les animateurs eux-mêmes comme dans l'exemple qui suit.

Exemple 3

L'auditrice : j'ai à vendre un *treadmill*, je sais pas qu'est-ce que c'est
en français
L'animateur : je suis pas trop sûr qu'est-ce que c'est moi non plus
L'auditrice : la raison pourquoi je veux la vendre, c'est....

Avec ce dernier exemple, on constate qu'à l'intérieur de la station, les animateurs, issus de la région, souvent des bénévoles, ont dû eux-mêmes se familiariser avec des termes français qu'ils ne connaissaient pas.

---

[14] Nous entendons ici par anglicisme des emprunts anglais utilisés en français et recon-nus comme tels comme les exemples suivants : un *car*, un *movie*, une *drive*.
[15] Ces exemples sont tirés du mémoire de maîtrise de Stéphane Guitard soutenu en 2003.

Comme l'explique Jean-Luc, ils ont appris certaines expressions en même temps que les auditeurs :

> à un moment donné on a été obligé de sensibiliser tout le monde pis dire ok regardez tel mot anglais-là / faudrait trouver le mot français-là [...] si on prend la mécanique par exemple *muffler/shock* tous ces mots-là / les vendeurs pis les animateurs les ont appris avec les années parce qu'ils ont été obligés de les trouver / pis avec le temps les gens ont commencé à savoir qu'est-ce que c'était une « soupape d'échappement ».

Pierre, l'un des directeurs de la radio, ajoute que cet apprentissage s'est fait graduellement; il montre, par exemple, que les animateurs et les auditeurs se sont approprié des termes comme « palmarès » et « décompte[16] » qui ne faisaient pas partie de leur vocabulaire courant :

> ça se fait tout seul dans le sens que les gens entendent de nouveaux mots / c'est de l'éducation [...] ils apprennent sans qu'ils s'en aperçoivent / tu sais / « palmarès » là y a plus personne qui a des problèmes avec ça / mais c'est un nouveau mot que personne avait jamais entendu / « palmarès » ça mange quoi pour déjeuner [...] on dit ben aujourd'hui c'est le « décompte » des quinze étoiles de l'Acadie / le « décompte » / ils l'apprennent / ils savent asteure / « décompte » ça veut dire.

En 2003, neuf ans après sa fondation, cette radio est la première station écoutée sur une base régulière par 61% des francophones de la région[17] (pour plus de détails, consulter le mémoire de maîtrise de Guitard 2003). La radio a agi sur le statut de la langue en modifiant considérablement les habitudes d'écoute des locuteurs francophones ; elle a agi sur le code en favorisant l'élargissement du répertoire français des animateurs, des journalistes et des locuteurs.

De plus, la radio communautaire a réussi son objectif premier, celui de faire parler les gens, les animateurs comme les auditeurs. Ils ont repris confiance en leurs moyens linguistiques, *se disent* et *s'entendent* dans un espace public où ils ne sont plus seulement entre *mêmes*, c'est-à-dire que leur parole est entendue par des milliers d'autres francophones aux

---

[16] Dans cette radio, on présente les chansons les plus populaires de la semaine en commençant par la dernière; c'est ce qu'on appelle le *décompte* des meilleures chansons de la semaine.

[17] Rapport bisannuel du BBM (Bureau of Broadcast Measurements), printemps 2003.

variétés et aux accents différents[18]. Cette présence de *soi* sur les ondes est en train de transformer les représentations que les locuteurs de la région se font d'eux-mêmes et de leur langue, comme l'affirme d'ailleurs Louis, un autre directeur de la radio :

> dans les cinq ans /où on a pris des jeunes/ des moins jeunes/ des personnes âgées de tous les groupes/ qu'ont passé à la radio/ dans la première année/ ces gens-là on pouvait pas les faire parler/ ils venaient faire des émissions pis ils jouaient cinq chansons en ligne pis ils avaient de la misère à donner l'heure pis maintenant ils parlent un peu trop pis ils jouent pas assez de musique / tu sais [...] ces gens-là ont pris confiance en eux-mêmes

Pour revenir à nos prémisses de départ, il paraît essentiel de comprendre les conditions historiques et sociales qui président aux productions linguistiques telle qu'elles se dévoilent dans les extraits et, pour ce faire, il semble important de tenir compte du poids des représentations linguistiques négatives qui se sont construites au cours des ans. En milieu minoritaire, ces représentations ont partie liée avec la situation sociale particulière des locuteurs dominés. Singy (1996) a déjà montré que les francophones des régions périphériques avaient tendance à manifester des sentiments d'insécurité linguistique plus aigus que les francophones habitant le Centre[19] et que cette insécurité était le fruit «du mode d'organisation inégalitaire auquel se plie l'espace francophone » (258). Cette problématique du *centre /périphérie* rejoint celle citée en introduction qui demandait d'appréhender autrement la situation des minoritaires. Nous avons nous-mêmes attesté de la forte présence de l'insécurité linguistique chez les locuteurs des régions périphériques au Canada et plus particulièrement en Acadie (Boudreau et Dubois 1993 et 2001, Boudreau et Guitard 2001), insécurité rattachée aux représentations diglossiques infériorisant la langue dominée. Comment contrer ces représentations sans renverser la table des valeurs qui les sous-tend[20] ? Il

---

[18] Le RFA (Réseau francophone d'Amérique) relie les radios communautaires des communautés francophones entre elles et produit des bulletins nationaux qui donnent une place prépondérante aux informations concernant les communautés francophones et acadiennes à l'extérieur du Québec.

[19] Le Centre de la francophonie est souvent identifié à Paris, mais dans notre esprit, ce centre n'est pas perçu comme figé dans le temps et dans l'espace. Comme l'affirme Singy, les concepts centre-périphérie doivent être compris comme des notions relatives et transposables à tous les degrés de l'échelle spatiale (1996 : 29).

[20] Il ne s'agit pas ici de dire ou de supposer que toutes les formes linguistiques aient les mêmes valeurs sur le plan social. Il s'agit tout simplement de montrer que sans l'acceptation de l'usage linguistique des locuteurs, peu importe sa conformité avec le

nous semble en effet que l'action sur les représentations est fondamentale dans tout projet de revitalisation d'une langue : comment agir sur son statut sans augmenter son usage et comment augmenter son usage en n'acceptant que les formes conformes au standard ? Nous pensons comme Klinkenberg que pour se libérer de la domination linguistique « il faut agir sur les représentations linguistiques et les attitudes autant que sur les pratiques et les usages » (2001 : 95).

La radio dont il vient d'être question nous semble avoir réussi le double objectif qu'elle s'était fixé au départ : agir sur les représentations linguistiques et partant sur les pratiques langagières des Acadiens et des Acadiennes dans le but de les amener à prendre la parole dans l'espace public.

4.2 *Une radio communautaire en Nouvelle-Écosse*

La quête de légitimité linguistique revêt des formes différentes. Alors que dans l'exemple précédent, la réappropriation de la langue passe par la reconnaissance d'une langue légitime et par la tentative d'élargir les répertoires linguistiques, une démarche inverse est privilégiée dans l'exemple suivant. Les formes stigmatisées de la langue sont revendiquées comme authentiques et historiques et servent de fondement à l'argumentaire lui conférant sa légitimité. Expliquons d'abord le contexte.

Il s'agit d'une autre radio communautaire, située en Nouvelle-Écosse. Elle s'adresse à une population de 6 500 francophones isolée dans une mer d'anglophones, population dont la langue s'étend sur un continuum variant d'un français plutôt normatif à une variété de français appelé l'*akadjonne*[21], qui se caractérise par le maintien de traits archaïques dont les origines remontent à l'époque de la colonisation. L'idéologie qui guide les concepteurs de cette radio s'apparente à l'idéologie du dialecte décrite par Watts (1999) qui stipule que les valeurs associées aux « dialectes » sont supérieures à celles associées au « standard » et que les « dialectes » sont alors promus en tant que tels et deviennent de puissants marqueurs identitaires (Watts 1999 : 69). Cette surévaluation est à distinguer

---

modèle prescrit, il sera impossible de faire en sorte que l'usage de cette langue progresse.

[21] Pour la description des traits phonétiques, morphologiques et lexicaux de cette variété, voir Flikeid (1994).

des idéologies diglossiques où s'entremêlent l'idéalisation et la fétichisation de la langue dominée avec sa dévalorisation et son dénigrement (Boyer 1990 : 106)[22]. Dans l'idéologie du dialecte, l'ambivalence est ténue, voire absente. Selon Watts, ce qui donne force à l'idéologie du dialecte, c'est la présence des mythes qui alimentent, voire cimentent des croyances particulières et qui servent de justification à des comportements actuels par des références au passé :

> Myths are essentially narrative, i.e. they tell part of the story of a sociocultural group. They are shared stories; they are not the property of any one individual, and the telling of the stories helps to reconstruct and validate the cultural group. This endows them with explanatory force such that they can justify present patterns of behaviour by invoking their past validity. (1999 :73)

En Nouvelle-Écosse, certains mythes (celui de l'ancienne capitale [allusion à Port-Royal], celui du plus vieux français de l'Amérique)[23] servent de toile de fond à la justification de la promotion de l'*akadjonne* sur les ondes ; ses promoteurs se font les garants du maintien de la langue de « l'ancienne capitale », langue qui définirait mieux la langue parlée par les francophones de cette région : « c'est notre mission de protéger la langue de l'ancienne capitale et de la continuer pour les siècles et les siècles ». L'un des participants à l'enquête, Laurent, nous explique les motivations qui l'ont amené à écrire des messages publicitaires en *akadjonne*. Racontant les débuts de la radio, il affirme qu'elle était alors contrôlée par l'élite qui imposait un français normatif sur les ondes et que, pour cette raison, elle avait presque perdu son auditoire :

> toute l'élite du coin était là-dedans et puis ils ont décidé d'être normatifs et pis à la place de parler *akadjonne*, ils avont décidé de parler bon français et puis la population l'a boudée

La situation était alors semblable à celle décrite au Nouveau-Brunswick où les gens refusaient de se dire dans leur *langue*. Laurent explique que c'est lorsqu'il a commencé à rédiger des publicités en *akad-*

---

[22] Nous n'excluons pas cependant que l'idéologie du dialecte résulte d'idéologies diglossiques présentes au départ et que le fait d'attribuer des qualités supérieures à la langue infériorisée participe d'une logique de renversement compensatoire où la langue minoritaire est dotée de qualités habituellement réservées à la langue dominante.

[23] Comme l'affirme Watts (1999), les mythes racontent une histoire partielle de la réalité ; dans le cas qui nous concerne, ces mythes reposent en partie sur des vérités historiques, vérités transformées et diffusées comme éléments fédérateurs de l'identité collective.

jonne que la cote d'écoute a augmenté: « la minute que j'ons commencé que j'avons commencé à parler *akadjonne*, le monde a commencé à écouter ». Dans ces textes, on use abondamment du dialecte local et l'on accentue les traits différentiels de l'*akadjonne* (v. Dubois 2003). Dans l'extrait suivant, Laurent commente le processus qui l'amène à construire ses publicités. Il prend comme exemple le « camping » :

> [...] alors le dialecte acadien dans ses tournures de phrases / dans ses mots / dans ses prononciations va emprunter les racines de la langue anglaise et de la langue française / par exemple j'ai écrit un commercial / sur le camping //// eh puis on a utilisé la racine c'était camP alors l'annonceur me demande /celle qui allait faire l'annonce « qu'est-ce que je fais avec ça ? » / ben je dis camP ok camP ou *camp* // il y a des Acadiens qui voudraient aller faire du « camping » [prononcé à la française] même ils le disent en France « le camping » [fin de l'accent français] alors on va utiliser cette racine –là tu vois dans la même annonce tu vas dire camping et *camping* //// [reprend l'accent régional] pis nos ancêtres auriont voulu parler du campage [...].

S'appuyant sur « campage », Laurent veut illustrer la création lexicale des Acadiens de la région qui, dit-il, n'ont pas besoin de s'aligner sur le standard. Il ajoute que l'*akadjonne* « peut marcher sur ses propres pattes et n'a pas besoin d'être assimilé par le français standard ».

On constate ici que les stratégies utilisées sont différentes de celles de la radio du Sud-Est du Nouveau-Brunswick où l'on visait à faire connaître les termes standard[24] ; dans ce cas-ci, l'on cherche plutôt à faire la promotion du dialecte régional[25]. En effet, lors de l'entretien, Laurent dit considérer essentiel que les Acadiens possèdent un code linguistique qui leur soit propre « pour ne pas perdre notre identité ». Il craint les dangers de l'assimilation, mais pour lui l'assimilation au fran-

---

[24] Dans l'entretien avec l'un des responsables de la radio, on affirme vouloir amener les locuteurs vers le *standard acadien*, standard qu'il ne définit pas mais qu'on suppose lié au français parlé par les Acadiens instruits. Par ailleurs, le mémoire d'une étudiante de l'Université de Moncton, Denise Doiron (2003), a porté sur les publicités dans cette radio. Elle a étudié la forme initiale des textes proposés et la forme finale telle que produite sur les ondes après que ceux-ci furent retravaillés par les correcteurs. Elle a pu constater que la variété standardisée acadienne était privilégiée.

[25] Inutile de dire que cette promotion de l'*akadjonne* sur les ondes provoque des conflits chez les habitants de la région. Voir Boudreau et Leblanc-Côté (2003) et Dubois (2003) pour plus de détails.

çais standard ou au français québécois serait aussi néfaste que l'assimilation à l'anglais. Pourtant, on a pu constater que lui-même naviguait parfaitement entre les différents registres de langues ; il passait du français standard au français régional au français de France avec une aisance remarquable. Sa prise de position à l'égard de l'*akadjonne* relève donc d'un choix conscient. D'ailleurs, pendant l'interview, il accentuait les traits phonétiques de sa région, usait délibérément des tournures lexicales et morphosyntaxiques locales. On peut sans doute affirmer que cette spectacularisation de l'*akadjonne*, véritable mise en scène de traits longtemps dévalorisés procède d'une stratégie de légitimation d'une langue stigmatisée.

Le cas que je viens de présenter paraît intéressant dans la mesure où il permet d'illustrer une idéologie linguistique en action. En effet, il est clair qu'il existe dans cette radio de la Nouvelle-Écosse une politique linguistique implicite qui privilégie la diffusion dans la variété régionale, politique induite par le discours d'acteurs sociaux influents. Nous avons vu quelques-uns des arguments qui fondent l'idéologie linguistique décrite ci-dessus : retrouver la langue parlée par les anciens, « langue authentique » selon ses promoteurs[26], lui donner un statut particulier, la distancer des autres variétés du français pour doter les Acadiens de la région d'une identité unique. Reste à voir si cette stratégie favorisera la prise de parole et l'élargissement des aires de communication, ou si au contraire, elle renfermera le locuteur dans un processus de ghettoïsation qui l'isolera davantage.

5. Conclusion

Dans *Discourse and Social Change*, Fairclough (1999 : 200) affirme que « conscious intervention in discourse practices is an increasingly important factor in bringing change about ». Nous avons voulu montrer dans ce texte que les changements réalisés par les discours conscients des acteurs sociaux ont contribué à la transformation de la réalité acadienne en agissant, entre autres, sur les représentations entretenues à l'égard de la langue en Acadie, représentations qui à leur tour agissent sur les pratiques linguistiques. Différentes variétés linguistiques sont apparues sur la place publique permettant à une majorité d'Acadiens de

---

[26] Sur 14 personnes de la Nouvelle-Écosse qui ont abordé la question de la langue sur les ondes de la radio communautaire, huit se déclarent partisanes de la promotion de l'*akadjonne*, cinq optent pour le standard et une personne se dit sans opinion.

prendre la parole, *leur* parole. L'accès à cette parole leur permet de jouer un rôle dans le développement de leur communauté et dans la construction identitaire de celle-ci. Le cas de la radio communautaire du Nouveau-Brunswick montre qu'en partant du vernaculaire des auditeurs, on peut élargir le répertoire linguistique et culturel d'une population. Les auditeurs en question se familiarisent avec le français standard sans avoir à faire l'économie de leur propre variété linguistique ; le standard s'ajoute aux structures déjà acquises. En Nouvelle-Écosse, une stratégie différente a été adoptée ; les traits de la langue régionale sont délibérément accentués et tendent à supplanter les traits du standard. Par ailleurs, les habitudes d'écoute des francophones ont changé : ils choisissent davantage d'écouter une station de langue française et ce, même si la diffusion de l'*akadjonne* sur les ondes suscite un débat[27] sur la variété à privilégier dans le milieu.

Pour revenir à nos prémisses de départ, nous postulons qu'un regard *différent* sur les minorités linguistiques est nécessaire pour peu qu'elles aient le droit d'*existence*[28] (Kundera 1993), et pour ne pas oublier que leurs codes de communication, souvent éloignés des codes considérés comme standard, sont « des modes relationnels, des visions du monde » et que sans ces codes, « des modes de vie sont fragilisés » (de Robillard 2000 : 90). Il s'ensuit que des stratégies de maintien et de revitalisation du français en milieu minoritaire sont à penser en fonction de la complexité des rapports qui régissent les locuteurs à leur(s) langue(s) et qu'elles ne sauraient occulter les dimensions sociales et historiques de ses rapports.

---

[27] Au moment d'écrire ces lignes, en janvier 2004, la question linguistique entourant cette radio a fait l'objet de deux capsules de nouvelles au *Ce soir*, émission d'une heure diffusée quotidiennement à la télévision de Radio-Canada Atlantique, et ce, dans les deux dernières semaines.

[28] Je fais allusion à l'admirable essai de Milan Kundera qui, parlant des *petites nations*, affirme que leur existence est « perpétuellement menacée et mise en question » ; il ajoute que « leur existence [même] *est* question » (Kundera 1993 : 225). Ce passage résume parfaitement la situation des locuteurs vivant en milieu minoritaire qui ont constamment à lutter pour *exister* dans le sens philosophique du terme.

Références

ALI-KHODJA, Mourad. 2003. « Pour une science sociale de l'exiguïté : bilans et enjeux de la connaissance en milieu minoritaire », *Francophonies d'Amérique*, 15 : 7-23.

BLANCHET, Philippe. 2000. *La linguistique de terrain. Méthode et théorie. Une approche ethno-sociolinguistique*, Rennes, Presses universitaires de Rennes.

BOUDREAU, Annette et Lise DUBOIS. 1993. « J'parle pas comme les Français de France, ben c'est du français pareil ; j'ai ma *own* p'tite langue », dans Michel FRANCARD, Geneviève GERON et Régine WILMET (dirs.), *L'insécurité linguistique dans les communautés francophones périphériques : actes du colloque de Louvain-la-Neuve, 10-12 novembre, 1993,* Leuven, Peeters, Institut de Linguistique, 147-168.

BOUDREAU, Annette et Lise DUBOIS. 2001. « Langues minoritaires et espaces publics : le cas de l'Acadie », *Estudios de sociolingüística*, 2 (1) : 37-60.

BOUDREAU, Annette et Stéphane GUITARD. 2001. « La radio communautaire : instrument de francisation », *Francophonies d'Amérique*, 11 : 123-133.

BOUDREAU, Annette et Mélanie LEBLANC-CÔTÉ. 2003. « Les représentations linguistiques comme révélateurs des rapports à l'autre dans la région de la Baie Ste-Marie en Nouvelle-Écosse », dans Maurice BASQUE, André MAGORD et Amélie GIROUX (dirs.), *L'Acadie plurielle. Dynamiques identitaires collectives et développement au sein des réalités acadiennes*, Moncton, Université de Moncton, Centre d'études acadiennes, 289-305.

BOURDIEU, Pierre. 1982. *Ce que parler veut dire. L'économie des échanges linguistiques*, Paris, Fayard.

BOURDIEU, Pierre. 1983. « Vous avez dit populaire ? », *Actes de la recherche en sciences sociales*, 46 : 98-105.

BOYER, Henri. 1990. « Matériaux pour une approche des représentations socio-linguistiques. Éléments de définition et de parcours documentaire en di-glossie », *Langue française*, 85 : 102-123.

BOYER, Henri et Jean-François DE PIETRO. 2002. « De contacts en contacts : représentations, usages et dynamiques sociolinguistiques », dans Annette BOUDREAU, Lise DUBOIS, Jacques MAURAIS et Grant MCCONNELL (dirs.), *L'écologie des langues/Ecology of languages,* Paris, L'Harmattan, 103-123.

CALVET, Louis-Jean. 1999. *Pour une écologie des langues du monde*, Paris, Plon.

CALVET, Louis-Jean. 2000. « Langues et développement : agir sur les représen-tations? » , *Estudios de sociolingüística*, 1 (1) : 183-190.

DE ROBILLARD, Didier. 2000. « F comme la guerre des francophones n'aura pas lieu », dans Bernard CERQUIGLINI, Jean-Claude CORBEIL, Jean-Marie KLINKENBERG et Benoît PEETERS (dirs.), *Tu parles! ? Le français dans tous ses états*, Paris, Flammarion, 75-92.

DOIRON, Denise. 2003. « La norme linguistique de Radio X, à la lumière des annonces publicitaires », mémoire de baccalauréat inédit, Université de Moncton.

DUBOIS, Lise. 2003. « Radios communautaires acadiennes : idéologies linguisti-ques et pratiques langagières », dans Maurice BASQUE, André MAGORD et

Amélie GIROUX (dirs.), *L'Acadie plurielle. Dynamiques identitaires collectives et développement au sein des réalités acadiennes*, Moncton, Université de Moncton, Centre d'études acadiennes, 307-323.

FAIRCLOUGH, Norman. 1999. *Discourse and social change*, Cambridge, Polity Press.

FERGUSON, Charles. 1959. « Diglossia », *Word*, 15 : 325-340.

FISHMAN, Joshua. 1967. « Bilingualism with and without diglossia; diglossia with or without bilingualism », *Journal of Social Issues*, 23 (2) : 29-38.

FLIKEID, Karin. 1994. « Origines et évolution du français acadien à la lumière de la diversité contemporaine », dans Raymond MOUGEON et Édouard BENIAK, (dirs.), *Les origines du français québécois*, Sainte-Foy, Les Presses de l'Université Laval, 275-326.

GUEUNIER, Nicole, Émile GENOUVRIER et Abdelhamid KHOMSI. 1983. « Les Français devant la norme », dans Édith BÉDARD et Jacques MAURAIS (dirs.), *La norme linguistique*, Paris, Le Robert Collection L'Ordre des mots, et Québec, Conseil de la langue française, 763-787.

GUITARD, Stéphane. 2003. *Une analyse comparative des politiques linguistiques de deux radios communautaires francophones du Nouveau-Brunswick*, mémoire de maîtrise inédit, Université de Moncton.

HELLER, Monica. 2002. *Éléments d'une sociolinguistique critique*, Paris, Didier.

KLINKENBERG, Jean-Marie. 2001. *La langue et le citoyen*, Paris, PUF.

KUNDERA, Milan. 1993. *Les testaments trahis*, Paris, Gallimard.

LAFONT, Robert. 1977. « La diglossie en pays occitan, ou le réel occulté », dans Rolf KLOEPFER (dir.), *Bildung und Ausbildung in der Romania*, vol. 2, München, Fink, 504-512.

LAFONT, Robert. 1997. *Quarante ans de sociolinguistique à la périphérie*, Paris, L'Harmattan.

PARE, François. 1992. *Les littératures de l'exiguïté*, Ottawa, Éditions le Nordir.

SINGY, Pascal. 1996. *L'image du français en Suisse Romande. Une enquête sociolinguistique en Pays de Vaud*, Paris, L'Harmattan.

WATTS, Richard. 1999. « The ideology of dialect in Switzerland », dans John BLOMMAERT (dir.), *Language ideological debates*, Berlin, Mouton de Gruyter, 67- 103.

Les rôles respectifs du créole et du français dans l'identité culturelle de la diaspora haïtienne

Flore Zéphir, University of Missouri-Columbia

1. Introduction

Les immigrants haïtiens constituent incontestablement une portion visible de la société américaine contemporaine. Cette visibilité est due au fait que les Haïtiens ont commencé à émigrer en grand nombre aux États-Unis depuis la fin des années 1950 et le début des années 1960, en vue d'échapper à la dictature des Duvalier. Le climat d'instabilité politique et de répression prolongé, aussi bien que les difficultés économiques qui en ont résulté, ont contribué à accélérer la migration haïtienne vers les États-Unis tout au long des trois dernières décennies du 20ᵉ siècle (Zéphir 1996 et 2001). En fait, l'insécurité, le manque de débouchés, l'incertitude et le désespoir continuent aujourd'hui à porter les Haïtiens à traverser la mer des Caraïbes par avion ou par bateau, légalement ou illégalement, afin d'atteindre les rives de l'Amérique, perçue comme étant la terre promise, dans l'espoir de commencer une nouvelle vie. En conséquence, il existe des communautés ethniques haïtiennes bien établies sur la Côte Est, particulièrement dans les zones métropolitaines de New York et de Boston, dans le Sud de la Floride, et aussi dans le Midwest, dans la région de Chicago. Les données fournies par le Bureau du recensement et les Services de l'immigration et de naturalisation américains, tout comme les chiffres publiés dans les médias diasporiques haïtiens, nous permettent d'estimer la population haïtienne vivant aux États-Unis à 850 milles personnes. Cependant, d'après certains leaders de la communauté haïtiano-américaine, la population serait plus proche du million.

Au sein de leurs communautés ethniques les Haïtiens sont parvenus, dans une certaine mesure, à recréer les habitudes culturelles de leur terre natale. Ils ont établi toutes sortes de petites entreprises où ils affichent publiquement leur allégeance à leur pays natal. Regroupés dans des quartiers ethniques, les Haïtiens entreprennent ce que Laguerre (1998 : 112) appelle des « affaires diasporiques » qui sont importantes pour le maintien de leur culture. L'un des éléments principaux de la culture haïtienne est sans aucun doute la langue. Dans quelle mesure la diaspora haïtienne est-elle capable de préserver les habitudes linguistiques qui prévalent encore en Haïti? Plus précisément, quel rôle le créole haïtien (CH) et le français jouent-ils dans la diaspora haïtienne? Quels sont les facteurs qui facilitent ces rôles? Comment ces langues interagissent-elles dans la vie quotidienne des immigrants haïtiens? La présente étude cherche à élucider ces questions sociolinguistiques.

Cet article s'ouvre sur une brève discussion des caractéristiques structurales du CH qui servent à le distinguer très nettement du français. Ensuite, un survol de la situation sociolinguistique en Haïti sera offert, afin de retracer l'utilisation et les fonctions du CH et du français en Haïti et d'expliquer aussi l'attitude des locuteurs envers ces deux langues. Ce survol a pour objectif de mettre en évidence le bagage sociolinguistique que les Haïtiens apportent avec eux en immigrant aux États-Unis. Comme cette étude le fera ressortir, ce bagage prémigratoire détermine dans une certaine mesure la perspective des immigrants haïtiens sur la question de la langue, et aussi la façon dont ils la manipulent pour atteindre certaines fins dans la nouvelle société où ils se sont établis.

2. Les caractéristiques structurales distinctives du créole

2.1. *Phonologie de base*

Le système phonologique de base du CH comprend 35 phonèmes (v. les tableaux 1 et 2). Il est représenté de manière systématique par une orthographe à base phonologique, l'orthographe dite IPN (Institut pédagogique national), officialisée en 1979. Cette orthographe remplaça deux autres systèmes antérieurs également systématiques et à base phonologique (Déjean 1980, Valdman 1999).

Le tableau 2 montre trois voyelles antérieures arrondies – *u, eu,* et *eù* – dont le statut demeure encore très controversé. Certains chercheurs (Zéphir 1990) suggèrent que la présence de ces voyelles est plus fréquente dans les variétés urbaines du CH (créole mésolectal) qui ont subi davantage l'influence du français. Mais Fattier-Thomas (1998) et Valdman (2004) fournissent des données qui révèlent que ces voyelles

Tableau 1
Consonnes

		Labiales	Dentales	Alvéolaires	Palatales	Vélaires
Obstruantes	sourdes	p	t			k
	sonores	b	d			g
Fricatives	sourdes	f		s	ch	
	sonores	v		z	j	
Affriquées	sourde				tch	
	sonore				dj	
Nasales		m	n			gn
Liquides				l		r
Semi-consonnes					y	w

Tableau 2
Voyelles

	Antérieures		Centrales	Postérieures
	écartées	arrondies		
hautes	i	u		ou
mi-hautes	e	eu		o
mi-basses	è	eù		ò
basse			a	
nasales	en	(un)	an	on

existent aussi dans le parler des locuteurs unilingues originaires du nord du pays. Quel que soit leur statut, la réalisation de ces voyelles est très fréquente. En effet, il est fort courant d'entendre en Haïti les deux prononciations pour le même mot (et parfois de la part du même locuteur) : *mizik* et *muzik* « musique », *de* et *deu* « deux », *sè* et *seù* « sœur », *sèl* et *seùl* « seul ». Ce même phénomène d'alternance se manifeste aussi avec certaines voyelles orales et leurs homologues nasales : *laplèn* et *laplenn* « plaine », *lamou* et *lanmou* « amour », *telefone* et *telefonnen* « téléphoner ». La présence chez certains locuteurs d'une voyelle nasale antérieure arrondie marginale, *un*, comme dans les mots *lundi* « lundi » et *pafun* « parfum » constitue un autre trait mésolectal.

Au plan des consonnes, le *r* est aussi sujet à alternance. Le *r* postvocalique, généralement absent de la variété la plus usitée, est néanmoins maintenu par certains locuteurs : *pèsòn* et *pèrsòn* « personne », *pafun* et *parfun* « parfum », *an patikilye* et *an partikulye* « en particulier ». Il se retrouve aussi bien dans la variété urbaine mésolectale que dans la variété régionale du nord (CHN). En revanche, en finale de mot il n'est guère produit dans le créole mésolectal, mais il constitue une caractéristique marquante du CHN.

2.2. *Morphosyntaxe de base*

Sur le plan morphologique, le trait le plus notable est l'absence de flexions. Les noms ne portent pas de distinction de genre et de nombre et, ainsi, les adjectifs sont invariables. Pour les verbes, le temps, l'aspect et le mode étant exprimés par des particules verbales préposées plutôt que par des désinences, ils n'ont qu'une seule forme. Les principaux marqueurs verbaux sont indiqués dans le tableau 3. En général, la forme verbale sans particules sert à indiquer soit un fait habituel, *mwen pale kreyòl* (« je parle créole »); soit une action écoulée dans un passé très récent, *m manje maten an* (« j'ai mangé ce matin »).

Le déterminant défini postposé s'avère la seule forme grammaticale du CH véritablement variable mais les alternances de formes sont déterminées phonologiquement. La forme singulière de base *la* apparaît après une consonne orale, *tab la* « la table ». Le /l/ s'élide après une voyelle, *radyo a* « la radio », et tout segment nasal précédent provoque la nasalisation : *chanm lan* ou *chanm nan* « la chambre », *chen an* « le chien ». Par contre, la forme plurielle *yo* est invariable.

Tableau 3
Marqueurs temporels et aspectuels

marqueur	temps/aspect	exemple	traduction
ap/pe	progressif	m ap manje	je mange/je suis en train de manger
va/a	futur	m a vin pita	je viendrai plus tard
te	passé	m te wè Mari yè swa	j'ai vu Marie hier soir
ta	conditionnel	m ta renmen vwayaje	j'aimerais voyager

Le CH appartient à la classe des langues appelées SVO et, de ce point de vue, diffère peu du français. Cependant, il s'en distingue par rapport à la position des déterminants : ceux-ci sont tous placés à la fin de tout le syntagme nominal. En outre, ce déterminant recouvre un champ sémantique beaucoup plus étendu que son homologue français. Il se combine avec les déterminants possessifs, identiques aux pronoms personnels, ainsi qu'avec le déterminant démonstratif. Il sert aussi à modifier des éléments syntaxiques autres que les noms, notamment les propositions relatives et subordonnées, les verbes et les adverbes, par exemple :

(1) kay   sa   a
    maison   cette   det.
    « cette maison »

(2) machin   mwen   an
    voiture   ma   det.
    « ma voiture »

(3) machin   mwen   achte   a   flanban   nèf
    voiture   ma   acheté det. flambant neuf
    « La voiture que j'ai achetée est flambant neuve »

(4) depi   li   pati   a,   nou   pa   pran
depuis   il/elle   partir   det.   nous   neg.   prendre

nouvèl   li   menm
nouvelle   poss.   même

« depuis qu'il/elle est parti(e), nous n'avons aucune nouvelle de lui/d'elle »

(5) domi   a   va   bon   pou   ou
dormir   det.   futur   bon   pour   toi

« Dormir te fera du bien »

(6) Isit   la,   se   mwen   ki   sèl   chèf
Ici   det.   c'est   moi   qui   seul   chef

« Ici, c'est moi qui suis le seul chef »

La variété mésolectale du CH se distingue par l'utilisation de fonctifs au lieu de la parataxe qui caractérise la variété basilectale des locuteurs monolingues. Dans les exemples suivants les fonctifs *keu* et *deu* qu'insèrent les locuteurs mésolectaux apparaissent en caractères gras. On notera dans le premier exemple la présence de la forme post-vocalique du déterminant défini modifiant la proposition subordonnée : *machin m achte a/an* ou *machin* **keu** *m achte a/an* « la voiture que j'ai achetée »; *gen yon seri bagay mwen pa kapab aksepte* ou *gen yon seri* **deu** *bagay* **keu** *mwen pa kapab aksepte* « il y a une série de choses que je ne peux pas accepter ».

2.3. *Lexique*

Le fait que plus de 90 % du lexique du CH provient du fonds français masque d'importantes différences sur le plan lexical qui, avec les différences morphosyntaxiques, contribuent à rendre les deux langues non mutuellement intelligibles. Des différences sémantiques entre un mot du CH et son homologue français produisent de nombreux faux-amis. Par exemple, l'adjectif créole *frekan* ne signifie pas *fréquent*, mais « insolent » ou « effronté » et désigne une personne qui ne manifeste aucune déférence envers les autres ou bien un enfant qui ne respecte pas les adultes. Plutôt que « partagé », « morcelé » ou « découpé » *demanbre* signifie « crevé », « rompu » ou « être à bout de souffle ». Le mot *nèg* qui n'a rien à voir avec le mot français *nègre* est tout simplement un terme générique qui réfère à un homme, un individu quelconque.

Outre la dérivation et la composition pour l'extension de son lexique, le CH fait appel à des formations de type onomatopéique, par exemple :

(7) li   <u>toup</u>   pou   li
    3sg   pour   lui
    « Il/elle l'a frappé(e) brusquement ou fortement »

(8) kè   m   fè   <u>bipbip</u>
    coeur   1sg   faire
    « mon coeur s'est mis à battre très fort »

La productivité dérivationnelle du CH se caractérise par l'adjonction de suffixes issus du fonds français à de nouvelles bases, dont certaines proviennent de l'emprunt à l'anglais ou l'espagnol : *eklere* « éclairer » → *eklerasyon* « éclairage », *'zanmi* « ami » → *zanmiyaj* « amitié », *ploge* (de l'anglais *to plug*) « brancher sur une prise » → *reploge* « rebrancher ». Très riche, la composition produit des combinaisons inconnues en français, par exemple *bwa bra* (« bois » + « bras ») « avant-bras », *sanpwoblèm* (« sans » + « problème ») « personne insouciante ». La duplication produit des mots composés impliquant l'emphase : *vitvit* (*vit* « vite ») « très vite ».

L'origine de certains néologismes du CH, tels que *teledyòl* « rumeur qui circule ou bruit qui court », *zen* « commérage », *zenglendò* « terme à connotation politique, bandits armés », *djonjon* « espèce de champignon » et *tchak* « hargneux », reste à découvrir. Enfin, un nombre important de mots proviennent d'emprunts à d'autres langues, surtout l'anglais et l'espagnol, par exemple *bouske* « chercher » (de l'espagnol *buscar*) ou *fè bak* « faire marche arrière » (de l'anglais *back*). Les emprunts à cette dernière langue ne cessent de se multiplier en raison de la proximité des États-Unis et du va-et-vient des membres de la communauté diasporique haïtienne.

Les différences notées ci-dessus qui séparent le CH du français sont bien trop prononcées pour que l'on s'obstine à croire que le CH constitue une variété simplifiée ou abâtardie du français. Force est donc de convenir qu'il existe bien deux langues distinctes parlées en Haïti. Cependant en dépit de son statut de langue à part entière, le CH n'est pas sur un pied d'égalité avec le français. La partie qui suit traite de cette question.

3. La situation sociolinguistique en Haïti

La majorité des linguistes qui ont examiné la question de la langue en Haïti s'accordent pour conclure que le CH et le français ne jouissent pas du même statut. Cette opinion est aussi partagée par la plupart des Haïtiens eux-mêmes. Ce statut inégalitaire est une conséquence directe de la situation linguistique durant la période coloniale française (environ 1760-1804). Dans la colonie française de Saint-Domingue la majorité prépondérante de la population composée d'esclaves récemment importés d'Afrique, les bossals, attachés pour la plupart au travail des champs, ne parlaient que le CH. Un nombre réduit d'esclaves nés dans la colonie, les esclaves créoles, étaient aussi créolophones, mais, parce qu'ils côtoyaient les locuteurs de français, possédaient divers niveaux de compétence dans cette langue. La classe intermédiaire, les mulâtres (dont certains détenaient des plantations, donc des esclaves) et les noirs libres, avaient une maîtrise du français liée à leur niveau d'instruction. Les colons français parlaient diverses variétés de français mais beaucoup d'entre eux avaient une certaine familiarité avec le CH, la langue la plus largement partagée dans la colonie. Toutefois, la domination du français standard, langue de l'administration et des élites, était incontestable. Il a maintenu son statut de langue administrative unique même après l'indépendance. En somme, la répartition des langues dans la colonie liée à la stratification sociale des classes explique pourquoi le français constitue toujours le symbole du savoir et du pouvoir économique et politique et confère beaucoup de privilèges sociaux tandis que le CH demeure associé à l'esclavage, à la subordination, à l'ignorance et à l'appartenance à des classes sociales défavorisées (Zéphir 1995 : 186).

Le terme de « diglossie » a été utilisé pour caractériser la relation de dominance/subordination qui existe entre le français et le CH. La diglossie classique (Ferguson 1996) posait comme principe l'existence de deux variétés d'une même langue : une variété « haute », et une variété « basse » utilisée par une communauté linguistique de manière complémentaire[1]. Par la suite, Fishman (1967) et Fasold (1984) ont élargi la définition fergusonnienne pour inclure non seulement des variétés appa-

---

[1] Ferguson (1959, « Diglossia » publié dans *Word*) a été reproduit en 1996. Toutes les citations sont tirées de la publication de 1996.

rentées de la même langue, mais aussi des langues différentes sans lien génétique. Même ainsi élargi le modèle diglossique implique que tous les locuteurs maîtrisent les deux variétés ou les deux langues et qu'ils les utilisent de manière complémentaire. Cependant, ce modèle ne s'applique guère à la situation linguistique d'Haïti. Là, les deux langues en présence ne sont pas parlées par tous les Haïtiens. Alors que toute la population maîtrise parfaitement le CH, ce n'est pas le cas pour le français. D'après Joseph (1997 : 286-87), seuls les scolarisés estimés à 20 % de la population possède une certaine maîtrise du français. Ces facteurs ont porté Déjean (1983) à contester l'emploi du terme diglossie pour représenter Haïti et Valdman (1984 : 80) à décrire Haïti comme une nation composée de deux communautés linguistiques. On est donc bien forcé d'admettre que quand le modèle diglossique est utilisé pour faire référence à Haïti, il ne peut s'agir que de « situations linguistiques », et non pas de « communautés linguistiques », pour reprendre la distinction faite par Huebner (1996 : 17-21). En effet, il est incontestable que les créolophones monolingues ne peuvent pas utiliser « des langues différentes dans des circonstances différentes », bien qu'ils soient parfaitement conscients du statut social attaché à chacune de ces langues. En somme, aujourd'hui en Haïti le français est toujours considéré comme la langue de prestige – la langue « haute » – à laquelle certains locuteurs ont recours pour des situations plus formelles ou pour projeter une image plus flatteuse d'eux-mêmes, et que le créole reste la langue « basse », utilisée dans des situations plus informelles et dans des circonstances à caractère plus personnel et plus intime. Se rendant à l'évidence, Fleischmann (1984) propose le terme « fantasme diglossique » pour capter la réalité linguistique haïtienne. Selon lui, même si beaucoup de locuteurs n'ont pas une vraie compétence en français, « ils ont été idéologiquement préparés à aspirer à une compétence en français depuis l'époque de l'esclavage » (1984 : 102).

Le CH reste encore perçu comme une langue qui n'a pas de « grande tradition », ou comme une langue qui ne permet pas vraiment la communication avec le monde extérieur. Cette perception peut sans doute expliquer pourquoi le français demeure encore la langue employée par presque toutes les agences gouvernementales et la presse. Les deux principaux quotidiens publiés en Haïti, *Le Nouvelliste* et *Le Matin*, tout comme *Le Moniteur* qui publie toutes les lois et les décrets du gouvernement, utilisent exclusivement le français (Étienne 2000 : 10). Cette auteure note aussi que « la majorité des entreprises ont des noms français, et que les annonces dans les vitrines des magasins sont ordinairement écrites en français » (2000 : 5).

Cependant, si du point de vue des attitudes et de l'usage écrit, le CH n'est pas sur le même pied d'égalité avec le français, il a néanmoins fait du chemin dans le domaine de l'usage oral. Le grand essor du CH date des années 1980, et a comme point de départ la réforme éducative lancée par le ministre de l'éducation de l'époque, Joseph Bernard. Selon cette réforme, le CH devenait le véhicule d'instruction pendant les quatre premières années de scolarisation. Les enfants apprenaient à lire et à écrire dans leur langue maternelle, le CH. Durant cette période, le français servait de langue objet et était enseigné oralement comme langue seconde. Ce n'est qu'après ce stade initial que le français prenait la relève du CH comme langue écrite et véhicule pédagogique. Le but éventuel de la Réforme Bernard était de produire des bilingues « équilibrés » à la fin du cycle fondamental, c'est-à-dire les dix premières années de scolarisation[2]. Bien que cette réforme n'ait jamais été exécutée sur une grande échelle par les ministres de l'éducation subséquents (Joseph 1997 : 288) et n'ait jamais produit aucun nombre important de « bilingues équilibrés », certaines écoles apprennent à leurs élèves à lire et à écrire en CH et s'en servent aussi comme langue d'enseignement.

Une autre phase très importante dans la promotion du CH est la nouvelle constitution de 1987 (article 5), qui promulgue le CH comme langue co-officielle avec le français. Comme Étienne (2000 : 5) le fait remarquer, depuis son « officialisation le créole a gagné du terrain dans des domaines institutionnels dans lesquels il était rarement utilisé ». Ces nouveaux domaines incluent les débats parlementaires dans la Chambre des Députés et au Sénat, où les séances sont tenues « indifféremment en français ou en créole, mais le plus souvent en créole » (2000 : 5). Par ailleurs, elle note que dans les tribunaux l'on interroge, au besoin, les accusés et les témoins en CH et qu'on leur permet aussi de répondre dans cette langue. En outre, depuis l'abdication de Jean-Claude Duvalier en 1986, le CH a connu un véritable essor dans les médias (surtout à la radio et à la télévision), dans les spots publicitaires, tout comme dans le domaine de la politique. S'appuyant sur les données fournies par le linguiste haïtien Pierre Vernet, Étienne (2000 : 10) note que « les programmes en français occupent 27,56 % des émissions tandis que ceux en créole en occupent 25,03 %. Les autres émissions sont bilingues, utilisant le français et le créole en proportion variée ». Cette même augmentation de l'usage oral du créole se retrouve dans le domaine religieux où

---

[2] Pour plus de renseignements sur les problèmes de l'éducation en Haïti avant la réforme Bernard, consulter de Regt (1984).

la messe, dans beaucoup d'églises, est célébrée en CH. Cependant le progrès réalisé par le CH au cours des vingt dernières années n'a pas pour autant éliminé toutes les attitudes dévalorisantes que certains locuteurs nourrissent envers cette langue. Comme le dit si bien Joseph (1997 : 287), « cependant pour beaucoup d'entre eux, le créole a toujours la connotation sociopolitique de "citoyens de deuxième classe" (*second-class citizens*), connotation héritée il y a plus de trois cents ans des ancêtres esclaves ». Comme il sera souligné ci-dessous, le fantasme diglossique fait partie du bagage linguistique que les Haïtiens transportent avec eux aux États-Unis, étant donné qu'un grand nombre d'entre eux ont émigré avant 1986 et par conséquent n'ont pas connu les progrès réalisés par le CH. La traversée de la Mer des Caraïbes n'a pas réussi à supprimer toutes ces connotations négatives vieilles de trois cents ans. Cependant, comme nous le montrerons dans la partie suivante de ce chapitre, certains changements importants dans les attitudes envers le français et le CH sont survenus dans la diaspora haïtienne.

4. Le CH dans la diaspora haïtienne

Les immigrants haïtiens viennent d'une société qui est stratifiée en termes de langue (le CH contre le français; le CH basilectal ou *rèk* contre le CH francisant ou *swa*, de couleur (le mulâtre contre le noir), de religion (le catholicisme contre le vaudou), de lieu de résidence (la ville contre la campagne; la capitale contre la province; la ville contre la banlieue), de statut socio-économique et de niveau d'éducation. Ils savent bien qu'il existe des classes sociales parmi les Haïtiens, et ils connaissent tout aussi bien les critères qui servent à différencier les classes. En outre, ils savent aussi que le pouvoir économique et politique peut faciliter la mobilité sociale des individus. Cependant, en dépit de la stratification sociale, le critère de la race est peut-être le seul facteur qui arrive à unifier tous les Haïtiens. Indépendamment des particularités de classes sociales, les Haïtiens savent qu'ils sont noirs, et sont tous fiers des événements historiques qui ont fait d'eux la première république noire indépendante de l'hémisphère occidental. En effet, il n'existe en Haïti aucune division ethnique et raciale officielle. Ceci est une conséquence directe de l'histoire d'Haïti, où après l'indépendance le pays est devenu unifié sous le « drapeau noir », puisque tous les blancs avaient été éliminés. En Haïti, personne ne se définit ni en fonction de sa race ni en fonction de son ethnicité. Tout simplement, les Haïtiens se disent Haïtiens; cette appellation sert aussi à désigner les étrangers – Libanais, Allemands, ou Polonais – qui ont toujours vécu en Haïti, de générations en générations.

À toutes fins utiles, tous les Haïtiens savent qu'ils appartiennent à la même entité raciale. Ceci explique pourquoi le discours racial est absent de la vie quotidienne en Haïti. L'une des différences les plus importantes entre le contexte américain et le contexte haïtien est l'absence du classement de la population en termes de race (Zéphir 1996 : 39). Cette différence explique dans une grande mesure le nouveau rôle que le CH joue dans la diaspora haïtienne aux États-Unis.

Les immigrants haïtiens n'arrivent pas aux États-Unis comme des tables rases. Ils amènent avec eux un bagage du passé. Cette mallette d'expérience du passé contient une conception de qui ils sont en tant que peuple, ainsi qu'un ensemble de croyances et d'aspirations formées à partir des circonstances de vie de leur terre natale. Quand ils arrivent aux États-Unis, l'un de leurs premiers soucis est de se faire une nouvelle vie et de jouir de la mobilité sociale. Ils ne tardent pourtant pas à découvrir que leur poursuite de la mobilité sociale ne se fait pas sans encombres; elle est entravée par la structure raciale de la société américaine. Aux États-Unis, les Haïtiens sont classés en tant que noirs et en tant que minorités. Comme tels, ils sont relégués au tout dernier barreau de l'échelle sociale. Cet état de choses constitue l'une des découvertes les plus pénibles que les Haïtiens font, sitôt qu'ils touchent le sol américain. Les États-Unis, perçus comme « un havre pour les Haïtiens de toutes les couches », s'avèrent un endroit hostile, où la promesse de liberté, de justice, et de bonheur ne se matérialise que pour peu d'entre eux, indépendamment de la classe sociale occupée dans leur pays d'origine[3]. La majorité des Haïtiens, quelle que soit la raison pour laquelle ils émigrent, se retrouvent tous jetés dans le même panier car le pays d'accueil ne fait point de distinctions parmi les Haïtiens. Au départ, ils confrontent tous les mêmes difficultés : ils doivent apprendre une autre langue et se familiariser avec une autre culture; ils doivent comprendre les exigences du marché du travail, et faire face au problème des relations raciales et ethniques. Au commencement, la situation du cadre ou du bourgeois et du petit-bourgeois n'est pas bien différente de celle du paysan, du domestique ou de l'ouvrier. Ils font les mêmes travaux, habitent dans les mêmes quartiers modestes, parlent très peu l'anglais et doivent se familiariser avec un nouveau système (Zéphir 1996 : 106-107). Aux yeux de la société américaine, il n'y a absolument aucune différence entre ces deux personnes (le cadre et le paysan). La notion très haïtienne, *gen Ayisyen ak Ayisyen* (« il y a Haïtiens et Haïtiens »), ou encore *tout Ayisyen pa menm* (« tous les Haïtiens ne sont pas les mêmes »), ne veut absolument rien

---

[3] Cette citation provient du *Haitian Times*, 2001, 26 septembre-2 octobre, p.19.

dire pour les Américains. Les mesures discriminatoires prises contre les Haïtiens par le gouvernement américain – comme l'interdiction de donner du sang imposée par la FDA (Food and Drug Administration) en février 1990 – s'appliquent à *tous* les Haïtiens, sans discernement.

Par ailleurs, les Haïtiens se rendent très vite compte que l'étiquette « noir » qui sert à les classer en fonction de la race est chargée de connotations négatives. Ils sont tout aussi bien au courant que les noirs américains occupent une position inférieure dans la hiérarchie sociale. En immigrant aux États-Unis, les Haïtiens « rejoignaient les groupes minoritaires les plus constamment opprimés dans ce pays » (Kasinitz 1992 : 32). Point n'est besoin de souligner combien les Haïtiens se sentent humiliés de cette condition qui leur est imposée; par conséquent, ils s'efforcent d'y remédier. En outre, comme beaucoup d'Haïtiens habitent dans des quartiers peuplés de noirs américains défavorisés dont certains ont recours à la violence et à la drogue, ils se font une opinion très négative de leurs voisins, opinion qui semble s'étendre à toute la classe des noirs américains, sans distinction aucune. Un bon nombre d'Haïtiens cherchent alors à se séparer de la communauté noire américaine qui, à leur avis, peut leur faire plus de tort que de bien. Cette opinion est d'autant plus arrêtée que les noirs américains ne jouissent pas de l'estime de la société américaine dans son ensemble. Le comportement destructif de beaucoup de noirs vivant dans les ghettos contribue lui aussi à entériner le désir des Haïtiens de ne pas s'associer avec eux. Par conséquent, les Haïtiens préfèrent choisir une autre appellation qui, selon eux, est moins stigmatisée que l'épithète « noir ». Ils choisissent donc le terme « haïtien » pour se définir aux États-Unis, terme qui dans ce nouveau contexte a une très forte connotation ethnique. Enhardis par la rhétorique politique, journalistique et académique du multiculturalisme, manifestée à travers des désignations telles que African-Américain, Italien-Américain ou Vietnamien-Américain, les Haïtiens prennent la décision consciente de forger leur ethnicité aux États-Unis.

En tant que groupe ethnique, bien conscients de leur notion de « peuple », les Haïtiens partagent un ensemble de traditions qui n'appartiennent pas à d'autres groupes. De telles traditions incluent incontestablement la langue parlée par tous les membres de la communauté et qui sert à les distinguer d'autres groupes qui ne connaissent pas cette langue. Dans cette optique, le CH remplit bien les conditions nécessaires pour devenir la langue ethnique des immigrants haïtiens. À leurs yeux, le CH est la vraie langue des Haïtiens, car il constitue un lien avec un héritage africain valorisé; il fait partie du patrimoine indigène. Le français, malgré tout le prestige dont il jouit, constitue un vestige de la colonisation et de la domination des blancs, plus précisément des Français, il y a trois cents ans (Zéphir 1996 : 108). Par conséquent, par souci d'échapper à une autre expérience d'oppression, cette fois-ci de la part des blancs américains, les Haïtiens ne pourraient pas en toute logique adopter une langue coloniale pour remplir cette fonction ethnique. En plus, tous les Haïtiens ne parlent pas français.

Par ailleurs, plusieurs Haïtiens admettent qu'on leur demande parfois s'ils parlent du « vrai » ou du « bon » français. Ce genre de question suggère que, dans la pensée de certains, les Haïtiens ne sont pas vraiment des locuteurs du français, leur connaissance de cette langue étant douteuse. Encore une fois, par nécessité de s'organiser en tant que force ethnique à même de combattre collectivement l'hostilité du milieu ambiant qui les affecte tous, les immigrants haïtiens ne pourraient pas choisir une langue dont la compétence est mise en question. Dans le cas du CH, la question de la compétence ne se pose jamais puisque tous les Haïtiens sont créolophones.

En somme, les immigrants haïtiens ont appris à développer certains mécanismes qui leur permettent de mieux faire face aux difficultés de la vie aux États-Unis. Un de ces mécanismes est de se regrouper en tant que groupe ethnique à part dans le but de devenir une entité à ne pas sous-estimer. Dans une grande mesure, ils se rendent compte qu'une communauté immigrante divisée ne peut pas améliorer son image collective et affronter les puissantes institutions américaines dans leur poursuite d'égalité des opportunités et de mobilité sociale. Dans ce contexte, le CH apparaît comme marqueur ethnique et revêt des connotations bien plus positives qu'il n'aurait jamais eues en Haïti. Par exemple, aux États-Unis, les Haïtiens qui croient que l'éducation bilingue est un modèle viable d'éducation s'entendent à dire que ces programmes doivent être en CH et en anglais, et non pas en français et en anglais. Cet exemple prouve bien que le CH est bel et bien la langue commune à tous les Haïtiens. Son utilisation dans les programmes bilingues pour les écoliers haïtiens que l'on retrouve dans les écoles urbaines de New York, de Miami ou de Boston contribue aussi à atténuer un peu les connotations négatives qu'il a encore en Haïti. L'expérience diasporique haïtienne aux États-Unis – entachée de discrimination et de mesures d'exclusion de la part de plusieurs secteurs de la société américaine – a porté les immigrants haïtiens à ne pas rester indifférents au discours sur le multiculturalisme et à construire une identité linguistique transnationale au cœur de laquelle le CH joue un rôle important. À la lumière de cette nouvelle réalité, il est bien malaisé d'affirmer que la situation de diglossie se re-produit tout à fait dans le contexte américain. Ce nouveau contexte a permis aux immigrants haïtiens d'avoir une image plus positive de leur langue. Pour eux le CH est une langue vernaculaire valorisée dont l'usage oral parmi les membres de la première génération est tout à fait incontestable, surtout à la maison. En outre, on peut observer la pré-sence du CH parmi les membres de la communauté qui participent à des « réseaux à haute densité » (*high density networks*) pour décrire des grou-pements sociaux où chacun se connaît très bien et est, dans une certaine mesure, « lié l'un à l'autre » (Milroy 1987 : 80). Ces liens peuvent être aussi bien de nature personnelle que de nature idéologique, au sens où ils sont créés pour faire avancer la cause commune haïtienne. Il est im-portant aussi de signaler que les différences sociolectales (créole *rèk* contre créole *swa*) ont tendance à s'amoindrir dans le contexte diaspori-que. Mes propres expériences au sein de la communauté haïtienne ap-puient cette assertion : les notions telles que créole « pointu » ou créole *bwodè/swa* ou l'inverse, créole *rèk* ou *gwo* créole, ne semblent pas trop préoccuper les Haïtiens qui vivent aux États-Unis. On a l'impression que quelle soit la variété de CH parlée cette variété remplit d'emblée la fonction ethnique désirée. Dans cette optique, le CH ne joue pas le rôle de marqueur social.

Il serait peut-être important de se demander si ce nouveau rôle du CH comme marqueur ethnique dans la diaspora haïtienne a réussi à éliminer toutes les manifestations du fantasme diglossique de la mentali-té haïtienne. Une analyse de l'usage du CH et du français peut apporter des éclaircissements sur cette question.

Toute personne qui examine l'utilisation du CH dans la diaspora haïtienne ne peut s'empêcher de noter, qu'en dépit de son rôle vernacu-laire considérable et de son caractère ethnique, le créole ne jouit pas d'un rôle véhiculaire important. En d'autres termes, aux États-Unis les Haï-tiens ne s'en servent pas vraiment dans le fonctionnement de leurs affai-res cérémonieuses ou protocolaires, à savoir les conférences, les ré-unions, les réceptions, les activités sociales organisées par les associa-tions diasporiques locales, etc. Dans le cadre de mes enquêtes sur le ter-rain, j'ai eu l'occasion de participer à plusieurs de ces activités « officiel-les », dont le public, à mon avis, comprenait au bas mot 95 % d'Haïtiens. Les présentations, les commentaires, les annonces, et les discours étaient tous faits en anglais, tandis que la conversation à la table des convives se poursuivait généralement en CH, ou alors suivant la formule de l'alternance codique – CH, français et anglais – en fonction des individus qui se retrouvaient à la même table[4]. Par ailleurs, les invitations à ce type d'événement plutôt formel sont lancées presque toujours en anglais, et non pas en CH[5]. L'absence notoire du CH dans les sphères plus cérémonieuses peut suggérer que le fantasme diglossique n'a pas disparu de la mentalité haïtienne. Par ailleurs, il ne faut pas non plus oublier que les Haïtiens cultivés de la diaspora ne sont pas habitués à mener leurs affaires cérémonieuses, auxquelles participent les Haïtiens de la bourgeoisie, en CH. Pour beaucoup d'entre eux, le concept de « créole soutenu », ne veut absolument rien dire, le CH restant pour eux une langue totalement vernaculaire. Ceci peut expliquer pourquoi il leur est bien plus naturel d'avoir recours à une autre langue (le français en Haïti ou l'anglais aux États-Unis) pour remplir ces besoins langagiers plus « élevés ».

Dans le domaine de l'écrit, l'emploi du CH est aussi plus limité. On trouve parfois certains manuels scolaires écrits en CH, particulièrement pour les petites classes, destinés aux élèves inscrits dans les programmes d'éducation bilingue. Dans la presse diasporique, l'utilisation du CH est limitée : le *Haitian Times*, principal hebdomadaire de la diaspora haïtienne, n'a qu'une chronique de deux colonnes en CH[6]. De temps en temps, on trouve aussi dans ce journal de petites annonces rédigées en CH, parfois sans suivre l'orthographe IPN. Étienne (2000 : 10-11) qui a examiné trois autres journaux diasporiques, *Haïti Observateur*, *Haïti Progrès* et *Haïti-en-Marche*, fait remarquer qu'ils « sont écrits en français mais contiennent tous quelques articles en créole, ordinairement deux pages sur un total de vingt en moyenne ». Les deux usages académiques du CH écrit dans la diaspora que j'ai notés récemment sont, respectivement, un article publié dans le *Journal of Haitian Studies* (2001 : 150) qui décrit «*yon ti pwojè edikatif, demokratif, e koperatif nan yon zòn defavorize de Pòtoprens*» (« un petit projet éducatif, démocratique et coopératif dans une zone défavorisée de Port-au-Prince ») et l'introduction du numéro spécial de la revue scientifique *Wadabagei* consacré à Haïti (2002).

---

[4] Je parle ici en termes généraux; je sais qu'on peut trouver des exceptions. Personnellement, j'ai été témoin d'un cas où, à une remise de prix organisée par l'association *Haitian Americans United for Progress*, l'une des récipiendaires, s'était adressée à l'assistance en créole. Toutes les autres présentations et remarques étaient faites en anglais.

[5] Encore une fois, je parle en termes généraux. Je sais bien que l'Association des Études Haïtiennes lance ses appels de communications en trois langues: créole, français et anglais.

[6] La chronique en CH est celle de Woje E. Saven, qui choisit d'épeler son nom à la créole, intitulée : « Let's Speak Creole/Tèt Ansanm ».

5. Le français dans la diaspora haïtienne

Les immigrants haïtiens ne se servent pas du français comme marqueur ethnique. Cependant, le fait qu'ils soient unis sous l'emblème de l'ethnicité ne veut pas pour autant dire que la stratification sociale parmi les Haïtiens aux États-Unis a cessé d'exister. Beaucoup d'Haïtiens (pas tous, bien sûr) qui maîtrisent le français continuent à croire, selon la formule très haïtienne, qu'ils appartiennent à une « meilleure » classe sociale que leurs compatriotes qui ne parlent pas cette langue. Donc, dans une certaine mesure, ils s'évertuent à perpétuer cette vieille idéologie de distinction des classes. Buchanan (1979 : 307) dans sa discussion de la langue et de l'ethnicité parmi les Haïtiens de New York a à bon escient observé que les Haïtiens issus d'une couche élevée, dont beaucoup d'entre eux ont souffert d'une diminution de statut en arrivant aux États-Unis, continuent à maintenir leur distance sociale en excluant de leurs cercles les Haïtiens de standing plus bas qui ne parlent pas français. Dans le même ordre d'idées, Joseph (1992 : 63) affirme « que les Haïtiens aux États-Unis ont plusieurs communautés linguistiques qui représentent différents niveaux socio-économiques et différents degrés d'acculturation ». Par conséquent, il s'avère que le français est une caractéristique manipulée par certains membres de la bourgeoisie ou de la petite bourgeoisie pour prôner leur appartenance à une certaine catégorie sociale et, par ricochet, leur supériorité sur leurs compatriotes les moins privilégiés. Ce désir d'établir des classes très différenciées est d'autant plus fort que la société américaine ne les reconnaît pas comme faisant partie d'une « espèce » différente. En ce qui concerne les Américains, ils font partie des minorités d'Amérique tout comme leurs confrères créolophones monolingues et la population africaine-américaine (noire). En outre, ils sont furieux contre un système qui ne tient pas compte de critères tels que la nationalité ou la langue quand il s'agit de classer les individus (Zéphir 1997 : 397). Les Haïtiens qui avaient bénéficié d'un certain statut social en Haïti ont beaucoup de mal à accepter ce nouvel état de choses et ils sont indignés de se retrouver entassés pêle-mêle avec les noirs américains, ou les Haïtiens de couches inférieures. Pour cette raison, beaucoup de ces bilingues haïtiens cherchent des stratégies pour remédier à cette situation intenable. Leur manipulation du français comme « capital linguistique » constitue une de leurs stratégies. Cette tâche n'est pas très difficile quand on sait que les Américains, selon Stafford (1987 : 149), sont fascinés par la langue et la culture françaises. En misant sur leur connaissance du français et sur le vernis culturel qui en découle, les Haïtiens bilingues cherchent à palier leur mécontentement, tout en essayant d'améliorer leur statut social. En préconisant qu'ils parlent français et qu'ils sont des adeptes de la tradition francophone, ils espèrent convaincre la société américaine que leur « condition française » leur confère le droit de recevoir un traitement plus favorable. Comme ils avaient l'habitude de croire en Haïti, *tout Ayisyen pa menm*, ils sont des Haïtiens qui parlent français, et ils s'efforcent de transplanter cette distinction très importante à leurs yeux dans leur nouvel environnement. Selon le même raisonnement, *tout nwa pa menm* (*all Blacks are not the same*); ils sont des noirs qui parlent français. Donc, en tant que francophones, ils ne devraient plus être méconnus; ils devraient monter dans l'échelle sociale. Bien sûr, il reste à savoir s'ils ont atteint leurs objectifs. Mais dans tous les cas, cette façon de manipuler le français pour projeter une meilleure impression de soi peut être interprétée comme étant une manifestation de ce fantasme diglossique, au sens où l'on croit que la (re)connaissance d'une certaine langue, le français dans ce cas, peut apporter un certain niveau de prestige à ses locuteurs.

Bien que l'on ne puisse pas nier que le CH est la langue dominante dans les réseaux haïtiens « à haute densité », ce sont dans les réseaux « à faible densité », qu'on peut observer un usage plus élevé du français. Dans les rassemblements sociaux (mariages, fêtes, funérailles, etc.), les Haïtiens bilingues qui ne se connaissent pas, ou ne se connaissent pas très bien, recourent à la formule traditionnelle haïtienne, qui requiert que les premières interactions se fassent en français. Après avoir franchi le cap des premières interactions, et après que les deux camps aient bien eu l'occasion de déterminer que leur interlocuteur ou interlocutrice est en effet « une personne de bien », alors, et seulement alors, peuvent-ils lancer la conversation sur une voie plus familière en se servant de la langue vernaculaire. Mes enquêtes multiples sur le terrain me permettent d'affirmer que le français est la langue choisie pour ce genre d'interactions. Dans toutes ces circonstances, je suggère que le français remplit la fonction d'un marqueur social pour signaler la classe sociale des individus en présence, et pour perpétuer (consciemment ou inconsciemment) la façon dont les choses se font en Haïti. À mon avis, ce comportement linguistique ne semble pas artificiel. Il fait tout simplement partie intégrante du bagage sociolinguistique que les bourgeois haïtiens de la première génération ont hérité de leur société natale et qui transpire quand les circonstances le requièrent.

Cependant, par mesure de prudence, il faut indiquer que le français joue le rôle de marqueur social seulement pour le nombre très limité de la population bilingue. Ce nombre varie entre cinq et vingt-cinq pour cent de la population, en fonction de la définition – minimaliste ou maximaliste – que l'on se fait du terme bilingue. Par ailleurs, en termes d'usage concret le CH continue toujours à surpasser le français même parmi ce groupe de locuteurs. En effet, dans la diaspora haïtienne, il n'existe aucun domaine langagier où l'on fasse un usage exclusif du français oral. Tous les réseaux à haute densité utilisent généralement le CH, tandis que ceux à faible densité emploient le français dans un premier temps, mais passent après au CH pour continuer avec la conversation courante. En outre, dans la plupart des cas, l'alternance codique en CH, français et anglais est un phénomène courant qui constitue plutôt la façon ordinaire dont les Haïtiens parlent. C'est à travers l'alternance codique que l'usage du français comme langue vernaculaire se révèle (Zéphir 1997 : 401). Dans le domaine de l'écrit, il arrive que les Haïtiens bilingues échangent entre parents et amis des cartes de souhaits en français. L'étendue de cet usage est, bien sûr, plus difficile à documenter. En l'absence de ces missives qui ne sont pas toujours conservées, on est bien obligé de se fier aux déclarations des locuteurs. Cependant, ces mêmes locuteurs ajoutent qu'ils se servent également de l'anglais dans le domaine de l'écrit. Pour ce qui est de l'usage du français dans la presse diasporique, Étienne (2000) mentionne que la majorité des articles dans *Haïti Observateur*, *Haïti Progrès*, et *Haïti-en-Marche* sont publiés en français. Par ailleurs, le *Haitian Times*, en janvier 2002, commençait à faire paraître une chronique en français intitulée *Du côté de chez Hugues*. Dans la colonne d'ouverture, l'auteur, Hugues St. Fort, disait à son lectorat qu'il récusait la dichotomie selon laquelle le français était une langue « conservatrice », « élitiste », et « anti-peuple », et le créole la « vraie langue » du peuple haïtien. L'auteur affirme qu'il est aussi francophone, « tout comme [il] aurait pu être germanophone, hispanophone ou russophone », et il ajoute qu'il existe aussi un certain nombre d'Haïtiens qui, comme lui, parlent français (2002 : 2). Donc, la conclusion à tirer semble être que le français, qu'on le veuille ou non, fait aussi partie du patrimoine haïtien.

En somme, il est difficile de nier que le français, indépendamment de l'étendue de son usage au sein de la diaspora haïtienne, a perdu de sa mystique. C'est bien la langue qui reflète l'appartenance à une certaine couche sociale, ou alors les aspirations de quelques-uns à faire partie de cette couche. Par ailleurs, c'est aussi la langue sur laquelle un certain nombre d'Haïtiens misent pour espérer être mieux reconnu par la société américaine blanche, c'est-à-dire les *francophones* au lieu des *minorités d'Amérique*. Le fait de croire qu'une langue, en l'occurrence le français, peut contribuer à la mobilité sociale, illustre bien combien les Haïtiens sont imbus des rapports d'inégalité qui existent entre les langues.

6. Conclusion

Pour conclure, les rôles respectifs du CH et du français dans l'identité culturelle de la diaspora haïtienne peuvent s'expliquer à partir de deux facteurs importants : premièrement, l'héritage linguistique d'Haïti transmis depuis l'époque coloniale, et deuxièmement, la structure sociale de la société américaine. Le premier facteur a contribué à maintenir le concept de la hiérarchie des langues parmi certains groupes de la communauté haïtienne; cette hiérarchie soutient la notion du français comme langue « haute » et sa promotion en tant qu'indice social. Cependant, le deuxième facteur a donné naissance à une nouvelle fonction du CH, c'est-à-dire à sa transformation en un marqueur ethnique, indépendamment des classes sociales, et à une certaine réduction des différences dialectales. Notre analyse de l'interaction des codes linguistiques dans la diaspora haïtienne nous permet d'apporter des éclaircissements sur son bagage culturel, et sur les mécanismes que la communauté développe pour survivre dans son nouvel environnement.

Références

BUCHANAN, Susan H. 1979. « Language and identity among Haitians in New York City », *International Migration Review*, 13 (2) : 298-313.

DÉJEAN, Yves. 1980. *Comment écrire le créole d'Haïti?* , Québec, Collectif Paroles.

DÉJEAN, Yves. 1983. « Diglossia revisited : French and Creole in Haiti », *Word*, 34 (3) : 189-204.

DE REGT, Jacomina P. 1984. « Basic Education in Haiti », dans Charles R. FOSTER et Albert VALDMAN (dirs.), *Haiti – Today and tomorrow*, Lanham, Maryland, University Press of America, 119-139.

ÉTIENNE, Corinne. 2000. *A sociolinguistic study of the lexical particularities of French in the Haitian press*, thèse de doctorat inédite, Indiana University, Bloomington.

FASOLD, Ralph. 1984. *The sociolinguistics of society*, Oxford, Basil Blackwell.

FATTIER-THOMAS, Dominique. 1998. *Contributions à l'étude de la genèse d'un créole : L'Atlas linguistique d'Haïti, cartes et commentaires*, thèse de doctorat d'état inédite, Université de Provence, Aix-Marseille I.

FERGUSON, Charles A. 1996. « Diglossia », dans Thom HUEBNER (dir.), *Sociolinguistic perspectives : Papers on language in society, 1954–1994*, New York, Oxford University Press, 25-39.

FISHMAN, Joshua A. 1967. « Bilingualism with and without diglossia; and diglossia with and without bilingualism », *Journal of Social Issues*, 32 : 29-38.

FLEISCHMANN, Ulrich. 1984. « Language, Literacy, and Underdevelopment », dans Charles R. FOSTER et Albert VALDMAN (dirs.), *Haiti – Today and tomorrow*, Lanham, Maryland, University Press of America, 101-117.

HUEBNER, Thom. 1996. « Speech communities and language situations », dans Thom HUEBNER (dir.), *Sociolinguistic perspectives : Papers on language in society, 1954-1994*, New York, Oxford University Press, 17-21.

JOSEPH, Carole Berotte. 1992. *A survey of self-reports of language use, self-reports of English, Haitian and French language proficiencies and self-reports of language attitudes among Haitians in New York*, thèse de doctorat inédite, New York University, New York.

JOSEPH, Carole Berotte. 1997. « Haitian Creole in New York », dans Ofelia GARCÍA et Joshua A. FISHMAN (dirs.), *The multilingual Apple : Languages in New York City*, Berlin, Mouton de Gruyter, 281-99. *Journal of Haitian Studies*. 2001. 7 (1) : 150-154.

KASINITZ, Philip. 1992. *Caribbean New York : Black immigrants and the politics of race*, Ithaca, Cornell University Press.

LAGUERRE, Michel S. 1998. *Diasporic citizenship : Haitian Americans in transnational America*, New York, St. Martin's Press.

MILROY, Lesley. 1987. *Language and social networks*, 2ᵉ éd., New York, Basil Blackwell.

ST. FORT, Hugues. 2002, 30 janvier-5 février. « Du côté de chez Hugues », *Haitian Times*, p. 2.

STAFFORD, Susan Buchanan. 1987. « Language and identity : Haitians in New York City », dans Constance R. SUTTON et Elsa M. CHANEY (dirs.), *Caribbean life in New York City : Sociocultural dimensions*, New York, Center for Migration Studies, 202-217.

VALDMAN, Albert. 1984. « The linguistic situation of Haiti », dans Charles R. FOSTER et Albert VALDMAN (dirs.), *Haiti – Today and tomorrow*, Lanham, Maryland, University Press of America, 77-99.

VALDMAN, Albert. 1999. « L'orthographe du créole haïtien au-delà de l'alphabet », *Études Créoles*, 22 (1) : 81-96.

VALDMAN, Albert. 2004. « L'influence de la norme émergente du créole haïtien sur les variétés vernaculaires régionales », dans Aidan COVENEY, MARIE-ANNE HINTZE et Carol SANDERS (dirs.), *Variation et francophonie*, Paris, L'Harmattan, 35-49.

Wadabagei. 2002. « Introduction », Summer/Fall, 5 (2) : v-ix.

ZÉPHIR, Flore. 1990. *Language use, language attitudes of the Haitian bilingual community*, thèse de doctorat inédite, Indiana University, Bloomington.

ZÉPHIR, Flore. 1995. « The role of the Haitian middle class and the social institutions in forging the linguistic future of Haiti », dans Rutledge M. DENNIS (dir.), *Research in race and ethnic relations*, vol. 8, 185-200.

ZÉPHIR, Flore. 1996. *Haitian immigrants in black America : A sociological and sociolinguistic portrait*, Westport, Connecticut, Bergin et Garvey.

ZÉPHIR, Flore. 1997. « The social value of French for bilingual Haitian immigrants », *The French Review*, 70 (3) : 395-406.

ZÉPHIR, Flore. 2001. *Trends in ethnic identification among second-generation Haitian immigrants in New York City*, Westport, Connecticut, Bergin and Garvey.

Aspects historiques et comparatifs

Le français acadien au Canada et en Louisiane : affinités et divergences

Ingrid Neumann-Holzschuh, Universität Regensburg,
en collaboration avec Patrice Brasseur, Université d'Avignon,
et Raphaële Wiesmath, Universität München

1. Pour une grammaire comparée des parlers acadiens

Si les recherches lexicologiques dans le domaine des variétés du français nord-américain ont fait des progrès remarquables ces dernières années, les travaux portant sur la grammaire des parlers respectifs tardent à être effectués. À l'exception du français québécois (FQ) qui dispose avec la grammaire de Léard (1995) d'un premier outil de travail important, il n'existe pas de grammaires détaillées des autres variétés du français nord-américain. Pour ce qui est des variétés de l'acadien, il existe, certes, bon nombre d'études sur des problèmes morphosyntaxiques particuliers – je ne citerai que les travaux de Péronnet (1989 et 1996) et Wiesmath (2000) pour l'acadien du Nouveau-Brunswick, ceux de Gesner (1985) et Flikeid (1989) pour la Nouvelle-Écosse ainsi que ceux de Rottet (1995, 2001 et 2004), Byers (1988) et Brown (1988) pour le français de Louisiane (cadien). Pour aucune des variétés nous ne disposons, cependant, d'une véritable grammaire qui, en plus, mettrait l'accent sur les différences entre les diverses variétés du français nord-américain[1]. Etant donné que jusqu'ici il n'existe pas d'ouvrage de synthèse englobant tous les aspects du français en usage sur l'ensemble du territoire acadien, la question de savoir si le projet d'une grammaire comparée n'est pas prématuré s'impose. Ne faudrait-il pas attendre de disposer de grammaires du cadien et de l'acadien néo-brunswickois et néo-écossais avant de se lancer dans une étude comparative? Tout en tenant compte des problèmes dus au manque d'études grammaticales approfondies, un groupe franco-allemand de chercheurs (P. Brasseur, I. Neumann-Holzschuh, R. Wiesmath) a lancé un nouveau projet de re-

---

[1] L'étude de Charles (1975) est un premier pas vers une analyse comparative des parlers acadiens.

cherche sur les variétés du français acadien au Canada et en Louisiane[2]. Le but du projet est d'établir une grammaire comparée des variétés de l'acadien tel qu'il est encore parlé au Canada dans les Provinces Maritimes (Nouveau-Brunswick [NB], Nouvelle-Écosse [NE], Île-du-Prince-Édouard [IPE]), à Terre-Neuve (TN) ainsi qu'en Louisiane (Lou), et de contribuer ainsi à la recherche synchronique et diachronique sur le français nord-américain, et notamment sur ce qu'on appelle avec Chaudenson « les français marginaux »[3]. Avec cette grammaire nous nous proposons d'établir un premier « module » devant conduire à une grammaire plus détaillée du français nord-américain, dans laquelle devraient à long terme être incluses des données d'autres variétés, notamment du français québécois[4].

2. Les parlers acadiens entre variation interlectale et intralectale

2.1. *L'unité de l'acadien*

Une analyse des variétés du français acadien doit tenir compte du fait que, à cause de son histoire particulière, l'acadien est parlé dans des régions très éloignées les unes des autres, à savoir les Provinces Maritimes et Terre-Neuve au Canada ainsi que la Louisiane aux États-Unis[5]. Si l'on compte l'acadien du Canada ainsi que le FQ parmi les variétés du français issues directement des dialectes traditionnels français, cela n'est pas le cas des variétés secondaires issues de migrations comme le français

---

[2] Financé par la Deutsche Forschungsgemeinschaft à partir de janvier 2003.

[3] Voir Chaudenson et al. (1993). Chaudenson (1994, 1995 et 1998) souligne, à juste titre, que ces variétés fournissent des informations importantes sur le français parlé aux 17e et 18e siècles ainsi que sur les aires de variabilité du système linguistique français.

[4] La base de ce projet est constituée par plusieurs corpus, soit recueillis par les chercheurs eux-mêmes, soit mis à disposition par d'autres chercheurs. Pour le NB on dispose entre autres du corpus de Wiesmath, ainsi que du corpus de Perrot, pour TN du corpus de Brasseur. Pour la Louisiane, on travaille avec le corpus de Stäbler (1995a) et les données de Rottet (1995 et 2001); de plus A. Valdman nous a également donné accès à une partie des données du corpus de son équipe, réuni au cours des travaux pour le dictionnaire du cadien. En outre, nous nous appuyons sur les différentes études déjà existantes (v. références).

[5] Le fait que le terme français acadien (FAc) soit polysème pose certainement un problème. Nous l'utilisons en tant que terme générique et nous précisons, le cas échéant, s'il s'agit de l'acadien des Provinces Maritimes (FAcM), de celui de Terre-Neuve (FAcTN) ou du français louisianais/cadien (FL).

louisianais/cadien (FL), qui a subi une évolution sociohistorique spécifique. Bien qu'on observe dans toutes les variétés de l'acadien un certain processus d'étiolement linguistique, celui-ci semble être beaucoup plus prononcé en Louisiane que dans les variétés du FAcM.

Ces faits suggèrent plusieurs questions de portée comparative :

> - Dans quelle mesure les parlers acadiens partagent-ils encore des traits communs? Dans quelle mesure les divergences entre l'acadien du Canada et le FL permettent-elles déjà d'affirmer que nous sommes en présence de langues distinctes?
> - Quelles sont les conséquences linguistiques de l'éloignement spatial entre la Louisiane, Terre-Neuve et l'Acadie?
> - Quelles sont les conséquences de l'étiolement linguistique pour l'évolution linguistique du FL?

Sans pouvoir donner de réponse définitive, au stade actuel des recherches, à la multiplicité de ces questions, une hypothèse prudente peut toutefois être avancée. Bien que l'unité des parlers acadiens ne semble pas être vraiment en danger, il existe sans aucun doute des divergences considérables entre les différentes variétés, qui ont chacune subi des évolutions indépendantes dues à des situations sociolinguistiques différentes. Le FL semble à cet égard jouer un rôle spécifique au sein des variétés de FAc et ce, de deux points de vue : d'une part il présente, en comparaison avec les deux autres variétés, un caractère progressif, d'autre part, et c'est surprenant, le FL fait preuve à certains égards d'une proximité plus grande avec le français de référence (FR) que ses congénères des Provinces Maritimes, comme l'ont d'ailleurs déjà fait remarquer Papen et Rottet (1996). Une des raisons invoquées pour cette proximité plus grande avec le FR est la coexistence du cadien avec d'autres variétés du français dès le début ainsi que le grand nombre d'immigrants francophones venus directement de France au cours du 19e siècle, phénomène ayant entraîné une certaine dédialectalisation du FL. Cette hypothèse sera sans nul doute difficile à vérifier en raison de l'absence de documents historiques, mais c'est l'une des tâches que s'est fixée cette grammaire.

2.2. *Variabilité intralectale*

Étant donné que les parlers acadiens ne sont pas normés, ils révèlent une *variation intralectale* considérable, mais ni le FAcM ni le FL ne sont suffisamment décrits dans toute leur variabilité. Quant à la *variation dans le temps,* les différentes variétés de l'acadien gardent les traces de strates diachroniques qui coexistent avec des influences plus récentes du FS ou des évolutions internes. Bien qu'il existe très peu de documents historiques témoignant de la langue parlée, on peut discerner aujourd'hui, en Acadie ainsi qu'en Louisiane, une strate traditionnelle et une strate plus moderne qui se manifeste, en Louisiane, surtout dans le parler des jeunes et des semi-locuteurs. Au NB également :

> on voit se développer de nouvelles variétés de français parlé. Le changement en cours se fait dans deux directions tout à fait opposées, d'un côté vers un français plus standard, de l'autre vers un français plus anglicisé. Entre ces deux tendances extrêmes, il existe de multiples stratégies d'accommodation, ce qui donne lieu à un nombre incalculable de variétés de français. (Péronnet 1996 : 121)

Il en résulte un polymorphisme qui est non seulement l'indice d'une variation interne considérable, mais aussi d'une instabilité et d'une insécurité linguistique. Étant donné que les zones de variation actuelle sont aussi des zones en pleine évolution, une description minutieuse du polymorphisme nous permettra éventuellement de formuler des hypothèses sur le changement linguistique.

Pour ce qui est de la *variation diatopique* en Louisiane et en Acadie, des recherches approfondies font encore défaut, à quelques exceptions près[6]. Selon Papen et Rottet (1996 : 237) « le français cadjin n'est pas totalement homogène d'un bout à l'autre de l'Acadiana », bien que les différences soient pour la plupart assez minimes et se situent surtout sur les plans phonétique et lexical. Il existe pourtant quelques différences morphologiques, qui indiquent qu'il faut sans doute distinguer entre la région des prairies et celle des bayous; la paroisse Assumption et une partie de la paroisse Lafourche, dans l'Est, devant visiblement être traitées avec les prairies (Byers 1988, Neumann-Holzschuh à paraître). Ainsi, on trouve dans la région des prairies (paroisses de Vermilion, de l'Acadie et de Lafayette) ainsi qu'à la paroisse Assumption plusieurs traits acadiens qui ne sont guère attestés ailleurs en Louisiane : l'emploi de la terminaison *-ont* à la 3e personne du pluriel ainsi que l'emploi de l'interrogatif *qui* au sens de *quoi*. Les observations suivantes de Péronnet (1996 : 124) vont dans le même sens :

---

[6] Voir Flikeid (1984), Brown (1988), Byers (1988), Flikeid et Péronnet (1989), Valdman (1994), Rottet (1995 et 2001), Papen et Rottet (1996).

Le français acadien traditionnel est loin d'être un tout homogène. Il est composé de nombreuses variantes régionales, ce qui vient compliquer considérablement la comparaison des nouvelles variétés avec le point de départ. Par ailleurs, dans l'état actuel de la recherche, la description du français acadien traditionnel est loin d'être chose faite, surtout si l'on tient compte de ses composantes régionales, et notamment du point de vue grammatical et syntaxique.

3. Analyse modèle : le cas des pronoms personnels[7]

Le chapitre sur le pronom personnel figurera en bonne place dans une grammaire comparée des variétés du français d'Amérique[8]. On n'observe aucune innovation véritable dans sa morphologie, qui est largement celle du français populaire et/ou archaïque. Mais, à la différence du FS, le français acadien, dans les variétés orales que nous étudions, comporte un polymorphisme considérable. Les pronoms personnels ont déjà été l'objet d'études démontrant les spécificités des variétés du français nord-américain[9] ainsi que, bien que très sommairement, les convergences et les divergences des parlers acadiens (v. Papen et Rottet 1996). L'analyse suivante se base sur les corpus et les travaux déjà existants, en esquissant une première ébauche de synthèse qui englobe tous les parlers acadiens (NB, NE, TN, Lou)[10]. En raison des limites du présent article, seul un choix limité de phénomènes saillants et quelques pistes de recherches intéressantes seront présentés.

---

[7] Le lecteur trouvera un tableau des abréviations utilisées dans cette section après les références bibliographiques.

[8] Le problème méthodologique majeur réside donc dans le choix des catégories et la prise en considération de la variabilité au sein de chacune des communautés linguistiques.

[9] Voir King (1983), Byers (1988), Flikeid (1989), Péronnet (1989), Ryan (1989), Deshaies (1991), Beaulieu et Balcom (1998). Richard et Gesner analysent les pronoms personnels sujet de la 1re personne de l'acadien en comparaison avec les parlers de l'Ouest de la France : « Le brassage des colons a néanmoins donné lieu à un système pronominal où les variantes sont nombreuses, et, mis à part le cas de "i" et l'emploi de "nous" à la première personne du pluriel, nous retrouvons en acadien la plupart des variantes relevées dans les différents parlers de l'Ouest que nous avons pu examiner » (1991 : 186).

[10] Notons que les sources de l'acadien de la NE n'ont pas encore été dépouillées systématiquement. C'est pour cela que le nouvel-écossais ne figure que rarement dans les tableaux.

3.1. *1re personne du singulier*

Tableau 1
1re personne du singulier

SUJET	Formes conjointes	*je, j'* (NB, NE, TN, Lou) *moi* (Lou)
	Formes disjointes	*moi* (NB, TN, Lou) *mon* (Lou)
COMPLÉMENT D'OBJET DIRECT	Formes conjointes	*me, m'* (NB, TN, Lou)
	Formes disjointes	*moi* (NB, TN, Lou)
COMPLÉMENT D'OBJET INDIRECT		*me, m'* (NB, TN, Lou)

Commentaire comparatif

(1) La prononciation de *je* est très variable dans les trois variétés : [ʒ(ə)], [øʒ], [ʃ], [ʒ], [s], [z], [h] [11], [h] étant cependant rare en Lou (Rottet 1995 : 176 et 2001 : 193sq.) :

- *SO le lendemain soir tant j'arrivais [harive] de l'école la boète était vide SO faulait BACK je les remplise. faisais ça à tous les jours. pis là après ça t'ai/ ʃ/ t'allais ai-der à tes parents à/ sus la/ ç/ ça que tu pouvais faire des fois faulait j'alle dans le carré pis garocher du foin.* (NB 1, B688)

(2) En Louisiane, la forme disjointe *moi* [mwa, mõ] peut remplacer *je*.

- *Mon s'a'pris les prières en anglais, mais s'connais le Salut Marie le HAIL MARY en français. Là mon s'connais. [...] Ø Veux apprendre les autes, mais c'est pour m'assir là, aller dire que mon Ø vas lé apprendre...* (Lou, R 2001, 195)

Sans doute s'agit-il ici d'une évolution assez récente. Selon Rottet, à Ter-rebonne-Lafourche les moins de 30 ans utilisent de plus en plus *mon je*, et surtout *mon* comme pronom conjoint; « it appears that *mon* is simply becoming an unmarked subject pronoun » (Rottet 2001 : 194).

- *Drette après que mon j'sutais inée, ma mame et mon pape a délogé au Bayou du Large. Et là le délogement a commencé, mon je te dis. ... J'ai commencé l'école à Bourg à l'âge de six ans, et j'ai fait ma première communion à l'âge de onze ans à Bourg.* (Lou, R 1995, 177)

---

[11] Voir Richard et Gesner (1991) pour une analyse des différents contextes phonétique du pronom *je*. Voir Rottet (1995: 176) pour les variantes dépalatalisées [s] et [z], fré-quentes en Louisiane dans les paroisses de Terrebonne et Lafourche.

Dans son analyse méticuleuse de l'emploi de *moi* et *moi/je* en français cadien, Dubois précise que « seuls les locuteurs ayant un faible degré d'exposition au cadien, peu importe l'âge, utilisent MOI comme forme pronominale » (2001 : 161), l'emploi de *moi* étant sensible au conditionnement linguistique[12].

Contrairement à ce que l'on observe en FL l'emploi du pronom disjoint seul semble rare au Canada, où l'on a presque toujours recours à la combinaison des pronoms disjoint et conjoint (type : *moi jè*), ce qui reste cependant nettement moins fréquent que le pronom sujet conjoint employé seul.

3.2. *2ᵉ personne du singulier*

Tableau 2
2ᵉ personne du singulier

SUJET	Formes conjointes	*tu, t'* (NB, NE, TN, Lou) *te* (TN) *toi* (Lou)
	Formes disjointes	*toi* (NB, TN, Lou)
COMPLÉMENT D'OBJET DIRECT	Formes conjointes	*te, t'* (NB, TN, Lou)
	Formes disjointes	*toi* (NB, TN, Lou)
COMPLÉMENT D'OBJET INDIRECT		*te, t'* (NB, TN, Lou)

Commentaire comparatif

Bien que les pronoms de la 2ᵉ personne soient largement identiques, on observe certaines particularités :

(1) La forme *te* en tant que pronom sujet n'a été rencontrée qu'une seule fois, à TN; elle n'est pas signalée au Canada, mais est attestée dans divers parlers dialectaux de France (FEW 13/2, 382b) :

• *Quoi faire te l'as pas demandé ?* (TN, hors corpus)

---

12 Un problème méthodologique est le traitement des données des semi-locuteurs louisianais, dont le parler diffère – au moins en partie – considérablement du cadien traditionnel ; voir Dubois (2001) et infra section 5.

(2) Il n'y a que dans le parler des semi-locuteurs louisianais que *toi* s'emploie comme pronom sujet conjoint :

- *Toi peux donner du gombo à eusse ?* (Lou, R 2001, 212)

(3) Au NB et en Lou on entend de plus en plus *tu* au lieu de la forme de politesse *vous* (singulier et pluriel), mais il s'agit là d'une tendance récente (v. cependant Conwell et Juilland 1963 : 143). En Lou les semi-locuteurs préfèrent *tu* aux pronoms de la 2ᵉ personne du pluriel *vous* et *vous-autres* (Rottet 2001 : 200).

3.3. *3ᵉ personne du singulier*

Tableau 3
3ᵉ personne du singulier

		Masculin	Féminin
SUJET	Formes conjointes	*il, i* (NB, NE, TN, Lou)	*alle, a* (NB, NE, TN, Lou) *elle* (TN)
		ça (NB, TN, Lou)	
	Formes disjointes	*lui, li* (NB, TN, Lou)	*ielle* (NB, TN) *elle* (Lou)
		ça (Lou)	
COMPLÉMENT D'OBJET DIRECT		*le, l'* (NB, TN, Lou) *lé* (Lou)	*la, l'* (NB, TN, Lou)
		ça (NB, TN, Lou)	
COMPLÉMENT D'OBJET INDIRECT		*lui* (NB, TN, Lou) ; *li* (TN, Lou) *i/y* (NB, TN , Lou) ; *yi* (TN)	

Commentaire comparatif :

(1) L'emploi de la forme *i* est généralisé au NB; dans le corpus terre-neuvien, *i* ne se trouve que devant une consonne et devant la voyelle *a-*; en Lou, la règle du français parlé s'applique : *il* devant une voyelle, *i* devant une consonne :

- *pis i a venu pis i m'a demandé si je/ j'irais j'acceptais le/ d'aller de travailler là* (NB 6, L 28)
- *[i jɔʒ avɛ swɛte l gúd bai]* « Il leur avait souhaité le good bye » (Ryan 1989 : 208)
- *Il avait bu si tant d'eau [...]* (TN, LP 008101)
- *I tourne en crabe après un bout* (TN, GT 139201)
- *Mon papa, et quand lui il a menu, i menait de New York* (Lou, S 177)

(2) En Lou et à TN notamment (moins au NB), on observe une tendance générale au remplacement des formes conjointes par des formes disjointes en fonction de sujet (masculin) :

- *mon père mangeait ça lui aimait ça* (NB 1, B285)
- *Je piquais la morue, et décollais pour lui la trancher [« pour qu'il la tranche »]* (TN, B, hors corpus)
- *mais lui voulait te guérir* (Lou, Vie 212)

(3) La forme du pronom conjoint féminin est **alle/a** au NB et en Lou, **elle** est très répandue à TN, mais plutôt rare en Lou et au NB.

- *notre chère Ida Boudreau . euh dans sa cuisine . avec euh une/ une couple d'exemples de/ des chefs-d'œuvre qu'a' faisait comme tapis . pis là alle tient le/ le* BLUENOSE *. pis a' m'avait dit qu'a' voulait jamais le vendre celui-là* (NB 13, H96)
- *c'était Anne notre plus jeune alle a trente ans elle alle arait juste parlé anglais* (NB 2, F330)
- *Alle arait revenu back avec nous autre* (TN, AC 018304)
- *Elle va encore pour faire sûr* (TN, GT 008002)
- *Alle a jamais ité bien comme eine personne est supposée [de]* « She's never been healthy like a person is supposed [to] » (Lou, R 238)
- *Connie parle français quand a vient icite* (Lou, S 48)
- *Moi j'suis jeune encore, elle al est vieille* (Lou, S 50)

(4) La forme **ielle** ne se trouve qu'à TN et au NB, où cette forme s'utilise surtout en tant que pronom disjoint[13] :

- *la Breau ielle a pris ces portraits des quoi de même alle a été parler aux vieux pis alle a fait' une histoire de/ de l'affaire* (NB 2, E234)
- *Ça fait ielle alle tait française* (TN, GT 109206)

(5) Dans les trois variétés le pronom neutre indéfini **ça** s'emploie comme pronom sujet (masculin et féminin) de la 3e personne et peut très bien se référer à des êtres humains :

- *je la watchais hein pis ça [elle] faisait pas de grimaces.* (NB 1, B91)
- *[À propos d'un prêtre] Tu le connais pas avec les autres hommes ! Ça* danse et ça boit ! Oh mon homme* !* (TN, LC 029217)
- *Et son père à lui i parle pas français du tout. C'est américain. Ça vient de la Floride* (Lou, S 197)
- *C'est la femme en couleur là qui travaille dans l'office? Elle, a parle bien français. Ç'a été élevé sur le Chemin de Carencro-ça dans le nord de Lafayette* (Lou, S 202)

---

13 Voir Brasseur (2000, s.v. *ielle*) pour un commentaire dialectologique.

En Louisiane seulement, *ça* s'emploie aussi comme pronom disjoint :

* *C'est sa vieille sœur qui cuit, ça, ça parle bien français comme nous-aut'* (Lou, S 201)
* *Je connais pas si tu veux te marier avec ça.* (Lou, Stäbler 92)

(6) Les pronoms complément d'objet direct (COD) sont largement identiques dans les trois variétés. À TN, les formes disjointes **lui** et **ielle** peuvent remplacer respectivement *le* et *la*. Elles se placent, dans ce cas, après le verbe. Ces formes se retrouvent aussi (bien que plus rarement) en Lou :

* *Pis là a savait qu'a pouait pas aller nonne si a laimait lui* (TN, GT 017701)
* *Son amie venait ici trouver ielle* (TN, hors corpus)
* *S'il a pu rencontrer elle* (Lou, C/J 146)

Au NB et en Lou *ça* se rapporte surtout à des objets [-animé], mais ce pronom peut également se référer à un complément d'objet direct [+humain], sans comporter nécessairement une connotation négative[14] :

* *où-ce que t'as trouvé ça. [où as-tu rencontré cette jeune fille]* (NB 4, M*)
* *elle connaissait pas élever ça.* (= *un petit garçon noir*) (Lou, Vie, 175)

(7) Les pronoms complément d'objet indirect (COI) se ressemblent beaucoup. Fréquente à TN, la forme *lui* est plutôt rare en Lou et au NB où prédomine la forme *y* [i][15] :

* *la première j'y ai donnée alle était ienque rouge un tout petit brin* (NB 1, B87)
* *I yi donne la moitié de ça qu'il avait* (TN, GT 108003)
* *il y a cassé les mâchoirs* « il lui a cassé les machoirs [*sic*] » (Lou, Stäbler 96)

3.4. *1ʳᵉ personne du pluriel*

Commentaire comparatif

(1) Comme pronom conjoint, la forme **nous** ne se rencontre que dans des situations de communication extrêmement formelles au NB, en NE et à TN ; elle ne s'emploie pas en Lou. *Nous* s'emploie cependant comme pronom disjoint au NB et à TN.

---

[14] Voir Brown (1988 : 136, 145) et Stäbler (1995b : 93).
[15] La forme *yi* [ji] est une variante de la forme *y* [i], qui n'a été relevée qu'à Terre-Neuve, voir Brasseur (2000, s.v. *yi*).

Tableau 4
1re personne du pluriel

SUJET	Formes conjointes	*je* (NB, NE, TN) *nous-autres* (TN, Lou) *on* (NB, Lou [TN])
	Formes disjointes	*nous* (NB, TN) *nous-autres* (TN, Lou)
COMPLÉMENT D'OBJET DIRECT		*nous* (NB, TN, Lou)
COMPLÉMENT D'OBJET INDIRECT		*nous* (NB, TN, Lou)

(2) Le pronom ***on*** s'emploie fréquemment en fonction de pronom sujet de la 1re personne du pluriel en Lou. Au NB et en NE *on* est en règle générale précédé de *nous-autres,* un emploi également fréquent en Lou. À TN, le pronom *on* a, le plus souvent, la valeur de l'indéfini. *On* apparaît avec la terminaison verbale *-ons* seulement à TN :

- *nous-autres on trouve que le bois est meilleur* (NB 5, C68)
- *On n'avons pas beaucoup de ça asteure !* (TN, AC 048001)
- *On dirons ène jeune taure ça peut tère un an* (TN, GT 109202)
- *on faisait ein repas le midi, on mangeait pas le matin, ça c'était eine pénitence [Ø] on faisait* (Lou, R 1995, 223)

La phrase suivante met en évidence le polymorphisme louisianais :

- *Nous-aut' trois parle français ... On parle anglais avec les aut' nous-aut' on parle français* (Lou, S 179)

(3) Le pronom disjoint le plus fréquent est ***nous-autres*** :

- *Nous autres j'abrions les chevals* (TN, LC 149801)[16]
- *J'allions là eune bande de jeunesses, nous autres là* (TN, AC 058004)
- *Nous-aut' on appelle ça un capot* (Lou, S 53)

Cette forme, en emploi conjoint, n'a été relevée qu'à TN et en Lou, où elle semble pourtant rare (v. Stäbler 1995b : 55) :

- *À la place de dire une fille, nous autres disons tout le temps i va voir sa blonde* (TN, LC 149804)
- *Il a fait faite un gros plancher pour nous-autres danser dessus* (Lou, Vie 181)

---

[16] *abrier* « abriter, couvrir », voir Brasseur (2000).

(4) La forme *je*, ancienne en français, est encore répandue dans plusieurs dialectes d'oïl, notamment de l'Ouest (v. Péronnet 1989 : 155-158). Elle est considérée comme typique des parlers acadiens. Courante en NE et à TN, elle semble être tombée en désuétude au NB, où elle est surtout le fait des locuteurs âgés. Quant à la terminaison verbale, la terminaison *-ons* [ɔ̃] s'est maintenue au NB, en NE et à TN avec le pronom *je*; avec le pronom *on,* cette terminaison ne se trouve qu'à TN (Flikeid 1984, Flikeid et Péronnet 1989) [17]. En Lou, cette forme n'existe pas[18] :

- *le homard le maquereau le/ . j'avions pêché le/ l'épelan . . le hareng* (NB 3, L350)
- *[ʒ̃ nu mɛtjõ a la tab]* (NE, Ryan 1989 : 204)
- *[ʒ̃ avõ di vuz ɛt ʃy vu]* (NE, Ryan 1989 : 204)
- *Je sons ène famille qu'a pas alloué les chats à venir dans la maison* (TN, AC 099203)
- *Du blé je l'avons assayé ici hein !* (TN, LC 029201)

3.5. *2ᵉ personne du pluriel*

Tableau 5
2ᵉ personne du pluriel

SUJET	Formes conjointes	*vous* (NB, NE, TN) *vous-autres* (Lou)
	Formes disjointes	*vous-autres* (NB, TN, Lou)
COMPLÉMENT D'OBJET DIRECT		*vous* (NB, TN, Lou)
COMPLÉMENT D'OBJET INDIRECT		*vous* (NB, TN, Lou)

Commentaire comparatif

(1) Au NB et à TN le pronom conjoint est *vous* ; en Lou, en revanche, cette forme est aujourd'hui remplacée par *vous-autres*[19] :

---

[17] Même à l'intérieur de la NE, la situation est très différente d'une région à l'autre. Selon Flikeid et Péronnet (1989 : 238), les formes traditionnelles sont mieux conservées sur l'Île Madame et à Pomquet.

[18] Rottet (2004) souligne, cependant, que la construction pronom sujet *je* + désinence *-ons* est attestée dans des textes louisianais du 19ᵉ siècle.

[19] Le remplacement de *vous* par *vous-autres*, inconnu dans le FAcM et dans les dialectes de l'ouest de la France (Rottet 1995 : 187) est, selon Stäbler (1995b : 86), une évolution qui date des années 1930.

- *je suis sûr vous-autres avez des/ des chevaux et des boguets dans le temps long-temps passé* (Lou, Stäbler 85)

(2) Dans les trois variétés **vous-autres** a la fonction du pronom disjoint :

- *ben vous-autres qu'est-ce que vous avez/ [...] vous avez rencontré Marie* (NB 7, O42)
- *C'est ien que moi qui sait. Faut que vous la trouviez vous autre* (TN, LC 029208)
- *vous-autres, ça va à l'école* (Lou, C/J 145-6)

(3) La forme de politesse **vous** (singulier et pluriel) n'est guère utilisée en Lou qu'avec des personnes âgées et des étrangers (cf. Byers 1988). Ordinairement, le verbe ne s'accorde pas avec *vous* :

- *vous sentez l'escousse dans la seine vous sait, ça fait/ . mon oncle allait en arrière* (Lou, Vie 23-24)
- *vous va 20 milles, vous comprend un tit mot ici, un tit mot là* (Lou, S 174)

(4) Tandis que le FAcM maintient la flexion verbale en *-ez* avec le pronom *vous*, en FL l'accord à la 3ᵉ personne du singulier est le plus fréquent, sans que les formes en *-ez* soient complètement hors d'usage (v. cependant Papen et Rottet 1996). Déjà au début du 20ᵉ siècle, en Louisiane, l'accord du verbe avec le sujet *vous-autres* était soumis à un degré élevé de variation (cf. Rottet 2001 : 206sq.) :

- *Qui vous-autres veut ? qui vous-autres fait ici ?* (Lou, R 1995, 190)
- *Vendredi vous-autres veut pas venir danser avec moi* (Lou, Vie 178)
- *je sais vous-autres fait la boucherie* (Lou, C/J 144)

On rencontre ce phénomène aussi occasionnellement à TN :

- *Vous autres va aller à la chasse [...]* (TN, GT 109211)

3.6. *3ᵉ personne du pluriel*

Commentaire comparatif

(1) Dans les parlers acadiens, la distinction des genres est neutralisée au pluriel : *i* (devant une consonne) et *il/is/iz* (devant une voyelle) s'emploient pour les deux genres[20]. En Louisiane, ces formes sont rares chez les jeunes.

---

[20] La graphie varie beaucoup selon les transcripteurs. Stäbler (1995a, 1995b), par exemple, utilise la graphie <ils>, les autres sources utilisent *i/is/iz/il* selon le contexte.

Tableau 6
3ᵉ personne du pluriel

SUJET	Formes conjointes	*i, il/is/iz* (NB, NE, TN, Lou) *ça* (NB, Lou)
	Formes disjointes	*eusse* (Lou) *eux-autres* (NB, Lou) *zeux* (NB, NE, TN) *ieux* (TN) *ieusses* (TN)
COMPLÉMENT D'OBJET DIRECT		*les* (NB, TN, Lou) *ça* (Lou) *ieusses* (TN)
COMPLÉMENT D'OBJET INDIRECT		*ieux, yeux* (NB, TN, Lou) *leur, leu* (TN) *les* (TN, Lou)

(2) Dans toutes les variétés de l'acadien, la plupart des formes disjointes peuvent être employées comme pronom sujet à la place des formes conjointes.

(3) Pour ce qui est des désinences verbales, celle typiquement acadienne, *-(i)ont*, est encore bien vivante au NB, en NE et à TN avec le pronom *i/il* (Gesner 1985, Flikeid 1989, Ryan 1989); en Lou elle est encore attestée dans les paroisses du sud-ouest (Vermilion, Acadiana, Lafayette) et à Assumption (et à un moindre degré à Terrebonne) à l'est (Byers 1988, Rottet 2001 : 208-209) [21] :

- *des femmes faisiont de l'étoffe . i semiont du lin qu'on appelait* (NB 4, M393)
- *Les grosses femmes i s'embourbiont ! Beau chemin !* (TN, MH 059202)
- *On voyait pas les femmes ac les cheveux coupés, il aviont toute une couette* (TN, LC 189802)
- *au Canada ils di/ euh en Acadie ils disont aussi du blé d'Inde* (Lou, Vie, 7)

Avec les autres pronoms, la forme verbale correspond souvent à celle de la 3ᵉ personne du singulier, un phénomène particulièrement fréquent en Lou (v. Neumann-Holzschuh 2003).

---

[21] « The elimination of the pronoun *ils* allows for the elimination of the 3pl morphological ending *-ont* as well, since only *ils* takes this ending on its verb. » (Rottet 2001 : 208).

eusse [øs][22] : En Lou, *eusse* l'emporte sur les autres pronoms *ils* et *eux-autres* et s'emploie surtout pour des référents animés (v. Rottet 2001 : 207, Stäbler 1995b : 91) :

- *…un four wheel drive pour eusse aller faire la chasse et puis haler son bateau pour aller pêcher.* (Lou, S 205)
- *Eusse [œs] peut, mais eusse veut pas tu comprend … quoi i sont apès dire.* (Lou, S 59)
- *quand même eusse comprend, eusse veut pas parler* (Lou, R 2001, 127)

ieusses [jøs], ***ieux*** [jø(z)][23] : Ces formes s'emploient comme pronom conjoint et comme pronom disjoint à TN :

- *C'est quisiment comme un aigle, i l'appelont les pêcheurs. Ieusses prenont leu vie dans la mer* (TN, GT 139202)
- *Si ieux pouaient le ramasser dans ène bouteille ou de quoi de même, ce tait bon… pour le sang, pour la santé quoi.* (TN, GT 109209)
- *C'est ieusses qui mangeont les cocos, les cocos de… de prusse* (TN, LC 029219)

zeux[24] : Cette forme ne s'emploie pas en Lou :

- *i haïssiont plus' les Anglais nous-autres . on haïssait pas les Anglais coumme/ coumme que zeux les haïssont hein.* (NB 3, D492)
- *Je savions pas faire de bière avant que les Français a venu par ici. Zeux savaient. Faisiont la bière.* (TN, MH 059202)

eux-autres : Cette forme, plutôt rare en Lou, s'emploie aussi bien comme pronom conjoint que comme pronom disjoint :

- *les Suroît eux autres viennent de la Louisiane.* (NB 2, F141)
- *les autres comprend' mais eux-autres peut pas le parler. Eux-autres assaye, mais ils peut pas* (Lou, R 2001, 120)

ça, ç' : Comme au singulier, *ça* peut remplacer le pronom sujet de 3ᵉ personne du pluriel, avec des référents animés et non animés, au NB et en Lou (où c'est même la forme la plus fréquente, selon Stäbler 1995 b : 86sq. et Conwell et Juilland 1963 : 145) :

- *ça allait sus la MAIN STREET MALL [les gens]* (NB 1, B949)

---

[22] [øs] est attesté en français populaire depuis le 17ᵉ siècle (v. Thurot 1881-1883, vol.2 : 35). La forme *eux* [ø] est rare en acadien ; on ne la retrouve qu'au NB, où l'on préfère cependant *zeux*. Voici un des rares exemples: *eux le faisaient en une journée* (NB 14 Y*). Dans les sources louisianaises, *eux* est une variante graphique de *eusse* (v. Stäbler 1995b : 84).

[23] Pour un commentaire dialectologique voir Brasseur (2000, s.v. *ieux*).

[24] Pour un commentaire historique et dialectologique voir Brasseur (2000, s.v. *zeux*).

- *J'sais pas où ça mnait [de], mais ça parlait bien bien français.* 'I don't know where they came [from], but they spoke French really well' (Lou, R 1995, 238)
- *Et asteur la musique cadjin est populaire un tas ... I mean, ces musicien ça va dans les aut' pays* (Lou, S 213)
- *Quand eux-autres sont comme dans le village de Houma ... eux-autres assaye de parle [sic] français et si la personne qu'eusse après parler [à] les comprend pas, là ça va parler en anglais* (Lou, R 1995, 237)
- *On achète plus avec les aut' pays que ça ç'achète avec nous-aut'* (Lou, S 60)

L'expansion de *ça* comme pronom de la 3e personne est une évolution récente en Louisiane et la discussion reste ouverte sur l'influence de facteurs sémantiques et sociolinguistiques favorisant son emploi. Selon Rottet le pronom *ça* est préféré avec des référents non-animés à Terrebonne-Lafourche. Si le référent est animé un des autres pronoms est choisi, *eusse* étant particulièrement fréquent parmi les jeunes locuteurs (1995 : 210). Brown (1988 : 148sq.) souligne que l'emploi des pronoms varie selon les groupes d'âge : les jeunes préfèrent *ça*, les gens âgés *ils* ; voir aussi Byers (1988) et Stäbler (1995b : 87sq.).

(4) Les pronoms d'objet se ressemblent beaucoup dans les trois variétés : *les* (COD), *ieux* (COI)[25] :

- *on les a amenés au quai pis . on ieux a sauvé la vie plutôt* (NB 5, C33)
- *Des fois y a du grand monde, on peut pas ieux parler i braillont!* (TN, AC 059208)
- *Tu pourrais yeux en donner ?* (Lou, R 2001, 211)

En Louisiane *ça* est particulièrement fréquent en fonction de pronom d'objet direct. Il se réfère non seulement à des objets [+animé], comme c'est parfois le cas en français familier, mais aussi à des objets [+humain] :

- *Ça fait tous les Babineaux sont parents i y a des, i y en a ça appelait ça des Babin* (Lou, S 188)
- *c'était un plaisir aller à la chasse perdrix ici on trouvait ça tout partout* (Lou, Vie 194)

3.7. *Ellipse du pronom sujet*

L'ellipse des pronoms conjoints est surtout observée dans le corpus recueilli à TN. Dans la plupart des cas, elle n'a lieu que lorsque le

---

[25] La forme *leu(r)* [lø] n'est attestée qu'à TN : *Les hommes alliont à la côte pêcher ça pis i se ramassiont là des bandes à la maison pis il leu lisait le feuilleton* (TN, LC 189206)

sujet a déjà été exprimé, dans des propositions coordonnées ou juxtaposées, mais cette condition n'est pas nécessaire et elle apparaît aussi en tête de phrase. Comme l'a déjà noté Brasseur (1998 : 80), l'ellipse semble cependant correspondre à des valeurs stylistiques particulières : pour évoquer une action soudaine et dans des contextes dans lesquels les deux actions verbales sont liées sémantiquement ou se déroulent dans un intervalle rapproché, avec soudaineté ou rapidité, voire simultanément, l'une étant la conséquence de l'autre.

- *Après ça ben tu les ramasses sus les boyards ou les portes dans tes bras ou de quoi de même* (TN, AC)[26]
- *Ben il avait pas dépaqué sa suitcase. Prend sa suitcase pis s'en va* (TN, AC 019000)
- *I mettiont ça sus le four, sus le derrière du poêle au sec, pis une fois que ce tait sec, preniont ça à deux d'ieusses, chaque un bord* (TN LC 029218)

Au NB l'ellipse ne s'observe qu'occasionnellement :

- *SO ça a' descend de nouveau parce que ça dégèle le lendemain matin, *descend pour aller nourrir les racines* (NB 2, E516)
- *ben zeux non. *communiont pas [les protestants]* (NB 4, M176)

En Lou l'ellipse est fréquente surtout chez les jeunes locuteurs ne possédant qu'une faible compétence du FL[27] :

- *Moi je m'assisais dans les rangs de coton et mangeais des LUNCH de sirop* (Lou, Vie 3)
- *me rappelle tu parles du sirop* (Lou, Vie 3)
- *il a yeu une jambe cassée . et un genoux fêlé. travaillait sur béquilles* (Lou, Vie 102)
- *[Ma mère] veut que je montre les petites filles, et je dis 'Tu m'as pas montré, c'est jusse qu'on l'a appris ça.' All comprend pas. YOU KNOW. Devrais pas les montrer* (Lou, R 2001, 127)

4. Convergences et divergences dans les systèmes pronominaux du FAc et du FQ

Une question centrale, qui se pose dans le contexte de la description des spécificités grammaticales de l'acadien, est celle des rapports

---

[26] *boyard* « bard, sorte de civière servant à transporter la morue », voir Brasseur (2000).
[27] L'ellipse du pronom de la 1re personne du singulier est particulièrement fréquente. Voir Guilbeau (1950 : 148-149), Byers (1988), Rottet (1995 : 183-184 et 2001 : 196) et Papen et Rottet (1996 : 241).

entre FAc et le FQ. Qu'il y ait des différences entre ces deux variétés du français d'Amérique du Nord, c'est là un fait bien connu, mais une comparaison systématique fait toujours défaut, à notre connaissance. Dans les manuels consacrés à ces variétés, il est généralement fait référence à certaines différences dans la prononciation et la morphologie, explicables en partie par le fait qu'en Acadie, les colons, venus majoritairement du Poitou, ont pu préserver une série de caractéristiques de leur dialecte[28]. Du point de vue méthodologique, deux points méritent d'être retenus : (a) étant donné l'hétérogénéité des parlers acadiens, il faut, bien sûr, se demander quelle variété d'acadien on compare au québécois; (b) pour une étude contrastive, c'est le FQ parlé qu'il faut analyser, puisqu'il présente des caractéristiques remontant au français du 17e et du 18e siècles communes avec l'acadien. La question de la part des dialectalismes dans les différentes variétés du français nord-américain reste toutefois à déterminer[29].

Si l'on prend pour point de départ d'une première comparaison des pronoms personnels en FAc et en FQ le tableau de la grammaire de Léard (1995 : 83)[30], on obtient le bilan suivant, encore très schématique,

---

[28] Voir Poirier (1996 : 195): «Bien que le poids relatif des diverses régions de France qui ont fourni les contingents de colons ne soit pas le même au Québec et en Acadie, les origines du français québécois et du français acadien sont pour ainsi dire identiques. C'est ce qui explique qu'il y ait une foule de canadianismes qui sont à la fois des québécismes et des acadianismes. [...] ». Voir aussi Massignon (1962) et Léard (1995 : 7) : « On voit là que l'acadien est plus marqué dialectalement (Ouest) que le québécois: son peuplement a aussi été un peu antérieur et plus homogène. De toute façon, on a quelque difficulté à cerner avec précision la compétence linguistique des colons du 17e siècle, tout autant que la réalité des dialectes à cette époque ».

[29] Voir la discussion sur la formation du français québécois dans Faribault (2000).

[30] Cette grammaire fait explicitement référence au FQ parlé.

Sujet	Objet direct	Objet indirect	Formes nominales
je	me	me	MOI
tu	te	te	TOI
i /i, j/	le	i /i, j/	LUI
a(l)	la	i /i, j/	ELLE
nous / on	nous	nous	**NOUS-AUTRES /ot/**
vous	vous	vous	**VOUS-AUTRES /ot/**
i /i, j/	les	leur /lø(z)/	**EUX-AUTRES /ot/**
i /i, j/	les	leur /lø(z)/	**EUX-AUTRES /ot/**

Voir aussi Deshaies (1991) et Neumann-Holzschuh (2000).

qui devra être confirmé par des travaux comparatifs plus poussés prenant aussi en considération la variation interlectale du FQ :

(1) En FQ ainsi qu'en FAc l'opposition du genre est abandonnée à la 3ᵉ personne du pluriel (*i* vaut aussi bien pour *ils* que pour *elles*).

(2) En FQ, l'axe fondamental organisateur de la morphologie est, selon Léard (1995 : 83), l'opposition autonome/non autonome de sorte que les formes ont été changées, chaque fois que le système morphologique n'en porte pas la trace. Ainsi la forme du pronom conjoint de la 3ᵉ personne du féminin est *a(l)* au lieu de *elle* (pronom disjoint), les pronoms disjoints au pluriel étant renforcés par *–autres*. Il y a certes des parallèles avec le FAc, où les frontières entre pronoms conjoints et pronoms disjoints semblent pourtant beaucoup plus floues qu'en FQ (v. cependant Neumann-Holzschuh 2000 : 262).

(3) D'autres convergences concernent le pronom objet indirect *y* /*i*/ (*lui* étant rare en FAc et en FQ) ainsi que le pronom de la 3ᵉ personne du singulier du féminin qui au NB et en Lou est aussi *a*/*alle*; *elle* ne se maintenant qu'à TN.

(4) Les divergences les plus marquantes s'expliquent par la strate dialectale différente du FAc :

(a) Tandis qu'en FQ la 1ʳᵉ personne du pluriel est exprimée par *on* et *nous* (*on* étant pourtant plus fréquent du moins dans le FQ parlé, v. Seutin 1975 : 151-152, Dahmen 1995), en FAc on retrouve en outre *je* (+ *-ont*) à côté de *(nous autres) on*, selon la région et l'âge du locuteur. En Lou, le pronom *je* ne s'emploie jamais comme pronom de la 1ʳᵉ personne du pluriel, de sorte que – dans ce cas particulier – le FL correspond plutôt au FQ qu'au français du NB ou de la NE ;

(b) Quant au pronom d'objet indirect, les variétés de l'acadien ont gardé l'ancienne forme acadienne *ieux*, qui n'existe pas en FQ, la forme québécoise /lø(z)/ étant aussi attestée à TN ;

(c) La terminaison verbale de la 3ᵉ personne du pluriel *-ont* n'existe pas en FQ. Cette forme traditionnelle de l'acadien est pourtant très courante au NB, en NE et à TN et est aussi attestée en Lou.

(5) Pour ce qui est de la 3ᵉ personne du singulier et du pluriel, le FL se distingue nettement des deux variétés canadiennes, vu l'importance de la particule *ça* qui l'emporte sur les pronoms *il/elle* et *ils*.

5. Les parlers acadiens – un continuum ?

Bien que les affinités structurales entre les divers parlers acadiens soient sans aucun doute étroites, on relève bon nombre d'indices remettant en cause l'unité historique des trois variétés. L'éloignement géographique et la distance dans le temps ont aussi éloigné les trois variétés de l'acadien l'une de l'autre si bien que celles-ci se situent, aujourd'hui, le long d'un continuum. L'acadien du NB et de TN représentent, semble-t-il, des variétés plus conservatrices ; le FL, lui, témoigne d'un plus grand nombre de restructurations. À titre d'exemple, on peut étayer cette thèse à partir des deux phénomènes suivants :

(1) Dans les trois variétés de l'acadien, les **pronoms disjoints** de la 3ᵉ personne peuvent remplacer les pronoms conjoints : *lui* remplace fréquemment *il*; *eux* (+ variantes) remplace *ils/elles*. Cette évolution est particulièrement avancée en Louisiane, où elle s'observe aussi pour les pronoms de la 1ʳᵉ et 2ᵉ personne (Stäbler 1995b : 91-92). En FL, la généralisation des pronoms toniques constitue une évolution très dynamique, en ce qu'elle touche spécialement la langue des jeunes qui, dans leur majorité, sont des semi-locuteurs (Rottet 2001 : 267)[31]. Cette évolution tient très probablement à la tendance à l'expressivité et à la plus grande consistance du corps phonique des formes disjointes. Il s'agit ici d'un des domaines les plus innovateurs du système pronominal, se rapprochant des évolutions dans les créoles français[32].

(2) Dans toutes les variétés de l'acadien, le **pronom *ça*** peut remplacer les pronoms de la 3ᵉ personne sujet, l'évolution étant plus avancée au

---

[31] L'étude de Dubois (2001) montre que les faits sont nettement plus complexes qu'ils ne paraissent à premier abord. Selon elle, il faut distinguer, pour l'emploi de *moi*, entre semi-locuteurs et locuteurs restreints : « Ces deux groupes de locuteurs peuvent aussi restructurer le système mais chacun à leur manière : les semi-locuteurs vont réduire la diversité de la variation, alors que les locuteurs restreints vont la multiplier (JE, MOI/JE et MOI) et diversifier la distribution des formes en créant une nouvelle contrainte ou en ne respectant qu'une partie d'une contrainte adoptée par les locuteurs ayant une forte habileté linguistique. » (2001 : 165).

[32] Voir Chaudenson et al. (1993), Rottet (1995: 179-180), Bollée et Neumann-Holzschuh (1998).

singulier qu'au pluriel. *Ça* est déjà non-marqué en FR pour des référents [-animés]; dans les variétés de l'acadien, cependant, *ça* remplace communément *il, elle* se référant à des humains, l'échelon le plus élevé des êtres animés[33]. Au pluriel, la généralisation de *ça* est déjà acquise pour des référents non-animés, tandis que, pour les référents animés, le pronom coexiste avec *i/il/is, eusse, eux-autres, ieux, zeux* (selon la variété). Cette évolution dans la hiérarchie (inanimés > animés > humains) apparaît clairement en FL, l'emploi de *ça* remplaçant les pronoms de la 3e personne du singulier et pluriel en fonction de sujet et d'objet direct indépendamment du caractère animé ou non-animé du référent (Stäbler 1995b : 91, Rottet 2001 : 208). Il est, certes, encore trop tôt pour parler du FL comme la variété acadienne dans laquelle certains processus évolutifs internes sont les plus avancés, mais il est évident que l'étiolement graduel a accéléré l'évolution linguistique, conférant au FL une place particulière parmi les variétés de l'acadien[34].

Sur un autre point encore, le FL occupe une position spéciale : contrairement à l'acadien du NB, de la NE et de TN, qui au moins en ce qui concerne les pronoms et les terminaisons verbales présentent des marques dialectales indéniables, le FL ne présente pas certains phénomènes considérés comme typiquement acadiens. Pour ce qui est des pronoms personnels, c'est notamment l'absence du pronom *je* en tant que pronom de la 1re personne du pluriel qui constitue le trait le plus marquant[35]. D'autres traits typiquement acadiens comme la terminaison *-(i)ont* (3e personne du pluriel) n'apparaissent aujourd'hui que dans des régions bien délimitées en Lou. Le fait que le FL soit moins marqué dialectalement que le FAcM et que celui de TN peut-il éventuellement être mis en relation avec le fait que le FL soit entré en contact bien plus tôt qu'au NB ou à TN avec des variétés non-acadiennes du français? Il faut toutefois éviter de considérer les variétés canadiennes comme un bloc opposé au cadien, d'autant plus que, ne l'oublions pas, les différences entre les variétés du NB et de la NE restent à analyser plus précisément. Retenons en plus que les phénomènes dialectaux aujourd'hui absents (disparus?) ou sporadiques en Lou sont également en déclin au NB :

---

[33] Rappelons qu'en FR, cet emploi contient une nuance péjorative.

[34] Pour ce qui est des pronoms personnels, on note aujourd'hui en Louisiane une plus grande irrégularité structurale qu'il y a quelques décennies. La variation considérable souligne qu'il y a encore un certain dynamisme évolutif dans ce sous-système de la grammaire, l'insécurité linguistique des locuteurs se manifestant par un polymorphisme marqué, mais aussi par une réduction morphologique et une simplification des paradigmes (Stäbler 1995b : 91, Rottet 1995 et 2001).

[35] Seules des recherches historiques minutieuses montreront s'il s'agit plutôt d'une perte. Voir la note 18.

ainsi le pronom *je* de la 1ʳᵉ personne du pluriel et la terminaison verbale de la 3ᵉ personne du pluriel *-(i)ont* coexistent au NB généralement avec la forme équivalente du FR ou plutôt du FQ[36]. Une grammaire comparée aura pour objectif d'approfondir ces questions et de trouver des solutions.

Mais le cadien n'est pas le seul à présenter des particularités par rapport à l'acadien du NB et de la NE. L'autre variété de la diaspora, le terre-neuvien, montre, elle aussi, des particularités morphologiques qui, semble-t-il, ne se retrouvent pas dans les autres variétés. Pour ce qui est du système des pronoms personnels, on constate que 1) les formes *yi* et *ieusses* semblent être caractéristiques du TN; 2) c'est uniquement à TN que *ieux/ieusses* s'utilisent en tant que pronom sujet du pluriel, que la forme *leu(r)* s'utilise en tant que pronom objet indirect et que la forme *elle* est fréquente.

Espérons que les futurs travaux sur la grammaire comparée aideront non seulement à mieux comprendre l'évolution interne des différentes variétés de l'acadien, qui en raison des conditions socio-historiques particulières sont toutes marquées par une instabilité linguistique considérable, mais aussi à mieux déterminer leurs relations interlectales, à savoir leur degré d'« acadianité ».

---

[36] Pour l'influence du FQ sur le FAcM voir Péronnet (1996 : 130).

Références

BEAULIEU, Louise et Patricia BALCOM. 1998. « Le statut des pronoms personnels sujets en français acadien du Nord-Est du Nouveau-Brunswick », *Linguistica Atlantica*, 29 : 1-27.

BOLLÉE, Annegret et Ingrid NEUMANN-HOLZSCHUH. 1998. « Français marginaux et créoles », dans Patrice BRASSEUR (dir.), *Français d'Amérique : variation, créolisation, normalisation*, Avignon, Centre d'Études Canadiennes (CECAV), Université d'Avignon, 181-203.

BRASSEUR, Patrice (dir.). 1998. *Français d'Amérique : variation, créolisation, normalisation*, Avignon, Centre d'Études Canadiennes (CECAV), Université d'Avignon.

BRASSEUR, Patrice. 2000. *Dictionnaire des régionalismes franco-terreneuviens*, Tübingen, Niemeyer.

BROWN, Rebecca Ann. 1988. *Pronominal equivalence in a variable syntax*, thèse de doctorat inédite, University of Texas, Austin.

BYERS, Bruce. 1988. *Defining norms for a non-standardized language : A study of verb and pronoun variation in Cajun French*, thèse de doctorat inédite, Indiana University, Bloomington.

CHARLES, Arthur. 1975. *A comparative study of the grammar of Acadian and Cajun narratives*, thèse de doctorat inédite, Georgetown University, Washington. District of Columbia.

CHAUDENSON, Robert. 1994. « Français d'Amérique du Nord et créoles français : le français parlé par les immigrants du XVIIᵉ siècle », dans Raymond MOUGEON et Édouard BENIAK (dirs.), *Les origines du français québécois*, Sainte-Foy, Québec, Les Presses de l'Université Laval, 167-180.

CHAUDENSON, Robert. 1995. « Les français d'Amérique ou le français des Amériques? Genèse et comparaison », *Revue québécoise de linguistique théorique et appliquée*, 12 : 3-19.

CHAUDENSON, Robert. 1998. « Variation, koïnèisation, créolisation : français d'Amérique et créoles », dans Patrice BRASSEUR (dir.), *Français d'Amérique : variation, créolisation, normalisation*, Avignon, Centre d'Études Canadiennes (CECAV), Université d'Avignon, 163-179.

CHAUDENSON, Robert, Raymond MOUGEON et Édouard BENIAK. 1993. *Vers une approche panlectale de la variation du français*, Paris, Diffusion, Didier Érudition.

CONWELL, Marilyn et Alphonse JUILLAND. 1963. *Louisiana French Grammar*, vol. 1, The Hague, Mouton.

DAHMEN, Wolfgang. 1995. « Français parlé québécois – français parlé de France : Konvergenz und Divergenz » dans Wolfgang DAHMEN et al. (dirs.), *Konvergenz und Divergenz in den romanischen Sprachen*, Tübingen, G. Narr, 223-237.

DESHAIES, Denise. 1991. « Contribution à l'analyse du français québécois. Étude des pronoms personnels », *Revue québécoise de linguistique théorique et appliquée*, 10 : 11-40.

DUBOIS, Sylvie. 2001. « Attrition linguistique ou convergence dialectale : JE, MOI/JE et MOI en français cadien », dans Anaïd DONABÉDIAN (dir.), *Langues de diaspora – langues en contact*, 149-165.

FARIBAULT, Marthe. 2000. « Le choc des patois, y'a-tu eu lieu, coudon, à fin ? Le problème de l'origine du francoquébécois », dans Béatrice BAGOLA (dir.), *Le Québec et ses minorités, Actes du Colloque de Trèves du 18 au 21 juin 1997 en l'honneur de Hans-Josef Niederehe*, Tübingen, Niemeyer, 45-59.

FEW : WARTBURG, Walther von. 1922-2003. *Französisches Etymologisches Wörterbuch : eine darstellung des galloromanischen sprachschatzes*, 25 vol., Bonn : Klopp, 1928 ; Leipzig-Berlin : Teubner, 1934 et 1940 ; Basel : Helbing et Lichtenhahn, 1946-1952 ; Basel : Zbinden, 1955-2003.

FLIKEID, Karin. 1984. *La variation phonétique dans le parler acadien du nord-est du Nouveau-Brunswick : étude socio-linguistique*, New York, Peter Lang.

FLIKEID, Karin. 1989. « Recherches sociolinguistiques sur les parlers acadiens du Nouveau-Brunswick et de la Nouvelle-Écosse », dans Raymond MOUGEON, et Édouard BENIAK (dirs.), *Le français canadien parlé hors Québec*, Québec, Les Presses de l'Université Laval, 183-199.

FLIKEID, Karin et Louise PÉRONNET. 1989. « "N'est-ce pas vrai qu'il faut dire : j'avons été ?". Divergences régionales en acadien », *Le français moderne*, 57 : 219-242.

GESNER, Edward B. 1985. *Description de la morphologie verbale du parler acadien de Pubnico (Nouvelle-Écosse) et comparaison avec le français standard*, Québec, Centre international de recherche sur le bilinguisme.

GUILBEAU, John. 1950. *The French spoken in Lafourche Parish, Louisiana*, thèse de doctorat inédite, University of North Carolina, Chapel Hill.

KING, Ruth. 1983. *Variation and change in Newfoundland French : A sociolinguistic study of the clitic pronouns*, thèse de doctorat inédite, Université Mémorial de St-Jean-de-Terre-Neuve, St-Jean.

LÉARD, Jean-Marcel. 1995. *Grammaire québécoise d'aujourd'hui. Comprendre les québécismes*, Montréal, Guérin Universitaire.

MASSIGNON, Geneviève. 1962. *Les parlers français d'Acadie*, 2 vol., Paris, Klincksieck.

NEUMANN-HOLZSCHUH, Ingrid. 2000. « "Nous-autres on parle peut-être pas bien français, ... mais... " Untersuchungen zur Morphosyntax des français québécois parlé », dans Peter STEIN (dir.), *Frankophone Sprachvarietäten/Variétés linguistiques francophones. Hommage à Daniel Baggioni*, Tübingen, Stauffenburg, 251-274.

NEUMANN-HOLZSCHUH, Ingrid. 2003. « Formes verbales invariables en créole – un cas de réanalyse », dans Sibylle KRIEGEL (dir.), *Grammaticalisation et réanalyse : approches de la variation créole et française*, Paris, CNRS, 69-86.

NEUMANN-HOLZSCHUH, Ingrid. À paraître. « Braucht Louisiana einen Sprachatlas? Neue Antworten auf eine alte Frage » dans Brigitte HORIOT, Elmar SCHAFROTH et Marie-Rose SIMONI-AUREMBOU (dirs.), *Mélanges offerts à Lothar Wolf*, Lyon, Centre d'Études Linguistiques.

PAPEN, Robert A. et Kevin J. ROTTET. 1996. « Le français cadjin du bassin Lafourche : sa situation sociolinguistique et son système pronominal », dans Annette BOUDREAU et Lise DUBOIS (dirs.), *Les Acadiens et leur(s) langue(s) : quand le français est minoritaire, Actes du colloque*, Moncton, Les Éditions d'Acadie, 233-252.

PÉRONNET, Louise. 1989, *Le parler acadien du Sud-Est du Nouveau-Brunswick : éléments grammaticaux et lexicaux*, New York, Peter Lang.

PÉRONNET, Louise. 1996. « Nouvelles variétés de français parlé en Acadie du Nouveau-Brunswick », dans Annette BOUDREAU et Lise DUBOIS (dirs.), *Les Acadiens et leur(s) langue(s) : quand le français est minoritaire, Actes du colloque*, Moncton, Les Éditions d'Acadie, 121-135.

POIRIER, Claude. 1996. « L'apport du *Dictionnaire du français québécois* à la description du français acadien », dans Annette BOUDREAU et Lise DUBOIS (dirs.), *Les Acadiens et leur(s) langue(s) : quand le français est minoritaire, Actes du colloque*, Moncton, Les Éditions d'Acadie, 189-206.

RICHARD, Ginette et Edward B. GESNER. 1991. « Les pronoms personnels sujets de la première personne dans deux parlers acadiens de la Nouvelle-Écosse et comparaison avec les parlers de l'Ouest de la France », dans Brigitte HORIOT (dir.), *Français du Canada – Français de France. Actes du 2e collo-*

que international de Cognac du 27 au 30 septembre 1988, Tübingen, Niemeyer, 173-193.

ROTTET, Kevin J. 1995. *Language Shift and language Death in the Cajun French speaking communities of Terrebonne and Lafourche parishes, Louisiana*, thèse de doctorat inédite, Indiana University, Bloomington.

ROTTET, Kevin J. 2001. *Language Shift in the Coastal Marshes of Louisiana*, New York, Peter Lang.

ROTTET, Kevin J. 2004. « Attestation et disparition du type *j'avons* en français acadien », communication présentée au *Colloque International Grammaire comparée des variétés de français d'Amérique*, Avignon, mai.

RYAN, Robert. 1989. « Économie, régularité et différenciation formelles : cas des pronoms personnels sujet acadien », dans Raymond MOUGEON, et Édouard BENIAK, (dirs.), *Le français canadien parlé hors Québec*, Québec, Les Presses de l'Université Laval, 201-212.

SEUTIN, Émile. 1975. *Description grammaticale du parler de l'Île-aux-Coudres*, Montréal, Presses de l'Université de Montréal.

SMITH, Jane S. 1994. *A morphosyntactic analysis of the verbal group in Cajun French*, thèse de doctorat inédite, University of Washington, Seattle.

STÄBLER, Cynthia K. 1995a. *La vie dans le temps et asteur. Ein Korpus von Gesprächen mit Cadiens in Louisiana*, Tübingen, Narr.

STÄBLER, Cynthia K. 1995b. *Entwicklung mündlicher romanischer Syntax. Das français cadien in Louisiana*, Tübingen, Narr.

THUROT, Charles. 1881-1883. *De la prononciation française depuis le commencement du 16ᵉ siècle d'après les témoignages des grammairiens*, 2 vol., Paris, Imprimerie nationale, ré-ed. Genève, Slatkine, 1966.

VALDMAN, Albert. 1994. « Restructuration, fonds dialectal commun et étiolement linguistique dans les parlers vernaculaires français d'Amérique du Nord », dans Claude POIRIER, Aurélien BOIVIN, Cécyle TRÉPANIER et Claude VERREAULT (dirs.), *Langues, espace, société : les variétés du français en Amérique du Nord*, Sainte-Foy, Québec, Les Presses de l'Université Laval, 3-24.

WIESMATH, Raphaële. 2000. *Enchaînement des propositions dans le français acadien du Nouveau-Brunswick/Canada, Place de ce parler parmi d'autres variétés d'outre-mer*, thèse de doctorat inédite, Universität Freiburg, Freiburg.

Abréviations

Études :	Variétés/ Régions :	
C/J=Conwell/Juilland (1963)	FAc = français acadien	FQ = français québécois
	FAcM = acadien des Provinces	FR = français de référence
R = Rottet (1995, 2001)	Maritimes	IPE=Île-du-Prince-Édouard
S = Smith (1994)	FacTN =acadien de Terre-	Lou = Louisiane
Stäbler = Stäbler (1995b)	Neuve	NB = Nouveau-Brunswick
Vie = Stäbler (1995a)	FL= français louisianais/cadien	NE = Nouvelle-Écosse
		TN = Terre-Neuve

Français d'Amérique et créoles français : origines et structures

Robert Chaudenson, Université de Provence

1. Introduction

Le thème proposé pour cette étude ne me rajeunit pas, car ce fut celui de mon premier article publié dans une grande revue scientifique, *la Revue de Linguistique et de Philologie Romane,* que dirigeait alors Pierre Gardette : « Pour une étude comparée des créoles et français d'outre-mer : survivance et innovation » (1973). Ce titre pourrait être celui de ce texte, à condition d'y remplacer toutefois, pour plus de clarté, « d'outre-mer » par « d'Amérique du Nord », même si les idiomes en cause sont les mêmes dans les deux cas. Certes, notre connaissance des français d'Amérique s'est fort heureusement étendue et précisée, mais en gros les problématiques demeurent identiques.

Les français d'Amérique restent un élément majeur dans deux domaines étroitement liés. D'une part, la connaissance du français parlé au 17ᵉ siècle car ce que l'on nous propose en guise d'histoire du français est essentiellement celle de la langue littéraire et qu'une **vraie** histoire de **tout** le français reste à faire. La genèse des créoles français d'autre part, car son point de départ est évidemment, non pas le français de Bossuet (même s'il était parfois oralisé), mais la langue parlée par les colons. Le titre de mon article de 1973 reste aussi actuel dans la mesure où, dans sa seconde partie, « survivance et innovation », il invite déjà à se garder de considérer les français d'Amérique comme des « fossiles linguistiques ». Ces langues, comme toutes les langues du monde (sauf celles qui sont mortes!) ont eu et ont encore des dynamiques et des évolutions internes qu'il faut prendre en compte. Cette tâche, indispensable, est toutefois difficile dans la mesure où l'évolution, pour une langue donnée, suit souvent les mêmes chemins, à des siècles de distance, ce qui rend parfois ardue la distinction entre la survivance et l'innovation.

2. Les origines

Si le problème ne se pose pas pour Frenchville (fondé en 1830 par des immigrants venus de l'Est de la France) ou Red Lake Falls, la question des origines des plus anciennes variétés de français d'Amérique continue à diviser les chercheurs, au Québec surtout, en se focalisant en particulier sur la détermination de la nature exacte des compétences linguistiques des colons. Étaient-ils dialectophones et y a-t-il eu, selon la formule de Barbaud, qui sert de titre à son livre de 1984, un « choc des patois en Nouvelle-France » ou bien les immigrants parlaient-ils déjà le français, comme l'avaient soutenu, peu auparavant, en 1981, Asselin et McLaughlin? Le problème, déjà posé par Rivard en 1914, est toujours à l'ordre du jour puisque les auteurs que je viens de citer se sont retrouvés face à face dans le livre de Mougeon et Beniak (1994), *Les origines du français québécois*, où l'on trouve d'ailleurs une excellente synthèse du problème avec l'article de Claude Poirier qui figure dans ce volume. J'ai moi-même apporté à cet ouvrage, comme à celui de Fournier et Wittmann (1995), exactement contemporain, une contribution dont le titre s'inscrit dans le propos qui est ici le mien, mais qui souligne la pertinence de la question des origines des français d'Amérique pour la genèse des créoles « Français d'Amérique du Nord et créoles français : le français parlé par les immigrants du 17ᵉ siècle ». Cet article occupant dans le livre en cause un espace à peu près double de celui qui m'est accordé ici, je ne puis songer à en reprendre, ni même à en résumer, l'argumentaire. Je n'en retiendrai que deux points. D'une part, il me paraît inutile de chercher à déduire la compétence linguistique des colons de l'étude de l'état « moyen » de la situation du français en France à cette époque. Les colons, par leur choix de s'expatrier et leur histoire personnelle, n'étaient en aucun cas des individus « moyens » et tout indique qu'à leur arrivée en Nouvelle France ou aux Isles, ils étaient sinon francophones, du moins, « franco-dominants ». D'autre part, quelles qu'aient été leurs destinations finales, tous venaient des mêmes régions (au Nord-Ouest d'une ligne Bordeaux-Paris-Lille) et tous étaient issus des mêmes catégories sociales. Dans ces conditions, le point, essentiel pour notre propos, est que le français des colons de toutes ces colonies était le même, quels qu'en aient été les caractères; tous les dialectes concernés étaient, de toute façon, des parlers d'oïl, relativement proches les uns des autres et cela d'autant que les locuteurs usaient eux-mêmes du français.

3. Les faits et structures linguistiques

Dans ma thèse, soutenue en 1972 et publiée en 1974, comme dans l'article que j'évoquais (paru en 1973 car, à cette époque, il était formellement interdit de publier sur son sujet de thèse avant la soutenance!), j'avais établi des rapprochements que je jugeais éclairants entre le créole réunionnais (mon domaine de recherche) et les français d'Amérique. À cette époque, je n'avais guère de documentation que pour le français du Québec (*Glossaire du parler français au Canada*, Société du parler français au Canada, 1930, dont les informations se limitaient naturellement au lexique!). On doit prendre en compte, en effet, que je résidais et travaillais à l'époque à la Réunion et que je n'avais accès aux documents scientifiques un peu particuliers que par la voie, difficile et incertaine, du micro-filmage. Par exemple, je n'ai jamais pu avoir, avant 1972, le livre de Ditchy sur l'acadien louisianais. Publié en 1932, il était introuvable et je n'ai pu en faire que plus tard une photocopie dont je continue à me servir. Les informations dont je disposais sur les français d'Amérique étaient donc des plus réduites; elles se sont un peu étendues par la suite et dans le texte de 1973, pour la Louisiane par exemple, je cite Ditchy (1932) et Conwell et Juilland (paru en 1963, mais dont on attend toujours le tome 2, plus prometteur!). Mon point de vue n'eut guère d'écho avant 1979, année où Poirier publia, dans cette même *Revue de Linguistique Romane,* un article au titre significatif « Créoles à base française, français régionaux et français québécois : éclairages réciproques ». Il y faisait apparaître en particulier, à partir des données lexicales réunionnaises de ma thèse, qu'un certain nombre de termes québécois, où l'on croyait parfois distinguer l'influence de l'anglais, existaient dans le créole réunionnais où elle n'était guère envisageable. Ce que certains prenaient pour des innovations étaient donc, là aussi, des survivances. L'accès à de nouveaux documents, au début des années 1970, m'a permis d'élargir le champ de la comparaison qui, dans ma thèse, ne concernait guère que des faits phonétiques et lexicaux. Dans l'article de 1973, j'allais plus loin et j'abordais avec plus d'étendue la question de la formation des systèmes verbaux créoles issus de périphrases verbales dont la plupart se retrouvent dans les français d'Amérique du Nord.

3.1. *Les créoles et la linguistique québécoise*

Je reste toutefois aujourd'hui encore perplexe devant certains silences de linguistes québécois qui ont travaillé sur les créoles et qui ne semblent pas avoir perçu les relations qui s'établissent, pourtant, de toute évidence, entre ces idiomes et les français d'Amérique. Le cas le plus étonnant est assurément celui de Claire Lefebvre. En effet, celle-ci a été, avant de s'adonner aux études créoles, une spécialiste incontestée du « français parlé à Montréal ». Je n'en veux pour preuve que les excellents travaux conduits et publiés sous sa direction (*Syntaxe comparée du français standard et populaire*, 2 volumes, Québec, Office de la langue française, 1982). Comment, dans la suite, au cours de ses études sur le créole haïtien, a-t-elle pu oublier soudain tout ce qu'elle savait du français québécois et ne pas être sensible à des rapprochements pourtant évidents ? Je n'en donnerai ici qu'un seul exemple. Dans son récent livre, Lefebvre (1998 : 361) écrit et pour éviter toute polémique marginale, je cite en anglais :

> In popular French *j'ai pas vu personne* « I did not see anyone », built on the same model as the Haitian sentence in (19a) [*M pa tè wè pèsonn*] is a possible sentence. Crucially, however, **personne est pas arrivé*, along the lines of the Haitian sentence in (19b), is ungrammatical in all varieties of French [donc y compris le français populaire où elle admet la possibilité de *j'ai pas vu personne, ibidem*].

J'ai interrogé sur ce point des ami(e)s montréalais(e)s. Ils me confirment que « *ya pas personne* », « *j'ai pas vu personne* », « *personne est pas arrivé encore* », « *personne est pas venu* », « *personne est pas arrivé* » sont dans l'usage ordinaire le plus courant à Montréal. Par le plus grand hasard, revoyant ces jours derniers, *Le déclin de l'empire américain* (film québécois), j'y ai noté, au passage, dans la bouche d'un professeur d'université montréalais (donc d'un collègue de C. Lefebvre) « *On attend pas personne?* ». J'ajoute que des tours comme « *personne est pas venu* » ou « *personne est pas encore arrivé* » sont d'une **grande banalité** en français ordinaire, en France même. Il est inutile de prolonger ce débat car ces tours à double négation sont signalés dans les descriptions du français ordinaire (cf. Gadet 1992 : 79). Je veux bien que des non-francophones se trompent sur de tels points. En revanche, il est donc stupéfiant de voir une linguiste québécoise, naguère spécialiste du « français populaire » et du « français de Montréal », soutenir pareil point de vue. Je m'amuse d'ailleurs de lire dans Seutin ce propos délicieux : « *Personne veut travailler pour rien* serait une phrase <u>agrammaticale</u> dans le parler montréalais; la phrase bien formée serait : *Il y a pas personne qui veut travailler pour rien* » (1975 : 311)!

Claire Lefebvre a sans doute ses raisons de ne pas voir des rapprochements pourtant évidents entre français d'Amérique et créoles. Gilles Lefebvre (sans parenté avec la précédente, un déterminisme anthroponymique n'est donc pas en cause), dans son glossaire inédit du parler français de Saint-Barth, s'il mentionne parfois des rapprochements avec le québécois, n'est pas systématique dans cette démarche et sur nombre de points, il ne mentionne pas des analogies pourtant évidentes avec les français d'Amérique. Au fond, peut-être ces traits lui sont-ils si familiers qu'il n'en perçoit plus l'originalité par rapport au français standard, mais le point capital est que, à la différence de son homonyme, il n'en nie pas l'existence, contre l'évidence.

3.2. Français d'Amérique et créoles dans une histoire du français « ordinaire »

Les considérations précédentes sur l'origine et les compétences langagières des colons expliquent, bien entendu, les convergences qu'on observe sur les plans phonétique, lexical et morphosyntaxique entre les français d'Amérique et les créoles français. On peut donc faire, sur ce point, deux remarques en prenant toutefois quelques précautions de méthode. La première concerne l'histoire du français parlé. Si l'on met à part des cas comme celui de Frenchville, les relations historiques entre plusieurs français d'Amérique (diasporas intra-américaines des français acadien et surtout québécois) doivent toujours être gardées en mémoire. Dès lors, des faits, résultant d'évolutions proprement « américaines » de ces français, ne doivent pas être considérés comme faisant partie de la langue initialement introduite par les colons, même si on les retrouve dans des lieux différents. Le cas est le même pour les créoles et on doit toujours prendre garde à ne pas se laisser leurrer par la présence de traits identiques, lorsqu'ils peuvent avoir été déplacés avec les locuteurs lors de migrations postérieures.

En revanche, la comparaison entre les français d'Amérique et les créoles est un élément de preuve ou en tout cas de forte présomption de l'existence dans le français des colons d'un trait commun à ces idiomes (la seule exception éventuelle est la Louisiane où l'on doit garder en mémoire l'immigration à partir de Saint-Domingue). On peut ainsi, dans un certain nombre de cas, confirmer, voire découvrir l'existence de faits anciens demeurés ignorés des descriptions. Un cas remarquable (et plus intéressant encore pour la créolistique elle-même), est fourni par le futur négatif. Dans mon article de 1973 (cf. *supra*), j'avais déjà signalé, comme une curiosité, une convergence entre le créole réunionnais qui, pour la forme négative, use du futur simple français avec la marque négative (*mi manzra pa* « je ne mangerai pas »), alors qu'il a une forme à marqueur préposé (*mi sa manzé/ mi sava manzé/ ma manzé* « je mangerai ») à la forme affirmative et le français des Avoyelles (Louisiane) où Conwell et Juilland mentionnent un fait identique : « The analytic future is preferred in the dialect of Avoyelles (Chaudoir), Evangeline, where the synthetic is used only on the negative » (1963 : 156). À cette époque, je ne pouvais guère aller plus loin, faute d'informations. Par la suite, il s'est avéré que ce même fait se retrouve dans d'autres français d'Amérique et en particulier dans le parler de l'Île-aux-Coudres (Québec), décrit par Seutin en 1975 à partir de dénombrements et de comptages précis. Ce point est essentiel, pour l'étude de la genèse des créoles français, dans l'analyse de la combinatoire des marqueurs. En effet, un des arguments contre mon point de vue est que le futur négatif créole devrait être, non *pa va* (ce qui est le cas), mais *va pa* selon le « modèle français » (< il ne va pas). L'objection ne tient pas, puisque tout indique qu'il n'y a jamais eu de modèle français d'un futur périphrastique négatif. Dans le processus de formation des créoles, on a donc combiné le marqueur négatif avec les marqueurs aspecto-temporels de futur selon le modèle dominant dans les parlers en cause (marque négative + marque aspecto-temporelle; 5 formes sur 6 en mauricien par ex.; pour le détail, cf. Chaudenson 2003).

4. Les français d'Amérique « chaînon manquant » de la créolisation ?

Dans l'évocation du processus évolutif qui va du français aux créoles, j'ai souvent utilisé, dans le passé, la métaphore paléontologique du « chaînon manquant »; elle est naturellement un peu inadéquate et je ne voudrais pas qu'elle conduise DeGraff (2001) à me ranger parmi les néo-darwiniens! Toutefois, elle a l'avantage, si on ne la prend pas au pied de la lettre (ce qui est, en principe, le propre de toute métaphore), de marquer deux aspects à mes yeux essentiels. D'une part, le « *terminus a quo* » commun des français d'Amérique et des créoles français est consti-tué par le français koinèisé, sans doute marqué par des régionalismes d'oïl; c'est la langue des colons qui s'établissent dans la Nouvelle France comme aux Isles. D'autre part, elle permet de souligner que les proces-sus évolutifs, « moteurs » de l'autorégulation, qu'on retrouve aussi bien dans la koinèisation que l'appropriation linguistique, sont les mêmes dans les deux cas.

Toutefois, il faut noter des différences sur deux points. D'abord, si la transmission orale du français s'opère, en Amérique, jusqu'à une date récente, en situation endolingue, les situations de communication où se forment les créoles sont « exolingues » (Py et Alber 1986). De ce fait, les stratégies d'apprentissage linguistique (appropriation d'une langue 2, 3 ou N, selon ma terminologie) y jouent un rôle bien plus important et peuvent, le cas échéant, conduire à des évolutions spécifiques liées aux langues-sources des apprenants dans les cas où le système cible le permet (le « substrat » ne passe jamais « en force »)! Ce qui rend la métaphore du « chaînon manquant » inadéquate est plutôt, mais le fait est mineur, que les évolutions des français américains et des créoles sont contemporaines et non pas chronologiquement décalées, comme en paléontologie. On pourrait donc plutôt regarder les créoles comme des espèces ayant évolué de façon radicalement différente sous l'influence des circonstances particulières du milieu sociétal qui a été le leur. On serait alors dans l'écologie des langues chère à Mufwene (2001). Saint-Barthélemy constitue, à cet égard, une situation unique où se sont maintenus, sur un espace infime (25 km²), à la fois un français archaïque et un créole (qui, il faut bien le dire est plutôt le cousin que le frère du premier; cf. mon article dans ce même volume).

La seconde remarque est liée à la précédente puisque, à ma connaissance, nulle description du français n'a jamais fait mention de cette différence de construction entre le futur périphrastique et sa forme négative. Je ne reprendrai pas la remarque que j'ai faite cent fois sur l'absence d'une réelle description de la langue française, en particulier dans ses aspects quotidiens et « ordinaires ». La comparaison des français d'Amérique et des créoles peut donc, parfois, nous conduire à des découvertes sur des faits français dont nous ne connaissons pas l'existence. Si nous prenons les trois domaines classiques que sont la phonétique, le lexique et la morphosyntaxe, l'intérêt de la comparaison y apparaît fort inégal. Prenons le cas du français parlé au 17e siècle. Nous sommes assez bien renseignés sur la « prononciation » du français, en particulier par les amateurs de beau langage qui ne manquent pas de dénoncer avec vigueur toutes les prononciations fautives ou vicieuses, témoignant par là-même, de la fréquence et de la constance de leur usage. Des synthèses commodes et fiables dispensent même d'avoir recours aux textes originaux (Thurot 1881 et Rosset 1911, en particulier). Pour les lexiques, les glossaires régionaux et surtout le FEW (en dépit de quelques lacunes ou erreurs) sont, pour ce type de recherche, de bons outils documentaires. En revanche, la morphosyntaxe est une « *terra incognita* » pour laquelle notre principal recours, les textes du 17e siècle en langage populaire, se révèle assez décevant dans la mesure où les caractères « populaires » y sont essentiellement phonétiques et lexicaux, ce qui nous ramène aux remarques précédentes (pour une critique de ces textes, cf. Chaudenson 2003).

Un exemple : les constructions périphrastiques duratives. Aucun créole n'a de marque issue de « *être en train de* + infinitif », qui est pourtant la périphrase courante en français ordinaire actuel; tous ont fait des usages, d'ailleurs divers, de « *être après* » et « *être à* ». Cela tient bien sûr à ce que « *en train de* » apparaît en français pour remplacer « *être après* » et « *être à* », qui ont été marginalisées peu à peu dans l'histoire du français; l'émergence de « *être en train de* » comme forme quasi unique s'opère au 19ᵉ siècle, c'est-à-dire **bien après la créolisation.** Certains créoles peuvent présenter une forme issue de « *en train de* », mais elle est rare et manifestement récente (Neumann 1985 : 209, Chaudenson 1974). On constate sans surprise que les français d'Amérique offrent aussi tous ces tours. Je ne retiens qu'une attestation de Ditchy (1932) pour l'acadien louisianais : « *après : être à* », car elle offre une traduction en français standard de la première par la seconde!

Sur ce point précis, les faits que nous offrent les français d'Amérique et les créoles ne font que confirmer des informations que nous avons par ailleurs, mais les datations sont néanmoins intéressantes car, en ce domaine, les erreurs sont nombreuses, les descriptions donnant souvent comme disparues des constructions qui sont encore dans l'usage oral et/ou ordinaire. On peut donc constater que les français d'Amérique et les créoles nous donnent ici, sur l'évolution de la langue française, une indication qui fait penser au « carottage » dans la recherche géologique ou glaciaire. Lors de leur formation, les systèmes créoles ont « prélevé », dans le français de l'époque, des matériaux qui leur ont servi à constituer leurs marques verbales; ils l'ont fait dans une « couche » de l'histoire de la marque durative en français, qui se situe entre celle où on la forme par le verbe *être* ou le verbe *aller* suivi du participe présent et celle où l'on va faire appel à la locution *être en train de*. L'emploi périphrastique de *aller* ou *être* + participe présent commence à apparaître, sans idée de mouvement pour le premier, à partir du 15ᵉ siècle (Marchello-Nizia 1979 : 327); au 17ᵉ siècle, le tour ne demeure guère que dans la langue poétique (L'agneau de la fable de La Fontaine dit encore : « Je me vais désaltérant dans le courant d'une onde pure »). Ces tours sont alors remplacés au 17ᵉ siècle par « *être après* », « *être à* », voire « *être après à* » (cf. Gougenheim 1929). Ces formulations seront, à partir du 19ᵉ siècle elles-mêmes concurrencées, puis marginalisées dans des usages régionaux (car elles n'ont pas disparu), par « *être en train de* ».

Toutefois, point essentiel, français d'Amérique et créoles ont leurs dynamiques propres et, à partir de ce point de départ identique, on observe des évolutions tout à fait différentes. Les français d'Amérique, si marginaux qu'ils puissent parfois paraître, demeurent du français. Les deux tours « *être après* » et « *être à* » s'y maintiennent, mais ils vont subir une différenciation « diaphasique ». « *Être après* » est perçu comme plus régional, populaire, etc. Ditchy (1932) – le fait est très significatif – traduit en français standard, « *être après* » par « *être à* »! Il en est, *grosso modo*, de même en français québécois où "être à" n'est pas même perçu comme québécois; le tour est en usage dans la presse audio-visuelle et écrite par exemple, ce qui ne serait pas le cas de « *être après* ».

Dans les créoles où ces tours ont été utilisés pour la formation des systèmes verbaux; c'est, à mon sens, le cas partout, mais les créoles des Petites Antilles n'ont pas de traces de « *être après* » et celles de « *être à* » ne sont pas clairement visibles (pour le détail, cf. Chaudenson 2003). Aux Isles, ces tours sont en usage, dès l'origine, dans le **français** local : 1705 « quatre noirs luy étoient venus parler étant à travailler à l'habitation de son maître » (Arch. Réun., C° 2811). Ils ont été intégrés dans les systèmes verbaux créoles sous des formes diverses dans le détail desquelles je ne puis évidemment entrer ici (cf. Chaudenson 2003). L'important, pour notre propos, est que ces évolutions, « intrasystémiques » sont sans rapport direct avec celles qu'on peut mettre en évidence pour les français d'Amérique, ce qui conduit à user avec prudence de la métaphore du « chaînon manquant ».

Je pourrais faire ce type d'analyse sur bien des points, mais comme je l'ai fait ailleurs et que l'espace me manque ici, je me bornerai à renvoyer les lecteurs intéressés par ces questions à mon livre *Créolisation : théorie, applications, implications* (2003) où ce type de rapprochements est l'un des fondements majeurs de l'étude de la genèse des créoles français.

6. Conclusion

Il est clair que, dans cette approche, la genèse des créoles et l'histoire du français « ordinaire » ont, en quelque sorte, plus à gagner que les français d'Amérique, même si ces derniers peuvent voir résolus, par des rapprochements de ce type, un certain nombre de problèmes qui se posent à eux. Poirier a, comme je l'ai rappelé, ouvert la voie en 1979 en faisant apparaître, par une comparaison avec le lexique réunionnais qu'un certain nombre de « changements » sémantiques qu'on portait, un peu rapidement, au compte de l'anglais, existaient dans des parlers issus du même français ancien où de telles influences ne pouvaient être invoquées. Comme on l'a vu, je souligne depuis si longtemps l'importance de la comparaison entre les français d'Amérique et les créoles pour une meilleure connaissance des états anciens du français qu'il me paraît un peu inutile d'y revenir une fois de plus. En revanche, je suis d'autant plus sensible à l'importance majeure des français d'Amérique du Nord que j'ai effectué, par les hasards de ma vie professionnelle, plusieurs voyages au Québec (où je n'étais plus allé depuis longtemps) et que je viens d'achever un gros livre sur la créolisation dans lequel j'ai fait la synthèse de toutes mes recherches des trois dernières décennies. Je suis, de ce fait, de plus en plus frappé par les éléments fondamentaux d'éclairage que fournissent, pour la compréhension de la créolisation, certains traits des français d'Amérique du Nord.

Pour clore cette conclusion, une anecdote que je mentionne chaque année à mes étudiants de licence. Il y a quelques années, à l'époque de la gloire d'Isabelle Duchesnay (Québécoise d'origine, elle patinait avec son frère comme partenaire sous les couleurs françaises), je l'ai entendu, sur France-Inter, répondre au journaliste, qui lui demandait d'où lui venait l'impression de totale confiance mutuelle que donnaient leurs évolutions sur la glace : « *chus sûre qu'il est pas pour m'échapper* ». Une telle phrase est à peu près ce que donnerait, en créole mauricien, la traduction en français standard du propos de la championne : « Je suis sûre qu'il ne me lâchera pas ». On comprend en tout cas aussitôt où le créole mauricien est allé chercher son tour « *li pa pour sapé* » (= il ne lâchera pas) qu'un « fossé typologique » sépare de **la** formulation française (en partant, bien entendu, du principe que la forme standard est seule et unique).

Références

ASSELIN, Claire et Anne MCLAUGHLIN. 1981. « Patois ou français : la langue de la Nouvelle France au XVIIᵉ siècle », *Langage et société*, 17 : 3-58.

BARBAUD, Philippe. 1984. *Le choc des patois en Nouvelle France*, Québec, Presses de l'Université du Québec.

CHAUDENSON, Robert. 1973. « Pour une étude comparée des créoles et français d'outre-mer : survivance et innovation », *Revue de Linguistique et de Philologie Romanes*, 37 : 342-371.

CHAUDENSON, Robert. 1974. *Le lexique du parler créole de la Réunion*, 2 vol., Paris, Champion.

CHAUDENSON, Robert. 1994. « Français d'Amérique du Nord et créoles français : le français parlé par les immigrants », dans Raymond MOUGEON et Édouard BENIAK (dirs.), *Les origines du français québécois*, Sainte-Foy, Québec, 167-180.

CHAUDENSON, Robert. 1995. « Les français d'Amérique ou le français des Amériques ? Genèse et comparaison », dans Robert FOURNIER et Henri WITTMANN (dirs.), *Le français des Amériques*, Québec, Presses Universitaires de Trois Rivières, 3-19.

CHAUDENSON, Robert. 2003. *Créolisation : théorie, applications, implications*, Paris, l'Harmattan.

CONWELL, Marilyn J. et Alphonse JUILLAND. 1963. *Louisiana French grammar 1*, The Hague, Mouton.

DEGRAFF, Michel. 2001. « The origin of creoles : A Cartesian critique of Neo-Darwinian linguistics », *Linguistic Typology*, 5, (2-3) : 213-310.

DITCHY, Jay K. 1932. *Les Acadiens louisianais et leur parler*, Paris, Droz.

FEW : WARTBURG, Walther von. 1922-2003. *Französisches Etymologisches Wörterbuch : eine darstellung des galloromanischen sprachschatzes*, 25 vol., Bonn : Klopp, 1928 ; Leipzig-Berlin : Teubner, 1934 et 1940 ; Basel : Helbing et Lichtenhahn, 1946-1952 ; Basel : Zbinden, 1955-2003.

FOURNIER, Robert et Henri WITTMANN (dirs.). 1995. *Le français des Amériques*, Québec, Presses Universitaires de Trois Rivières.

GADET, Françoise. 1992. *Le français populaire*, Paris, Presses Universitaires de France.

GOUGENHEIM, Georges. 1929. *Étude sur les périphrases verbales de la langue française*, Paris, Les Belles Lettres.

LEFEBVRE, Claire (dir). 1982. *La syntaxe comparée du français standard et populaire*, 2 vol., Québec, Office de la langue française.

LEFEBVRE, Claire. 1998. *Creole Genesis and the acquisition of grammar. The case of Haitian Creole*, Cambridge, Cambridge University Press.

MARCHELLO-NIZIA, Christiane. 1979. *Histoire de la langue française aux XIVe et XVe siècles*, Paris, Bordas.

MOUGEON, Raymond et Édouard BENIAK (dirs.). 1994. *Les origines du français québécois*, Sainte-Foy, Québec, Les Presses de l'Université Laval.

MUFWENE, Salikoko. 2001. The ecology of language evolution, Cambridge, Cambridge University Press.

NEUMANN, Ingrid. 1985. *Le créole de Breaux Bridge, Louisiane. Étude morphosyntaxique, textes, vocabulaire*, Hamburg, Helmut Buske.

POIRIER, Claude. 1979. « Créoles à base française, français régionaux et français québécois : éclairages réciproques », *Revue de Linguistique et de Philologie Romanes*, 43 : 400-425

POIRIER, Claude. 1994. « La langue parlée en Nouvelle-France : vers une convergence des explications », dans Raymond MOUGEON et Édouard BENIAK (dirs.), *Les origines du français québécois*, Sainte-Foy, Québec, 237-273.

PY, Bernard et Jean Luc ALBER. 1986. « Interlangue et conversation exolingue », dans Alain GIACOMI et Daniel VÉRONIQUE (dirs.), *Acquisition d'une langue étrangère : perspectives et recherches. Actes du 5e Colloque international, Aix-en-Provence 1984*, Aix-en-Provence, Université de Provence, 149-166.

RIVARD, Adjutor. 1914. *Étude sur les parlers de France au Canada*, Québec, Garneau.

ROSSET, Théodore. 1911. *Les origines de la prononciation moderne étudiées au XVII*e *siècle : d'après les remarques des grammairiens et les textes en patois de la banlieue parisienne*, Paris, A. Colin.

SEUTIN, Émile. 1975. *Le français parlé à l'Île-aux-Coudres*, Québec, Presses de l'Université de Montréal.

Société du parler français au Canada. 1930. *Glossaire du parler français au Canada*, Québec, L'Action sociale.

THUROT, Charles. 1881. *De la prononciation française depuis le commencement du XVI*e *siècle d'après le témoignage des grammairiens*, Paris, Impr. Nationale.

Origine commune des français d'Amérique du Nord : le témoignage du lexique

Steve Canac-Marquis et Claude Poirier
Trésor de la langue française au Québec, Université Laval

1. Introduction

Des progrès importants ont été faits dans la connaissance de l'histoire du français en Amérique du Nord au cours de la deuxième moitié du 20ᵉ siècle grâce à la technique de la comparaison des variétés[1]. Les études de phonétique et de morphologie ont montré que les français nord-américains se sont constitués à partir d'un ensemble de tendances et d'usages qui avaient cours en France, surtout dans les couches populaires. Les travaux sur le lexique ont confirmé cette filiation, mais ce n'est là qu'une partie des connaissances que l'étude historique du vocabulaire est susceptible de livrer. C'est que le lexique, étant la composante la plus variable de la langue, renseigne mieux que la morphologie et la phonétique à la fois sur la situation de départ, parce qu'on peut présumer que la stabilité d'usages lexicaux en traduit l'enracinement solide, et sur les raisons de l'évolution, parce que les mots témoignent plus directement des rapports avec d'autres langues et des influences entre les variétés d'une même langue.

Les recherches sur les origines des français nord-américains remontent au 19ᵉ siècle. Oscar Dunn (1880) a été le premier à établir une corrélation entre les particularités du français du Canada et les usages du français parisien du 17ᵉ siècle et des parlers régionaux de France. Ces travaux ont pu donner l'impression que l'histoire du français en Amérique du Nord commençait avec la fondation des colonies de Port-Royal

---

[1] Nous signalerons ici pour mémoire les articles de Hull (1974 et 1979) et Valdman (1979). Les travaux sur les créoles ont également fourni des apports éclairants sur la formation des français coloniaux (v. notamment Chaudenson 1973 et Poirier 1979). Dans un ouvrage collectif sur les origines du français québécois, d'autres auteurs ont également adopté cette approche (v. Mougeon et Beniak 1994).

(1604) et de Québec (1608). Bien sûr, on fait souvent référence aux écrits de Cartier pour montrer l'ancienneté de certaines particularités lexicales, mais on n'a pas tiré toutes les conséquences de ces attestations anciennes.

À la lumière des travaux réalisés en vue du *Dictionnaire historique du français québécois* (DHFQ), nous croyons être en mesure de formuler l'hypothèse que la langue française avait acquis en Amérique un bon nombre de traits originaux bien avant les voyages de Champlain. Elle s'y incarnait dans une variété caractérisée par sa souplesse et ouverte à l'innovation, comme l'était d'ailleurs le français de France à cette époque. Cette variété était employée dans le milieu des pêcheurs, des marins et des navigateurs depuis le début du 16ᵉ siècle. Ce milieu était un creuset favorisant l'intégration d'éléments linguistiques provenant de diverses régions de France et de divers pays dont les ressortissants se croisaient régulièrement dans leurs voyages d'exploration des Amériques.

Dans ce chapitre, nous produirons des analyses visant à établir la preuve de l'existence de cette variété pré-coloniale, en somme d'une base commune aux français nord-américains, en montrant qu'il s'était déjà formé, avant la colonisation proprement dite, des réseaux lexicaux dont on retrouve des traces dans les français du Québec, de l'Acadie et de la Louisiane.

2. Un français en gestation

2.1. *Une langue véhiculée d'abord par les marins*

On n'a plus aujourd'hui à faire la preuve que les parlers de la France occidentale ont joué un rôle déterminant dans la formation du lexique des français nord-américains. Des études ont été réalisées sur la question pour chacune des trois variétés fondatrices (v. par ex. Massignon 1962, Rézeau 1997, DHFQ). On a même pu établir que les différences de vocabulaire entre les Acadiens et les Québécois s'expliquent en bonne partie par le poids plus grand des usages du Poitou et de la Saintonge dans la formation du français acadien (v. Massignon 1962 : 740-741, Charpentier 1994). Cette corrélation est une preuve supplémentaire de l'influence directe des parlers des régions de France dans la genèse des français d'Amérique.

On sait par ailleurs que ces français comprennent un ensemble de mots du vocabulaire maritime qui ont été appliqués à des réalités terrestres (*amarrer, baille, balise, bordage, gréer, hâler,* etc.). Le phénomène est bien attesté dans les documents québécois du 17ᵉ siècle. Juneau (1973 : 480-482) a montré que ces extensions de sens étaient bien connues également sur une large bande côtière du territoire français, de la Picardie jusqu'à la Saintonge, et souvent même en français ancien. Ces observations permettent d'affirmer que ces évolutions sémantiques ne se sont pas réalisées en Amérique, mais qu'elles se sont produites avant la colonisation, sur les côtes de France, et se sont par la suite diffusées dans les colonies françaises. L'existence de ce vocabulaire est un indice du rôle considérable qu'ont joué les hommes de mer dans la genèse du français en Amérique du Nord à l'époque pré-coloniale.

Nos recherches nous conduisent à penser que les marins et les navigateurs ont exercé une influence linguistique qui dépasse largement les vocabulaires fondés sur la terminologie maritime. Les travaux de Raymond Arveiller (1963) sur les termes de voyage en français avaient déjà attiré l'attention sur ce phénomène, bien que cet auteur se soit intéressé davantage à l'étymologie des emprunts du français aux langues étrangères, notamment aux langues des Antilles et de l'Amérique du Sud[2]. En rapport avec notre propre démarche, nous lui sommes redevables surtout de la notion de « réseau d'échanges », qui est fondamentale pour comprendre la dynamique de la formation du vocabulaire français dans les colonies de la France. Les pêcheurs et les marins sont au cœur de ce réseau, parce qu'ils sont à l'origine de nombreuses appellations. Les navigateurs, pour leur part, contribueront à les diffuser en les sanctionnant par l'écrit.

Ce qui se confirme donc, c'est que les équipages des bateaux ont été les premiers à nommer en français les réalités naturelles et climatiques du nouveau continent et ont contribué à les faire circuler d'une colonie à l'autre. Les premiers immigrants, ceux qui se sont installés de façon durable au Canada, en Acadie et en Louisiane, ont hérité d'un vocabulaire qui était en voie de se constituer depuis près d'un siècle. On imagine aisément que d'autres traits de la langue ayant servi à véhiculer ce vocabulaire, ou d'autres mots d'usage quotidien, ont pu être transmis de la même façon.

---

2   Voir en outre la liste des mots que Chaudenson (1974 : 591-632) classe sous la rubrique « vocabulaire des "isles" ».

Déjà, avec les connaissances actuelles, on pourrait établir une bonne liste de mots caractéristiques des français nord-américains qu'on trouve dans les textes des navigateurs du 16ᵉ siècle, par exemple *côte* en parlant de la rive du fleuve Saint-Laurent, et *loup-marin* désignant le phoque, qu'on relève chez Cartier (1536). Dans les premiers récits qu'il a laissés, Champlain atteste déjà les mots *orignal* (sous la forme *orignac*, 1603) et *huart* (sous la variante *huat*, 1613), sans parler des noms des tribus amérindiennes (*Iroquois*, *Montagnais*, etc., 1603), ce qui montre bien que le français avait commencé son évolution dans le Nouveau Monde avant l'établissement des premiers colons.

Il nous paraît maintenant, à la lumière des cas que nous avons étudiés, que cet apport des marins ne doit pas être vu comme une collection de créations disparates, mais comme le témoignage d'un usage commun aux divers groupes en présence, variable sans doute mais cohérent dans un milieu donné. Le vocabulaire original dont on aperçoit le profil correspond à une vision de l'Amérique dont s'imprégneront ceux qui s'y établiront par la suite. Les mots et les acceptions nouvelles qu'il sera possible de dégager des textes et des manuscrits à partir du milieu du 17ᵉ siècle s'inscrivent en effet dans des terminologies résultant d'une maturation qui se serait produite au cours de plus d'un siècle d'échanges entre les divers équipages qui se croisaient à l'aube de l'exploration du Nouveau Monde, des Antilles jusqu'aux terres du Saint-Laurent, de l'océan Indien jusqu'au Canada.

C'est à ces conclusions que nous a conduits l'étude de quelques réseaux lexicaux. Nous ferons ici l'examen de deux de ces réseaux qui se sont formés dès le 16ᵉ siècle et qui, malgré leur transformation subséquente, sont à la base de certains usages du français qui se sont perpétués en Amérique du Nord. Le premier illustre la circulation d'appellations entre le Canada et l'Acadie, le second entre le Canada, l'Acadie et la Louisiane. Pour qu'on soit en mesure de comprendre comment ont pu se constituer ces terminologies de départ, nous avons cru nécessaire de brosser au préalable un tableau du contexte historique dans lequel elles se sont constituées.

2.2. *La dynamique des échanges linguistiques à l'époque pré-coloniale*

À partir de la fin du 15ᵉ siècle, les marins d'Europe (Espagnols, Portugais, Normands, Bretons, Basques, Anglais) se mettent à fréquenter assidûment la frange orientale des Amériques pour explorer les contrées et pour trouver la route des épices et de l'or. Ils y viennent également pour pêcher, trafiquer avec les autochtones et exploiter les ressources du nouveau continent. Au gré des débarquements, les Français – pour se limiter à eux – se familiarisent avec des réalités américaines qu'ils nomment en adoptant directement les mots des autochtones avec lesquels ils entrent en contact (*maringouin*, d'un mot tupi; *caribou*, d'un mot micmac), en empruntant des mots à des langues européennes dans lesquelles un usage s'est déjà fixé (*orignal*, du basque *oregnac*; *moustique*, de l'espagnol *mosquito*) ou en se servant de leurs propres mots pour nommer des réalités qui ressemblent à celles qu'ils connaissent déjà (*chevreuil* et *daim* en parlant du cerf de Virginie, *truite* en parlant de l'omble, etc.). Ces mots, qui pouvaient franchir les barrières linguistiques, se sont constitués en vocabulaires que les marins ont transmis aux grands explorateurs et navigateurs (Giovanni da Verrazano, Jacques Cartier, André Thevet, Jean Alfonse, René de Laudonnière, Samuel de Champlain, Marc Lescarbot, etc.) et, par la suite, aux colons venus s'implanter dans les colonies.

La présence des Européens dans les eaux américaines est établie depuis la fin du 15ᵉ siècle sur la base des documents d'époque qui nous sont parvenus. On affirme généralement que les pêcheurs bretons de la Grande-Bretagne connaissaient les eaux littorales américaines de l'Atlantique Nord depuis les années 1480, et ceux de la Petite-Bretagne[3] dès 1504, d'après le Dieppois Pierre Crignon (v. Bideaux 1986 : 13-14 et 270 n. 34, Litalien 1993 : 99, Bonnichon 1994 : 36). Ce sont ces derniers qui ont vraisemblablement guidé les autres marins de France vers les bancs de morues de Terre-Neuve. À cette époque, on voit d'ailleurs des armateurs français recourir expressément aux pilotes bretons pour atteindre cette destination : c'est ce que font, par exemple, les Normands du port de Fécamp, en 1517, les Rochelais, en 1523, et les Basques, en 1537 (Bonnichon 1994 : 36-40). L'activité des marins normands dans ces parages devient tellement importante à partir de 1527 qu'au début du 17ᵉ siècle les Sauvages de l'Acadie appellent du nom de « Normands » tous les Français avec lesquels ils sont en contact (Lescarbot 1609 : 627 et 635, Bideaux 1986 : 270 n. 30). Outre les eaux américaines de l'Atlantique Nord, les Normands étaient familiers des côtes de l'Atlantique Sud depuis la première moitié du 16ᵉ siècle, en particulier de celles du

---

3 La Petite Bretagne correspond à la péninsule armoricaine (l'actuelle Bretagne) où des Bretons de Cornouailles et du Pays de Galles (de l'actuelle Grande-Bretagne) se sont installés vers 500 après J.C.

Brésil d'où ils ramenaient des produits exotiques, tel le bois de Brésil, qui fournissait une teinture rouge orangé utilisée dans l'industrie drapière de Rouen. Si les marins normands jouent un rôle considérable dans le commerce du Brésil, Bretons, Rochelais, Bordelais et Provençaux s'y intéressent également.

Pour comprendre la dynamique des échanges, il faut en outre savoir qu'à bord des navires il pouvait y avoir un équipage normand, mais des pilotes bretons ou portugais. Les Anglais et les Normands avaient aussi des contacts fréquents entre eux en raison de la religion protestante qu'ils partageaient (v. Lestringant 1995 : 84-85, qui souligne leurs relations étroites durant les guerres de religions; Bonnichon 1994 : 153-154). On comprend par là comment les marins ont pu s'échanger le vocabulaire désignant les nouvelles réalités, même d'une langue à une autre (par exemple pour le couple français *prusse* – anglais *spruce*). De nombreux termes de voyage (*tomate*, *maïs*, *tabac*, etc.) se sont diffusés en Europe en même temps qu'on y introduisait les réalités qu'ils servaient à désigner (v. König 1939, Arveiller 1963). D'autres sont restés propres aux colonies.

3. Canada et Acadie : les dénominations des conifères

Quand on compare les noms des conifères utilisés au Québec et en Acadie, on observe avec curiosité qu'un même mot, connu sous la forme *prusse* en Acadie et *pruche* au Québec, s'applique à deux arbres différents : l'épicéa, dans le cas de l'acadien *prusse*, et le tsuga, dans le cas du québécois *pruche*. La seule prononciation du mot est en soi un indice de l'existence d'un sentiment linguistique distinct chez les Acadiens et les Québécois, lequel remonte à l'époque coloniale. Il existe bien d'autres différences d'usage entre les deux communautés dans ce réseau des dénominations des conifères, comme on le verra plus loin. Pourtant, l'étude de ce vocabulaire dans les plus anciens documents permet de découvrir que les usages québécois et acadiens se sont construits à partir d'une terminologie commune qui s'était constituée avant même le début de l'entreprise de colonisation française.

Les premiers Français qui parcoururent les côtes du Canada ne connaissaient pas toutes les essences de résineux qu'ils y rencontrèrent. Certaines leur étaient peu familières (comme l'épicéa et le mélèze) et d'autres complètement inconnues (comme le tsuga). On perçoit, dès les relations de Cartier, une volonté de distinguer ces diverses espèces de conifères, mais on n'aboutira pas à une terminologie stable avant le dernier quart du 17ᵉ siècle. Curieusement, le mot *sapin* n'apparaît pas dans les relations de Cartier. On ne le relève qu'à partir du début du 17ᵉ siècle, dans cet extrait de Champlain (1603 : 3), où le mot a une valeur générique, désignant à la fois le sapin et l'épicéa :

> [...] le reste [dans la région de Tadoussac] se sont montagnes hautes eslevees, où il y a peu de terre, sinon rochers & sables remplis de bois de pins, cyprez [« thuyas »], sapins, boulles [« bouleaux »], & quelques manieres d'arbres de peu [...].

Parmi les arbres qui ont d'abord attiré l'attention des marins et des navigateurs figurent les conifères de grande taille qu'ils ont aperçus sur la rive nord de la baie des Chaleurs et qui leur ont paru particulièrement propices à la fabrication des mâts. Le mot qui leur est venu spontanément à l'esprit est *prusse*, ou *pruche*, qu'ils appliquaient déjà à un conifère d'Europe, appelé *sapin de Prusse*, d'après sa région de provenance.

Le mot est noté *pruche* dès le départ, variante qui se rattache de façon évidente à l'usage des Normands. Les parlers de la Normandie (comme ceux de la Picardie) se caractérisent en effet par un trait de phonétique typique qui consiste à prononcer la consonne [ʃ] dans certains mots où les Parisiens disent [s], comme *puce* (en parlant de l'insecte), qui se prononce *puche*. Cette prononciation est le résultat de la palatalisation d'une consonne dans l'évolution depuis le latin. Si le mot *pruche* est à rattacher directement au nom propre *Preussen*, comme le suggère le FEW (16, 649b), on ne voit pas comment aurait pu se produire ce phénomène. Mais il est clair qu'une variante avec [ʃ] a circulé dans le domaine anglo-normand. Elle pourrait résulter d'une simple analogie avec des paires du type *puce/puche*. Mais elle pourrait également avoir une explication phonétique si on la met en rapport avec la forme *Pruz*, variante du nom propre *Prusse*, attestée dans des textes anglo-normands de 1300 et de 1390. Cette hypothèse est appuyée par l'existence d'une variante *Spruche* dans un texte anglais de 1400; cette forme a été relevée encore au 20ᵉ siècle, comme nom commun cette fois, en parlant d'un conifère dans le français des îles anglo-normandes.[4]

---

4   Pour la forme *Pruz*, voir les passages cités dans OED (s.v. *Pruce*). *Spruche* est attesté en moyen anglais (v. l'attestation de 1400 dans MED, s.v. *Spruce*); pour son emploi comme nom commun dans les îles anglo-normandes, v. Le Maistre (1966), *Dictionnaire jersiais-français* (qui enregistre : *du spruche*, ou *du bouais d'spruche*), et Spence (1960), *A Glossary of Jersey-French*. Ajoutons enfin qu'une variante latine *Prucia* est attestée dans le

On peut donc tenir pour acquis que ce sont des Normands qui ont diffusé la forme avec [ʃ] en Amérique. Le fait que *pruche* figure d'abord dans un texte de Cartier (1536 : 109) est une indication qu'il s'agissait plus précisément de marins. Si une prononciation aussi particulière a pu se maintenir au Québec par la suite, c'est sans doute en raison de la forte proportion de Normands qui ont peuplé la colonie laurentienne dans ses premières décennies.

L'attestation du mot chez Cartier ne permet pas de préciser le conifère en question (sapin? épinette?), mais elle illustre clairement le rapport qui a été fait entre le sapin de Prusse, réputé pour la mâture, et les arbres qu'on apercevait depuis le bateau qui explorait la baie des Chaleurs :

> Et celle de vers le nort est une terre haulte à montaignes toute plaine de arbres de haulte fustaille de pluseurs sortez et entre autres y a pluseurs cedres et pruches aussi beaulx qu'il soict possible de voir pour faire mastz suffisans de mastez navires de troys cens tonneaulx [...].

Pendant plus d'un siècle, le mot *prusse/pruche* revient dans les documents avec une signification fluctuante. Le fait qu'il s'applique aujourd'hui à des arbres différents en Acadie et au Québec témoigne justement de l'état instable de la nomenclature d'origine. Dans cette première terminologie française des conifères en Amérique du Nord s'insèrent d'autres néologismes, comme *cèdre* et *cyprès* (désignant des arbres de la famille des cupressacées) dont l'extension sémantique, par rapport à l'usage de la Métropole, se produit également dès le 16e siècle.

La terminologie des conifères ne sera consolidée dans la colonie laurentienne que dans la deuxième moitié du 17e siècle, grâce notamment à la fonction qui sera dévolue au mot *épinette* qui s'appliquera à l'épicéa; ce néologisme sémantique (attesté une fois en 1644, puis régulièrement à partir des années 1660) permettra de réserver le mot *pruche* au tsuga. Un processus semblable aura lieu en Acadie, mais avec des

---

latin d'Angleterre, par exemple dans un passage de 1390 (v. OED, s.v. *Pruce*); si cette variante était la forme traditionnelle du mot, on pourrait supposer que la séquence -*ci*- a donné [t̪ₛ] puis [s] en anglais et en français, mais pas en Normandie où le traitement phonétique conduit plutôt à [tʃ] qui se réduit à [ʃ]. Pour cette discussion étymologique, nous avons tiré parti de commentaires bien documentés du professeur Yves-Charles Morin, de l'Université de Montréal, que nous remercions ici de sa contribution.

résultats différents. Ce que nous voulons ici mettre en évidence, c'est que les principaux fondements de la terminologie des conifères sont mis en place dès le 16ᵉ siècle.

Les tableaux qui suivent illustrent de façon simplifiée divers états de la nomenclature en voie d'élaboration chez les groupes qui se côtoient aux 16ᵉ et 17ᵉ siècles. Pour simplifier la présentation, les tableaux ne rendent compte que de l'emploi des termes désignant des conifères de la famille des pinacées, qui regroupe quatre genres : *Abies*,

Tableau 1
Nomenclature avant l'époque de la colonisation (16ᵉ siècle)

Genres botaniques	*Abies*	*Tsuga*	*Picea*	*Larix*
Marins de France	?	pruche (1536) ou prusse (1542)		?

Tableau 2
Nomenclatures des conifères selon les groupes
à l'époque de la colonisation (17ᵉ et 18ᵉ siècles)

Genres botaniques	*Abies*	*Tsuga*	*Picea*	*Larix*
Français au moment de leur arrivée dans les colonies laurentienne et acadienne	sapin (1603; avec valeur de générique)			?
	sapin	pruche ou prusse		?
Canadiens établis dans la colonie laurentienne	sapin	pruche (1685)	épinette (1644) épinette blanche (1685)	épinette rouge (1664)
Acadiens établis dans l'ancienne Acadie	sapin	ericot (1684) herico (1701) haricot (1758)	prusse (1609)	violon (dès 1812; utilisé auparavant ?)

Tsuga, Picea et *Larix*[5]. Pour le 16ᵉ siècle, les textes n'éclairent que partiellement l'usage, comme on le voit par le tableau 1.

Le tableau 2 montre comment les Français qui se sont établis dans les colonies laurentienne et acadienne ont tiré parti de la terminologie d'origine, en l'adaptant au cours du 17ᵉ siècle à leur perception et à leur expérience, qui diffèrent d'une colonie à l'autre. Les nomenclatures qui en résultent acquièrent alors et pour longtemps un caractère systématique.

Il est beaucoup plus difficile de cerner l'usage des Français de passage en Nouvelle-France. La particularité la plus notable est que ce groupe utilisera certains termes qu'on ne trouve pas chez les Canadiens ni les Acadiens. Il leur arrivera aussi d'employer les mêmes mots, mais d'une façon différente. Les termes propres à ces Français sont *sapinette* et *mélèze* (voir le tableau 3). Le premier leur sert au 18ᵉ siècle à désigner l'épicéa, que les Canadiens appellent *épinette* depuis plusieurs décennies déjà. Le mot *mélèze* n'apparaît que vers la fin du Régime français et semble être un mot de spécialistes; il figure sous la plume du botaniste Jean-François Gaultier. Des années 1660 jusqu'au milieu du 18ᵉ siècle, les Français qui séjournent dans la colonie laurentienne ont recours au mot *prusse* en parlant du tsuga, mais pas à la variante *pruche* des Canadiens, sans doute en raison de l'écart phonétique à forte connotation normande qu'elle traduit (c'est probablement pour la même raison que cette prononciation n'a pu se fixer en Acadie où les premiers colons venaient en majorité du Poitou et de la Saintonge). On trouve toutefois chez des Français (des miliciens et des marins) quelques attestations de *pruche* autour des années 1750, mais pour parler de l'épicéa. Il est possible, dans ce cas, que ces personnes aient appris le mot *prusse* des Acadiens; arrivés dans la colonie laurentienne, ils auraient adopté la variante *pruche* des Canadiens, sans se rendre trop compte peut-être que ce mot avait un autre sens pour ces derniers.

---

[5] Pour les fins de cette démonstration, les noms donnés aux conifères à aiguilles du genre *Pinus* n'ont pas été pris en compte. Nous avons par ailleurs classé les noms selon les catégories de la taxonomie botanique moderne, laquelle n'a été adoptée universellement qu'à partir du milieu du 18ᵉ siècle sous l'autorité du naturaliste suédois Carl von Linné. À l'époque coloniale, la nomenclature populaire reposait sur une classification encore empirique des conifères, ce qui peut expliquer qu'on ait appliqué le terme *pruche/prusse* à deux conifères distincts dans les colonies laurentienne et acadienne, et, en outre, qu'on ait eu recours dans la colonie laurentienne à un même terme (*épinette*) pour désigner des conifères des genres *Picea* (*épinette blanche*) et *Larix* (*épinette rouge*).

Tableau 3
Termes attestés chez des Français de passage
en Nouvelle-France (17ᵉ et 18ᵉ siècles)

Genres botaniques	*Abies*	*Tsuga*	*Picea*	*Larix*
Français de passage en Nouvelle-France	sapin	prusse (1662-1749)	sapinette (1716-1757) ou pruche (1748-1760)	mélèze (1749)

Ces données suggèrent que les Français qui vont et viennent entre le Canada et la France connaissent mal les mots et les concepts des coloniaux. Il n'est pas rare d'ailleurs de voir des auteurs se tromper dans leurs descriptions des réalités nord-américaines. Mais la présence d'un mot comme *sapinette* et le recours à la forme *prusse* pendant une longue période confirment une constatation que l'étude d'autres vocabulaires fait ressortir, à savoir l'existence de deux usages du français au Canada sous le Régime français : celui des habitants et celui des métropolitains.

L'examen de cette terminologie livre encore d'autres données éclairantes sur la dynamique des rapports entre les divers groupes qui explorent l'Amérique du Nord au 16ᵉ siècle. L'article PRUSSE, dans la deuxième édition du DHFQ, fera voir, par exemple, que les appellations anglaises formées avec le mot *spruce* sont à mettre en relation avec l'usage des Français, puisque le mot anglais figure pour la première fois dans la locution *fir de pruce* (1409) où le déterminant *de pruce* trahit sa provenance française. Des échanges de tous ordres se sont faits anciennement entre Anglais et Français à cette époque dans les ports baignés par la Manche. Ces relations étroites expliquent en outre les correspondances d'emploi entre le français *cyprès* et l'anglais *cypress* pour nommer des cupressacées nord-américains. Par ailleurs, le mot français *cyprès* s'implantera en Louisiane au 18ᵉ siècle pour nommer un conifère de grande taille de la même famille (le cyprès chauve). Là encore, on peut sans doute attribuer cette extension sémantique aux marins de France puisque le mot avait été utilisé dès 1586 par R. de Laudonnière en parlant de cet arbre que des colons normands avaient eu l'occasion de voir dans les marécages de la Floride.

4. Canada et Louisiane : les noms des insectes diptères piqueurs

Le second réseau lexical que nous examinerons concerne les dénominations des insectes piqueurs qui se nourrissent de sang. Comme dans le cas précédent, on verra que les façons de classer et de nommer ces insectes ont été établies au départ non pas par les immigrants qui se sont attachés au sol, mais bien par les marins du 16ᵉ siècle qui en ont été les premières victimes, lors de leurs débarquements. Cette paternité est évidente d'après les sources et les milieux où apparaissent les dénominations.

Il faut d'abord rappeler que la terminologie des insectes était relativement souple en français avant l'époque de la colonisation. Jusqu'au 17ᵉ siècle, en fait, le mot *mouche* couvre une aire sémantique considérable. Il peut se dire non seulement de la mouche domestique, mais également d'une grande quantité d'insectes, volants ou non. C'est ce que rappelle Rey (1992, s.v. *mouche*) en écrivant que « Furetière [1690] compte encore parmi les "mouches" les bourdons, frelons, lucioles, cantharides, cousins et éphémères ». Il est donc clair que le mot *mouche* pouvait englober tous les insectes piqueurs qui se nourrissent de sang, ce qui se vérifie dans les plus anciens textes relatifs au Canada. Au 16ᵉ siècle, le français s'enrichit d'un autre mot, soit *moucheron*, dont la caractéristique générale est qu'il se dit d'une petite mouche, incluant les insectes piqueurs qui sont de même taille. Enfin, le mot *taon* existait déjà en parlant des grosses mouches piqueuses qui peuvent s'attaquer aux humains et aux animaux, mais le mot *mouche* pouvait le remplacer facilement dans des composés du type *mouche aux bœufs*, *mouche aux chevaux*, etc. (Rey 1992, s.v. *mouche*).

L'exploration du Nouveau Monde mettra les Français en contact quotidien avec les insectes piqueurs et le besoin d'une terminologie plus précise se fera sentir. Deux appellations seront empruntées à des langues étrangères, soit *maringouin* et *moustique*, qui entrent dans la langue des marins normands dès le 16ᵉ siècle. *Maringouin* est un emprunt au tupi que les marins ont adopté à l'époque où la France tenta vainement d'établir une colonie au Brésil (1555-1560, v. Canac-Marquis 1997). *Moustique* a d'abord été connu sous la forme *mouquite* qui figure dans un manuscrit normand et qui résulte d'une francisation par les Normands du mot espagnol *mosquito* (le mot entre en anglais à la même époque, par la même voie). Deux autres mots feront leur apparition plus tard en Amérique du Nord dans la terminologie des insectes piqueurs, soit *brûlot* et *frappe-d'abord*. Dans les deux cas, il s'agit de créations à l'intérieur de la langue française; le premier est issu d'une extension sémantique à partir d'emplois que connaissait déjà le mot *brûlot*, le second paraît être une création ludique évoquant le comportement de l'insecte. Ces deux mots ont probablement été créés dans la vallée du Saint-Laurent, mais ils ont circulé le long du Mississippi jusqu'en Louisiane avec l'ensemble de la nomenclature; ils ont ainsi voyagé du Nord vers le Sud, contrairement à *moustique* et *maringouin*[6].

Pour comprendre les tableaux qui suivent, il faut préciser qu'ils réunissent les appellations utilisées pour parler des diptères piqueurs qui se nourrissent de sang, classées par périodes. Une division principale permet de séparer les insectes les plus gros (les tabanidés, dans la partie droite des tableaux) de ceux qui sont de plus petite taille. Ces derniers peuvent se diviser en trois catégories que les savants nomment culicidés, simuliidés et cératopogonidés. Dans l'usage actuel des Québécois, on dirait *maringouins*, *mouches noires* et *brûlots*. Comme les distinctions entre ces insectes ont varié dans le temps et que la terminologie du français de référence (FR) d'aujourd'hui (autre que scientifique) n'est pas suffisamment précise et évidente pour les besoins de notre démonstration, nous sommes forcés de recourir ici aux mots savants, qui seuls permettent un discours cohérent et clair.

Les résultats de notre recherche montrent l'évolution de la terminologie qui se précise depuis le 16e siècle sur la base d'un usage attesté d'abord dans les Antilles, que nous illustrons dans le tableau 4 (établi d'après des écrits publiés et des manuscrits). On peut y voir apparaître les deux emprunts dont nous avons parlé plus haut (sous une forme qui variera légèrement par la suite), lesquels vont jouer un rôle déterminant jusqu'à nos jours dans tous les parlers français nord-américains. Ici encore, les sources indiquent que les Normands auraient été à l'origine de ces emprunts en français. On distingue dans le tableau 4 une première opposition entre les culicidés et les cératopogonidés (nous n'avons pas de données concernant les appellations tabanidés pour cette période).

---

6 Pour alléger le texte, nous éliminons les nombreux renvois qui devraient être faits aux écrits de l'époque. Les tableaux présentés plus loin fournissent tout de même des indications sommaires sur certaines sources et certains auteurs (nous ne donnons dans la bibliographie que les sources dont nous citons des extraits). Nos tableaux ont été construits à la suite du dépouillement systématique d'environ 75 relations de voyages et manuscrits datant des 16e, 17e et 18e siècles et de l'examen de la documentation du Trésor de la langue française au Québec tirée des greffes d'archives québécois.

Tableau 4

Diptères piqueurs se nourrissant de sang :
nomenclature des 16e et 17e siècles dans les Antilles

	[mouche]		
16e s.	**maringon** (1566) (Le Challeux, relation normande) [désigne les culicidés]	**mouquite** (1594 environ) (manuscrit normand) [désigne les cératopogonidés]	? [tabanidés]
17e s.	**maringouin** (1654, du Tertre) [désigne les culicidés]	**moustique** (1654, du Tertre) [désigne les cératopogonidés]	? [tabanidés]

Tableau 5

Diptères piqueurs se nourrissant de sang :
nomenclature des 17e et 18e siècles dans la vallée du Saint-Laurent (Canada)

17e s.	**mouche** (depuis 1609) [générique qui s'applique à de nombreux insectes volants, mais qui désigne plus particulièrement tous les diptères piqueurs se nourrissant de sang; utilisé par les Canadiens et les Français]				
	moucheron (1616-1758) [tend à devenir un générique désignant les petits diptères piqueurs autres que le taon; utilisé par les Français]			**taon** (1699) [tabanidés]	
avant 1675	**marigoin** (1609) **maringoin**(1632) [désigne les culicidés] **cousin** (1632-1760 env.) [utilisé par les Français]	**mousquite** (1613-1843) **mousquille** (1632-1695) [désigne les diptères piqueurs autres que le maringouin : simuliidés et cératopogonidés]			
dès 1675	**maringouin** [culicidés]	**moustique** (1675) [simuliidés]	**brûlot** (1675) [cératopogonidés]		
18e s.	**maringouin**	**moustique**	**brûlot**	**taon** [tend à s'appliquer aux grandes espèces, les *Tabanus*]	**frappe-d'abord** (1726) [tend à s'appliquer aux petites espèces, les *Chrysops*]

Le tableau 5 fait voir comment s'organise progressivement la terminologie dans la vallée du Saint-Laurent à partir du début du 17e siècle. On y reconnaît dès le départ l'opposition culicidés / cératopogonidés établie précédemment dans les Antilles. À partir de 1675, les distinctions à l'intérieur de la catégorie générale des plus petits insectes piqueurs s'affinent avec la nuance que l'on introduit entre les moustiques (simuliidés) et les brûlots (cératopogonidés). Au 18e siècle, l'usage se précise dans le cas des noms des tabanidés : on a tendance à appeler *taons* les espèces les plus grandes, et *frappe-d'abord*[7] les plus petites. Il faut remarquer enfin que les mots *moucheron* et *cousin* n'appartiennent qu'à l'usage des Français de passage dans la colonie laurentienne; cette observation rejoint ce que nous avons observé dans le cas des dénominations des conifères, à savoir que les métropolitains ont un usage parallèle à celui des habitants.

La terminologie du 18e siècle s'est maintenue telle quelle au Québec jusqu'au début du 20e siècle[8]. Cet usage est passablement différent de celui qui a fini par se fixer en France, du moins d'après les ouvrages de référence; nous y reviendrons brièvement plus loin. Mais ce qui est le plus remarquable, c'est que l'usage canadien est confirmé clairement dès le 18e siècle en Louisiane et dans la vallée du Mississippi (v. le tableau 6). Cette correspondance, s'ajoutant à ce qui a été dit pour les

Tableau 6
Diptères piqueurs se nourrissant de sang :
nomenclature du 18e siècle dans la vallée du Mississippi et en Louisiane

18e s.	mouche				
	maringouin (1752, Le Page du Pratz) [culicidés]	moustique (1752, Le Page du Pratz) [simuliidés]	brûlot (1752, Le Page du Pratz) [cératopogonidés]	taon (1753, Le Mascrier) [les *Tabanus* ?]	frappe-d'abord (1728, Hachard) [les *Chrysops* ?]

---

7 Au 19e siècle, le mot sera réinterprété au Québec et écrit *frappe-à-bord* (encore bien connu), parfois *frappe-à-mort*.

8 L'usage québécois a évolué dans la première moitié du 20e siècle, à la suite de l'entrée en scène de l'appellation *mouche noire* qui s'est imposée en parlant des simuliidés. Du coup, la fonction de *moustique* a été modifiée; de nos jours, ce mot a valeur de générique désignant tous les petits insectes piqueurs se nourrissant de sang (culicidés, simuliidés, cératopogonidés), mais pas les tabanidés.

périodes antérieures, suggère que la terminologie s'est constituée à partir du 16ᵉ siècle dans un flux de rapports continuels entre les Antilles et le Canada au point de s'uniformiser dans l'ensemble des colonies françaises de l'Amérique du Nord.

L'histoire de cette terminologie réserve encore une surprise. On se rend compte en effet, en examinant l'usage du 20ᵉ siècle dans la France atlantique d'après des atlas linguistiques (*Atlas linguistique et ethnographique normand* [Brasseur 1980-1984] et *Atlas linguistique et ethnographique de l'Ouest* [Massignon et Horiot 1971-1983]) et des glossaires, que certains éléments de la nomenclature nord-américaine des insectes piqueurs y ont été répercutés. Le mot *maringouin* est attesté en Basse-Normandie, dans une région recoupant trois départements; compte tenu que ce sont des Normands qui ont fait entrer le mot en français au 16ᵉ siècle, on peut avancer l'hypothèse que *maringouin* s'est implanté dans cette province à cette époque (v. Canac-Marquis 1997 : 105). Le mot *moustique* (désignant les plus petits insectes piqueurs) se retrouvera dans de nombreuses localités du Poitou, de la Saintonge et de l'Angoumois. Les tableaux 7 et 8 rendent compte de vastes régions où ces mots dominent l'usage (on note évidemment des exceptions ici et là). On constate donc que l'opposition du 17ᵉ siècle entre *maringouin* et *moustique* dans les Antilles et dans la vallée du Saint-Laurent (avant 1675, v. les tableaux 4 et 5) a laissé des traces dans ces régions de France. Cette correspondance est un argument venant conforter la thèse d'un réseau d'échanges suivis à époque ancienne entre la France atlantique et les colonies américaines.

Tableau 7
Diptères piqueurs se nourrissant de sang :
noms utilisés en Basse-Normandie (Calvados, Eure, Orne) au 20ᵉ siècle

20ᵉ s.	maringouin [culicidés]	bibet, guibet [moucheron, diptère plus petit que le maringouin]	? [tabanidés]

Si l'on examine l'usage qui prévaut dans le FR, en consultant les dictionnaires parisiens, on verra qu'il présente de nettes différences avec la terminologie nord-américaine et avec la terminologie des régions atlantiques de France dont nous venons de parler (v. le tableau 9). Le mot *moustique* correspond au *maringouin* des francophones nord-

Tableau 8
Diptères piqueurs se nourrissant de sang :
noms utilisés dans des localités du Poitou, de la Saintonge
et de l'Angoumois au 20ᵉ siècle

20ᵉ s.	cousin + autres noms [culicidés]	moustique [diptère piqueur plus petit que le cousin]	? [tabanidés]

américains (*cousin* étant de nos jours en recul en France en parlant des culicidés) et *moucheron* sert à désigner de petits diptères, incluant ceux qui piquent.

Tableau 9
Diptères piqueurs se nourrissant de sang :
nomenclature du FR (depuis la première moitié du 20ᵉ siècle)

20ᵉ s.	cousin (en recul) moustique (déb. 20ᵉ s.) [culicidés]	moucheron [s'applique à divers petits insectes volants, dont les simuliidés]	taon [tabanidés]

La terminologie des diptères piqueurs dans les français d'Amérique, comme celle des conifères, découle d'une organisation originale de ce réseau lexical et, par là, témoigne d'une vision de la réalité qui se distingue de celle qui s'exprime à travers le français européen.

5. Conclusion

Outre les deux ensembles lexicaux que nous avons examinés ici, nous avons aperçu dans les documents du 16ᵉ siècle divers autres réseaux dont l'étude systématique apporterait un éclairage fort utile sur la formation des français nord-américains, comme ceux des dénominations des mammifères, des poissons, des caractéristiques topographiques, etc. Selon l'hypothèse que nous avons cherché à démontrer, le vocabulaire nouveau (néologismes sémantiques, emprunts) dont témoignent ces écrits a été créé par les divers équipages issus de la France atlantique qui fréquentaient les eaux américaines à cette époque et au sein desquels les Normands étaient bien représentés.

Depuis les travaux d'Arveiller (1963) et de Chaudenson (1974), on peut faire la liste de toute une série de mots dont on a l'assurance qu'ils ont circulé entre les colonies françaises de l'Amérique et de l'océan Indien aux 16e et 17e siècles : *barachois, habitant, morne, ponce, savane,* etc. On sait également que les marins ont joué un rôle de premier plan dans la diffusion de ces mots, mais il faut aujourd'hui considérer que leur contribution dépasse largement ce vocabulaire colonial.

Cette conception paraît nous ramener à la théorie soutenue par Alexander Hull (1979 : 173) qui suppose l'existence d'un *français maritime* dont le « foyer était les ports de l'ouest de la France (surtout La Rochelle et Nantes) ». Hull n'a sans doute pas tort d'évoquer cette source de diffusion, mais son explication impose des limites géographiques beaucoup trop rigides à cette variété sur le sol de France[9]. L'explication à laquelle notre étude conduit invite à reconnaître l'existence d'une variété dont l'origine serait indépendante des milieux maritimes sans qu'il faille pour autant nier l'influence importante du parler des marins dans la formation des français nord-américains. Voici résumés les principaux apports de notre recherche concernant la genèse des français nord-américains :

* Puisque la documentation atteste que des terminologies françaises commencent à se constituer au 16e siècle, il faut poser l'existence dès cette époque d'une variété de français ayant un minimum de cohérence fonctionnelle, normalement constituée, en mesure de véhiculer ce vocabulaire (phonologie, morphologie, syntaxe). Ce *français pré-colonial* (appellation que nous adoptons en envisageant cette variété du point de vue de la genèse des français d'Amérique) servait à l'expression quotidienne et doit être pour cela considérée comme la première variété de français à avoir été parlée dans les Amériques. Les marins ont certes influencé la formation de certains secteurs du lexique de cette langue, mais ils ne l'utilisaient pas en tant que marins : cette variété populaire était déjà en usage sur un large territoire de la France d'oïl, comme l'a déjà démontré Valdman (1979 : 196) en invoquant d'autres arguments[10]. Si

---

[9] Dans un article ultérieur (Hull 1994 : 185), l'auteur précise ce qu'il entend par *français maritime,* le justifiant par le fait que la mer a joué un grand rôle dans l'existence des gens qui sont à l'origine des français nord-américains. Mais il persiste à confiner aux villes portuaires les variétés de français populaire qui leur ont donné naissance.

[10] L'existence de cette variété populaire a été reconnue par de nombreux chercheurs au terme de démarches différentes. Voir notamment les contributions d'Asselin et McLaughlin, Laurendeau, Chaudenson, Hull et Poirier dans Mougeon et Beniak (1994).

on la considère de ce point de vue plus général, cette langue pourrait être désignée par l'appellation **français populaire véhiculaire.**

• L'exploration des nouveaux territoires (en Amérique, dans l'océan Indien) a eu pour effet d'imprimer des caractéristiques à ce français populaire véhiculaire qui se concrétise à partir du début du 16e siècle dans une sous-variété que nous avons appelée *français pré-colonial.* C'est cette sous-variété qui a été particulièrement influencée par les façons de parler des marins, lesquels ont introduit des emprunts et des néologismes dans les terminologies courantes. C'est ce qui explique que des usages créés dans les eaux américaines aient pu influencer le français populaire véhiculaire de la France atlantique (par exemple dans la terminologie des insectes diptères piqueurs).

• Notre explication souligne la contribution manifeste des Normands dans la formation du français pré-colonial. Cela ne signifie pas que tous les traits de ce français soient à rattacher à la façon normande de parler le français à l'époque. Le mérite particulier des Normands est d'avoir participé en grand nombre à l'aventure du français en Amérique et à la diffusion du français pré-colonial.

• Puisque qu'on peut établir un lien entre les terminologies populaires qui se constituent au 16e siècle dans les zones maritimes de France et d'Amérique et celles qui s'implanteront dans les usages des Canadiens, des Acadiens et des Louisianais, il faut postuler une relation de continuité naturelle entre le français pré-colonial et les français nord-américains. Dans cette perspective, la théorie du choc des patois en Nouvelle-France, proposée par Barbaud (1984), n'a même plus à être discutée.

Références

ARVEILLER, Raymond. 1963. *Contribution à l'étude des termes de voyage en français (1505-1722)*, Paris, Éditions D'Artrey.

ASSELIN, Claire et Anne MCLAUGHLIN. 1994. « Les immigrants en Nouvelle-France au XVIIe siècle parlaient-ils français? », dans Raymond MOUGEON et Édouard BENIAK (dirs.), *Les origines du français québécois*, Sainte-Foy, Québec, Les Presses de l'Université Laval, 103-130.

BARBAUD, Philippe. 1984. *Le choc des patois en Nouvelle-France : essai sur l'histoire de la francisation au Canada*, Sillery, Québec, Presses de l'Université du Québec.

BIDEAUX, Michel (éd.). 1986 [éd. critique]. CARTIER, Jacques, *Relations* [Édition du récit des explorations de J. Cartier de 1534, 1535-1536 et 1541-1542], Montréal, Les Presses de l'Université de Montréal.

BONNICHON, Philippe. 1994. *Des cannibales aux castors. Les découvertes françaises de l'Amérique (1503-1788)*, Paris, Éditions France-Empire.

BRASSEUR, Patrice. 1980-1984. *Atlas linguistique et ethnographique normand*, 2 vol. parus, Paris, Éditions du Centre national de la recherche scientifique.

CANAC-MARQUIS, Steve. 1997. « Des pays de maringouins », *Québec français*, 107 : 104-105.

CARTIER, Jacques : v. BIDEAUX.

CHAMPLAIN, Samuel de. 1603. *Des sauvages ou voyage de Samuel Champlain, de Brouage, fait en la France nouvelle, l'an mil six cens trois*, Paris, Claude de Monstr'œil.

CHAMPLAIN, Samuel de. 1613. *Les voyages du Sieur de Champlain, Xaintongeois, capitaine ordinaire pour le Roy, en la marine*, 2 parties, Paris, chez Jean Berjon.

CHARPENTIER, Jean-Michel. 1994. « Le substrat poitevin et les variantes régionales acadiennes actuelles », dans Claude POIRIER, Aurélien BOIVIN, Cécyle TRÉPANIER et Claude VERREAULT (dirs.), *Langue, espace, société : les variétés du français en Amérique du Nord*, Sainte-Foy, Québec, Les Presses de l'Université Laval, 41-67.

CHAUDENSON, Robert. 1973. « Pour une étude comparée des créoles et parlers français d'outre-mer : survivance et innovation », *Revue de linguistique romane*, 37 : 342-371.

CHAUDENSON, Robert. 1974. *Le lexique du parler créole de la Réunion*, 2 vol., Paris, Honoré Champion.

CHAUDENSON, Robert. 1994. « Français d'Amérique du Nord et créoles français : le français parlé par les immigrants du XVIIe siècle », dans Raymond MOUGEON et Édouard BENIAK (dirs.), *Les origines du français québécois*, Sainte-Foy, Québec, Les Presses de l'Université Laval, 167-180.

DHFQ : POIRIER, Claude (dir.) en collaboration avec l'Équipe du Trésor de la langue française au Québec. 1998. *Dictionnaire historique du français québécois. Monographies lexicographiques de québécismes*, Sainte-Foy, Les Presses de l'Université Laval.

DUNN, Oscar. 1880. *Glossaire franco-canadien et vocabulaire de locutions vicieuses usitées au Canada*, Québec, Imprimerie A. Côté & Compagnie.

FEW : WARTBURG, Walther von. 1959. *Französisches etymologisches Wörterbuch. Eine Darstellung des galloromanischen Sprachschatzes*, vol. 16, Basel, R. G. Zbinden & Co.

HULL, Alexander. 1974. « Evidence for the original unity of North American French dialects », *Revue de Louisiane*, 3 (1) : 59-70.

HULL, Alexander. 1979. « Affinités entre les variétés du français », dans Albert Valdman (dir.), *Le français hors de France*, Paris, Honoré Champion, 165-180.

HULL, Alexander. 1994. « Des origines du français dans le Nouveau Monde », dans Raymond MOUGEON et Édouard BENIAK (dirs.), *Les origines du français québécois*, Sainte-Foy, Québec, Les Presses de l'Université Laval, 183-198.

JUNEAU, Marcel. 1973. [Compte rendu de *Phonétique et linguistique romanes*, Georges STRAKA], *Revue de linguistique romane*, 37 : 475-485.

KÖNIG, Karl. 1939. *Überseeische Wörter im Französischen (16.-18. Jahrhundert)*, Halle (Saale), Max Niemeyer Verlag.

LAURENDEAU, Paul. 1994. « Le concept de *patois* avant 1790, *vel vernacula lingua* », dans Raymond MOUGEON et Édouard BENIAK (dirs.), *Les origines du français québécois*, Sainte-Foy, Québec, Les Presses de l'Université Laval, 131-166.

LE MAISTRE, Frank. 1966. *Dictionnaire jersiais-français : le parler Normand à Jersey*, avec *Vocabulaire français-jersiais* par Albert L. CARRÉ, Jersey, Don Balleine Trust. [réimpr : 1976].

LESCARBOT, Marc. 1609. *Histoire de la Nouvelle France*, Paris, Jean Milot.

LESTRINGANT, Frank. 1995. « Un triptyque américain : l' "Histoire naturelle des Indes" de la P. Morgan Library », dans Jean-Louis AUGÉ (dir.), *Image du Nouveau Monde en France*, Paris, Éditions de la Martinière, 81-90.

LITALIEN, Raymonde. 1993. *Les explorateurs de l'Amérique du Nord, 1492-1795*, Sillery, Québec, Septentrion.

MASSIGNON, Geneviève. 1962. *Les parlers français d'Acadie : enquête linguistique*, 2 vol., Paris, Librairie C. Klincksieck.

MASSIGNON, Geneviève et Brigitte HORIOT. 1971-1983. *Atlas linguistique et ethnographique de l'Ouest (Poitou, Aunis, Saintonge, Angoumois)*, 3 vol., Paris, Éditions du Centre national de la recherche scientifique.

MED : KURATH, Hans et Sherman M. KUHN (dirs.)/Robert E. LEWIS (dir.). 1952-2001. *Middle English dictionary*, 117 fasc. en 13 vol., Ann Arbor, Michigan, The University of Michigan Press.

MOUGEON, Raymond et Édouard BENIAK (dirs.). 1994. *Les origines du français québécois*, Sainte-Foy, Québec, Les Presses de l'Université Laval.

OED : MURRAY, James A.H., Henry BRADLEY, W.A. CRAIGIE et C.T. ONIONS (dirs.). 1933. *The Oxford English dictionary being a corrected re-issue with an introduction, supplement, and bibliography of a new English dictionary on historical principles*, 12 vol., Oxford, Clarendon Press. [réimpr. : *The compact edition of the Oxford English dictionary*, Oxford, Oxford University Press, 1971, 2 vol.].

POIRIER, Claude. 1979. « Créoles à base française, français régionaux et français québécois : éclairages réciproques », *Revue de linguistique romane*, 43 : 400-425.

POIRIER, Claude. 1994. « La langue parlée en Nouvelle-France : vers une convergence des explications », dans Raymond MOUGEON et Édouard BENIAK (dirs.), *Les origines du français québécois*, Sainte-Foy, Québec, Les Presses de l'Université Laval, 237-273.

REY, Alain (dir.). 1992. *Dictionnaire historique de la langue française*, 2 vol., Paris, Le Robert.

RÉZEAU, Pierre. 1997. « Toward a lexicography of French in Louisiana : Historical and geographic aspects », dans Albert VALDMAN (dir.), *French and Creole in Louisiana*, New York, Plenum Press, 315-332.

SPENCE, Nicol Christopher William. 1960. *A glossary of Jersey-French*, Oxford, Basil Blackwell.

VALDMAN, Albert. 1979. « Créolisation, français populaire et le parler des isolats francophones d'Amérique du Nord », dans Albert VALDMAN (dir.), *Le français hors de France*, Paris, Honoré Champion, 181-197.

Correspondance et différenciation lexicales : le français du Missouri et le français canadien

Robert Vézina, Université Laval

1. Introduction

L'objet de quelques travaux descriptifs importants au 20ᵉ siècle (notamment Dorrance 1935, Carrière 1937, Thogmartin 1970), le français du Missouri (FM) constitue certainement l'isolat français nord-américain le mieux connu. Néanmoins, bien des facettes de la nature de ce parler et plusieurs aspects des relations et des liens de filiation qu'il entretient avec les principales variétés voisines (les français de Louisiane et du Canada) demeurent plutôt imprécises, voire inconnues. Notre étude exploratoire vise à examiner un peu plus avant les causes des écarts de vocabulaire existant entre le FM et le français canadien (FC)[1]. La variation au sein des différents parlers français d'Amérique du Nord peut être appréhendée par l'examen du phénomène de différenciation lexicale qu'ont connu ces deux variétés. En effet, le FM est une survivance du français des Illinois (FI), dont l'origine remonte aux premiers peuplements français dans la région dite du pays des Illinois, à partir de la fin du 17ᵉ siècle[2]; il représente dans une certaine mesure un prolongement du français parlé dans la vallée du Saint-Laurent à l'époque où l'unification linguistique y était à peu près achevée. En tant que rameau du FI, le FM se prête plutôt bien à la comparaison avec le FC dans une optique de correspondance et de différenciation lexicales[3].

---

[1] Dans cet article, *français canadien* fait référence au français parlé dans la vallée du Saint-Laurent et dans les territoires canadiens où ont essaimé les francophones de ce qui est devenu le Québec.

[2] Fort Saint-Louis, fondé en 1682; Fort Pimiteoui, en 1691; Cahokia, mission fondée en 1699; Kaskaskia, en 1703; etc. (v. Lessard et al. 1988 : 212).

[3] Nous aimerions remercier André Thibault, Claude Poirier et Albert Valdman d'avoir bien voulu commenter ce texte.

2. La colonisation française du pays des Illinois

Longtemps connue sous les noms de *pays des Illinois*, ou plus simplement *les Illinois*, la région également appelée *Haute-Louisiane* ou *Louisiane supérieure* au début du 19ᵉ siècle a une histoire coloniale assez ancienne. En fait, le développement des établissements français du pays des Illinois, pour l'essentiel situés le long du fleuve Mississippi, sur une centaine de kilomètres entre Cahokia (limite nord) et Kaskaskia (limite sud), a commencé avant que la Basse-Louisiane (qui correspond plus ou moins à la Louisiane actuelle) ne soit véritablement colonisée. Au moment de la fondation de la Nouvelle-Orléans, en 1718, les bases de ce qui deviendra la colonie française des Illinois étaient déjà jetées.

L'histoire du peuplement des Illinois a été étudiée pour la période « pionnière » s'étalant de 1699 à 1752. C'est au cours de ce demi-siècle que s'est installé le noyau fondateur du peuple créole[4], dont plusieurs représentants ont joué un rôle clé dans l'histoire de l'exploration de l'Ouest américain au 19ᵉ siècle, mais dont l'identité et la cohésion se sont peu à peu étiolées au gré des vagues d'immigration en provenance des États de l'Est, surtout après l'achat de la Louisiane par les États-Unis, en 1803.

Entre 1699 et 1752, on dénombre 476 personnes venues s'établir dans cette région[5]. On ne connaît pas l'origine exacte de tous ces pionniers, mais on sait qu'au moins 158 colons, c'est-à-dire le tiers, étaient canadiens (Lessard et al. 1988 : 217) et que les autres sont venus surtout de France. Toutefois, plusieurs de ces colons ont quitté la région après quelques années; par exemple, 35 % des Canadiens et 45 % des Français et des gens d'origine inconnue présents en 1726 étaient partis 6 ans plus tard (Lessard et al. 1988 : 215). Il n'empêche qu'un nombre significatif de colons sont arrivés directement de France, ce qui a sans doute eu un impact sur le parler français qui s'est développé aux Illinois. Cependant, comme les Canadiens migrent souvent en famille et entraînent parfois des membres de leur réseau de parenté à leur suite, ils affichent une stabilité et un enracinement plus grands. Ainsi, on peut s'attendre à ce que l'élément canadien dans la population des Illinois soit

---

[4] Précisons que, dans ce texte, l'appellation *Créole* fait référence aux habitants francophones nés aux Illinois, la plupart blancs ou métis, et non aux créolophones.

[5] Un recensement du pays des Illinois fait en 1752 montre qu'il y avait 768 blancs, 147 esclaves amérindiens et 445 esclaves noirs; ces derniers représentaient donc 32,7 % de la population coloniale totale (v. Ekberg 1996 : 200).

fondamental. Notons aussi que durant les premières décennies de peuplement (1699-1718), on recense 24 pionniers, majoritairement des Canadiens, dont 19 ont épousé une Amérindienne, d'où l'importance de l'élément métis à cette époque.

Pour la période allant de 1752 jusqu'à la fin du 18ᵉ siècle, les données parcellaires dont nous disposons (surtout pour les peuplements de la rive ouest du Mississippi) semblent indiquer que la dynamique de peuplement de la période précédente ne s'est pas maintenue dans les mêmes proportions. D'abord, la cession du territoire à l'Angleterre en 1763 constitue un changement géopolitique majeur qui a scellé la fin de la colonisation planifiée de la région par la France et limité considérablement la venue de nouveaux colons français dans les Illinois. De plus, surtout durant les décennies 1760 et 1770, la mise en place du pouvoir anglais aux Illinois a provoqué un mouvement d'émigration massif des populations francophones et catholiques de la rive est du Mississippi (là où s'était établie la majorité des premiers habitants blancs) vers la rive opposée, laquelle était devenue territoire espagnol en 1762 (v. Ekberg 1996 : 41-42). La rive ouest du Mississippi, avec comme centres importants Sainte-Geneviève et Saint-Louis, est devenue progressivement le foyer principal de la francophonie des Illinois[6]. Sur le plan du peuplement, précisons que l'immigration canadienne s'est poursuivie dans une certaine mesure jusqu'au début du 19ᵉ siècle, mais que le phénomène est mal connu. On sait que des *voyageurs* et des marchands québécois actifs dans le commerce des pelleteries se sont établis aux Illinois pendant cette période[7]. Une petite immigration en provenance de la Basse-Louisiane a aussi eu lieu, et ce, dès que cette colonie plus récente a été

---

[6] Rappelons que les principaux établissements français (Kaskaskia, le plus important durant tout le Régime français, Cahokia, Fort de Chartres, Prairie-du-Rocher et Saint-Philippe) étaient tous situés sur la rive est du Mississippi, dans ce qui est aujourd'hui le territoire de l'État de l'Illinois. La rive ouest (territoire actuel de l'État du Missouri) s'est développée un peu plus tard; ainsi, Sainte-Geneviève a été fondée vers 1750 (selon Ekberg 1996 : 23) et Saint-Louis, qui allait devenir le centre économique de toute la région, en 1764. Quant au peuplement de la Vieille Mine et des villages francophones environnants (Mine à Breton, etc.), il résulte de l'exploitation de mines de plomb dans l'intérieur des terres par des Créoles provenant notamment du district de Sainte-Geneviève; la Vieille Mine est habitée sur une base permanente dès 1800 (v. Ekberg 1996 : 156).

[7] Dans un rapport écrit en 1803, Nicolas de Finiels (ingénieur français au service de la couronne espagnole) estime que le pays des Illinois a longtemps compté sur la venue d'engagés du Canada (ouvriers et artisans) pour augmenter sa population (v. de Finiels 1803 : 54).

en mesure de fournir des colons[8]; par exemple, les fondateurs de Saint-Louis, Pierre de Laclède Liguest et Auguste Chouteau, venaient de la Basse-Louisiane, mais le premier était né en France (Foley et Rice 1983 : 1-3).

La prépondérance du contingent canadien par rapport à celui en provenance de la France et, surtout, par rapport à celui de la Basse-Louisiane est confirmée par certains documents d'époque, du moins en ce qui concerne les colons de sexe masculin. C'est le cas par exemple de listes de miliciens des localités de Saint-Louis et de Sainte-Geneviève, datées de 1779. Ces listes, qui comportent pour chaque homme la mention de sa contrée d'origine, montrent que sur les 218 miliciens de Saint-Louis, on comptait 135 Canadiens, 46 Créoles des Illinois, 28 Français de France et seulement 4 hommes de la Basse-Louisiane (plus précisément de la Nouvelle-Orléans); on trouvait aussi 2 Espagnols et 1 Acadien[9]. Sur les 175 miliciens de Sainte-Geneviève, 71 étaient natifs du Canada et 65 des Illinois, 17 venaient de France et 15 étaient des « Anglais »; les 7 autres étaient originaires de diverses régions, dont les îles Canaries[10]. Au total, les Canadiens représentaient donc environ 52 % des miliciens, les Créoles 28 %, les Français 11 % et les Louisianais seulement 1 %. Ces chiffres viennent préciser quelque peu l'observation faite quelques décennies plus tard par Nicolas de Finiels, à savoir que la « population de Saint-Louis est mêlée de Canadien[s], de créole [sic], d'américains et de quelques françois qui s[']y sont fixés depuis huit ou dix ans » (1803 : 54). Par ailleurs, dans ses souvenirs écrits en 1847, la Créole Marie-Anne Cerré affirme que « [l]e plus grand nombre de ces familles [ayant colonisé les Illinois] avaient été fournis [sic] par le Canada »[11]. Enfin, il faut mentionner le groupe important des esclaves noirs et mulâtres[12], dont les origines précises et le mode de participation à la vie culturelle de la population blanche constituent une problématique qui dépasse largement le cadre de notre article[13]. En définitive, dans le

---

[8] Nous ne comptons pas les Français qui sont allés directement aux Illinois en passant par la Basse-Louisiane pour remonter le Mississippi.

[9] Voir les deux parties de la liste (la première pour l'infanterie, la suivante pour la cavalerie) dans McDermott (1974 : 373-380).

[10] Voir Ekberg (1996 : 47).

[11] Faribault-Beauregard (1987 : 6). Les ancêtres de Cerré s'étaient installés aux Illinois durant le Régime français.

[12] Si les esclaves noirs et mulâtres représentaient un peu moins du tiers de la population coloniale des Illinois en 1752, Ekberg (1996 : 201) indique qu'ils représentaient 41 % de la population de Sainte-Geneviève en 1773 et 38 % en 1787. Ces pourcentages élevés s'expliquent par la vocation agricole de ce village.

[13] Sur ces questions, on consultera avec intérêt Ekberg (1996 : 196-238).

bilan qu'on peut dresser de la colonisation des Illinois, il faut prendre en considération les divers groupes mentionnés, contrairement à ce qu'a fait Dorrance (1935 : 10), qui considère qu'il s'agit d'un peuplement presque exclusivement canadien.

3. Le français au pays des Illinois

Malgré la diversité des origines de la population francophone des Illinois, il nous paraît raisonnable de poser l'hypothèse que le parler laurentien a été transplanté au cœur du Midwest américain dès la fin du 17e siècle, les Canadiens représentant un groupe assez nombreux et cohésif pour y imposer une bonne partie de leur usage. Néanmoins, divers facteurs ont fait en sorte que le FI a connu une évolution différente de celle qu'a connue le FC.

Précisons d'abord que le français du pays des Illinois est aujourd'hui apparemment disparu des bords du Mississippi, mais qu'il a survécu plus longtemps dans certains coins isolés de l'État du Missouri, ce qui explique qu'on fasse maintenant plutôt référence au « français du Missouri » (FM) qu'au FI. Nous ferons la distinction entre FI et FM lorsque cela sera nécessaire, réservant l'emploi de FI comme désignation du parler autrefois présent surtout sur le territoire correspondant actuellement aux États de l'Illinois et du Missouri, et FM à un isolat du Missouri étudié au 20e siècle. Le FM a fait l'objet d'au moins trois études majeures alors que les locuteurs étaient encore en nombre suffisant : Dorrance (1935), Carrière (1937) et Thogmartin (1970), lesquelles ont permis entre autres de collecter une partie des traits lexicaux propres au parler de la Vieille Mine, ou *Old Mines*, petite localité située à environ 50 milles au sud-ouest de Saint-Louis.

4. Le vocabulaire du français du Missouri (FM)

Pour Dorrance (1935 : 47), le vocabulaire français de la Vieille Mine (que nous assimilerons ici au FM) a été apporté du Canada quasiment tel quel. Pour Carrière (1937 : 11), pratiquement tout le vocabulaire du FM qui n'appartient pas au français standard (ou français commun) provient du Canada, mis à part les emprunts à l'anglais; seulement 30 ou 40 mots proviendraient de la Louisiane, étant donné le nombre négligeable de colons venus du bas de la vallée du Mississippi. Toutefois,

Thogmartin (1970 : 90) estime que le jugement de Carrière a été influencé par ses origines canadiennes; pour sa part, il considère plutôt que le français de la Louisiane[14] (FL) a joué un rôle plus déterminant que le FC dans la formation du parler de la Vieille Mine, en particulier sur le plan du vocabulaire et de la phonologie[15].

Nous avons voulu vérifier en partie les affirmations de ces chercheurs en examinant les données lexicales de Dorrance (1935), recueillies au début des années 1930, lesquelles sont les plus riches actuellement disponibles. Selon nous, l'étude du glossaire de Dorrance permet d'établir de façon significative le degré de parenté entre le FM et celui de la vallée laurentienne. Ce glossaire contient 941 entrées (en comptant pour 2 la double entrée *chaise berçante, chaise à berceaux*). Nous avons examiné les entrées allant de la lettre A à la lettre J inclusivement, ce qui donne un total de 534 unités lexicales formant notre corpus (corpus A-J). Nous avons vérifié l'attestation de ces unités en FC de la vallée laurentienne ainsi qu'en FC de l'Ontario, notamment celui de la région de Windsor (près de Détroit), étant donné qu'il constitue une extension du parler laurentien. Les principaux outils utilisés sont l'Index lexicologique québécois (ILQ),[16] le fichier lexical du Trésor de la langue française au Québec, Université Laval (FTLFQ) ainsi que l'*Atlas linguistique de l'Est du Canada* (ALEC). Les unités lexicales non attestées dans l'usage canadien, récent[17] ou ancien, étaient relevées comme étant caractéristiques du FM

---

[14] Dans cet article, nous utilisons *français de Louisiane* comme un terme générique regroupant l'ensemble des variétés régionales de français en usage sur le territoire de la Louisiane actuelle.

[15] Thogmartin (1970 : 89) a écarté trop rapidement l'apport du FC en s'appuyant notamment sur des critères phonétiques qui ne tiennent pas compte de la variation diachronique du FC. Ainsi, la tendance à diphtonguer les voyelles en syllabes fermées accentuées en FC du 20e siècle, phénomène que Thogmartin ne retrouve pas en FM, n'avait peut-être pas la même importance dans la première moitié du 18e siècle en FC qu'elle n'en a eu deux siècles plus tard. En fait, tout comme la présence de l'assibilation de [t] et [d] devant les voyelles [i] et [y] et les semi-voyelles [j] et [ɥ] en FM constitue un indice de l'ancienneté de la diffusion de ce trait phonétique en FC (v. Poirier 1994 : 82-84), l'absence de diphtongaison en FM pourrait suggérer que ce phénomène n'était pas encore répandu de façon importante en FC au début du 18e siècle.

[16] Index consultable en ligne à l'adresse suivante : www.tlfq.ulaval.ca/ILQ. Contrairement à ce que son nom laisse entendre, l'ILQ intègre aussi des sources métalinguistiques relatives à des variétés nord-américaines de français parlées hors Québec (Acadie, Louisiane, Ontario, etc.).

[17] Par récent, nous entendons la première moitié du 20e siècle, pour qu'il y ait une certaine correspondance temporelle avec les données de Dorrance. L'ALEC a été publié dans les années 1980, mais il reflète néanmoins un état de langue des premières décennies du 20e siècle.

au regard de la variété canadienne de français et classées comme missourismes (au sens large).

5. La filiation canadienne

Malgré la petitesse de l'échantillon, les résultats sont assez révélateurs. Sur les 534 unités, 131 ne sont pas attestées en FC et sont donc considérées comme des missourismes pour les fins de cette brève étude, c'est-à-dire près de 25 %. Autrement dit, environ 75 % de notre échantillon d'unités lexicales de français du Missouri se retrouvent également en français canadien. Un premier examen des 406 entrées suivantes permet d'avancer que les pourcentages sont similaires pour l'ensemble des 941 entrées (la part de mots communs aux deux variétés augmente cependant légèrement). Ajoutons que 64 des missourismes sont des lexèmes qu'on ne retrouve pas en FC, 34 représentent des acceptions particulières et 18 des traits que nous qualifions, par commodité, de morphologiques ou de morphosyntaxiques; s'ajoutent à cela 18 mots dont la prononciation est particulière[18].

Dans le corpus A-J, 34 des missourismes sont partagés avec le FL[19] (environ 6 % de l'ensemble de l'échantillon). Notons qu'un trait est partagé avec le mitchif et le français des Métis de l'Ouest canadien (*avoir*, imparfait, 3ᵉ personne du pluriel → *ontvaient*)[20] et qu'un autre trait ne se retrouve qu'en Acadie (*'cale* « écale »)[21]. Le reste (95 unités) constitue des traits originaux par rapport aux autres variétés de français d'Amérique du Nord, si on fait abstraction de deux anglicismes que l'on retrouve aussi en Acadie (*connestable* et *explainer*), c'est-à-dire environ 18 %. Précisons cependant qu'un certain nombre de ces 95 missourismes « origi-

---

[18] Le total de 134 (64 + 34 + 18 + 18) découle du fait que 3 missourismes se retrouvent dans deux catégories. Par exemple, le mot *cassétte* se distingue par sa prononciation (*é* devant le *t*), si l'on se fie à l'évaluation de Dorrance, ainsi que par son extension de sens (« tout type de boîte »). De même, le mot *galette chouage* « sorte de biscuit » est un lexème non attesté en FC; la variante de prononciation *chouage* est également particulière au FM.

[19] Bien que principalement conçu pour faciliter l'étude du français québécois, l'ILQ est également utile pour l'étude du vocabulaire du FL, puisqu'il intègre les données de plusieurs ouvrages métalinguistiques, articles, mémoires et études portant sur cette variété de français. L'affirmation selon laquelle 34 missourismes sont attestés en FL repose sur les données de l'ILQ; nous sommes cependant conscient que ce résultat pourrait changer quelque peu avec l'apport de données louisianaises nouvelles.

[20] Il s'agit ici d'une restructuration analogique probablement survenue de façon indépendante en FM et dans le français des Métis.

[21] Voir Poirier (1953 : 112). *Cale* est attesté en Acadie au sens d'« écale de noix ».

naux » tirent éventuellement leur source du FC, mais qu'ils représentent des évolutions phonétiques, morphologiques ou sémantiques parallèles (exemples : FM *bimbocher* « faire une vie de débauche » s'apparente au FC *bambocher*, de même sens; FM *chauouage* et *chouage* « sauvage » sont clairement des variantes du FC *chauvage*; FM *gaie-année* et *guionnée* correspondent au FC *guignolée*; FM *gaie-anneur* et *guionneur* correspondent au FC *guignoleux*). Dorrance (1935 : 48) a d'ailleurs noté ce phénomène. De plus, parmi les missourismes non attestés en FL, certains pourraient quand même avoir une origine louisianaise[22].

Ces chiffres, qui ne représentent bien entendu que des indices s'appuyant sur des données parcellaires (j'insiste sur cette mise en garde), étayent tout de même les affirmations de Dorrance et de Carrière, à savoir que le vocabulaire français du FM est étroitement lié à celui de la vallée laurentienne[23]. Cette filiation semble avoir été sentie assez tôt, si l'on se fie au témoignage de Nicolas de Finiels, en 1803 :

> Le langage de ces peuples [des Illinois] a dû nécessairement s'altérer. Cependant il n'est pas aussi corrompu qu'on pourroit s'y attendre, d'après ce qu'on remarque de plusieurs provinces de France, dans lesquelles on parle une langue inintelligible pour des Français. Les Canadiens leur ont donné quelques expressions particulières à leur pays, et ils ont pris des Sauvages plusieurs tours de phrases qui leur ont paru plus expressifs pour rendre leurs pensées ou les événemens qui les intéressoient (163).

Ce passage est sûrement l'une des plus anciennes traces de la prise de conscience par un observateur des différences entre deux variétés de français nord-américain. Cela dit, Nicolas de Finiels n'étant selon toute vraisemblance jamais allé au Canada, son avis doit être interprété avec prudence.

---

[22] Par exemple, *amarron* désigne des fruits similaires en Louisiane (*Aesculus Pavia*) et au Missouri (*Aesculus glabra*); il s'agit peut-être d'un simple changement de référent occasionné par les différences entre la flore des deux régions (v. Read, 1937 : 64). De même, *jambolail* « plat traditionnel comprenant du riz et de la viande » pourrait représenter une évolution phonétique locale du mot *jambalaya* attesté en FL.

[23] Nous insistons ici sur le mot *lié*. Si la grande parenté entre le vocabulaire du FM et celui du FC est indéniable, il serait quelque peu téméraire d'avancer que tous les traits de vocabulaire que le FM partage avec le FC proviennent directement de cette dernière variété. Il est théoriquement possible que quelques traits proviennent, par exemple, de la Basse-Louisiane. Toutefois, étant donné l'importance du contingent canadien dans le peuplement des Illinois, il serait difficile de faire la démonstration qu'un trait lexical du FM également attesté au Canada ne devrait néanmoins rien à l'influence du FC.

Nos résultats montrent aussi que la part des éléments apparemment originaux dans le vocabulaire du FM est plus importante que celle des éléments louisianais, ce qui tend à infirmer l'opinion de Thogmartin selon laquelle le FL aurait joué un rôle prépondérant dans la formation du FM. En effet, si la part du FL était plus importante que celle du FC, on aurait pu s'attendre à ce que plus de 6 % des unités du corpus A-J constituent des écarts entre le FM et le FC potentiellement attribuables à l'influence du FL. Cela n'est pas surprenant puisque la Basse-Louisiane ne semble pas avoir été une source appréciable de colons pour le pays des Illinois, du moins pendant la majeure partie du 18ᵉ siècle, époque au cours de laquelle le FI s'est formé et a acquis ses caractéristiques essentielles[24]. Cela dit, pour démontrer de façon plus complète la prévalence de l'influence du FC sur celle du FL dans la formation du vocabulaire du FI et du FM, il faudrait, par exemple, refaire le même exercice de comparaison lexicale présentée ci-dessus, mais cette fois entre les données de Dorrance et un corpus lexical louisianais qui soit le plus riche possible. Le résultat obtenu nous permettrait de conclure de façon plus définitive quant à l'importance de l'influence louisianaise.

6. Les causes de l'originalité du vocabulaire du FM par rapport à celui du FC

L'examen d'un corpus de missourismes définis en fonction de leur non-attestation en FC nous permet d'entrevoir le processus de différenciation amorcé dès le 18ᵉ siècle entre le FI et le FC, processus qui aboutit aux écarts entre le vocabulaire du FM et celui du FC. Le lexique étant la composante de la langue la plus sujette à la variation, il représente un matériau utile à ce genre d'observation. Le nombre des missourismes collectés nous permet de discerner au moins six grandes causes pouvant expliquer les écarts lexicaux entre les deux variétés. En nous inspirant en partie de Poirier (1994), qui s'intéresse aussi aux causes de la variation géolinguistique du français en Amérique du Nord, nous les examinerons tour à tour, sans toutefois tenter de les présenter par ordre d'importance. Il ne s'agit pas nécessairement de facteurs de différenciation parfaitement distincts; par exemple, l'adaptation au nouvel environ-

---

[24] Thogmartin (1970 : 89-90) a sous-estimé l'importance du peuplement des Illinois par des colons canadiens; il considérait que la route à parcourir était trop longue pour que ceux-ci aient réussi à venir en nombre important par rapport à ceux de la Basse-Louisiane, qui n'avaient qu'à remonter le Mississippi.

nement, l'influence louisianaise et celle des adstrats sont des éléments concomitants, étant donné que le FM a parfois emprunté au FL ainsi qu'à des langues étrangères pour rendre compte de l'environnement du Midwest.

6.1. *Le peuplement d'origine*

La formation du FI s'est amorcée dès le commencement de la colonisation des Illinois à partir de la toute fin du 17ᵉ siècle, et ce, sur la base des usages linguistiques des divers groupes de colons. La composition du contingent pionnier canadien, dont les individus venaient plus souvent de la région montréalaise que des autres régions de la vallée laurentienne (Lessard et al. 1988 : 215-216), a éventuellement donné une couleur particulière au FC transplanté dans cette région. Aussi capital que soit l'apport du FC dans le FM, certains traits de ce dernier semblent néanmoins témoigner d'une origine française différente; il est tentant de les attribuer à une influence, petite mais perceptible, des parlers des colons français non canadiens. Autrement dit, un petit nombre d'unités lexicales suggèrent qu'une influence directe des parlers de France aurait pu jouer dans le développement du FI et, par conséquent, du FM. En effet, parmi les missourismes de notre corpus, on compte quelques unités d'origine galloromane qui ne sont répertoriées ni au Canada, ni en Louisiane : *bimboche*[25], *'cale*[26], *'caler*[27], *contrailleux*[28], *crochier*[29],

---

[25] En fait, c'est plutôt la forme *bamboche*, avec le même sens qu'en FM (« ivrogne »), qu'on trouve dans certains parlers du Nord de la France (v. FEW *bamb* 1, 227b), forme qui pourrait être à l'origine de la variante *bimboche*.

[26] *Cale* « écale » est relevé dans quelques régions de France. Au sens plus précis de « brou de la noix », on le trouve en Bourgogne, en Normandie et en Vendée; au sens de « gousse des fèves, des pois », on le trouve en Normandie et dans le Berry (v. FEW **skala* 17, 77b et 81b). Il est vrai que *'cale* est attesté aussi en Acadie, mais une influence acadienne sur le FM apparaît improbable si ce n'est par l'intermédiaire des Cadiens installés en Basse-Louisiane à partir de la fin du 18ᵉ siècle.

[27] *Caler* figure dans Furetière (1690) au sens de « oster la premiere peau des noix vertes », mais il semble qu'il s'agissait d'un emploi régional, car les autres dictionnaires français de cette époque n'en parlent pas; on trouve d'ailleurs la remarque suivante dans Trévoux (1752), s.v. *caler* : « On ne sait où Furetière a pris le mot de *caler* en ce sens. On dit bien *écaler* des noix; mais pour *caler* on ne le trouve nulle part ». On a relevé *caler* « ôter le brou des noix » en Aunis et au Poitou.

[28] On trouve *contralieux*, de même sens (« qui aime à contrarier, difficile à vivre ») en Saintonge (v. FEW *contrarius* 2², 1122a).

[29] *Crochier* « recourber » était usité en ancien français. Il s'est sans doute maintenu dans quelques parlers de France; on a relevé par ailleurs *recrochiller* « courber, tordre » en Normandie (v. FEW **krōk* 16, 401b et 402a).

dégout[30], *déracher*[31], *épaulée*[32], *ésulter*[33], *étrier*[34]. Mentionnons aussi *graffier*[35] et *grimpier*[36], bien qu'ils pourraient être issus d'une évolution phonétique locale. Quelques traits morphologiques du FM relatifs à des formes féminines (dans notre échantillon : *durte*[37], *fierte* et *jolite*, mais Dorrance consigne aussi *noirte*[38]) peuvent aussi être attribuables à des parlers de France, quoiqu'un développement local soit envisageable. L'hypothèse de l'influence directe des parlers galloromans doit être considérée sérieusement, bien qu'il demeure somme toute possible que ces emplois ne représentent que des survivances d'usages ayant déjà eu cours au Canada ou en Louisiane, mais qui ne sont pas attestés dans la documentation disponible[39]. Thogmartin (1970 : 80-89) a déjà souligné la présence d'éléments lexicaux issus des parlers de France en FM, mais il n'a pas réussi à bien les distinguer des éléments ayant transité par le français canadien; la plupart des exemples qu'il donne représentent des unités bien attestées en FC et peuvent difficilement être attribuées à un apport français direct (*amain* « d'un usage commode », *babines* « lèvres », *qu'ri* « chercher », *safre* « glouton », *souris-chaude* « chauve-souris », *suire* « suivre », *sumer* « semer », etc.).

---

30 *Dégout* « eau qui tombe par gouttes d'un toit » est attesté notamment en Normandie et dans plusieurs parlers du Nord de la France (v. FEW *gŭtta* 4, 349b).

31 *Déracher* « arracher » est attesté dans les parlers du Nord et de l'Ouest de la France (v. FEW *eradicare* 3, 233b).

32 *Épaulée* « charge qu'on porte sur l'épaule » a eu cours en moyen français; il a été relevé dans le Pas-de-Calais et en Normandie (v. FEW *spatula* 12, 148a).

33 *Essulter* « insulter » est attesté en Saintonge (v. FEW *insultare* 4, 730b).

34 *Étrier* « trier » est relevé à Mons, en Belgique (v. FEW *trītare* 13², 305b).

35 *Graffiller* « égratigner » est attesté en moyen français; plus récemment, la forme *graffeiller* « égratigner » a été relevée à Mons, en Belgique (v. FEW *krafja* 16, 350b). En FM, *graffier* pourrait aussi représenter tout simplement une variante phonétique locale de *graffigner* « égratigner », d'autant plus que *graffigner* y est également attesté; d'ailleurs, nous avons classé ce missourisme dans la catégorie des traits phonétiques.

36 Ce cas est un peu plus problématique. On trouve *grimpyi* « grimper » en wallon, ce qui est une forme assez proche (v. FEW **grīpan* 16, 76b). On a cependant *grimpigner* en FC (v. GPFC), lequel pourrait représenter la source de *grimpier* en FM, par suite d'une transformation phonétique (notamment par le relâchement de l'occlusion de la dorso-palatale).

37 Par exemple, la forme *durte* (pour *dure*) est relevée dans les parlers de l'Ouest et dans ceux du Nord (v. ALF 429).

38 Le féminin *noirte* « noire » est attesté dans les parlers du Nord, sensiblement là où on relève *durte* (v. ALF 916).

39 Étant donné la somme des travaux de description et de dépouillement de sources linguistiques anciennes concernant le FC, la non-attestation de ces usages en FC suggère qu'ils ont dû être plutôt marginaux s'ils ont jamais été usités en FC.

6.2. *Les effets de l'isolement*

Les unités lexicales héritées des parlers de France attestées en FM sont le produit non seulement de la « négociation » originale des divers apports lexicaux des groupes de colons venus s'installer aux Illinois, processus qui a donné un résultat quelque peu différent de ceux qui sont survenus en FC et en FL, mais également de ce qui semble être une exposition moindre aux pressions normatives de la métropole dès le 18ᵉ siècle. Ce type d'héritage lexical représente en quelque sorte une manifestation de la situation particulière dans laquelle a évolué cette variété de français demeurée soustraite dans une large mesure à l'influence normalisatrice de Paris. L'isolement du pays des Illinois en est évidemment la cause première. Par ailleurs, l'absence prolongée d'institutions scolaires de langue française[40] a fait en sorte que le français standard tel qu'il s'est développé en Europe depuis la Révolution française n'a pas pu se diffuser facilement parmi les populations francophones des Illinois, ce qui explique aussi, dans une certaine mesure, la conservation en FM d'emplois originaires des régions de France ainsi que d'emplois devenus archaïques en français métropolitain, voire en FC. De même, la faible représentation d'une élite culturelle pouvant servir de moteur à certains changements linguistiques reflétant des distinctions sociales est une donnée à prendre en considération dans l'explication de ce phénomène de conservatisme lexical. Le FC a connu à peu près la même situation, quoique l'isolement du Canada français ait été moins marqué avant 1760 et après le milieu du 19ᵉ siècle[41], époque où il a repris contact avec la France de façon significative.

Les effets de l'isolement ont probablement laissé en FM d'autres traces sur le plan lexical qui n'ont pas été relevées par Dorrance. Ainsi, Thogmartin (1970 : 94) signale [marɛ̃] « bardeau de bois tranché à la main », variante de *merrain*[42], forme standard depuis au moins le début

---

[40] Certes, il y a eu de petites écoles où l'on prodiguait l'enseignement du français en Haute-Louisiane, notamment à Sainte-Geneviève vers la fin du 18ᵉ siècle et au début du 19ᵉ siècle, mais relativement peu d'enfants les fréquentaient. Ekberg (1996 : 272) estime qu'au moins les trois quarts des habitants de Sainte-Geneviève étaient analphabètes pendant une bonne partie du 18ᵉ siècle; il semble cependant que cette proportion ait diminué vers la fin du siècle en question (Ekberg 1996 : 282).

[41] Sous la domination espagnole, le pays des Illinois a pu conserver des liens avec la France, notamment par la voie du commerce.

[42] La variante de prononciation [marɛ̃] du mot *merrain*, attestée dès la période de l'ancien français, figure dans Richelet (1680 : s.v. *merrin*), qui la considère toutefois comme incorrecte (« *Marrin* ne se dit que par ceux qui parlent mal »), et dans Académie 1694 (s.v. *marrein* et *mairrain*). Ce dernier ouvrage définit *marrein* et *mairrain* par « toute sorte

du 18ᵉ siècle. En Louisiane, seule la forme prononcée [merē] est attes-tée[43], avec un sens identique. En FC, la même forme normée est relevée sporadiquement à date ancienne, mais au sens analogue de « planche de bois destinée surtout à la tonnellerie » ou encore de « bois de charpente » (graphies *mairin, mairen, meirein, mesrain* dans FTLFQ). Or le marchand Pierre Ménard (Journal nᵒ 1, 167), Canadien d'origine installé à Kaskas-kia (Illinois), utilise la forme *marin* dans un livre de comptes[44] :

> 2 juin 1798
> Avoir de M. James Guillmoor
> [...]
> 2 jours pour la levée [de la maison] et charier le marin 4 [piastres]

Cette attestation de 1798 confirme que la forme [marē] relevée en FM était déjà en usage en FI du 18ᵉ siècle. Il est tentant de voir en *marin* une marque du conservatisme du FM favorisé par l'état d'isolement dans lequel a évolué le FI au cours du 18ᵉ siècle par rapport à certaines forces normalisatrices françaises; cette explication demeure plausible, que le mot soit un legs des parlers de France, au même titre que les exemples donnés plus haut, ou tout simplement un archaïsme. Seule une prise en compte systématique de plusieurs exemples (lexicaux, phonétiques et morphologiques) permettrait de jeter plus de lumière sur cette question.

6.3. *L'influence louisianaise*

On a vu que 34 des 131 missourismes recueillis dans le corpus A-J (c'est-à-dire environ 26 % de ceux-ci) étaient attestés en FL. Si ces emplois couvrent un assez large éventail de champs sémantiques, plu-sieurs renvoient à des réalités naturelles typiques de la moitié sud de la vallée du Mississippi. Mentionnons *barbe espagnole* « plante épiphyte (*Til-landsia usneoides*) », *bois de flèche* « nom donné à différentes espèces de cor-

---

de bois à bastir, comme poutres, solives » et précise que le mot « se prend plus com-munément parmi les ouvriers pour le bois dont on fait les panneaux des fenestres, des cassettes, des fustailles, des portes *etc.* ». Ces définitions s'accordent parfaitement avec le sens probable accordé à *marin* par Ménard (Journal nᵒ 1; v. plus bas) et à l'emploi relevé par Thogmartin. La variante *marrin* est présente dans divers parlers de France, sous plusieurs formes graphiques (v. FEW *materiamen* 6¹ 486b et 487a). L'Académie la mentionne sous forme de renvoi à *merrain* pour la dernière fois dans son édition de 1740.

[43] Voir par exemple, Jeansonne (1938), s.v. *mérain*, et Daigle (1984), s.v. *merrain*.

[44] Ménard ayant quitté le Canada vers l'âge de 20 ans (aux alentours de 1785), nous croyons qu'il a pu acquérir le mot *marin* aux Illinois.

nouillers », *cotonnier* « platane d'Occident (*Platanus occidentalis*) » et *herbe à coquin* « herbe de l'espèce *Xanthium americanum* »[45]. Ce résultat montre qu'il existe un rapport indéniable entre le vocabulaire en usage en Basse-Louisiane et celui du FM. Il s'agit de déterminer la nature de ce rapport. Si l'influence du FL s'est exercée par l'entremise d'immigrants venus de la Basse-Louisiane, il semble que cela n'aurait pas pu se produire avant les dernières décennies du 18ᵉ siècle (selon les renseignements présentés plus haut); on peut d'ailleurs se demander si l'immigration en provenance de la Basse-Louisiane aurait été suffisante pour rendre compte des 26 % des 131 missourismes collectés. Selon nous, il faut envisager ici le rôle complémentaire joué par les esclaves noirs, dont plusieurs auraient travaillé dès la deuxième moitié du 18ᵉ siècle (v. Ekberg 1996 : 150) dans les mines de plomb de la région située à l'ouest de Sainte-Geneviève (où se trouve la Vieille Mine). Plusieurs venaient des plantations de la Basse-Louisiane et de Saint-Domingue (v. Gold 1983 : 119); quelques-uns, selon Ekberg, venaient directement d'Afrique. Ces esclaves travaillaient aussi au défrichage du pays et à la culture des terres. Sur le plan linguistique, on notera avec intérêt que Marie-Anne Cerré a écrit que sa grand-mère, qui possédait des esclaves aux Illinois dans la deuxième moitié du 18ᵉ siècle, leur parlait presque toujours « en français negre »[46]. S'agit-il d'une référence à la présence d'un créole à base française aux Illinois à cette époque ou plutôt à une forme de pidgin utilisé par les Blancs lorsqu'ils s'adressaient aux esclaves? L'existence d'un créole dans la Basse-Louisiane nous fait pencher pour la première supposition. Ce créole était-il particulier au pays des Illinois? Difficile d'en juger. Il n'en demeure pas moins qu'il devait être très similaire à celui en usage dans la Basse-Louisiane, en raison de l'origine louisianaise de plusieurs esclaves ainsi que la circulation d'esclaves entre les deux régions, par vente ou par échange. Ce parler aurait donc pu servir de vecteur de transmission d'usages lexicaux de la Basse-Louisiane, voire parfois de Saint-Domingue, vers le pays des Illinois. Si des recherches historiques permettent un jour de confirmer que des Blancs des Illinois apprenaient le créole (ou à tout le moins ses rudiments) pour communiquer avec leurs esclaves, cette hypothèse sera d'autant plus vraisemblable. Carrière (1937 : 9) indique d'ailleurs que certains contes qu'il a recueillis à la Vieille Mine appartiennent au folklore des Noirs louisianais; il croit qu'ils ont été transmis par les esclaves venus de Basse-Louisiane. La présence de ces contes au Missouri témoigne clairement de l'influence des Noirs

---

[45] Consulter l'annexe pour voir l'ensemble des missourismes de notre corpus A-J attestés en FL.

[46] Voir Faribault-Beauregard (1987 : 10).

dans la culture des Créoles des Illinois. Pour sa part, Dorrance (1935 : 47) estime que l'apport linguistique des esclaves sur le FM se manifesterait plutôt sur le plan phonétique. Une influence si profonde est possible, mais elle paraît toutefois moins assurée que sur le plan du vocabulaire.

Par ailleurs, dans les facteurs expliquant l'influence louisianaise en FI et en FM, il faut également évoquer les réseaux de communication entre la Haute-Louisiane et la Basse-Louisiane tout au long du Régime espagnol et au début du 19e siècle (nous y reviendrons).

6.4. *L'évolution naturelle*

Un certain nombre de missourismes peuvent être mis au compte de la créativité des locuteurs du FM (et du FI) et de la dynamique interne de la langue.

- Exemples de mots nouveaux : *cabane d'éclats* « hangar à bois », *capot de maïs* « enveloppe d'un épi de maïs », *charrement* « bavardage » ou « commérage », *démalamain* « malcommode, peu pratique », *hirondelle de terre* « hirondelle des cheminées ».

- Exemples de sens nouveaux : *bois de vache* « bouse de vache séchée » (au 19e siècle, parmi les voyageurs des prairies de l'Ouest, le mot renvoyait à la bouse de bison séchée servant de combustible), *chierie* « latrines » (au Canada, le mot renvoie plutôt à l'idée d'« abondance d'excréments »), *sans-dessein* « inutile » (au Canada, le mot signifie, selon le GPFC, « qui est sans initiative, sans décision, maladroit, niais »).

- On note des évolutions phonétiques à partir de tendances par ailleurs attestées en FC (*charser* « chercher », *gortans* « cretons » [pour le FC, le GPFC donne notamment *gortons*], *jatouiller* « chatouiller », etc.).

6.5. *L'évolution par adaptation à l'environnement*

6.5.1. L'environnement naturel et culturel

Le milieu naturel et culturel du Midwest américain a laissé sa marque sur le vocabulaire du FM, contribuant de façon notable à sa différenciation par rapport à celui du FC. Sur 131 missourismes, environ le quart (33) illustre le rôle de l'environnement dans le développement du vocabulaire du FM; un certain nombre d'entre eux pourraient d'ailleurs tirer leur source du FL. Mentionnons quelques exemples :

- milieu naturel : *bois d'arc* « arbre (*Maclura aurantiaca*) », *bois jaune* « arbre (*Liriodendron tulipifera*) », *cotonnier* « platane d'Occident (*Platanus occidentalis*) » et non « asclépiade », comme au Canada (v. ALEC, question 1033x), *gadelle* « canneberge » et non « groseille », *gourgane* « graine du faux acacia (*Robinia pseudoacacia*) » et non « fève des marais ».

- milieu culturel : *battoir* « bâton de base-ball », *battoir d'eau* « bateau à vapeur à aubes ».

6.5.2. L'environnement sociopolitique

Dans la Galloromania européenne, on sait qu'aux frontières politiques correspondent souvent des isoglosses. En Amérique, la frontière canado-américaine tient aussi lieu de ligne de démarcation entre des usages lexicaux français différents pour le vocabulaire relatif aux réalités politiques, culturelles et administratives. Même si le phénomène n'est pas beaucoup mis en relief par les données de Dorrance (citons tout de même l'anglicisme *connestable* « agent de police »), on sait que des statalismes ont contribué à différencier le FC et le FM; il s'agit pour l'essentiel d'emprunts à d'autres langues ou à d'autres variétés de français. Notons que ce processus s'est amorcé avant le rattachement de la Louisiane aux États-Unis (1803), c'est-à-dire pendant le Régime espagnol. Le mot *escalin* « 12,5 ¢ »[47], compris dans notre corpus de missourismes, est un exemple de mot dont l'usage s'est diffusé dans toute l'ancienne Louisiane apparemment à cause de l'influence espagnole, quoiqu'il soit par ailleurs d'origine française (v. Read 1931 : 140). Nos dépouillements d'archives mettent en lumière d'autres cas, comme par exemple le mot *gourde* « unité monétaire », dont l'usage dans le pays des Illinois et la Basse-Louisiane est à mettre au compte d'une influence du français des Antilles, notamment de Saint-Domingue (v. Read 1931 : 41).

6.6. *L'influence des adstrats*

6.6.1. L'influence amérindienne

Les amérindianismes sont très peu nombreux dans le glossaire de Dorrance, ce qui peut surprendre étant donné l'histoire du peuple-

---

[47] Utilisé dans le syntagme *deux escalins* « 25 ¢ » et *six escalins* « 75 ¢ ».

ment du pays des Illinois et le métissage qui s'y est produit. Dans l'échantillon examiné, on ne trouve que les mots *bayou*, emprunt au choctaw ayant transité par la Basse-Louisiane, et *assimine* (nous ne tiendrons pas compte de son dérivé *assiminer*[48] ou *aciminier*), qui désigne le fruit de l'*Asimina triloba*[49] et qui est vraisemblablement un emprunt à l'illinois[50] (tout comme le mot *plaquemine* « fruit du *Diospyros virginiana* », que Dorrance a aussi relevé). Sans doute que le français de la Vieille Mine rend plus compte du vocabulaire des habitants sédentaires que de celui des anciens voyageurs et commerçants de fourrures de Saint-Louis et de ses environs, lesquels ont eu plus de contact continu avec les autochtones. Néanmoins, on peut émettre l'hypothèse que les amérindianismes propres au FI étaient plus nombreux à date plus ancienne. La documentation historique en fournit d'ailleurs un certain nombre d'exemples. Mentionnons *poukicoré* « lotus d'Amérique (*Nelumbo lutea*) », autre emprunt à l'illinois (cette plante se nomme *p8kic8rea* ou *poukicourea* dans cette langue[51]), mot que nous croyons s'être transformé, par étymologie populaire, en *pois de shicoriat*, appellation relevée le long du Missouri par Meriwether Lewis en 1803-04[52]. Un autre exemple serait le mot *macopine*, mentionné notamment par le père Potier vers 1760, qui désigne une certaine racine comestible (probablement de l'*Ipomoea pandurata*, plante apparentée à la patate[53]) et représente un emprunt à une langue algonquienne[54].

6.6.2. L'influence anglaise

Bien entendu, lorsque Dorrance a compilé son glossaire, l'influence de l'anglais sur le FM était prépondérante, et il aurait pu noter un grand nombre d'anglicismes, étant donné l'état d'érosion avancé du FM face à la langue de la majorité américaine. En fait, Dorrance ne semble avoir noté que ceux qui semblaient les plus intégrés au français. Ainsi, le corpus A-J de missourismes comporte au moins 13 anglicismes

---

[48] Nous croyons possible que Dorrance ait voulu écrire *assiminier* plutôt que *assiminer*.

[49] Voir Bubenicek (2001 : 38).

[50] Cf. le mot illinois *rassimina*, glosé par « fruits dits racemins » dans un dictionnaire illinois-français datant du début du 18ᵉ siècle (Masthay 2002 : 287).

[51] Voir Masthay (2002 : 279), où *p8kic8re8aki* représente une forme au pluriel. Le *8* est le symbole qu'utilisaient les missionnaires lorsqu'ils transcrivaient des mots amérindiens. Dans certains contextes, *8* représente *ou* (*p8kic8rea*); dans d'autres cas, il représente *w*.

[52] Ce cas est discuté dans notre thèse de doctorat (en préparation) : *Le lexique des voyageurs et des coureurs de bois francophones et son influence sur l'anglais nord-américain* (titre provisoire).

[53] Je dois à Michael McCafferty (Indiana University) l'identification de la plante en question.

[54] Voir Toupin (1996 : 152).

(emprunts directs plus ou moins adaptés, emprunts sémantiques et calques) [55], nombre qui aurait pu être plus élevé n'eût été de la correspondance frappante entre les anglicismes du FM et ceux du FC[56]. Par exemple, *bommeur* « fainéant » et *bommer* « fainéanter », *crède* (< *cradle*) « faux à râteau », *facterie* « manufacture », *farmeur* « fermier » et *goddamer* « blasphémer » sont relevés en FM ainsi qu'en FC. Tant le FM que le FC ont adapté leurs emprunts à l'anglais à leur phonologie et à leur morphologie; les résultats sont remarquablement similaires. Rottet et Golembeski (2000 : 104-105) ont d'ailleurs noté un phénomène semblable entre le FC et le FL.

La présence d'emprunts à l'anglais en FM remonte probablement aux premiers contacts entre l'anglais et le FI, contacts aussi anciens que ceux entre l'anglais et le FC (on retrouve les premiers anglicismes en FC dès les premières décennies suivant la Conquête). L'intensité a cependant été plus importante du côté américain à partir du début du 19e siècle. Des recherches dans des textes d'archives indiquent d'ailleurs combien le FI a subi des influences anglaises semblables à celles du FC. Les dates d'attestation en FI sont généralement plus anciennes qu'en FC, ce qui suggère une antériorité de l'emprunt dans ce parler sans, bien évidemment, l'assurer forcément. Par exemple, un livre de comptes de Pierre Ménard (Journal n° 1) fournit quelques attestations qui vont dans le sens de cette hypothèse :

18 may [1798]
Avoir [de Jacob Riche] pour avoir coupé le[s] logs 5 p[ias]tre (157)

2 juin 1798
Avoir de M. James Guillmoor [...] pour avoir grouby [« essarté, extirpé les racines »] 10 ares de terre à 3 p[ias]tre 30 (167)

28 juin [1798]
Avoir de Mons[r] Devine par
[...]
pour avoir arrangé la woigine[,] 3 [piastres] (180)

---

[55] *Arbre de paradis, beck* [= *back*], *cheucque* [< *shuck*], *carencro, connestable, courir, dépendant, dessur la place, esquillette* [< *skillet*], *explainer, fitable, gagner son temps* et *gone*. Il pourrait y en avoir plus. Dorrance suggère par exemple que *bétôt vite* serait un calque de *pretty soon* et que *haïr* aurait subi l'influence du verbe *to hate* dans certaines tournures; nous n'en sommes pas certain. Pour les définitions des emplois, se référer à Dorrance (1935).

[56] Les anglicismes du FM que nous retrouvions aussi en FC n'ont pas été retenus dans notre corpus de missourismes.

Les emprunts *log* et *woigine* sont aussi attestés en FC, mais plus tard; la première attestation de *log* en FC : 1852, celle de *wagon* avec une forme adaptée en *-ine* : 1833. L'emprunt *groubir* (forme infinitive attendue de *grouby*) correspond à l'emprunt *grobber* (< *to grub*) apparu près d'un siècle plus tard (1888-1889) en FC (FTLFQ). D'ailleurs, signalons que Ménard (Journal nº 1) a fait usage de la graphie *woigine* avant de recourir à *waggon* (1810), plus près de la forme anglaise, indication que l'emprunt aurait d'abord pénétré dans son usage par la voie orale. Ces exemples, qu'on pourrait multiplier, suffisent à montrer combien l'histoire du FI peut éclairer celui du FC, puisqu'ils mettent en lumière des procédés d'intégration convergents qui tissent des liens étroits entre ces variétés de français, contribuant ainsi, historiquement, à caractériser la francophonie nord-américaine par rapport à celle d'Europe. Ainsi, l'existence d'un stock d'emprunts à l'anglais en partie semblable dans les variétés canadiennes et américaines de français est à mettre au compte de stratégies communes d'emprunt lexical et d'adaptation à l'environnement sociolinguistique d'Amérique.

6.6.3. Les influences secondaires

En dépit d'une quarantaine d'années de régime espagnol en Louisiane (1762-1800), on ne remarque que très peu d'influence de la langue espagnole sur le français parlé dans la Haute-Louisiane; les rares hispanismes attestés en FM sont d'ailleurs aussi attestés en FL et ont probablement tous transité par la Basse-Louisiane. C'est le cas du seul exemple de notre corpus A-J : *brindjème* « aubergine »[57]; Dorrance consigne aussi *poc à poc* (< *poco a poco*) « peu à peu ». Toutefois, dans le français parlé dans les Antilles et dans toute la Louisiane, l'espagnol colonial a pu contribuer à généraliser l'usage de certains mots représentant des doublets dans les deux langues. C'est le cas d'*escalin* dans notre corpus, mais signalons aussi le mot *maïs*, prononcé *maï*, lequel a complètement évincé *blé d'Inde* en FM[58] (l'espagnol *maíz*, source du mot français, a probablement joué un rôle de renforcement). En ce qui concerne des emprunts à d'autres langues, l'apport des esclaves originaires d'Afrique est également très restreint et, là encore, les seuls mots d'origine africaine relevés dans le vocabulaire du FM ont dû transité par la Basse-Louisiane (*gombo* « okra » ou « soupe contenant de l'okra »). Quant à l'appellation *Alle-*

---

[57] Voir Read (1931 : 132, s.v. *brème*).
[58] En fait, même en FI, le mot *blé d'Inde* paraît avoir été marginal par rapport à *maïs*.

mands-Plats « colons allemands venus au Missouri », elle pourrait bien être un calque de l'allemand *platt-deutsch*, comme le suggère Dorrance.

7. Les échanges entre les foyers d'origine

On sait qu'il y a eu un certain maintien des rapports entre les principales communautés francophones du continent après la Conquête anglaise de 1760 et même après la création des États-Unis, en 1776. En effet, des réseaux de communication se sont maintenus par le moyen de mouvements de personnes sur une base temporaire (par le travail saisonnier, le transport et le commerce[59]) ou permanente (par exemple, l'émigration de Canadiens vers les États-Unis). Ce phénomène a joué un rôle dans le partage de traits lexicaux entre les diverses variétés de français d'Amérique du Nord, d'autant plus qu'il s'est poursuivi après que les variétés en question eurent acquis l'essentiel de leurs caractéristiques. Quelques-uns de ceux du FM découlent possiblement de cette dynamique, manifeste surtout aux 18e et 19e siècles. Ainsi, on peut supposer que des missourismes partagés avec le français de la Basse-Louisiane sont à mettre au compte de contacts entre des habitants de cette région et ceux du Missouri. Toutefois, la portée limitée de notre étude ne permet pas de faire la part entre les réseaux d'échange et l'immigration intercoloniale comme facteurs de rapprochement entre le FM et le FL.

Quelques cas illustrent quand même la pérégrination d'unités lexicales d'une variété à l'autre et dévoilent des aspects des relations entre les francophones de la Louisiane, des Illinois et du Canada peu examinés jusqu'ici. Ainsi, l'appellation *bois connu* « micocoulier occidental », usitée en FM, est également attestée dans la région de Montréal (là où pousse cet arbre au Québec) ainsi qu'en Louisiane. Il s'agit d'une variante par aphérèse de la forme plus ancienne *bois inconnu*, dont l'attestation la plus ancienne provient des Illinois[60]. Ce mot, manifestement une création populaire nord-américaine, s'est implanté partout le long de l'ancien axe de colonisation Louisiane-Canada; on le relève en FC, en FM et en FL. D'autres mots ont voyagé selon l'axe est-ouest. Ainsi, le mot *prairillon* « petite prairie », attesté à la fin du 18e siècle en Louisiane (v. Read 1931 : 179), n'a jamais été en usage en FC. Pourtant, il compte parmi les mots véhiculés par les *voyageurs* et les explorateurs de

[59] Par exemple, les *voyageurs* de la traite des fourrures et les bateliers du Mississippi assuraient la liaison entre plusieurs peuplements.
[60] Vers 1715, comme équivalent français de l'illinois *cat8c8acaminghi* (v. Masthay 2002 : 92).

l'Ouest américain, tant du côté américain que canadien[61]. Le mot est d'ailleurs passé à l'anglais vers le milieu du 19e siècle.

Les mots *chaise berçante* et *chaise à berceaux* « rocking chair » pourraient être des indices de l'existence de réseaux de communication entre les francophones du Québec et ceux des Illinois après la Conquête. Les deux vocables sont attestés au Québec respectivement à partir de 1824 et de 1832 (*chaise à berceaux* est toutefois sorti rapidement de l'usage)[62]. Or Dorrance les signale environ un siècle plus tard en FM. La réalité qu'ils désignent n'étant apparue au Québec, en provenance des États-Unis, qu'au début du 19e siècle[63] ou peut-être un peu plus tôt (ce type de siège commence à se répandre aux États-Unis à partir du milieu du 18e siècle), on peut suggérer que *chaise berçante* et *chaise à berceaux* se seraient diffusés du Québec vers le Missouri au cours du 19e siècle; sinon, il faut évoquer des créations parallèles en FC et en FM.

8. Conclusion

Les données de notre étude exploratoire nous conduisent à faire quelques constats quant aux relations qu'entretiennent le FC et le FM.

1- Il subsiste une forte correspondance entre le lexique du FM et celui du FC. On en déduit qu'une bonne partie du lexique amené par les colons canadiens pendant le Régime français est demeurée en usage. Remarquons que cette forte correspondance pourrait cependant être amoindrie si nous avions pu tenir compte des cas de variation fréquentielle et stylistique. Les données disponibles ne permettent généralement pas ce type d'analyse. Ainsi, bien qu'il soit attesté en FC, un mot comme *espérer* « attendre » n'y est probablement pas aussi usuel qu'en FM, du moins depuis le 20e siècle.

2- Parmi les facteurs de différenciation entre le lexique du FM et celui du FC, l'adaptation au nouvel environnement (naturel, culturel et sociopolitique) s'avère le plus important.

3- L'influence du lexique du FL constitue un facteur notable de différenciation du lexique du FM par rapport à celui du FC (il n'a pas été

---

[61] Voir Vézina (1994 : 114-118).
[62] Voir Juneau (1977 : 116-117 et 123).
[63] Selon Juneau (1977 : 116).

possible par contre de mesurer la part éventuelle du FL comme facteur de rapprochement du FM avec le FC, dans les cas théoriques où une unité lexicale du FM, bien qu'attestée en FC, trouverait son origine dans le FL).

4- La négociation des usages issus des parlers de France a donné un résultat différent en FI et en FC, d'où le maintien en FM de formes inédites ailleurs en Amérique du Nord. On peut supposer une influence des pratiques linguistiques des colons venus directement de France au pays des Illinois au cours du 18e siècle.

5- Des stratégies communes d'emprunt lexical à l'anglais en FM et en FC ont diminué en partie le poids de l'influence de l'adstrat anglais comme source d'écart entre les deux variétés de français, du moins, si l'on s'en tient aux données de Dorrance (1935).

6- Des échanges sur le plan lexical entre les communautés du Midwest américain et celles de la vallée laurentienne ont eu lieu au cours des 18e et 19e siècles.

La comparaison des lexiques des français d'Amérique apparaît comme une piste de recherche prometteuse à qui s'intéresse aux questions de formation et d'évolution des français parlés en Amérique du Nord. La mise en rapport des divers éléments du vocabulaire permet de formuler des hypothèses sur leur origine et sur les échanges qui ont eu lieu entre les communautés avant et après la cession du Canada aux Anglais. De ce point de vue, la variété de français du Missouri, en tant que variété intermédiaire et isolée, se prête assez bien à l'analyse des facteurs concourant à l'évolution du vocabulaire sur le plan diachronique. Bien que fortement apparenté au lexique canadien, le vocabulaire du FM montre des particularités qui nous portent à croire que le FI (dont il est issu) avait acquis un caractère original dès les premières décennies de sa formation. En effet, certaines unités lexicales tirent vraisemblablement leur origine des parlers de France et illustrent ainsi l'impact linguistique des colons venus directement de la mère patrie dans la formation du FI. Le vocabulaire du FM reflète aussi un apport louisianais qui prouve l'existence de liens entre les communautés francophones du pays des Illinois et de la Basse-Louisiane. Ce résultat est d'autant plus étonnant que les données disponibles relatives aux populations pionnières des Illinois pointent surtout vers une origine canadienne et, dans une moindre mesure, franco-européenne des colons. Ce constat nous a conduit à suggérer l'influence linguistique des contingents d'esclaves en provenance de la Basse-Louisiane comme agents de diffusion de certaines unités lexicales en usage dans cette région.

Dans notre étude sur le vocabulaire du français des Illinois et du Missouri, plusieurs aspects n'ont été qu'effleurés et demanderaient un examen plus poussé. C'est le cas notamment de la question des liens entre le vocabulaire du FL et celui du FM; une connaissance accrue de l'histoire de l'immigration louisianaise au pays des Illinois constitue un préalable à cette recherche. Par ailleurs, l'exploitation des sources manuscrites anciennes s'avère une voie intéressante à suivre pour documenter l'histoire du vocabulaire du FM, ses liens avec ceux du FL et du FC, l'influence de l'anglais, etc. En définitive, le français des Illinois et du Missouri est loin d'avoir livré tous ses secrets.

Références

Académie 1694 : 1694. *Le dictionnaire de l'Académie françoise*, 2 vol., Paris, Jean-Baptiste Coignard.

Académie 1740 : 1740. *Dictionnaire de l'Académie françoise*, 3ᵉ éd., 2 vol., Paris, Jean-Baptiste Coignard.

ALEC : DULONG, Gaston et Gaston BERGERON. 1980. *Le parler populaire du Québec et de ses régions voisines. Atlas linguistique de l'Est du Canada*, 10 vol., Québec, Gouvernement du Québec, Ministère des Communications.

ALF : GILLIÉRON, Jules et Edmond EDMONT. 1902-1910. *Atlas linguistique de la France*, 35 fasc. en 17 vol., Paris, Honoré Champion.

BUBENICEK, Louis. 2001. *Dictionnaire des plantes comestibles*, Paris, L'Harmattan.

CARRIÈRE, Joseph-Médard. 1937. *Tales from the French folk-lore of Missouri*, Evanston, Illinois, Northwestern University.

DAIGLE, Jules O. 1984. *A dictionary of the Cajun language*, Ann Arbor, Michigan, Edwards Brothers.

DORRANCE, Ward Allison. 1935. *The survival of French in the old district of Sainte-Genevieve*, Columbia, The University of Missouri.

DE FINIELS, Nicolas. 1803. « Notice sur la Louisiane Supérieure », manuscrit, John Francis McDermott Collection, Archives of the Lovejoy Library, Southern Illinois University, Edwardsville, Illinois.

EKBERG, Carl J. 1996. *Colonial Ste. Genevieve*, Tucson, Arizona, The Patrice Press.

FARIBAULT-BEAUREGARD, Marthe (éd.). 1987. *La vie aux Illinois au XVIIIe siècle : souvenirs inédits de Marie-Anne Cerré. Un voyage de Montréal à Kamouraska en 1840*, Montréal, Société de recherche historique Archiv-Histo Inc.

FEW : WARTBURG, Walther von. 1922-2003. *Französisches Etymologisches Wörterbuch : eine darstellung des galloromanischen sprachschatzes*, 25 vol., Bonn :

Klopp, 1928 ; Leipzig-Berlin : Teubner, 1934 et 1940 ; Basel : Helbing et Lichtenhahn, 1946-1952 ; Basel : Zbinden, 1955-2003.

FOLEY, William E. et C. David RICE. 1983. *The first Chouteaus, river Barons of early St. Louis*, Urbana, University of Illinois Press.

FTLFQ : Fichier lexical du Trésor de la langue française au Québec, Université Laval, Québec.

FURETIÈRE, Antoine. 1690. *Dictionnaire universel*, 3 vol., La Haye, Rotterdam, Arnout et Reinier Leers. [réimpr. : Genève, Slatkine Reprints, 1970].

GOLD, Gerald L. 1983. « Les gens qui ont pioché le tuf : les Français de la Vieille Mine, Missouri », dans Dean R. LOUDER et Eric WADDELL (dirs.), *Du continent perdu à l'archipel retrouvé : le Québec et l'Amérique française*, Québec, Les Presses de l'Université Laval, 117-127.

GPFC : La Société du parler français au Canada. 1930. *Glossaire du parler français au Canada*, Québec, L'Action sociale limitée. [réimpr. : Québec, Les Presses de l'Université Laval, 1968].

JEANSONNE, Samuel L. 1938. *A glossary of words that vary from Standard-French in Avoyelles Parish*, mémoire de maîtrise inédit, Louisiana State University, Baton Rouge.

JUNEAU, Marcel. 1977. *Problèmes de lexicologie québécoise. Prolégomènes à un Trésor de la langue française au Québec*, Québec, Les Presses de l'Université Laval.

LESSARD, Renald, Jacques MATHIEU et Lina GOUGER. 1988. « Peuplement colonisateur au pays des Illinois », *L'Ancêtre : Bulletin de la Société de généalogie de Québec*, 14 (6) février : 211-225 et 14 (7) mars : 266-279.

MASTHAY, Carl (éd.). 2002. *Kaskaskia Illinois-to-French dictionary*, St. Louis, Missouri, Carl Masthay.

MÉNARD, Pierre. *Journal nº 1*, manuscrit, Pierre Menard Collection, Illinois State Historical Library (Springfield).

MCDERMOTT, John Francis. 1974. « The Myth of the "Imbecile Governor" : Captain Fernando de Leyba and the Defense of St. Louis in 1780 », dans John Francis MCDERMOTT (dir.), *The Spanish in the Mississippi Valley 1762-1804*, Urbana, University of Illinois Press, 314-405.

POIRIER, Claude. 1994. « Les causes de la variation géolinguistique du français en Amérique du Nord : l'éclairage de l'approche comparative », dans Claude POIRIER, Aurélien BOIVIN, Cécyle TRÉPANIER et Claude VERREAULT (dirs.), *Langue, espace, société : les variétés du français en Amérique du Nord*, Sainte-Foy, Québec, Les Presses de l'Université Laval, 69-95.

POIRIER, Pascal. 1953. *Glossaire acadien, fasc. 1*, Nouveau-Brunswick, Université Saint-Joseph.

READ, William A. 1937. « Some Louisiana-French words », *Zeitschrift für Französische Sprache und Literatur*, Wiesbaden, 61 : 62-84.

READ, William A. 1931. *Louisiana-French*, Baton Rouge, Louisiana State University Press.

RICHELET, Pierre. 1680. *Dictionnaire françois*, 2 vol., Genève, Jean Herman Widerhold. [réimpr. : Genève, Slatkine Reprints, 1970].

ROTTET, Kevin J. et Dan GOLEMBESKI. 2000. « Vers une étude comparée des lexiques français d'Amérique du Nord : l'influence lexicale anglaise en français canadien et en français cadien », dans Danièle LATIN et Claude POIRIER (dirs.), *Contacts de langues et identités culturelles : perspectives lexicographiques*, [Québec], Les Presses de l'Université Laval, 99-112.

THOGMARTIN, Clyde Orville. 1970. *The French dialect of Old Mines, Missouri*, thèse de doctorat inédite, University of Michigan, Ann Arbor.

TOUPIN, Robert (éd.). 1996. *Les écrits de Pierre Potier*, Ottawa, Les Presses de l'Université d'Ottawa.

Trévoux : 1752. *Dictionnaire universel françois et latin (Dictionnaire de Trévoux)*, 7 vol., Paris, Estienne Ganeau, 5ᵉ éd., Compagnie des libraires associés.

VÉZINA, Robert. 1994. *L'apport du français nord-américain à l'anglais des États-Unis d'après les relevés du* Dictionary of Americanisms *de M.M. Mathews*, mémoire de maîtrise inédit, Université Laval, Québec.

Annexe : liste des missourismes tirés du glossaire de Dorrance 1935 (« The Survival of French in the Old District of Sainte-Geneviève »).

L = trait lexical (inclut des locutions); M = trait morphologique ou morphosyntaxique; P = trait phonétique; S = trait sémantique; * indique que le missourisme en question est aussi attesté tel quel (même sens, même forme, etc.) dans des parlers français de Louisiane.

Accorder (M)	Cabri (L)*	Éroncer (L)*
Accorer (S)	Caille de prairie (L)*	Escalin (L)*
Aile rouge (L)*	Cale (P)	Escorpion (S+P)
Alise (S)	Caler (P)	Esquillette (L)
Alisier (S)	Caloquinte (L)*	Ésulter (M)
Allemands-Plats (L)	Capot de maï (L)	Été chouage (P)
Aller (je vadrai, etc.) (M)	Ça que (L)*	Étrier (M)
Amarron (S)	Carencro (L)*	Explainer (L)
Animé (S)	Caresser (se) (S)	Faire (i' fontaient) (M)
Arbre de frutage, fritage (L)	Cas (par) (S)	Farine française (L)*
Arbre de paradis (L)	Cassétte (S+P)	Fèves cassées (L)
Assimine, acimine (L)	Cérémonie (S)	Fierte (M)
Assiminer [sic], aciminier (L)	Changé (S)	Fitable (L)
Atamer (P)	Chaouage (P)	Flamper (L)
Atour (à l') (P)	Charigari (L)	Foncer (S)*
Aussitte (M)*	Charrement (L)	Fotaine (P)
Avoir (ontvaient, ontaient) (M)	Charrer (L)*	Frais (faire des) (L)*
Balleur (L)*	Charreur, -euse (L.)*	Frumier (L)
Barbe espagnole (L)*	Charser (P)	Gadelle (S)
Basculée (L)	Cheucque (L)	Gagner son temps (L)
Battoir (S)	Chicrie (S)	Gaie-année (P)
Battoir d'eau (L)	Cocodri (L)*	Gaie-anneur (M)
Bayou (L)*	Connestable (L)*	Galerite (M)
Beck (L)*	Coq-chanté (L)	Galette chouage (L+P)
Beluet (S)	Contrailleux (L)	Garde-soleil (L.)*
Béquilles (S)	Cotonnier (S)*	Gombo (L)*
Berdache, beurdache (S)	Coup (à) (S)	Gone (L)*
Bétail (S)*	Courir (S)*	Gotans, gortans (P)
Bêtes rouges (L)*	Couturieuse (M)*	Gourgane (S)
Bétôt vite (L)	Créolerie (L)	Grabot (L)
Bijouterie (S)	Crochier (M)	Graffier (P)
Bimboche (L)	Dégoût (S)	Grand'manière (L)
Bimboché (L)	Démalamain (L)	Gratte-cul (S)
Bois noir (S)	Dépendant (S)	Grimpier (M)
Bimbocher (P)	Déplier (S)	Guionnée (P)
Bois d'arc (L)*	Déracher (M)	Guionneur (M)
Bois de flèche (L)*	Dessein (sans) (S)	Haïr (S)
Bois jaune (L.)*	Dessur la place (L)	Herbe, harbe à balai (L)
Bois de vache (L)	Durte (M)*	Herbe, harbe à coquin (L)*
Brindjème (L)	Egrafier (P)	Hirondelle de terre (L)
Brûlé (S)	Embarquer (S)	Intricoter (L)
Buffet à vitres (L)	Entre-deux (S)	Jambolail (L)
Cabanne [sic] d'éclats (L)	Épasser (M)*	Jatouiller (P)
	Épaulée (L.)	Jolite (M)

Sources documentaires pour l'histoire du français d'Amérique en lien avec les variétés régionales du français de France[1]

Pierre Rézeau, Centre National de la Recherche Scientifique

1. Sources

Plus on étudie le français des deux côtés de l'Atlantique dans une optique comparative, plus on constate qu'une partie des différences que l'on observe par rapport au français de référence (FR)[2] sont en fait communes aux français (et à certains créoles) d'Amérique et au français du Grand-Ouest (de la Normandie aux Pyrénées). Si ce constat n'a rien de nouveau, les sources auxquelles s'alimente la recherche sont de plus en plus nombreuses et variées et permettent d'affiner ou de conforter l'histoire de bien des faits. Ces sources à prendre en compte, on le sait, sont de deux types, métalinguistiques et textuelles.

Les dictionnaires du français, qui permettent de situer les faits analysés dans un cadre d'ensemble, sont une première consultation incontournable ; s'ils se révèlent souvent insuffisamment ou mal informés dans le domaine du français hors de l'Hexagone, leur consultation est néanmoins indispensable, dans la mesure où la description qu'ils donnent du français (essentiellement celui de France) offre un point de comparaison utile pour les français non hexagonaux. On ne se contentera pas de consulter les principaux dictionnaires du 20ᵉ siècle (Robert, TLF), mais on prendra aussi en compte les travaux antérieurs, comme Littré (19ᵉ siècle), les Trévoux, Furetière, etc. que l'on peut indirectement atteindre par l'indispensable FEW, dont la synthèse est si précieuse, même si là aussi la prise en compte de la réalité américaine est

---

[1] Je remercie, pour les renseignements qu'ils m'ont fournis pour ce travail, Albert Valdman (Indiana University), Nathalie Bacon et Steve Canac-Marquis (Université Laval, Trésor de la langue française au Québec) et Louis Mercier (Université de Sherbrooke).

[2] Sur ce sujet, voir Rézeau (2000). Les dictionnaires français utilisés pour cette étude sont : *Grand Larousse de la langue française en sept volumes* (GLLF), *Trésor de la langue française* (TLF) et *Le Grand Robert de la langue française*, 2ᵉ éd., (Robert).

faible. À ces sources lexicographiques doivent évidemment s'ajouter les nombreuses autres sources métalinguistiques qui les prolongent et les précisent : recueils de cacologies, atlas, monographies, enquêtes linguistiques, etc.

Mais il est aussi une très riche documentation textuelle, qui s'accroît régulièrement par des publications diverses et qui doit aussi retenir l'attention des chercheurs. Si l'on peut penser que la plupart des œuvres majeures ont été éditées, il reste encore à faire pour inventorier le patrimoine qui est parvenu jusqu'à nous et éditer les sources les plus intéressantes.

Il n'est pas envisageable de reproduire ici cette double bibliographie[3], mais le lecteur en prendra un aperçu à travers les exemples donnés ci-dessous, qui témoignent de l'intérêt de ces sources, particulièrement des sources textuelles, et qui ont été puisés essentiellement dans des travaux en cours concernant le français de Louisiane (Canac-Marquis et Rézeau à paraître) et celui de Haïti[4] et pour le français de France dans le *Dictionnaire des régionalismes de France* (DRF). Après un aperçu sur l'apport de ces sources pour l'étude de faits qui ne sont pas ou guère partagés, on s'attardera sur un certain nombre de faits communs au français des deux côtés de l'Atlantique, en essayant d'apprécier leurs aires géographiques.

2. Faits non partagés

2.1. *Le référent est propre à l'Amérique ; le signifiant est souvent absent du FR*

On passera rapidement sur cet aspect du français d'Amérique, concernant le plus souvent des termes de nomenclature qui correspondent à des *realia* propres à tel pays ou à telle région. Leur prise en compte par les dictionnaires de référence donne l'impression d'être aléatoire : cela peut s'expliquer d'une double façon, d'abord les dictionnaires français sont nettement francocentriques et, par ailleurs, la place des données encyclopédiques est inévitablement limitée dans un dictionnaire de langue. Sont-ils présents à la nomenclature (*caribou, orignal, ouananiche ;*

---

[3] À titre d'exemples, la « Bibliographie des sources citées » du DHFQ occupe les pages 528 à 562, et celle du DRF les pages 1054 à 1118.

[4] Rézeau (en préparation) « Aspects du français et du créole de Saint-Domingue à la fin du 18ᵉ siècle, d'après le témoignage d'un lexicographe anonyme ».

érable à sucre, etc.), que le traitement de ces termes laisse souvent à désirer, aussi bien en ce qui concerne la sémantique que l'histoire.

Voici un exemple haïtien :

> **mapou** n. m. Attesté depuis 1645 (« *Mappous,* bois blancs, & espineux, ce sont trois especes d'arbres, qui croissent fort gros et haut » Coppier 1645 : 55 ; Du Tertre 1654 : 349 ; cf. Petitjean Roget 1980 : 311) ; *ca* 1800 (« L'arbre appelé *mapou* est le seul qui, dans un certain tems de l'année, se dépouille de toutes ses feuilles en peu de tems, comme font les arbres en Europe pour en pousser de nouvelles » Bazalgues 1974 : 45b). D'origine inconnue (Friederici 1960 : 390), le terme est absent des dictionnaires de référence et de FEW, mais il figure dans Jourdain (1956 : 282) et Faine (1974).

Exemples louisianais :

> **bec-croche** n. m. « nom donné à des espèces nord-américaines de l'ibis, en particulier à l'ibis blanc (*Eudocimus albus*) ». Attesté depuis 1753 (« en été, des **Beccroches,** des Roitelets » Le Mascrier 1753 : 91) ; 1758 (« Le **Bec-croche** a en effet le bec croche, avec lequel il prend les Ecrevisses, dont il se nourrit » LePage du Pratz 1758, vol. 2 : 117) ; *ca* 1765 (« oiseaux aqoatiques de differentes especes […] **be-croche** blanc et gris » Canac-Marquis et Rézeau à paraître). Ce mot est toujours en usage en Louisiane (McDermott 1941, Read 1963 ; Daigle 1984 ; *Dictionary of Louisiana Creole* [DLC] 1998 *bekròch* ; v. Index lexicologique québécois [ILQ] pour d'autres références louisianaises) ; absent de FEW 1, 309a, BECCUS.

> **pichou** n. m. « nom donné aux espèces américaines du lynx, en particulier au lynx roux (*Felis rufus*) ». Attesté depuis *ca* 1685 (« Les sauvages luy ont donné [au lynx] un nom tout différent […], ils le nomment **pichiou** » Nicolas, f° 70) ; 1701 (FTLFQ) ; 1714 (« castors, loutres, martres, **pichious** [*sic*] » Giraud 1957 : 41) ; 1744 (« une espece de Chats sauvages, appelé[s] *Pijoux* » Berthiaume 1994 : 782) ; 1758 (« quelques Tigres & **Pichous** » Le Page du Pratz 1758, 1 : 262 et « Le **Pichou** est une espèce de Chat-pitois, aussi haut que le Tigre, mais moins gros, dont la peau est assez belle » Le Page du Pratz 1758, 2 : 92) ; *ca* 1765 (« quantités de peltries consistant en peau de chevreuils, biches, castors, **pichoux,** renard argentés et noir » Canac-Marquis et Rézeau à paraître). Ce terme d'origine amérindienne est encore de quelque usage en Louisiane (McDermott 1941, Read 1963, Ditchy 1932 « putois », Friederici 1960 : 500, Daigle 1984, Griolet 1986, cf. DLC *piton*).

sac à lait n. m. « marigane blanche (*Pomoxis annularis*, famille des cen-
trarchidés) ». Attesté depuis *ca* 1765 (« La riviere abonde en toutes sortes de poissons, tel que barbues que je ne puis mieux comparer qu'a la
morüe, il s'en trouve de 9 a 10 pieds de long et grosse a proportion,
sacalet, brochet, carpe, anguille et quantités d'autres inconnus » Canac-Marquis et Rézeau à paraître) ; 1802 « tous les poissons que l'on
pêche dans les lacs, les rivières et les bayoucs ! [...] le meuille, la plis
[*sic*], les **sacalés** » Baudry des Lozières 1802-1803 : 175), encore en
usage en Louisiane (Read 1963, Daigle 1984, Griolet 1986, DLC *sa-
kalè*). La graphie *sac-à-lait*, reflet d'une étymologie populaire, masque
l'origine améridienne du mot, qui est emprunté au choctaw *sakali*
« poisson blanc » ou « truite » (v. Read, dans *Zeitschrift für französische
Sprache und Literatur* 61, 82 et *International Journal of Linguistics* 11, 237
sqq).

2.2. *Le référent est propre à l'Amérique ; le signifiant est présent dans le FR, mais pour désigner une autre réalité*

Il est frappant de constater la méconnaissance fréquente par la
lexicographie française des réalités nord-américaines auxquels renvoient
des signifiants qui sont en l'occurrence autant de faux amis. Les éditeurs
et les lexicographes nord-américains, et particulièrement québécois, sont
heureusement de plus en plus attentifs à établir les bonnes connexions,
invitant leurs lecteurs à distinguer, pour prendre un exemple simple, les
oiseaux très différents qui, de part et d'autre de l'Atlantique, nichent
dans le signifiant **merle**[5]. En France, le mot renvoie spontanément au
représentant de l'espèce la plus connue, répandue sur tout le territoire
métropolitain, celle de *Turdus merula* ou *merle noir*, au plumage noir chez
le mâle (brun chez la femelle) et dont le chant est si caractéristique qu'il
a fourni la locution *siffler comme un merle* ; le *merle d'Amérique* ou *Turdus
migratorius*, s'il lui est certes comparable, est un oiseau différent, au plumage brunâtre et à la poitrine rousse (qui lui vaut au Québec le synonyme *rouge-gorge*) et dont le chant offre moins de virtuosité (v. Mercier
2000 : 303-304). Si le mot **rossignol** renvoie en France à un représentant de l'espèce *Luscinia megarhynchos* L., autrement dit *rossignol philomèle*, il
désigne en Amérique, divers passereaux appréciés pour leur chant, notamment le bruant chanteur au Québec (*Melospiza melodia)* et non pas
simplement « un oiseau » (Peleman 1976) ; il a même, selon les *Relations*

---

[5] Distinction faite depuis Denys (1671).

des jésuites, servi à désigner la marmotte ou siffleux[6] ! On évitera encore d'amalgamer sous **ortolan** le représentant de l'espèce *Emberiza hortulana* L. (l'ortolan de France qu'on appelle aussi *bruant orlotan*) et le *zòtolan* qui à Haïti, par exemple, désigne le *Columbina passerina* (Valdman 1981)[7].

La plupart des termes de la faune et de la flore se prêtent à de telles remarques et nombre de mots, d'apparence aussi banale que *chevreuil* ou *sapinette*, offrent des contenus très différents de chaque côté de l'Atlantique.

Voici quelques autres exemples intéressants notamment en Haïti, dans le domaine de la faune :

araignée-crabe n. f. « grosse araignée aux morsures doulou-reuses ». Attesté depuis la fin du 18e siècle (1776 « l'**araignée-crabe** elle-même, quelque monstrueuse et vigoureuse qu'elle soit, est aussi-tôt vaincue qu'attaquée [par l'ichneumon] » Nicolson 1776 : 364 ; 1797 « des **araignées-crabes** ou à cul rouge, y causent quelquefois des morsures douloureuses » Moreau de Saint-Méry 1797 : 265). Lexie absente des dictionnaires de référence, sauf de TLF qui, la confondant avec *crabe-araignée*, la range erronément à l'intérieur d'un paradigme abrité sous la définition "genre de crustacés voisins du crabe" (avec un exemple mal interprété de Morand 1941) ; elle est absente de FEW 25, ARANEUS.

têtard n. m. « variété de poisson d'eau douce ». Attesté en français depuis 1560 (GLLF « dans certaines régions » ; TLF « vieilli » ; Robert « régional »), mais il s'agit d'un poisson de France, de l'espèce *Cottus gobio*, alors que l'exemple que donne TLF vaut pour la Louisiane (Baudry des Lozières 1802) ; cf. Bazalgues 1974 [*ca* 1800] : 166b : « Le *têtard* à Saint-Domingue est un poisson de rivière ainsi appelé à cause de sa grosse tête. Il a la forme de nos *cadases* [= chabots], à peu près la grosseur d'une carpe ordinaire. Sa chair est molle, quoiqu'assez bonne ». Peleman (1976) reste dans le vague : *téta* « un poisson » ; aj. à FEW 13/1, 278b, TESTA.

---

[6] « [...] nos François l'appellent le siffleur ou le Rossignol, ils luy ont donné ce nom, parce qu'encore qu'il soit de la chasse des animaux terrestres, il chante néantmoins comme un oiseau, ie dirois volontiers qu'il siffle comme une Linotte bien instruite [...] il n'a pas une grande variété de tons, mais il dit tres-bien la leçon que la nature lui a apprise » (Paul Le Jeune 1634, dans Thwaites1896-1901, vol. 6 : 312).

[7] « Cette espèce [la colombe à queue noire, à peine plus grande qu'un moineau] se rencontre depuis le sud de la Californie, le centre de l'Arizona, le sud du Texas et la Caroline du Sud, jusqu'au Costa Rica, au nord-est de l'Amérique du sud et aux Grandes et petites Antilles » (Godfrey 1986 : 335).

Et encore, dans le domaine de la flore :

> **abricot** n. m. « fruit de *Mammea americana* L. ». Attesté depuis le 18ᵉ s.
> (av. 1730 « le fruit appelé par eux *mamei* et par nous abricot de St-
> Domingue » Le Pers, f. 38v°) ; 1797 (« le monstrueux abricot » Mo-
> reau de Saint-Méry 1797 : 435) ; *ca* 1800 (« On appelle **abricot** à Saint-
> Domingue un fruit de la grosseur d'un ballon, qui n'a de notre abricot
> que la couleur. Il a 3 noyaux un peu plus gros qu'un œuf de pigeon,
> ceux-ci sont bons pour faire passer le farcin aux chevaux. L'arbre qui
> porte ce fruit est un bel arbre ; sa feuille ressemble à celle du laurier »
> Bazalgues 1974 : 46b) ; 1802 (« L'abricot des Antilles n'a aucune res-
> semblance avec celui d'Europe […] » [créole : *z'abricot*] Ducœurjoly
> 1802 : 285). Jourdain (1956 : 289) *zabricot* ; cf. Faine (1974)
> « L'abricotier d'Haïti est un grand arbre répandu en divers pays de
> l'Amérique tropicale où il est connu sous le nom de *mamey de Santo
> Domingo* » ; Valdman (1981) ; Telchid (1997) ; absent des dictionnaires
> de référence et de FEW 8, 284a-b, PRAECOQUUM.

> **cerise** n. f. « fruit de la malpighie ». Attesté depuis 1654 (« de petites
> **cerises** noires assez semblables aux merises de l'Europe. Dans le mi-
> lieu du fruit, il y a trois petits noyaux assez tendres » Du Tertre 1654 :
> 247) ; 1776 (« Cette baie paroît à la vue tout-à-fait semblable à nos **Ce-
> rises** de France : elle est attachée à une petite queue, et renferme trois
> noyaux striés, aîlés » Nicolson 1776 : 205) ; *ca* 1800 (« Ce qu'on appelle
> **cerise** à Saint-Domingue est un fruit ressemblant parfaitement de
> forme, de couleur et de goût à l'*agrioto* languedocienne. L'arbre res-
> semble aussi beaucoup à notre *agrioutié*, mais la différence est grande
> dans les deux fruits lorsque l'on considère l'intérieur, après en avoir
> mangé la chair : dans l'un, il vous reste un noyau rond à la main, et
> dans l'autre, trois petites graines triangulaires, ce qui le met au rang des
> fruits à pépins » Bazalgues 1974 : 212b). — Faine (1974) « Le fruit ap-
> pelé (par analogie) *cerise* en Haïti n'est pas le même que celui de
> France » ; Valdman (1981) *seriz* ; TLF et Robert *cerise des Antilles* ; ab-
> sent de FEW 2, 600a CERASEUM.

3. Faits partagés

3.1. La distribution de ces faits n'est pas marquée géographiquement en France

On trouvera ailleurs des exemples de premières attestations que
l'on peut glaner dans les sources considérées (Rézeau 1994 et 1997); on
peut désormais y joindre les relevés, dus principalement à l'équipe du

Trésor de la langue française au Québec, dans DDL 48[8] : termes courants (*ne connaître ni d'Eve ni d'Adam, agrafer, bermuda, bougonner, déneiger,* etc.), argotiques (*craque, avoir les crocs*). On y ajoutera, par exemple :

> **coulage** n. m. « gaspillage, détournement frauduleux ». Attesté depuis 1750 (« un beau **coulage** sur les liqueurs que j'y ay fait charger [dans le convoi destiné aux Illinois] pour le compte du roi » Lettre de Michel, gouverneur de la Louisiane, 22 janvier 1750, Paris, Arch. nat., Col. C^{13A}34, f° 295v°). — TLF (depuis 1837) ; FEW 2, 879b, COLARE (depuis 1863).

> **rafraichissement** n. m. « ravitaillement donné à un navire ». Attesté depuis 1586 dans une relation française se rapportant à la Floride (« Puis ayant descouvert [à la Floride] la rive toute bordée de Sauvages, pourveuz d'arcs & fleches, leur envoya son trompette pour les assurer (outre le signe de paix & d'amitié qu'il leur faisoit faire des navires) qu'ils n'estoient là venus que pour renouer l'amitié & l'ancienne confederation des François avec eux. Ce que le trompette executa si bien (pour y avoir demeuré des premiers souz Laudonniere) qu'il rapporta du Roy Satouriona, le plus grand des autres Roys, avec les offres d'amitié un chevreuil & autres viandes pour **rafraichissement** » Laudonnière 1586 : 115) ; 1640 (« Il est de la prudence de ne pas mettre tout ce que l'on a dans la même voiture, parce que si le vaisseau vient à se perdre, l'on perd tout à la fois tous ses **rafraichissemens**, et l'espérance de rien recevoir que l'année suivante » Oury 1971 : 117). — FEW 15/2, 177b, FRISK : pl. « vivres frais que reçoit un bâtiment au départ ou à une escale » (Furetière 1690–Larousse 1904).

3.2. *La distribution de ces faits est géographiquement marquée en France*

On n'insistera pas ici sur les faits, bien documentés en France à date ancienne, conservés aujourd'hui dans certaines aires de France et dans les français d'Amérique et qui, hérités d'un état plus ou moins ancien du français, constituent des archaïsmes[9]. Mais on illustrera certaines

---

8 DDL = *Datations et documents lexicographiques*. Base de données sur l'histoire du vocabulaire français, rassemblées sous la direction de Bernard Quemada, puis de Pierre Rézeau, Nancy (ATILF-CNRS).

9 En voici quelques exemples pris dans le DRF : — **beurrée** n. f. « tartine de beurre ; tartine recouverte d'une substance alimentaire autre que le beurre ». En France, principalement en Normandie, Bretagne romane, Maine, Anjou ; en Amérique, principalement au Québec et en Ontario (au Détroit, PH [Initiales du regretté Peter Halford

de ces convergences à travers des faits mal ou non attestés à date ancienne en France et dont les sources américaines disponibles permettent de mieux tracer l'histoire ou de suggérer le caractère diatopique.

3.2.1. L'étude des français d'Amérique permet de retracer l'histoire de certains faits en posant les premiers jalons chronologiques

— **aires discontinues.** C'est le cas d'un verbe comme *mouiller* qui est observé aujourd'hui d'une part dans l'Ouest (du sud de la Bretagne à Bordeaux) et dans la région lyonnaise. Même observation pour le dérivé *mouillasser*, largement répandu dans les français d'Amérique :

> **mouillasser** v. impers. « bruiner, crachiner ». Attesté au milieu du 18ᵉ siècle simultanément des deux côtés de l'Atlantique : au Détroit depuis 1744 (« il mouille : pleut [...] ; **mouillasse** » Halford 1994 : 69) ; 1745 « il **mouillasse** : pluvigne » Halford 1994 : 80 ; relevé de la bouche de J. Bondy, né à Montréal en 1700) et à Lyon *ca* 1750 (« **mouillasser**, pleuvoir par intervalles » Vurpas 1991). En France, le terme se maintient aujourd'hui d'une part dans le français du Centre-Ouest, depuis le sud de la Bretagne jusqu'à Bordeaux, et d'autre part dans la région lyonnaise. Il est aussi très courant dans les français d'Amérique où il a été relevé tout au long du 20ᵉ siècle : au Québec (GPFC, Dulong 1989), en Acadie (Poirier 1993; Massignon 1962, Cormier 1999 ; Naud 1999), à Saint-Pierre-et-Miquelon (Dérible 1986, Brasseur et Chauveau 1990), au Détroit (Almazan 1977), dans le Mis-

---

(Windsor, Ontario), qui a généreusement mis à ma disposition ses données]). — **cachette** n. f. « cache-cache ». En France, surtout Nord-Est et Sud-Est ; en Amérique : Québec, Ontario (au Détroit, PH), Acadie, Louisiane. — **clenche** n. f. « petit levier d'un loquet de porte ; loquet, poignée de porte (ou de fenêtre) ». En France, partie nord de la France (au nord d'une ligne allant de Nantes à Mulhouse) ; en Amérique : Québec (Halford 1994 : 88 *clanche*). — **graler** v. tr. et intr. « griller, rôtir ». En France, surtout caractéristique de l'Ouest et du sud de la Loire ; en Amérique : Québec, Acadie, Saint-Pierre-et-Miquelon, Louisiane. — **lard** n. m. « viande de porc ». En France, principalement Normandie et Centre-Ouest ; en Amérique : Québec, Ontario (au Détroit, PH) et Saint-Pierre-et-Miquelon. — **mâcher** v. tr. « contusionner, meurtrir ». En France, principalement partie méridionale ; en Amérique : Québec, Acadie, Louisiane, (traces dans l'Ontario et le Missouri, PH) — **piler** v. tr. « écraser » et **piler sur** « marcher sur ». En France, plusieurs aires à l'Ouest (*passim* de la Basse Normandie à la Gironde) et une petite aire bourguignonne ; en Amérique : Québec, Ontario (PH), Acadie, Saint-Pierre-et-Miquelon et Louisiane ; s'y ajoute le créole de La Réunion. — **tout partout** loc. adv. « absolument partout ». En France, aires périphériques (ouest parisien, nord et nord-est, Saône-et-Loire et Franche-Comté), avec des prolongements en Belgique romane, en Suisse romande et dans les français d'Amérique : Québec, Ontario (PH), Acadie, Louisiane.

souri (Dorrance 1935, Carrière 1937) et dans le français et le créole de Louisiane (Ditchy 1932, Daigle 1984, Griolet 1986, DLC *mouyase*).

avoine, dans **gagner son avoine** loc. verb. « se rouler par terre, sur le dos (en parlant d'un animal) ». Attesté depuis 1748 au Détroit (« *Sësk8oin* **gaigne son avoine** : *Se roule sur le dos* » Halford 1994 : 118 ; entendu de la bouche du Père de La Richardie). Première attestation de cette locution en ce sens, relevée seulement à la fin du 19e siècle à Issoudun (en parlant d'un âne) et en Savoie (en parlant d'un cheval) (FEW 17, 464b, *WAIDANJAN) et encore à la fin du 20e siècle dans les patois d'une petite aire occidentale (en parlant d'un cheval, mulet ou âne : Vendée, Deux-Sèvres, Charente, v. Dubois et al. 1999, 2 : 130 ; en parlant d'un cheval, v. Rézeau 1976).

— **aires homogènes**. Si l'on considère la répartition actuelle, on observe que les faits correspondent à une aire très vaste, de la Loire aux Pyrénées (*dalle*), ou à une aire plus restreinte, la Bretagne (*paré*), l'Anjou et le Poitou (*bouillée*), le Centre-Ouest (*far*), Anjou et Vendée (*tourner en jeu de chien*). Si l'on prend en compte l'épaisseur historique, on voit que des mots autrefois relevés dans diverses régions, ne sont aujourd'hui en usage que dans une aire très petite (*Michel Morin*).

● **De la Loire aux Pyrénées : dalle** n. f. « conduit horizontal qui reçoit les eaux de pluie du toit et les conduit au tuyau de descente ; tuyau de descente ». Attesté depuis 1684 au Québec dans un emploi analogue (« Sera laissé deux ouvertures dans la cave [...], pour placer des **dales** a esgoter les eaux, auxquelles ouvertures sera mis des pierres qui debouteront d'un pied au moins, pour placer lesdites dales » Arch. nat. du Québec, FTLFQ ; *ca* 1800 dans le français de Haïti « Ce bois [le bois-trompette] n'est bon à rien si ce n'est à faire des gouttières, des chêneaux ou *dalles* comme les appelle dans le pays » Bazalgues 1974 : 118a). Par leurs dates et leur dispersion géographique, ces attestations témoignent de l'ancienneté de ce sens, qui n'est repéré en France qu'au début du 19e siècle dans la région nantaise et en Dordogne, et qui est caractéristique aujourd'hui d'une aire qui s'étend de la Loire aux Pyrénées.

● **Bretagne : paré** adj. « prêt ». Attesté depuis *ca* 1760 (« Il ni a point de patois dans ce pais-ci : tous les Canadiens parlent français de même que nous, a la reserve de quelques mots qui leur sont particuliers, lesquels ils ont empruntés pour la plupart des matelots [...] **paré** pour dire qu'ils sont prets à faire une chose » Pontoire en préparation). Cet emploi caractéristique de la langue de la marine – et de l'aviation – est aussi usité, dans n'importe quel contexte, dans le français de Bretagne comme dans les français d'Amérique (Québec, Ontario [PH], Acadie, Saint-Pierre-et-Miquelon et Louisiane) et dans les créoles louisianais (DLC) et réunionnais.

• **Anjou et Poitou : bouillée** n. f. « groupe serré de végétaux (herbes, fleurs, arbres), touffe, bouquet ». Attesté depuis 1748 au Détroit (« 3 ou 4 bouillées d'herbes » Halford 1994 : 118 ; entendu de la bouche du Père La Richardie, s.j., né à Périgueux (Dordogne) en 1686 [séjours à Bordeaux, La Rochelle, Luçon, Saintes et Angoulême]) ; à la même date dans le français de l'Anjou (« une **bouillée** ou bouillerée de légumes comme de céleri » (Rézeau 1989). Caractéristique du sud-ouest du domaine d'oïl, ce type lexical est passé en Acadie, au Québec, en Louisiane et à Saint-Pierre-et-Miquelon. — **chien**, dans **tourner en jeu de chien** loc. verb. « dégénérer en bagarre ». Attesté depuis 1748 au Détroit (« ces badineries **tournent** ordinairement **en jeu de chien** : on se fâche à la fin » Halford 1994 : 115 ; entendu de la bouche du Père Léonard, s.j., né à Québec vers 1692, curé au Détroit). Première attestation de cette locution, qui semble étroitement localisée dans l'Ouest (Anjou, Vendée) et encore attestée au début du 21ᵉ siècle en Vendée (où l'on dit aussi *finir en jeu de chien* ; omis dans Rézeau 1976 et 1984) et a été relevée au Québec (ILQ) ; absente des dictionnaires de référence, elle n'a pas été prise en compte dans FEW (rien sous CANIS, JOCUS, TORNARE) ; cf. J. de La Chesnaye (*Revue du traditionnisme français et étranger*, 1906 : 234) « *O va finir en ju de ché* [ça va finir en jeu de chien] / Discussion futile, amusement, lutte pour rire dégénérant en gros mots et en coups » et Verrier et Onillon (1908) *jeu de chien* « jeu qui risque fort de dégénérer en rixe ».

• **Surtout Centre-Ouest : far** n. m. « farce (terme de cuisine) ». Attesté depuis 1744 au Détroit (« tenez un peu de far (pro) farce » Halford 1994 : 76 ; entendu de la bouche du Père de La Richardie) ; 1766 dans le français de Toulouse (« On reprenoit un jour un jeune homme, qui, à table demandoit du *fars* : on lui apprit qu'il devoit dire du *farci* » Desgrouais 1776). La première mention explicite de *far* référant à un far au gras se lit en 1810 dans le français du Québec (« **Fard** [...] employé pour Farce [...] mélange de diverses viandes, ou seulement d'herbes, d'œufs et d'ingrédiens, hachés menu et assaisonnés, qu'on met dans le corps de quelques animaux, ou dans quelque autre viande [...]. Bien peu de personnes employent ici le vrai mot » Blais 1998 : 63-64). Le terme *far* a été enregistré dans les dictionnaires québécois (Dunn 1976, Dionne 1974, GPFC) et il a été encore relevé sporadiquement au Québec dans la seconde moitié du 20ᵉ siècle (Dulong et Bergeron 1980, v. Blais 1998 :

192) ; il est aussi « toujours courant dans la côte du Détroit » (PH). Il a été relevé tout au long du 20ᵉ siècle dans le français et le créole de Louisiane (Ditchy 1932, Saucier 1949, Daigle 1984 *farre*, DLC). On notera qu'en Acadie, plus précisément dans les Maritimes, *fars* a le sens de « corail – œufs et foie – de certains crustacés tels le homard ou le crabe ; contenu du thorax du homard » (Naud 1999) ; cf. Poirier (1993) (« *fars, farce* se dit surtout pour le contenu de l'estomac d'un homard cuit » ; Massignon (1962) « foie de homard » ; Cormier (1999). **— pois verts** loc. nom. m. pl. « haricots verts ». Attesté depuis *ca* 1800 aux Antilles (« à Paris, des haricots verts, et dans les Antilles des **pois verts** » Bazalgues 1974 : 385a). Le terme *pois* a été longtemps utilisé dans les français et les créoles d'Amérique pour désigner divers légumes (« de vingt espèces » Moreau de Saint-Méry 1797 : 435) et il l'est toujours, comme dans certains parlers de France (ainsi dans l'Ouest), pour désigner les haricots. Absent des dictionnaires de référence ; aj. à FEW 8, 606a, PISUM, où cette lexie manque en ce sens ; Rézeau 1974 ; Chaudenson (1974 : 841) ; Telchid (1997).

• **Normandie : désert** n. m. « partie de terrain défrichée ; champ ». Déverbal de fr. *déserter* « essarter » (Furetière 1690–Trévoux 1771 [FEW]), *désert* est attesté depuis le 17ᵉ siècle des deux côtés de l'Atlantique (il semble, en France, caractéristique de l'Ouest, particulièrement de la Normandie) : 1656 (« trois ou quatre cens, qui étoient venus entendre la Messe, et qui devoient ensuite s'en retourner en leur **désert** » Oury 1971 : 584) ; 1670 (« faire des **déserts** pour semer des grains » Abbé de Gallinée, dans Margry 1879-1888, 1 : 122) ; 1682 (« On y avoit fait un grand **desert** et disposé les matériaux propres à bastir une grange » Cavelier de La Salle, dans Margry 1879-1888, 2 : 139) ; 1688 (« leurs champs ou **déserts**, ainsi qu'on les appelle dans ces cantons » et « [...] plusieurs Sauvages, lesquels étoient dans leurs champs, qu'ils appellent **déserts** dans ces pays » Joutel, dans Margry 1879-1888, 3 : 433 et 477). Enregistré dans Friederici (1960 : 238) ; McDermott (1941, citant Robin 1807) ; GPFC; Ditchy (1932); Massignon (1962, n° 626); DLC *dezèr* ; FEW 3, 319a, *EXSARTUM.

3.2.2. L'étude des français d'Amérique permet de reconstituer l'histoire de certains vocables aujourd'hui (et autrefois déjà, dans la plupart des cas) géographiquement marqués

La dispersion de certains faits de langue dans la francophonie américaine apporte un témoignage précieux sur leur ancienneté, que les sources françaises, dans l'état actuel de la documentation, sont parfois impuissantes à établir. On en prendra ici un aperçu à travers des faits étudiés dans le DRF ou pris en dehors de sa nomenclature :

— **Aires indéterminées : entourage** n. m. « clôture, palissade ». Par analogie du français *entourage* « ce qui entoure quelque chose » (seulement depuis 1780, TLF), cet emploi est attesté à la fin du 18ᵉ siècle à Saint-Domingue (« bien clore l'**entourage** du bois » Debien 1956 : 51) ; 1776 (« Ananas marron [...]. Cette plante est employée à faire des **entourages** que les Nègres et les bestiaux n'osent jamais franchir » Nicolson 1776); *ca* 1800 (« Dans ce pays-là [les Antilles], on fait une autre clôture, appelée *entourage*. Elle est construite de pieux fichés en terre et de gaules appelées *gaulettes* dans le pays, mises en travers des pieux et attachées à ceux-ci avec de[s] liens qu'on appelle *lianes* sur les lieux » Bazalgues 1974: 93b). Sa présence à La Réunion depuis 1734 indique qu'il était déjà usuel en France (Chaudenson 1974 : 693). Absent des dictionnaires de référence ; Telchid (1997) ; aj. à FEW 13/2, 54a, TORNARE. — **malingre** n. m. "ulcère". Attesté depuis la fin du 18ᵉ siècle : 1775 (« **malingres** souvent difficiles à guérir » Debien 1962 : 125) ; 1787 (« quelques fièvres, des **malingres** » Debien 1959 : 61) ; *ca* 1800 (« Le mot *malingre* dans la bouche du Créole des Antilles signifie ulcère » Bazalgues 1974 : 461b-462a) ; 1802 (« MALINGRE [...] en créole, c'est toute espèce de plaie » et « [français] Plaie [créole] *Malingre* » et « [français] Ulcère [créole] *Malingres* » Ducœurjoly 1802 : 331, 342 et 353). La présence du mot également à La Réunion (Chaudenson 1974 : 799) indique qu'il a été en usage en France, où il n'a cependant jamais été relevé en sens ; Chaudenson propose d'y voir un avatar du moyen français *malendre* « plaie, ulcère » (FEW 6/1, 81a, MALANDRIA), qu'une étymologie populaire a pu rapprocher de l'argot ancien *malingre* « gueux qui de fausses plaies [...] cherche à émouvoir la compassion » (FEW 6/1, 124b-125a, MALUS). Enregistré dans Jourdain (1956 : 68) *melingue*, ce sens est absent des dictionnaires de référence et de FEW, *loc. cit.*

— **Ouest et Sud-Ouest : loche (gras comme une –)** loc. adj. « gras ; grassouillet, dodu ». La locution, « surtout employée de nos jours dans l'Ouest et le Sud-Ouest » (DRF), a été aussi relevée en 1962 à Saint-Pierre-et-Miquelon (ILQ). Elle est documentée depuis 1745 (« il est **gras comme une loche** (poisson) » dans Halford 1994 : 81, qui a recueilli l'expression auprès du Père de La Richardie ; on peut penser que la parenthèse est due au Père Potier, qui confond le mollusque (la limace, dont il s'agit ici) et le poisson.

— **Grand-Ouest : élingué** adj. et n. « escogriffe ». Attesté depuis *ca* 1800 dans le français des Antilles (« une grande personne, maigre, d'une taille effilée. Certaines gens disent un *élingué*, un *grand élingué*, surtout chez le Créole de Saint-Domingue, mais le terme n'est point français » et « Dans les îles Antilles on l'appelle [un homme élancé et dégingandé] un *élingué*, un *grand élingué*, terme expressif mais point français » Bazalgues 1974 : 358a et 446a). Emprunté aux parlers de l'Ouest (notamment Normandie, Bretagne, Saintonge ; FEW 17, 147b, *SLINGA), le mot est aussi passé dans le français du Canada et de la Louisiane (v. Rézeau 1997 : 325). Il est absent des dictionnaires de référence. — **fort (être – sur qqc)** loc. verb. « aimer particulièrement manger ou boire qqc. ». Cet emploi particulier de fr. *être fort sur qqc.* « avoir du goût, de la prédisposition (pour une activité) » (TLF, Robert), est bien attesté dans certaines régions de France, surtout dans l'Ouest (Haute-Bretagne, Mayenne, Sarthe, Maine-et-Loire, Vendée ; Puy-de-Dôme). Mais une enquête d'ensemble permettrait sans doute d'élargir cette aire. Cet emploi est probablement ancien du fait de son usage actuel à Saint-Pierre-et-Miquelon, au Québec et en Louisiane, alors qu'il n'est pas documenté en France avant 1908 (DRF).

— **Bretagne romane, Maine, Centre-Ouest : misère** n. f. **avoir de la misère** loc. verb. « avoir de la peine, de la difficulté ». Signalée dans les dictionnaires de référence comme un régionalisme de l'Ouest (v. DRF pour l'extension exacte) et du Canada, la locution (qui s'appuie sur un sens de *misère* « peine, difficulté » depuis 1549, v. FEW 6/2, 169a, MISERIA) est courante dans toute l'Amérique francophone, où elle est documentée depuis 1752 (« J'arrive apres **avoir eu** bien **de la misere** à Montreal » J. Legardeur de Saint-Pierre, dans FTLFQ) ; cette dispersion indique une création antérieure au 18ᵉ siècle. Aux références du DRF, ajouter Daigle (1984) et Telchid (1997, *voir de la misère*). — **faire de la misère à qqn** loc. verb. « rendre malheureux, être méchant avec qqn ; taquiner, importuner qqn ». La documentation du DRF n'a pas permis de remonter avant le 19ᵉ siècle l'apparition de cette locution, variante de fr. *faire des misères à qqn* (lequel n'est documenté que depuis 1867). Mais le fait qu'elle soit bien attestée dans les français d'Amérique du Nord (et en créole louisianais, v. DLC *fe lamizɛ̃*) indique là encore une création antérieure au 18ᵉ siècle. Aux références du DRF, ajouter Daigle (1984).

— **Anjou, Pays nantais, Saintonge : sous-tirer** v. tr. « attirer (dans une intention malveillante) ». Attesté depuis *ca* 1800 dans le français de Saint-Domingue (« Cependant, tous les Nègres ne se retirent point dans les bois lorsqu'ils sont fugitifs : ceux accoutumés à un certain quartier du pays, les Créoles accoutumés à une vie plus molle que les importés de l'Afrique, les négresses, les négrillons, sont errants dans les villes ou se retirent dans les quartiers habités où ils ont des habitudes, quelquefois aussi attirés ou ***sous-tirés*** comme on dit dans le pays par leurs parens, par leurs amis pour tirer parti de leur travail ou pour les soustraire à la rigueur du châtiment qui leur est réservé par leur maître. Les attirer de la sorte est un crime au yeux de la loi et de la probité » Bazalgues 1974 : 130b-131a). Cet emploi péjoratif n'est attesté qu'à la fin du 19ᵉ siècle dans l'ouest de la France : Pays nantais *soutirer* « attirer », Saintonge « attirer chez soi avec une intention frauduleuse » et Anjou *sourtirer* « soutirer, attirer, séduire » (FEW 6/1, 405b et 418a, MARTYRIUM) ; le terme est attesté, à la même époque qu'à Saint-Domingue, à l'Île de France (aujourd'hui Maurice) et dans le même contexte (Chaudenson 1974 : 869). Absent des dictionnaires de référence, ce sens est toujours en usage aux Antilles (Telchid 1997 *soutirer* « receler, encourager les méfaits » et *soutireuse* « entremetteuse, complice »).

— **Normandie : grage** n. f. « râpe ». Attesté dans cet emploi aux Antilles depuis le milieu du 17ᵉ siècle : 1658 (« On la [la racine de manioc] racle d'abord avec un couteau [...] & puis on la rape ou grage (selon la frase du païs) avec une rape ou grage platte, de fer ou de cuivre » Rochefort, 443) ; 1665 (« rape ou grage » Breton, 194). Comme l'observe justement Friederici (1960), Breton n'emploie *grage* (et *grager*) qu'en français ; il s'agit en effet d'un terme d'origine normande qui a été enregistré dans les dictionnaires de Trévoux 1752 à Larousse 1949, voir FEW. Absent des dictionnaires de référence ; Friederici (1960 : 262-263) ; Jourdain (1956 : 84) ; Telchid (1997) ; FEW 23, 40b 'piler'.

— **Bordelais : Michel Morin** n. m. « homme à tout faire ; bricoleur habile ». Usuelle aujourd'hui dans la région de Bordeaux, cette lexie est attestée en France dans cet emploi depuis 1790 ; son extension y est aujourd'hui très limitée géographiquement, après avoir été signalée au 19ᵉ siècle dans le Nord, à Paris et dans la région nantaise. Mais sa dispersion aux Antilles et à La Réunion confirme l'ancienneté du mot. Aux références du DRF, ajouter Telchid (1997) et aussi, confirmant la référence nantaise de FEW : « Un Français sorti [= venu] de la Guadeloupe, un peu **Michel Morin** de son métier » (6 janvier 1879, du journal d'Armand Massé, né à 40 kilomètres au sud de Nantes, v. Rézeau et Rézeau 1995, 1 : 157).

4. Conclusions

Soulignant naguère les avantages du « principe de l'extension aux français d'outre-mer de l'étude comparée des créoles », Robert Chaudenson (1973 : 371) les résumait ainsi : « mise en évidence de la spécificité ou de la non-spécificité de faits linguistiques » que peut entraîner cette perspective ; confirmation de données incertaines ou fragmentaires, amélioration du *terminus a quo* et *ad quem* de datations, informations nouvelles sur l'état ancien des dialectes et parlers populaires français ; enfin, « moyen efficace d'éclairer le délicat problème de la genèse des créoles français ».

C'est aux mêmes résultats que conduit cet aperçu, dressé à partir de l'examen de quelques sources. Il convient de souligner vivement le bénéfice d'une telle étude comparative : il n'est pas, pour la langue française, de recherche comparative qui ne soit un enrichissement mutuel des deux côté de l'Atlantique. On ne saurait trop, à cet égard, encourager le développement de bases de données métalinguistiques (comme la BDLP[10]) et de données textuelles, alimentées par des documents anciens notamment des 17e et 18e siècles, soit littéraires et riches en faits de langue proche de l'oral (comédies, chansons, pièces satiriques), soit, surtout, non littéraires et au plus près de l'usage réel (correspondances, journaux intimes, archives judiciaires, inventaires notariés).

---

[10] Base de données lexicographiques panfrancophone, initiée par Bernard Quemada et conduite aujourd'hui par Claude Poirier à l'Université Laval, dans le cadre de l'Agence Universitaire de la Francophonie (http://www.tlfq.ulaval.ca/bdlp/).

Références

ALMAZAN, Vincent. 1977. *Les Canadiens-français du Détroit. Leur parler*, (Documentation du Trésor de la langue française au Québec), texte dactylographié, Belle-Rivière, Ontario.

BAZALGUES, Gaston. 1974. *Dictionnaire languedocien-français* [lettres A–J], manuscrit (*ca* 1800), conservé à Béziers (Centre international d'études occitanes). [reproduit et précédé d'une préface par G. Bazalgues, Montpellier].

BAUDRY DES LOZIÈRES, Louis-Narcisse. 1802. *Voyage à la Louisiane, et sur le continent de L'Amérique septentrionale, fait dans les années 1794 à 1798*, Paris, Dentu.

BAUDRY DES LOZIÈRES, Louis-Narcisse. 1803. *Second Voyage à la Louisiane, faisant suite au premier de l'auteur de 1794 a 98*, 2 vol., Paris, Charles.

BERTHIAUME, Pierre (éd.) 1994 [éd. critique]. CHARLEVOIX, François-Xavier. *Journal d'un voyage fait par ordre du roi dans l'Amérique septentrionale*, 2 vol., Montréal, Les Presses de l'Université de Montréal.

BLAIS, Suzelle (éd.). 1998. *Néologie canadienne de Jacques Viger (manuscrits de 1810)*, Ottawa, Presses de l'Université.

BRASSEUR, Patrice et Jean-Paul CHAUVEAU. 1990. *Dictionnaire des régionalismes de Saint-Pierre et Miquelon*, Tübingen, Max Niemeyer Verlag.

BRETON, Le R. P. Raymond. 1665. *Dictionnaire caraïbe-françois*, [réimpri : Leipzig, B.G. Teubner, 1892].

CANAC-MARQUIS, Steve et Pierre RÉZEAU (éd.). À paraître. *Le Journal d'Étienne-Martin Vaugine de Nuisement (ca 1765)*, Québec, Presses de l'Université Laval.

CARRIÈRE, Joseph-Médard. 1937. *Tales from the French Folk-Lore of Missouri*, Evanston, Illinois, Northwestern University.

CHAUDENSON, Robert. 1973. « Pour une étude comparée des créoles et parlers français d'outre-mer : survivance et innovation », *Revue de linguistique romane*, 37 : 342-372.

CHAUDENSON, Robert. 1974. *Le Lexique du parler créole de La Réunion*, 2 vol., Paris, Librairie Honoré Champion.

COPPIER, Guillaume. 1645. *Histoire et voyage des Indes occidentales, et de plusieurs autres régions maritimes et esloignées…*, Lyon, Huguetan.

CORMIER, Yves. 1999. *Dictionnaire du français acadien*, s.l., Fides.

DAIGLE, Jules O. 1984. *A Dictionary of the Cajun Language*, Ann Arbor, Michigan, Edwards Brothers Inc.

DEBIEN, Gabriel. 1956. *Études antillaises*, Paris, Colin.

DEBIEN, Gabriel. 1959. *Un colon sur sa plantation*, Dakar, Université de Dakar, Publications de la section d'histoire 1.

DEBIEN, Gabriel. 1962. *Plantations et esclaves à Saint-Domingue*, Dakar, Université de Dakar, Publications de la section d'histoire 3.

DENYS, Nicolas. 1671. *Histoire naturelle des peuples, des animaux, des arbres et plantes de l'Amerique septentrionale, et de ses divers climats*, t. 1, Paris, Claude Barbin.

DÉRIBLE, Marc. 1986. *Mots et expressions de Saint-Pierre et Miquelon*, Saint-Pierre et Miquelon, Impr. administrative.

DESGROUAIS. 1776. *Les Gasconismes corrigés. Ouvrage utile à toutes les Personnes qui veulent parler et écrire correctement, et principalement aux jeunes gens, dont l'éducation n'est point encore formée*, Toulouse, J.-J. Robert.

DHFQ : POIRIER, Claude (dir.) et l'Équipe du Trésor de la langue française au Québec. 1988. *Dictionnaire historique du français québécois. Monographies lexico-graphiques de québécismes*, Sainte-Foy, Presses de l'Université Laval.

DIONNE, Narcisse-Eutrope. 1974. *Le parler populaire des Canadiens français*, Québec, Les Presses de l'Université Laval. [réimpr. de 1909].

DITCHY, Jay K. 1932. *Les Acadiens louisianais et leur parler*, Paris, Droz. [réimpr. : Genève, Slatkine, 1977].

DLC : VALDMAN, Albert, Thomas A. KLINGLER, Margaret M. MARSHALL et Kevin J. ROTTET. 1998. *Dictionary of Louisiana Creole*, Bloomington, Indiana, Indiana University Press.

DORRANCE, Ward Allison. 1935. *The survival of French in the old district of Sainte-Genevieve*, Columbia, The University of Missouri.

DRF : RÉZEAU, Pierre (éd.). 2001. *Dictionnaire des régionalismes de France. Géographie et histoire d'un patrimoine linguistique*, Bruxelles/Louvain-la-Neuve, De Boeck/Duculot.

DUBOIS, Ulysse, Jacques DUGUET, Jean-François MIGAUD, et Michel RENAUD. 1992-1994. *Glossaire des parlers populaires de Poitou, Aunis, Saintonge, Angoumois*, 3 vol. + Supplément (1999), Saint-Jean-d'Angély (Les Granges), Société d'études folkloriques du Centre-Ouest.

DUCŒURJOLY, S.-J. 1802. *Manuel des habitans de Saint-Domingue*, 2 vol., Paris, Lenoir.

DULONG, Gaston. 1989. *Dictionnaire des canadianismes*, Montréal, Larousse Canada.

DULONG, Gaston et Gaston BERGERON. 1980. *Le parler populaire du Québec et de ses régions voisines : atlas linguistique de l'Est du Canada*, Québec, Ministère des communications.

DUNN, Oscar. 1976. *Glossaire franco-canadien et vocabulaire de locutions vicieuses usitées au Canada*, Québec, Les Presses de l'Université Laval. [réimpr. de l'original de 1880].

DU TERTRE, Jean-Baptiste. 1654. *Histoire generale des Isles de l'Amerique*, Paris, Jacques Langlois, Emmanuel Langlois.

FAINE, Jules. 1974. *Dictionnaire français-créole*, Montréal, Léméac.

FEW : WARTBURG, Walther von. 1922-2003. *Französisches Etymologisches Wörterbuch : eine darstellung des galloromanischen sprachschatzes*, 25 vol., Bonn : Klopp, 1928 ; Leipzig-Berlin : Teubner, 1934 et 1940 ; Basel : Helbing et Lichtenhahn, 1946-1952 ; Basel : Zbinden, 1955-2003.

FTLFQ : Fichier lexical du Trésor de la langue française au Québec, Université Laval, Québec.

FRIEDERICI, Georg. 1960. *Amerikanistisches Wörterbuch und Hilfwörterbuch für den Amerikanisten*, 2ᵉ éd., Hambourg, Gram, De Gruyter & Co.

GIRAUD, Marcel. 1957. « L' "Exacte description de la Louisiane" d'Etienne Véniard de Bourgmont », *Revue historique* 217 : 29-41.

GLLF : 1971-1978. *Grand Larousse de la langue française en sept volumes*, Paris, Librairie Larousse.

GODFREY, W. Earl. 1986. *Les oiseaux du Canada*, 2ᵉ éd., Ottawa, Musée national des sciences naturelles/Musées nationaux du Canada.

GPFC : Société du parler français au Canada. 1930. *Glossaire du parler français au Canada*, Québec, L'Action sociale.

GRIOLET, Patrick. 1986. *Mots de Louisiane. Étude lexicale d'une francophonie*, Göteborg, Acta Universitatis Gothoburgensis ; Paris, L'Harmattan.

HALFORD, Peter W. (éd.). 1994. *Le français des Canadiens à la veille de la Conquête. Témoignage du père Pierre Philippe Potier, s. j.*, Ottawa, Les Presses de l'Université d'Ottawa. [manuscrit, daté 1743-1758].

ILQ : Index lexicologique québécois. Base de données du Trésor de la langue française au Québec, Université Laval, Québec. http://www.tlfq.ulaval.ca

JOURDAIN, Élodie. 1956. *Le Vocabulaire du parler créole de la Martinique*, Paris, Klincksieck.

LAUDONNIÈRE, René de. 1586. *L'Histoire notable de la Floride située ès Indes occidentales*, Paris, chez Guillaume Auvray. [réimpression en fac-similé : Lyon, Les Presses de Audin, 1946].

LE MASCRIER, Jean-Baptiste. 1753. *Mémoires historiques sur la Louisiane [...] composés sur les mémoires de Monsieur Dumont*, Paris, Cl. J. B. Bauche.

LE PAGE DU PRATZ, Antoine S. 1758. *Histoire de la Louisiane*, 3 vol., Paris, De Bure l'aîné, la Veuve Delaguette; Lambert.

LE PERS, Père Jean-Baptiste. av. 1730. *Mémoires pour l'histoire de l'isle de Saint-Domingue*, Paris, Bibl. nat., ms fr. 8990.

MARGRY, Pierre (éd.). 1879-1888. *Découvertes et établissements des Français dans l'ouest et dans le sud de l'Amérique septentrionale, 1614-1698. Mémoires et documents inédits*, 6 vol., Paris, Maisonneuve et Cⁱᵉ.

MASSIGNON, Geneviève. 1962. *Les Parlers français d'Acadie. Enquête linguistique*, 2 tomes, Paris, Klincksieck.

MCDERMOTT, John Francis. 1941. *A Glossary of Mississippi Valley French 1673–1850*, Washington University Studies, Saint Louis, Missouri.

MERCIER, Louis. 2000. « La difficile cohabitation des points de vue européen et nord-américain dans les dictionnaires du français : le cas du vocabulaire ornithologique », dans MARIE-ROSE SIMONI-AUREMBOU (dir.), *Français du Canada-Français de France. Actes du 5ᵉ colloque international de Bellême du 5 au 7 juin 1997*, Tübingen, Niemeyer, 291-305.

MORAND, Paul. 1941. *L'homme pressé*, Paris, Gallimard.

MOREAU DE SAINT-MÉRY, Médéric-Louis-Élie. 1797. *Description topographique, physique, civile, politique et historique de la partie française de l'Isle de Saint-Domingue*, [nouv. éd. par Blanche MAUREL et Étienne TAILLEMITE : Paris, Société française d'histoire d'outre-mer, 1984].

NAUD, Chantal. 1999. *Dictionnaire des régionalismes du français parlé des îles de la Madeleine*, L'Étang-du-Nord, Québec, Les Éditions Vigaud.

NICOLAS, Louis. ca 1685. *Histoire naturelle*, Paris, Bibliothèque nationale, ms fr. 24225.

NICOLSON, O.P. 1776. *Essai sur l'histoire naturelle de Saint-Domingue*, Paris, Gobreau.

OURY, dom Guy (éd.). 1971. *Mère Marie de l'Incarnation, ursuline (1599-1672). Correspondance*, Solesmes, Abbaye Saint-Pierre.

PELEMAN, L. F. 1976. *Dictionnaire créole-français*, Port-au-Prince, Bon nouvel.

PETITJEAN ROGET, Jacques. 1980. *La société d'habitation à la Martinique*, 2 vol., Lille : Atelier de reproduction des thèses.

PH : Données rassemblées par Peter HALFORD, avec la collaboration de Marcel BÉNÉTEAU, sur le français du Détroit.

POIRIER, Pascal. 1993. *Le Glossaire acadien*, éd. critique établie par Pierre M. GÉRIN, Moncton, Éditions d'Acadie; Centre d'études acadiennes. [éd. de l'original de 1927-1933].

PONTOIRE, Jean (éd.). En préparation. *Mémoires* de Jean-Baptiste d'Aleyrac, f. 32.

READ, William A. 1963. *Louisiana-French*, 2ᵉ éd., Baton Rouge, Louisiana State University Press.

RÉZEAU, Dominique et Pierre Rézeau. 1995. *De la Vendée aux Caraïbes : le Journal, 1878-1884, d'Armand Massé, missionnaire apostolique*, 2 vols., Paris, L'Harmattan.

RÉZEAU, Pierre. 1974. « Les dénominations du haricot et du petit pois en Vendée et dans l'Ouest de la France (en marge de la carte 267 de l'ALO) », *Revue de linguistique romane*, 38 : 432-443.

RÉZEAU, Pierre. 1976. *Un patois de Vendée. Le Parler rural de Vouvant*, Paris, Klincksieck.

RÉZEAU, Pierre. 1984. *Dictionnaire des régionalismes de l'Ouest entre Loire et Gironde*, Les Sables-d'Olonne, Le Cercle d'or.

RÉZEAU, Pierre. 1989. (Avec la collaboration de Jean-Paul CHAUVEAU), *Dictionnaire angevin et françois (1746-1748) de Gabriel-Joseph Du Pineau, Édition critique d'après Paris, Bibl. nat., nouv. acq. fr. 22097*, Paris, Klincksieck.

RÉZEAU, Pierre. 1994. « L'apport des français d'Amérique à l'étude de la langue française », dans Claude POIRIER (dir.), *Langue, espace, société. Les variétés du français en Amérique du Nord*, Les Presses de l'Université Laval, 361-386.

RÉZEAU, Pierre. 1997. « Toward a Lexicography of French in Louisiana », dans Albert VALDMAN (dir.), *French and Creole in Louisiana*, New York, Plenum, 315-332.

RÉZEAU, Pierre. 2000. « Le français de référence et la lexicologie/lexicographie différentielle en Europe », dans *Le français de référence. Constructions et appropriation d'un concept. Actes du colloque de Louvain-la-Neuve, 3-5 novembre 1999*, Cahiers de l'Institut de linguistique de Louvain, t. 1, 157-185.

Robert : REY, Alain (dir.). 2001. *Le grand Robert de la langue française : deuxième édition du Dictionnaire alphabétique et analogique de la langue française de Paul Robert*, sous la responsabilité d'Alain REY et Danièle MORVAN, 6 vol., Paris, Dictionnaires Le Robert.

ROCHEFORT, César de. 1658. *Histoire naturelle et morale des Iles Antilles de l'Amérique*, Rotterdam, Arnould Leers.

SAUCIER, Corinne Lelia. 1949. *Histoire et traditions de la paroisse des Avoyelles en Louisiana*, thèse de doctorat inédite, Université Laval, Québec.

TELCHID, Sylviane. 1997. *Dictionnaire du français régional des Antilles (Guadeloupe, Martinique)*, Paris, Bonneton.

THWAITES, Reuben Gold (éd.). 1896-1901. *The Jesuit Relations and Allied Documents. Travels and Explorations of the Jesuit Missionaries in New France, 1610-1791*, Cleveland, Burrows Brothers Company.

TLF : IMBS, Paul (vol. 1-7) et QUEMADA, Bernard (vol. 8-16) (dirs.). 1971-1994. *Trésor de la langue française. Dictionnaire de la langue du XIXe et du XXe siècle*, Paris, Gallimard; CRNS-Editions. [http://www.atilf.fr/tlfi].

VALDMAN, Albert (dir.). 1981. *Haitian Creole-English-French Dictionary*, Bloomington, Indiana University, Creole Institute.

VERRIER, A.-J. et R. ONILLON. 1908. *Glossaire étymologique et historique des patois et des parlers de l'Anjou*, 2 tomes, Angers, Germain et G. Grassin.

VURPAS, Anne-Marie. 1991. *Le Français parlé à Lyon vers 1750, Édition critique et commentée des Mots lyonnois de G.-J. Du Pineau (d'après Paris, Bibl. nat., nouv. acq. fr., 22097)*, Paris, Klincksieck.